DRAMÂU GWENLYN PARRY:
Y CASGLIAD CYFAN

Dramâu Gwenlyn Parry:
y Casgliad Cyfan

Argraffiad cyntaf—2001

ISBN 1 85902 779 2

(h) Ann Beynon a Sera Beynon Jones

Dymuna'r cyhoeddwyr gydnabod cymorth
Adrannau Cyngor Llyfrau Cymru.

Cyhoeddwyd gyda chymorth ariannol
Cyngor Celfyddydau Cymru.

Argraffwyd gan
Gwasg Gomer, Llandysul, Ceredigion SA44 4QL

Cynnwys

Rhagair

Bu farw ffrind pennaf Gwenlyn, Rhydderch Jones, ar 4 Dachwedd 1987. Fel y dywedodd Gwenlyn, 'Bechod na 'sa fo 'di aros tan y 5ed iddo fo gael mynd allan efo bang!' Er mor ddirdynnol o boenus oedd colli Rhydd iddo, roedd yn troi at hiwmor i drïo dargyfeirio'r galar. Yr eironi pennaf, wrth gwrs, yw mai ar noson Guto Ffowc, ym 1991, y bu farw Gwenlyn. Mi gafodd fynd allan efo bang.

Ac felly hefyd ei fyw: yn llawn asbri. Erys yn fêt ac yn gymeriad bythgofiadwy. Dyna lle byddai o'n ista—yn llygad sylw'r cwmni, nid am ei fod yn hawlio sylw ond am ei fod yn hoelio sylw. Efo'i lais mwyn, tawel, a'i fwstas walrys, gan sychu'i wyneb â'i law, yn llwyr o'i dalcen i'w ên, fel pe bai'n sychu atgof gwneud drygau enbyd ddigywilydd. A golwg syn ar ei wyneb wrth adrodd stori am ryw droeon trwstan a thinc syn yn ei lais. Dyna 'nâi o'n gystal storïwr, decini, y ffaith fod pob stori'n newydd sbon danlli iddo yntau hefyd. Ac roedd hi'n hyfrydwch clywed stori fwy nag unwaith, er mai anaml y câi rhywun y pleser amheuthun hwnnw gan gymaint o stôr oedd ganddo. Dawn geiriau, mewn bywyd go iawn ac yn ei waith fel ei gilydd. A phob hanesyn ganddo yn fyw fel ffilm *technicolour*—dwi'n gallu gweld y giamocs yn Ysgol Dyffryn Ogwen, Bethesda, pan oedd Gwenlyn yn athro yno, heb sôn am fisdimanars rif y gwlith y ddau rapscaliwn yna o Gaernarfon, Wil Napoleon a Mons Bach.

Mae ei lais wedi ei serio ar y cof. A bwrlwm ei iaith a'i lais i'w clywed ym mhob sill o'i ddramâu a darnau ohono ar wasgar ar hyd-ddynt. Mae ei ddramâu cynnar yn fywgraffyddol iawn, a phrofiad Gwenlyn yn ddefnydd crai iddynt: mae *Y Ddraenen Fach*, er enghraifft, yn seiliedig ar straeon ei dad yn yr Ail Ryfel Byd. Roedd wedi ymuno â'r fyddin fel cogydd er nad oedd rhaid iddo (roedd bod yn chwarelwr yn 'reserved occupation'). Bu'r ffaith fod ei dad wedi bod dramor yn ystod blynyddoedd ei brifiant yn gryn ddylanwad ar Gwenlyn. O pan oedd yn saith oed tan ei fod yn dair ar ddeg, fo oedd gŵr y tŷ. Roedd yn byw gyda'i fam a'i chwaer, Margaret. Yn wir, roedd y tri yn cysgu hefo'i gilydd yn yr un gwely drwy'r rhyfel. Mae'n bosib mai hyn sy'n gyfrifol am y merched cryf yn ei ddramâu. Pan ddaeth ei dad yn ôl, roedd rhaid iddo addasu. Roedd Gwenlyn ar ganol ysgrifennu drama am y profiad yma, *Nhad a Vera Lynn*, pan fu farw. Weithiau, rhyw bethau bach gwirion o'i brofiad sy'n codi'u pennau yn y dramâu: gweld doliau yn rhesi ar silffoedd Woolworth oedd egin *Saer Doliau*; ac mae Wilias

yn *Y Ffin* yn deillio o ryw gymeriad rhyfedd y rhoddodd Gwenlyn lifft iddo unwaith, cymeriad a chanddo goler gweinidog a daps. Dro arall, cawn gipolwg ar bethau mawr pwysig oedd yn ei gnoi:

> *Dressing Room One* ydi hon, . . . paid byth ag anghofio hynny. Ac os ydw i'n mynd ar ôl heno, fel dach chi'n meddwl y dylwn i fynd, fel ma'r Sanhedrin yn meddwl y dylwn i fynd. 'Gawn ni warad ohono fo!' 'Mae o'n rhy gegog!' 'Malio 'run botwm corn am awdurdod o unrhyw fath!' '*Balls* i bobol y Steddfod!' 'Twll i'r Academi!' 'A'r colejis!' Ches i 'rioed golej, dalltwch. Dyna'r farwol i'r theatr heddiw—gormod o wancyrs efo digrîs fel *Herald Môn* yn meddwl 'u bod nhw'n medru gneud popath—actio, cynhyrchu, cyfarwyddo . . . ma'n nhw hyd yn oed yn meddwl rŵan eu bod nhw'n medru sgwennu. 'Drychwch. Ma'n nhw i gyd wedi rhoi eu henwa fan'ma . . . a neith neb feiddio sgwennu ei enw fan'ma yn *Dressing Room One* os nad ydyn nhw wedi bod yma . . . sneb yn y busnas yma'n chwara bach efo ffawd! Gwrandwch—Max Wall, Wyn Calvin, Stan Stennett, Ryan Davies . . . pobol nymbar wan, dalltwch . . . wedi bod fan hyn! Wedi'r holl dreialon . . . wedi cario'r dydd. O leia mi nes i *Dressing Room One*, do, a heno mi ga i roid fy enw . . . Robert Deiniol— hogyn bach o Lanbabs . . .

Robert Deiniol, yn *Panto*—a Gwenlyn yntau. Hogyn bach o Lanbabo (Deiniolen fel mae'n cael ei alw'n amlach bellach) yn ei alw'i hun yn Dic pan oedd yn fychan am fod y plant ysgol yn tynnu ei goes ynghylch enw mor wirion â Gwenlyn. A pheidiodd o erioed â bod yn 'un o hogia'r graig', a rhythmau iaith y llethrau creigiog hynny ganddo bob amser. Roedd pawb yn gartrefol yn ei gwmni. A doedd dim achlysur yn mynd heibio, wrth fwrw'r diwetydd yn ei gwmni, nad oeddem yn g'lana' chwerthin. Roedd o'n medru dal ei dir ym myd y cyfryngau a byd llên ac ar yr un pryd dal pen rheswm efo dyn carthu ffosydd.

Saer geiriau. Dawn dweud. Yn mynd i lygad cymeriad ar amrantiad. Dyma eiriau agoriadol Saer Doliau:

> Helô, Giaffar . . . Giaffar, ydach chi yna? . . . Ifans sydd 'ma . . . Ifans Saer Doliau . . . Mae'n flin gen i'ch poeni chi, ond mae *o* wedi bod wrthi eto . . . *Fo*, Giaffar, fo sydd yn y selar. Mae o wedi bod yn prowla eto . . . Coes y ddol, Giaffar, coes Sera Jên. Wedi chwilio bob man, a does 'na neb arall alla fod wedi mynd â hi . . . Gwrandwch, Giaffar, faswn i ddim yn meiddio mynd â'ch amsar chi oni bai 'mod i wedi cael mwy na digon ar ei *antics* o . . . Do, wrth gwrs, mi fydda

i'n cloi bob nos. Dyna'r peth ola 'nes i, a phoeri ar yr allwedd wedyn. Poeri, Giaffar, poeri ar yr allwedd. Wel, os na fydda i'n cofio 'mod i wedi poeri ar yr allwedd, mi fydda i'n dod yn ôl bob cam rhag ofn 'mod i wedi anghofio cloi'r drws. Ond os bydda i'n cofio 'mod i wedi poeri ar yr allwedd, mi fydda i'n gwybod fod y drws wedi'i gloi, oherwydd ar ôl cloi'r drws y bydda i'n poeri ar yr allwedd. Dwi'n cofio poeri neithiwr, felly fe gafodd y drws ei gloi . . .

Ac os oedd straeon 'Parri' am droeon trwstan yn fyw fel rîl o ffilm, mae ei ddramâu, yn yr un modd, yn gyforiog o luniau. Y doliau dan eu clwyfau brith-draphlith yn *Saer Doliau*, y ddelw yn *Tŷ ar y Tywod*, y clawdd blêr yn draed moch trwy ganol *Y Ffin*, cysgod y tŵr dros y ddrama honno. A does ryfedd yn y byd. Roedd Gwenlyn yn hoff iawn o arlunio: byddai'n tynnu lluniau ei hun ac roedd ganddo nifer o ffrindiau oedd yn arlunwyr—a'r amlycaf yn eu mysg, Victor Neep, arlunydd *Y Tŵr*. Ac mae'n siŵr bod profiad Gwenlyn ym myd ffilm a theledu (*Grand Slam, Fo a Fe, Pobol y Cwm*, ac enwi ond dyrnaid) wedi rhoi min ar ei grebwyll o greu i'r llygad. Roedd yn deall i'r dim bwysigrwydd dal sylw'r gynulleidfa trwy greu chwilfrydedd o'r cychwyn cyntaf—y ddol yn troi'n ferch go iawn yn *Tŷ ar y Tywod*, y rheolwr llwyfan yn crwydro ymysg y gynulleidfa yn *Panto*, defnyddio ffilm yn *Y Tŵr*.

Y geiriau, wrth reswm pawb, sydd yn creu'r cymeriadau, yn cario'r ddrama rhagddi yn ddramatig. Ond mewn lluniau y mae cyfleu'r hyn sy'n wironeddol bwysig yn y dramâu, y lluniau sydd o'n blaenau'n wastad ac nid ydym prin yn meddwl amdanyn nhw. Dydyn nhw ddim yn ddramâu sydd yn athronyddu ac yn trafod materion dwfn. Drama ydi *Saer Doliau* am hen gono hanner-pan sy heb fod yn dallt lectrics ac sy'n siarad efo rhyw Giaffar dychmygol ar ffôn y mae'n amlwg nad yw'n gweithio gan nad oes ganddo gynffon (serch ei fod yn canu ar ddiwedd y ddrama). Os leciwch chi, dyna'r cwbwl. Ac mae hynny'n ddigon. Ond os mynnwch chi, mi gewch chi athronyddu ynghylch ei hystyr nerth esgyrn eich pen nes eich bod chi'n ddu-las. Mae *Y Ffin* yn ddrama am ddau heb fod yn llawn llathen yn ymgartrefu mewn hen gwt ar ochr mynydd; mae Now a Wilias yn mynd yn eu blaenau o dow i dow, nes dyfod trydydd person i chwalu eu gwynfyd. Chlywn ni ddim siw na miw am eu perthynas gyfnewidiol: ein llygaid sydd yn gweld sgerbwd hanes y ddrama heb glywed yr un gair. Daw'r dydd pan dynnir llinell baent trwy ganol eu cartref, ac yna, erbyn diwedd y ddrama, cawn hen wal wedi ei chodi i lein ddillad, stand hetiau, rhywbeth allan nhw roi bys arno fo. Dyna'r ddelwedd sy'n aros ar ddiwedd y ddrama. Ac wedyn *Y Tŵr*, drama am bâr priod yn bwrw einioes gyda'i gilydd, trwy law a hindda o fore oes hyd ei diwedd. Ond yr hyn sy'n gneud *Y Tŵr* yn fwy na drama am berthynas pâr priod ydi'r llun canolog ynddi, ei theitl—y tŵr sydd yn gysgod dros fywydau'r ddau ac yn cynrychioli eu bywydau a'u taith ar i fyny.

Mae 'na gymaint i'w weld (yn llythrennol) yn nramâu Gwenlyn a hynny'n apelio, nid at yr ymennydd—y 'bandbocs' chwedl yntau—ond at y synhwyrau, yn rhywbeth yr ydan ni'n ei deimlo rywsut yn hytrach na'i ddeall. Y lluniau—y delweddau—sydd yn cario byrdwn y neges. Yn nhraddodiad Beckett, dramâu ydyn nhw nid i'r pen ond i'r galon a'r glust a'r llygad. Dyna i chi'r holl fwrlwm bywyd sy'n cael ei gonsurio gan y llanc yn *Y Tŵr.*

> . . . blasu'r cyfan tra dan ni'n cael cyfla . . . dwy galon yn curo . . . y gwaed yn byrlymu trwy'n gwythienna ni . . . clecian coed yn llosgi a chawod sydyn o law ar ddiwrnod poeth . . . caru nes 'i fod o'n brifo . . . brifo nes 'i fod o'n garu . . . dowc gynta'r tymor . . . torri ias nes bod dy geillia di'n rhwygo . . . caru yn nhin wal . . . tynnu amdanan yn y grug . . . staen llus ar 'y nhrôns i . . . ogla mawn . . . ogla colcarth . . . ogla chwys mewn ysfa . . . teimlo'r croen yn llyfn a phoeth . . . chawn ni ddim cyfla fel hyn eto . . . Byth! . . . byth! . . . byth! . . .

Lluniau yn y galon, nid hen ddelweddau astrus y mae pawb yn gorfod trafod eu harwyddocâd am ddyddiau. Mae trên yn rhywbeth sy'n deffro atgof o ryw fath ynom i gyd. Mae rhyw rin i deithio mewn trên nad ydi o'n perthyn i unrhyw fath arall ar drafnidiaeth. A phwy ohonom nad yw'n clywed rhyw ddirgryniad o glywed sŵn trên yn y nos. Mae 'na drên yn teithio trwy *Y Tŵr,* yn hel mwy o goitsys wrth fynd yn ei flaen; yn yr act gyntaf, â phopeth yn heulwen ac yn braf a nhwthau'n ifanc a phopeth o'u blaenau:

> [*Clywir sŵn trên yn y pellter*]
> MERCH: Trên!
> LLANC: Ia.
> MERCH: Ma' 'na rwbath neis mewn sŵn trên yn bell yn y nos!

Yn yr ail act, â phethau wedi chwerwi a mathru:

> [*Clywir sŵn trên yn ysgytian ar ei ffordd yn y pellter*]
> GWRAIG: Trên!
> GŴR: Ia . . .
> GWRAIG: Gafael yno i. (*Mae tinc o ofn yn ei llais*)
> GŴR: Beth?

GWRAIG: Gwasga fi . . . gwasga fi'n dynn.

GŴR: 'Ti'n iawn?

GWRAIG: Ma' 'na rwbath trist mewn sŵn trên—'mhell yn y nos.

Ac ar ddiwedd y ddrama, â'r hen wraig yn eistedd ar ei phen ei hun wedi i'w gŵr farw:

[*Cawn ysbaid o ddistawrwydd ac yna clywir sŵn trên yn y pellter, yn rhuthro trwy'r tywyllwch i rywle. Daw gwên fach ar wyneb yr hen wraig.*]

HEN WRAIG: Trên!

A'r un gair hwnnw, gair olaf un y ddrama, yn dod â'r llun i'r cof, yn consurio ar amrantiad yr holl dair act sydd o'i flaen, 'gan ddeffro adlais adlais . . . ac yn y galon atgof atgof gynt'. Geiriau R. Williams Parry, wrth gwrs, ac mae *Y Tŵr* hithau rywsut yn fath o gerdd. Anghofia i fyth mo'r wefr o weld *Y Tŵr* am y tro cyntaf yn Eisteddfod Caerdydd ym 1978. Dwi'n dal i weld y grisiau ac i glywed y trên.

Ar ôl *Y Tŵr*, daeth *Sal*—drama sydd ar yr wyneb yn dra gwahanol i weddill gwaith Gwenlyn gyda'i ffurf ryfedd, debyg i lys barn. Ond eto fyth, hyd yn oed â hithau mor statig roedd y darlun a gyflwynai yn drawiadol ac mae'r llun hwnnw'n dal yn glir yng nghil y cof.

Does dim rhaid deall dramâu Gwenlyn—yn wir, fe ellid dadlau nad oes dim deall arnyn nhw, mai teimlad ydyn nhw. Ar y llaw arall, mi gewch chi grafu pen faint fynnoch chi wrth chwilio am yr ystyr dyfnach.

Efo'r dyn ac efo'i waith fel ei gilydd, y ddelwedd sy'n aros. Dwi'n gweld o 'mlaen yr wyneb mwrddrwg, ond diniwed i'w ryfeddu, ac yn clywed y llais cyfareddol ar drywydd rhyw stori, dim un yn ffit i'w hailadrodd yma.

Ar glawr y copi o *Y Tŵr* a roddodd i mi, ysgrifennodd 'Os mêts— Gwenlyn', a dyna'r cwbl. Cymaint o un am eiria ond eto dim afradu arnynt. Wrth siarad ar y radio am Samuel Beckett meddai Syr Peter Hope: 'He was terribly wise and terribly tolerant and terribly funny and the best person in the world to have a glass of Guinness with'. Nid yn ei waith yn unig yr oedd Gwenlyn yn dilyn yng nghamre Beckett.

. . . Hogyn bach o Lanbabs—blydi Hafod Ola . . . tai cownsil . . . Ysgol Gwaun Gynfi . . . Heiyr Grêd . . . *Dressing Room One*! (*Panto*)

Annes Gruffydd

Y Ddraenen Fach

Cydfuddugol yn Eisteddfod Genedlaethol Dyffryn Maelor, 1961

———

Cyflwynwyd y ddrama hon am y tro cyntaf gan Gwmni Drama Cymdeithas Cymry Llundain yn Eisteddfod Genedlaethol Llanelli, Awst 1962.

———

Cymeriadau:

Martin	Milwr ifanc tuag ugain oed
Lewis	Milwr canol oed
Green	Milwr canol oed
Williams	Milwr tua'r un oed â Martin
Almaenwr	Milwr ifanc

Golygfa:
Seler tŷ wedi ei fomio rywle ar arfordir Gogledd Affrica.

Amser:
Noswyl Nadolig, 1942.

Yr olygfa yw seler tŷ wedi ei fomio. Ymddengys y muriau fel pe baent wedi gorfod gwrthsefyll llawer i ergyd, ac y mae'r llawr wedi ei orchuddio â phlastr a choed sydd wedi cwympo o'r to. Mae agoriad yn y mur cefn, a gwelir trwyddo risiau yn arwain i'r hyn sydd weddill o'r ystafell uwchben. Ychydig i'r chwith, mae bwrdd bregus gyda dau focs wrth ei ymyl. Eistedd Lewis ar un bocs gyda golwg synfyfyriol arno, ac i'r dde ar y llawr ymddengys Green fel pe bai'n cysgu ar wely o sachau. Cerdda Martin yn araf ac yn boenus o gwmpas yr ystafell.

1

MARTIN (*ar ôl ysbaid o gerdded*): Wyt ti'n meddwl 'u bod nhw yma o hyd, Lewis?

LEWIS: Mi fasa Wilias, i fyny 'na, wedi gweiddi ers meitin pe baen nhw wedi mynd.

MARTIN: Ond fedar o ddim gweld popeth o'r tu ôl i'r wal 'na.

LEWIS: Mae'n gallu gweld y tŷ yn berffaith blaen. 'Stedda i lawr tra byddi di'n cael cyfla—fedran ni wneud dim ar hyn o bryd.

MARTIN (*yn cerdded o gwmpas eto*): Diawl! Dyma ffordd i dreulio'r Nadolig. (*Cerdda at y mur chwith a mynd ar ei gwrcwd i'w archwilio*) Ble mae'r gyllell 'na oedd gen ti gynna', Lewis?

LEWIS (*yn hollol ddifater*): Ar y bwrdd.

MARTIN (*yn cymryd y gyllell ac yna'n crafu'r mur â hi*): Rwy bron yn siŵr y gellir torri twll fan yma, wyddost ti. (*Edrych o'i gwmpas a chyfyd garreg o'r llawr. Dechreua guro'r mur yn wyllt.*) Mi fasan ni'n gallu torri twnnal o'ma wedyn, a dŵad allan i'r wynab ychydig i fyny'r ffordd. Wyt ti ddim yn gweld, Lewis? Ma'n nhw'n saff o fod yn gwylio fan hyn. Ma' pob llygad ar y drws 'na yn sicr i ti. Fasan nhw byth yn disgwyl 'n gweld ni'n dŵad allan i fyny'r stryd 'na. (*Yn dechrau curo'r mur eto*) Petai pob un ohonon ni . . .

GREEN (*yn codi ar ei eistedd â golwg wyllt arno*): Uffern dân! Wyt ti am ishte' i lawr yn dawel am funud fach i ddyn gael llonydd i gysgu?

MARTIN: Cysgu! Cysgu ddeudist ti, a llond tŷ o 'Jerries' dros y ffordd 'na yn cynllunio sut i ladd pob un ohonon ni. (*Yn codi ei lais*) Wyt ti'n meddwl y . . .

GREEN (*yn codi ar ei draed*): O'r nefoedd! Wyt ti am gau dy ben (*Yn cerdded ato*) ne' oes rhaid i mi 'i gau fe i ti?

MARTIN (*yn pwyntio'r gyllell at Green*): Rho di dy facha budr arna i, 'ngwas i, ac mi fydd y gyllell 'ma'n plannu yn dy . . .

LEWIS (*yn llamu rhyngddynt*): Dyna ddigon! Rydan ni mewn digon o bicil fel y mae hi heb i chi'ch dau ddechra rhyfel bach eich hunain.

GREEN: Arno fe ma'r bai, Lewis. Ma' fe'n ddigon i hala dyn yn wallgo'.

LEWIS: Mae cymaint o fai ar y ddau ohonoch chi, 'ddyliwn.

GREEN: Ond dyma'r pumed tro iddo fe gynnig agor twnnel mewn cwarter awr. Diawch, ma' gwâd cwningen yn 'i wythienne' fe ne' rwbeth.

LEWIS: Ydach chi ddim yn sylweddoli mai dyma'r union beth ma'n nhw dros y ffordd 'na'n disgwl i ni 'neud—colli'n pwyll. Mae'n rhaid i ni gadw'n synhwyra a gobeithio'r gora.

MARTIN: Gobeithio'r gora! Pa obaith sy gynnon ni a'r gweddill o'r gatrawd filltiroedd i ffwrdd erbyn hyn?

LEWIS: Dydw i ddim yn credu bod llawer ohonyn nhw ar ôl chwaith erbyn hyn. Diolch i Dduw'n bod ni'n fyw o hyd ddyweda i.

MARTIN: Petaen ni'n gallu rhuthro allan i gyd gyda'n gilydd, ne' dorri twll yn . . .

GREEN: Trugaredd y tade'! Dyma ni *off* eto. Mi fydd y . . .

LEWIS: Mae'n amhosibl, Martin. Mae cyn oleued â chanol dydd y tu allan. Petai hi ond yn cymylu tipyn i guddio'r lleuad 'na neu, yn well fyth, yn codi'n storm go dda—falla y byddai gobaith rhedeg wedyn heb iddyn nhw'n gweld ni.

MARTIN: Ond 'does dim argoel o storm—mae'r awyr mor glir â . . .

GREEN (*Yn cerdded yn ôl at ei wely*): Ma' rhyw fath o storm yn siŵr o ddod, boio, ac os na ddaw cymyle dros y lleuad, mi fyddan nhw'n siŵr o ddod dros lyged pob un ohonon ni—unwaith ac am byth!

MARTIN: O'r nefoedd! Cau dy geg, *tough guy*. Rwyt ti bron â chodi arswyd ar y dewra ohonon ni.

GREEN: Ac yn sicr ddigon nid y ti yw hwnnw.

(*Llais Williams o'r ystafell uwchben:* '*Green! Mae'n dri munud wedi troi chwarter i.*')

GREEN (*ar fin gorwedd ar y gwely*): O'r mawredd! Sdim llonydd i'w gael. (*Yn codi ar ei draed ac yn ateb Williams*) O'r gore, o'r gore! (*Wrth Lewis*): Alle rhywun feddwl 'i fod e wedi bod yno drwy'r dydd, a beth yw tair munud mewn dwy awr?

LEWIS: Mae tri munud fel oes gyfan i fyny acw, coelia fi!

GREEN: Mi gaf lonydd am ychydig, ta beth. Mae'n well gen i glywed ergyd yn awr ac yn y man na chlywed Martin yn conan drwy'r amser.

(*Llais Williams eto:* '*Green! Wyt ti'n dod?*')

GREEN (*yn ateb Williams*): Rwy'n dod! Sdim ishe i ti godi dy lais ne' mi fydd y 'Jerries' 'na'n meddwl 'n bod ni'n cynnal cwrdde mawr 'ma. (*Yn rhoi cic i'w wely o sachau ac yn mynd i fyny'r grisiau sy'n arwain i'r ystafell uchaf*)

MARTIN (*wedi i Green fynd o'r golwg*): Fasa hi ddim yn well i un ohonon ni fynd ar wyliadwriaeth yn 'i le—mae o mor ddifater. Synnwn i ddim nad eith o i gysgu y tu ôl i'r wal 'na, a gadael i'r diawliaid ddod ar 'n penna ni cyn inni sylweddoli.

LEWIS: Na, paid â phoeni. Mae cymaint o ofn yn 'i galon o ag sydd yng nghalon yr un ohonon ni, ond bod deuddeng mlynedd yn yr armi wedi adeiladu cragen galed o'i hamgylch hi.

(*Daw Williams i lawr y grisiau â golwg flinedig arno*)

WILLIAMS (*yn eistedd ar un o'r bocsys*): Diolch i Dduw bod hyn'na drosodd am ychydig beth bynnag.

LEWIS: Sut mae hi i fyny 'na?

WILLIAMS: 'Run fath. Rhyw ergyd yn awr ac yn y man o'r ffenestr uchaf—yn union fel pe baen nhw'n awyddus i ddangos 'u bod nhw yna o hyd.

MARTIN: Oes bosib rhoi traed iddi?

WILLIAMS: Dim gobaith. Mae cyn oleued â chanol dydd y tu allan.

LEWIS: Faint wyt ti'n feddwl sy 'na, Wilias?

WILLIAMS: Mae'n anodd deud, ond synnwn i ddim pe na bai ond rhyw lond dwrn fel ni sy yna.

MARTIN: Wel, pam ddiawl nad ân nhw at weddill 'u ffrindia i fyny'r lein? Ma'n hogia ni wedi'i gwadnu hi ers oriau.

WILLIAMS (*yn freuddwydiol*): Falla'u bod nhw ofn symud fel ninnau.

LEWIS: Ofn symud?

WILLIAMS: Mae'r peth yn hollol bosib, wyddost ti, Lewis. Falla mai disgwl am gyfla i ddianc ma'n nhwtha hefyd. Diawch! Dyna be' fasa'n ddigri.

MARTIN: Digri! Wela i ddim byd yn ddigri yno fo, a pheth arall, does neb yn 'u stopio nhw rhag dianc. Yr unig beth ydw i isio ydi mynd allan o'r twll drewllyd 'ma.

WILLIAMS: Wyddon nhw mo hynny.

LEWIS: Ond mi fasan nhw wedi gallu sleifio allan o gefn y tŷ ers meitin.

WILLIAMS: Wnest ti ddim sylwi, Lewis, bod craig solat y tu ôl i'r lle a honno mor serth â thalcen y tŷ—mae'n amhosib ei dringo. Hyd y gwela i, y ffrynt neu'r talcen ydi'r unig ffordd allan iddyn nhwtha hefyd.

LEWIS (*yn feddylgar*): Falla dy fod ti'n iawn, Wilias, ond . . .

MARTIN: Choeliais i fawr! Cael hwyl hefo ni mae'r diawliaid. Fel cathod yn cael hwyl hefo llygod wedi'u cornelu.

WILLIAMS (*gydag ochenaid*): Amser a ddengys, beth bynnag. (*Ysbaid o ddistawrwydd*) Oes gan rywun y ffasiwn beth â sigarét i sbario. Mae'r un ddwytha oedd gin i wedi mynd deirawr yn ôl.

LEWIS: Dyma ti. (*Yn dal paced i Williams*)

WILLIAMS: Diolch yn fawr. (*Yn cymryd sigarét*)

LEWIS: Martin? (*Yn taflu sigarét iddo*)

MARTIN: Diolch!

WILLIAMS (*yn canfod darlun ar y bwrdd o flaen Lewis ac yn edrych arno*): Llun y wraig a'r plant?

LEWIS: Ia—yn sefyll o flaen y Ddraenen Fach.

WILLIAMS: Y ddraenen fach ddeudist di?

LEWIS: Dyna enw'r tŷ. Mi rown rwbath am fod yno rŵan.

WILLIAMS (*yn llawn chwilfrydedd*): Be' ddaru i ti ddewis yr enw yna, Lewis?

LEWIS: I ddeud y gwir, 'y nhad fedyddiodd y tŷ—fo adeiladodd y lle. (*Yn cymryd y darlun ac yn edrych arno yn edmygol*) Weli di'r goeden fach 'na o flaen y tŷ?

WILLIAMS (*yn rhoi ei fys ar y darlun*): Fan hyn?

LEWIS: Dyna hi—y Ddraenen Fach. Roedd hi yna ymhell cyn i'r hen ddyn ddechra adeiladu ac fe wrthododd 'i symud hi. Roedd o'n edrych arni fel rhyw fath o symbol, wyddost ti.

WILLIAMS: Symbol?

LEWIS (*tan nodio ei ben*): Rwy'n cofio cerdded ar hyd llwybr yr ardd hefo fo un gaeaf, ac fe bwyntiodd at yr hen ddraenen a deud, 'Wel-di mor bigog a chas mae'n edrych heddiw, 'machgen i, ond fe ddaw y gwanwyn cyn bo hir, ac yna mi fydd hi'n gnwd o flodau. Cofia di, Lew,' medda fo, 'mae'r pethau sy'n ymddangos yn gas a phigog yn gallu cyflawni pethau gwych ond i ti ddisgwyl.' Mi gofia i 'i eiria fo tra byddaf byw, a dyna be' 'di bywyd, yntê—heddiw yn gas a phigog ac yfory yn llwythog a phrydferth. Daw daioni o'r pethau mwyaf gwrthun—weithiau.

WILLIAMS (*yn freuddwydiol*): Ddaw daioni o hyn?

LEWIS: 'Nid oes allt heb oriwaered'.

MARTIN: Mae'n drysu, Williams. Mae'r twll drewllyd yma yn ffeithio ar 'i frêns o.

WILLIAMS (*heb gymryd y sylw lleiaf o Martin*): Alla i ddim gweld pa ddaioni ddaw o'r llofruddio 'ma sy'n digwydd o'n cwmpas ni, beth bynnag.

LEWIS: Llofruddio?

WILLIAMS: Dyna be' ydi lladd rhywun arall yn fwriadol, yntê?

LEWIS: Ia, ond nid llofrudd yw'r sawl sy'n 'i amddiffyn 'i hun a'i wlad.

WILLIAMS: Dyna roeddwn inna'n 'i gredu ar y dechra. (*Ysbaid*) Faint wyt ti wedi 'u saethu, Lewis?

LEWIS: Dwn i ddim, fachgen. Mae rhywun mor bell oddi wrthyn nhw'n tanio.

WILLIAMS: Wyt ti wedi gweld un yn disgyn a gwingo fel cwningen yn llawn o haels?

LEWIS: Naddo, ond mae . . .

WILLIAMS: Wythnos yn ôl, mi ddois i wyneb yn wyneb â 'Jerry' mewn hen gapel yn Benghasi. Hogyn ifanc fel finna oedd o hefyd, a'i ddau lygad glas o yn rhythu arna i ryw lathen o flaen fy ngwn. Y fi neu fo oedd hi i fod, ac mi ges i'r blaen arno. Mor rhwydd y symudodd y trigar 'na o dan fy mys. Mi ddisgynnodd ar ei linia fel petai o'n mynd i weddïo a rhyw gymysgedd o syndod a phoen yn ei lygaid. Os nad llofruddiaeth oedd hynna mae'n hen bryd . . .

LEWIS: Ond mae'n rhaid lladd mewn rhyfel. Elli di ddim peidio.

WILLIAMS (*yn wyllt*): Dyna'r drwg. Mi all dyn gael ei grogi am ladd dyn arall, ond rho di wisg y brenin amdano ac mi gaiff fedal am yr un weithred. Dydi o ddim yn gwneud sens i mi o gwbwl.

MARTIN: A beth amdanyn nhw dros y ffordd 'na? Os mai llofruddion ydan ni, ai seintia bach ydyn nhw? Diawl! Dos i bregethu iddyn nhw, 'ngwas i, ac fe gei fwled drwy dy ben fel cymeradwyaeth.

LEWIS: Gwranda, Wilias. Mae gen i wraig a phlant gartra. Wyt ti'n meddwl y buaswn i'n gallu edrych ar rywun arall yn dŵad drosodd i'r fan hyn i ymladd drostyn nhw? Os nad wyt ti'n barod i amddiffyn dy wlad, mae'n rhaid i ti amddiffyn dy deulu.

WILLIAMS: Dyna'r union ddadl oedd gen i pan adewais y coleg i ymuno—dadl llwfrgi!

LEWIS: Llwfrgi? Roedd isio dyn dewr i adael 'i gartra a dod allan i . . .

WILLIAMS: Roedd eisiau dyn dewrach i aros gartref! Dyna be' 'nath fy ffrind, Elwyn. Sefyll yn gadarn yn erbyn y busnes i gyd tra oedd pawb arall yn 'i wawdio. Sefyll o flaen llys barn a deud yn bendant nad oedd o yn mynd i gymryd rhan yn y syrcas.

MARTIN (*wrth Lewis*): Mae o'n mynd i bregethu rŵan dros y blydi conshis—y cachwrs diawl!

WILLIAMS (*yn wyllt*): Cachwrs, ddeudaist ti? Fi oedd y cachwr. Fi oedd ofn clywed John Wil Coch a'i ffrindia'n fy ngwawdio.

MARTIN: Wela i ddim bai arnyn nhw chwaith.

WILLIAMS: Na finna. Arna i roedd y bai yn gwrthod gweithredu yn ôl 'y nghydwybod. Uffarn dân! Does gin hanner yr hogia 'na sy o'n cwmpas ni yr un syniad lleia pam ma'n nhw'n ymladd.

LEWIS: Ond ma'n nhw'n ymladd 'u gora. Rwyt ti'n ymladd dy ora.

WILLIAMS: Ond am beth—dros beth, Lewis? Oes 'na rwbath gwerth ymladd drosto, ac os oes, fydd y rhwbath hwnnw ar ôl wedi i bob ochr waldio'i gilydd o bob cyfeiriad?

MARTIN: Yr unig beth yr ydw i'n ymladd drosto fo ar hyn o bryd ydi fy nghroen fy hun—i'r diawl â phopeth arall!

WILLIAMS: Ia, dyna be' ma' pawb yn 'i wneud bellach—saethu at bawb a phopeth ond fo'i hun, heb falio'r un botwm corn am ddim byd . . .

(*Daw sŵn ergyd gwn o'r ystafell uwchben*)

WILLIAMS (*yn rhedeg at yr agoriad ac yn edrych i fyny*): Be' sy'n bod, Green? Green? Wyt ti'n iawn?

LLAIS GREEN: Bu bron i mi 'i gael o, myn asen i. 'Se'i ben e chydig fodfeddi i'r whith, 'se fe wedi cael 'i hoelio unwaith ac am byth. Os cwyd e lan eto, bydd un yn llai yr ochor draw 'na.

MARTIN (*yn rhuthro at yr agoriad*): O'r nefoedd! Alla i ddim diodda mwy o hyn. Rwy'n mynd i roi cynnig arni hi . . .

WILLIAMS (*yn ei atal*): Sa'n llonydd, y ffwl! Wyt ti isio dweud gwd bei wrth yr hen fyd 'ma ne' rwbath?

MARTIN: Ond os arhoswn ni yma, ma'n nhw'n siŵr o'n lladd ni'n hwyr neu hwyrach.

WILLIAMS: Falla hynny, ond ar hyn o bryd ma' digon o fwyd gynnon ni am ddiwrnod ne' ddau, a gall unrhyw beth ddigwydd cyn hynny.

MARTIN: Mae'n amhosib i ddim ddigwydd bellach.

LEWIS: Ma'r petha rhyfedda'n digwydd mewn rhyfel, Martin.

MARTIN: Yr unig beth a'n gwaredo ni o'r twll yma bellach ydi gwyrth.

WILLIAMS: Wel, fe ddisgwyliwn am wyrth, ynte.

LEWIS: Ac ma'n nhw'n dweud bod gwyrthia yn digwydd ar y Nadolig. Mi glywais nain yn dweud unwaith . . .

WILLIAMS (*mewn syndod*): Nadolig! Dawn i byth o'r fan 'ma, roeddwn i wedi anghofio popeth amdano. (*Yn edrych ar ei oriawr*) Ymhen munud mi fydd hi'n fora Nadolig.

MARTIN: A dyma ffordd fendigedig i'w dreulio.

WILLIAMS (*â golwg freuddwydiol ar ei wyneb*): Sgwn i be' ma'n nhw'n 'i wneud gartra ar hyn o bryd? Falla bod y rhan fwya o'r hogia yn y ddawns yn y Felinheli. Diawch! Dwi'n siŵr bod 'na sŵn yn yr 'Half Way' hefyd.

MARTIN: Gelli fentro mai diota a chadw sŵn ma'r rhan fwya ohonyn nhw—heb falio blewyn amdanon ni yma yn cwffio drostyn nhw.

LEWIS (*â golwg freuddwydiol ar ei wyneb yntau*): Ma' Mari'n siŵr o fod yn llenwi 'sana'r plant at fory. Fe rown y byd am fod yno hefo hi rŵan yn lapio papura lliw am y cnau.

WILLIAMS (*wedi llwyr ymgolli yn ei freuddwyd*): Ro'n i'n dawnsio yn y

Felinheli dair blynedd yn ôl, ac mi es i â Sera'r Bedol adra wedyn. Dyna i chi bisyn bach handi! Doeddwn i ddim wedi sylweddoli 'i bod hi mor brydferth o'r blaen—rhyw hogan bach ysgol oedd hi wedi bod i mi erioed, ond y noson honno, mi dyfodd yn ddynas mewn pum eiliad o dan y miselto.

LEWIS (*heb gymryd yr un sylw lleiaf o'r hyn y mae Williams yn ei ddweud*): Ond mae'n debyg bod Robin, yr hynaf, wedi dŵad i ddeall nad oes 'na ddim Siôn Corn erbyn hyn—mae o'n siŵr o fod yn helpu Mari i lenwi hosan yr hogan bach. (*Tan wenu*) Rwy'n cofio'r 'Dolig ola ges i gartra iddo ddeffro pan o'n i ar ganol llenwi 'i hosan o. Mi waeddodd dros y lle i gyd, 'Ydach chi'n un go iawn, Santa, ynte dadi ydach chi?' Mi o'n i wedi dychryn cymaint fel yr es i allan cyn gynted ag y gallwn i a'r rhan fwya o'r presanta yn 'y nwylo i o hyd.

MARTIN: Yr unig bresant ydw i isio ydi rhyddid i fynd o fan hyn. Alla i ddim aros yma lawer mwy.

LEWIS: Rhyddid! Mi fasa hynny'n bresant 'Dolig gwerth i'w gael.

WILLIAMS: Pe na bai ond yn bosib.

MARTIN: Ond pwy fasa'n disgwyl i'r rheina dros y ffordd ddechra rhannu presanta.

WILLIAMS (*â golwg bell yn ei lygaid*): 'Gogoniant yn y goruchaf i Dduw, ac ar y ddaear tangnefedd i . . .' Sgwn i ydyn nhw wedi sylweddoli 'i bod hi'n Nadolig?

MARTIN: Mae gogoneddu Hitler lawer pwysicach iddyn nhw na gogoneddu Duw.

WILLIAMS (*yn araf fel petai'n meddwl yn ddwfn am rywbeth*): Efallai nad ydi o ddim. Efallai 'u bod nhwtha hefyd yn . . . (*Yn troi'n sydyn at Lewis*) Lewis, wyddost ti rywbeth am y rhyfel dwytha?

LEWIS: Rhyw chydig. Fûm i ddim ynddi os dyna rwyt ti'n 'i feddwl. (*Gyda gwên ar ei wyneb*) Dydw i ddim mor hen â hynny, wyddost ti.

WILLIAMS (*gyda rhyw gyffro newydd yn ei lais*): Na, na. Gwranda! Rwy'n credu i mi glywed rhywun yn dweud unwaith bod yr Almaenwyr a ninnau wedi stopio ymladd un diwrnod Nadolig, ac os ydw i'n cofio'r stori'n iawn, fe ymunodd y ddwy ochr hefo'i gilydd i ddathlu'r Nadolig.

LEWIS: Do, rwyt ti yn llygad dy le. Mi glywais 'y nhad yn sôn am y peth lawer gwaith. Aros di, nid yn Ffrainc tua dechra'r rhyfel y digwyddodd o? (*Ysbaid o feddwl*) Ta waeth, fe ymunodd pawb i chware gêm ffwtbol ne' rwbath. Pam wyt ti'n gofyn?

WILLIAMS: Mae'n Nadolig!

LEWIS: Wel, ydi, ond . . .

WILLIAMS (*yn llawn brwdfrydedd*): Ond beth? Os oedd yn bosib dathlu'r Nadolig mewn heddwch yn ystod y rhyfel dwytha, pam na allwn ni ddŵad i'r un cytundeb hefo nhw dros y ffordd 'na?

MARTIN: Wyt ti 'rioed yn meddwl y basan nhw'n cytuno?

WILLIAMS: Pam lai?

MARTIN: Ond 'Jerries' ydyn nhw—diawliaid bach mewn iwnifform yn barod i . . .

WILLIAMS: 'Jerries' oedd yn y rhyfel dwytha hefyd!

LEWIS: Ia, ond mae petha wedi newid tipyn ers hynny.

WILLIAMS: Ydi, Lewis, ma' petha wedi newid, ond dydi dynion yn newid fawr, wyddost ti. Rwy bron yn siŵr y basa'r Almaenwyr 'na dros y ffordd yn cytuno petaen ni ddim ond yn gallu cael sgwrs hefo nhw.

MARTIN (*yn wawdlyd*): Ardderchog! Ac mi wyt ti am gerdded yn hyf at 'u drws ffrynt nhw a dweud: 'Noswaith dda i chwi, foneddigion—ga i fy nghyflwyno fy hun. 2134913, Private Williams, aelod o fyddin y brenin . . .

WILLIAMS: Ôl-reit, ôl-reit! Mae'n werth meddwl dros y syniad, beth bynnag. Rydw i'n sicr bod 'na ryw ffordd o gael neges iddyn nhw.

MARTIN: Paid â meddwl am funud yr a' i yna i sgwrsio hefo nhw.

WILLIAMS: Does neb yn gofyn i ti.

MARTIN: Jyst rhag ofn dy fod ti ar fin gofyn, dyna i gyd.

WILLIAMS (*ar ôl ysbaid hir o ddistawrwydd*): Rydw i am fynd drosodd atyn nhw fy hun! (*Yn codi ar ei draed*)

LEWIS (*sydd wedi bod yn eistedd yn feddylgar wrth y bwrdd ers amser bellach*): Na, Wilias! Mae'r syniad yn un rhagorol ond dwyt ti ddim i fentro dy . . .

WILLIAMS: Ond fe wnes i Almaeneg yn y Coleg. Fi ydi'r unig un all siarad hefo nhw.

MARTIN: Dyna fo! Mae'r peth wedi'i setlo. Mi fasa'n amhosib i neb arall gael sgwrs hefo nhw.

LEWIS: Gall Wilias ysgrifennu nodyn mewn Almaeneg, ac fe all unrhyw un ohonon ni fynd â fo drosodd.

MARTIN: Ond mae o newydd ddeud 'i fod o'n fodlon mynd.

LEWIS: Os oes rhywun i fynd, mi a' i. (*Yn troi at Williams*) Mae gen ti yrfa ddisglair o dy flaen di, Wilias, ac mi ydw i wedi cael *innings* reit dda'n barod. Fasa 'na fawr o golled ar fy ôl i . . .

WILLIAMS: Ond beth am Mari a'r plant? Rhaid i ti gofio amdanyn nhw. Chei di ddim mynd, beth bynnag, Lewis.

MARTIN: Ac mi ydw inna newydd ddweud wrthach chi bod gin i barch i 'nghroen. Felly does ond un ar ôl (*gan amneidio at yr ystafell uwchben*) *Tough guy*—falla na fydd o ond yn rhy falch i ddangos 'i hun i ni .

WILLIAMS: Ia, mae'n well i ni gael gair hefo Green cyn penderfynu dim byd. (*Yn cerdded at yr agoriad ac yn gweiddi*) Green!

LLAIS GREEN: Be' sy'n bod?

WILLIAMS (*wrth Green*): Fedri di ddŵad i lawr 'ma am funud ne' ddau?

MARTIN (*yn cychwyn cerdded at y grisiau*): Mi a' i i wylio yn 'i le fo.

LEWIS: Aros funud! Dydan ni ddim wedi penderfynu pwy sy i fynd eto.

GREEN (*yn ymddangos ar y grisiau*): Alla i ddim dod i lawr rhag ofn iddyn nhw ddechre rhwbeth. Rwy'n gallu cadw fy llyged ar y drws o'r fan hyn. Be' 'chi'n mo'yn?

WILLIAMS: Meddwl cael rhywun i fynd dros y ffordd 'na oeddan ni.

GREEN (*gyda syndod*): Mynd dros y ffordd?

LEWIS: I ofyn i'r Almaenwyr ymuno hefo ni i ddathlu'r Nadolig.

GREEN: 'Ti'n dechre hurto ne' rwbeth? Os nad wyt ti, nid dyma'r amser i gellwair.

WILLIAMS: Nid cellwair y mae o, Green. Falla mai disgwyl am siawns i ddianc ma'n nhwtha hefyd ac na fyddan nhw ond yn rhy falch i gydsynio.

GREEN: Diawch! Ŷch chi i gyd wedi hurto? Ma'r twll 'ma wedi . . .

MARTIN: Ac rydan ni wedi penderfynu mai ti yw'r un mwya cymwys i fynd atyn nhw.

GREEN (*yn dod fwy i mewn i'r ystafell*): O! Rwy'n gweld nawr. Un o syniade arall Houdini (*yn pwyntio at Martin*) yw hyn i gyd. Wel, os ydych chi'n meddwl fy mod i yn . . .

LEWIS: Does neb yn meddwl dim o'r fath. Gwranda, Green! Syniad Wilias ydi o ac mae'n syniad da hefyd. Yn ystod y rhyfel dwytha fe ddigwyddodd yr un peth yn Ffrainc.

WILLIAMS: Fe ymunodd y ddwy ochr i ddathlu'r Nadolig.

GREEN: Ond petai rhywun ond yn rhoi 'i droed y tu fas 'na, heb sôn am gerdded lan i'r drws ffrynt, 'sa fe byth yn cerdded cam yn 'i oes wedyn.

WILLIAMS: Gallai chwifio cadach gwyn ne' rwbath.

GREEN: Rwyt ti'n darllen gormod o lyfre, 'machgen i. Mewn rhyfel, mae pawb yn ddall i bopeth ond i ddiogelwch 'i groen 'i hun.

MARTIN: Dyna fo! Dydi o ddim mor *tough* ag y mae o'n ymddangos.

GREEN: Ca' di dy ben, babŵn!

LEWIS: Dyna ddigon! Os nad wyt ti'n gêm, Green, dyna ddiwedd ar y peth.

GREEN: Gêm? Oeddech chi'n disgwyl i mi droi yn genhadwr heddwch drosoch chi?

WILLIAMS: Chlywais i neb yn gofyn i ti. Yr unig beth oeddan ni 'i isio oedd cael dy farn di ar y mater.

GREEN (*yn troi i fynd yn ôl i fyny'r grisiau*): Wel, 'na chi wedi'i gael e'!

WILLIAMS: Ond Green! Rwy'n berffaith sicr y basan nhw'n derbyn ein telera'.

GREEN: Os hynny, pam nad ei di drosodd atynt dy hunan?

LEWIS: Ma' gan Wilias ddyfodol disglair o'i flaen. Dydw i ddim yn fodlon iddo fentro'i fywyd.

GREEN: Beth amdanat ti, ynte?

MARTIN (*yn wawdlyd*): Gwraig a dau o blant. Gormod o golled petai o'n cicio'r bwced!

GREEN: Ac felly y mae dau ddyn bach ar ôl—Houdini a minne. (*Yn troi at Martin*) Wel, pwy 'se'n meddwl bod dyfodol Prydain Fawr yn gorwedd ar dy 'sgwydde cadarn di . . .

MARTIN: Dydw i ddim yn mynd i symud cam o'r lle 'ma. Rydw i bron mor ofnus â thitha.

GREEN: Mor ofnus â mi? Dishgwl 'ma, gẃd boi! Rwyt ti'n siarad 'da Green. 'Mentioned in Dispatches' deirgwaith. Mewn troedfedd o gael y 'V.C.' fwy nag unwaith. Fi, ofn? Mo'yn gwbod wy' i pam y dylwn i losgi tin 'y nhrowser drosoch chi? Fûm i ddim yn gi bach i neb erioed a dwi ddim yn meddwl dechre nawr! (*Ysbaid o ddistawrwydd*) Ond rwy'n fodlon i wneud un peth.

WILLIAMS: Beth yw hwnnw?

GREEN (*yn tynnu'r cap oddi am ei ben*): Rhoi pedwar darn o bapur yn y cap 'ma gyda chroes ar un ohonyn nhw, ac fe gaiff y sawl fydd yn tynnu'r groes ma's fynd yna atyn nhw.

(*Distawrwydd llethol â phawb yn edrych ar ei gilydd*)

GREEN (*yn edrych ar Williams*): Bodlon?

WILLIAMS: Bodlon!

GREEN: Lewis? (*Lewis yn nodio ei ben yn araf*)

GREEN (*yn troi at Martin*): Martin?

MARTIN (*gyda golwg ofnus arno*): Dim ffiars o berig! Rydw i wedi gweld gormod o dy dricia budr di. O, mi wn i be' 'di dy fwriad ti— rhywsut neu'i gilydd mi wnei di'n berffaith saff mai fi fydd yn codi'r groes 'na o'r cap.

GREEN: Fe gaiff Williams ne' Lewis roi'r papure' yn y cap, ynte!

MARTIN: 'Thrystia i mohonyn nhw chwaith. Synnwn i ddim nad oedd ganddyn nhwthe ryw gynllun i'm cael i fynd dros . . .

WILLIAMS: Ond Martin bach, pam yn y byd mawr . . ?

MARTIN: O, mi o'n i'n deall eich bwriad chi gynna'. Lewis yn dweud dy fod ti yn rhy glyfar i fentro dy fywyd, a thitha'n dweud bod ganddo ynta ormod o gyfrifoldeb at 'i wraig a'i blant.

LEWIS: Paid â siarad lol, Martin.

MARTIN (*wedi colli pob rheolaeth arno ef ei hun erbyn hyn*): Mi ydach chi i gyd yn cynllunio sut i'm cael i o'r ffordd, ond chewch chi byth fi i siarad hefo'r diawliaid 'Jerries' 'na.

(*Daw sŵn o ben y grisiau*)

GREEN (*yn gwneud am yr agoriad*): Diawch! Ma' rhywun lan 'na.

WILLIAMS: Aros yn lle'r wyt ti!

(*Cyfyd pawb ei ddryll a'i bwyntio at yr agoriad. Clywir y sŵn yn nesáu*).

LEWIS (*yn ddistaw*): Peidiwch â symud modfadd, a neb i wneud dim nes bydda i'n dweud.

GREEN: Mi saetha' i'r diawl cynta' ddaw dros y trothwy 'na.

LEWIS: Dim ddeudis' i! Os bydd saethu i fod mi ddechreua' i.

(*Clywir sŵn traed yn dod i lawr y grisiau. Daw gŵr ifanc mewn gwisg Almaenwr i'r golwg gyda chadach gwyn yn ei law chwith. Cyfyd ei law yn araf a chrynedig tra bo pawb yn edrych arno mewn syndod.*)

ALMAENWR: 'Fröhliche Weihnachten'.

GREEN: Beth uffern ddwedodd o?

WILLIAMS: Cau dy geg a phaid â symud cam.

(*Daw'r Almaenwr i mewn yn araf. Erys am funud a rhydd ei law dde yn ei boced.*)

MARTIN (*yn gweiddi yn ofnus*): Mae o'n mynd i dynnu gwn allan.

GREEN: Sa' draw. (*Yn saethu'r Almaenwr yn ddiseremoni*)

(*Disgyn yr Almaenwr yn sypyn i'r llawr ac fe welir ei fod wedi llwyddo i dynnu darn o bapur allan o'i boced. Tra mae pawb arall yn edrych fel pe baent wedi eu parlysu, cerdda Williams yn araf at yr Almaenwr a chymryd y papur o'i law.*)

GREEN (*wedi sylweddoli ffolineb ei weithred erbyn hyn*): Beth . . . Beth ddywedodd o gynne'?

WILLIAMS (*tan edrych ar y darn papur*): Dim byd ond dweud 'Nadolig Llawen' yn 'i iaith 'i hunan (*yn dangos y papur*) a dyma i ti be' oedd o'n geisio 'i dynnu allan o'i boced.

LEWIS: Be' ydi o?

WILLIAMS: Nodyn yn gofyn i ni ymuno gyda nhw dros y ffordd 'na i ddathlu'r Nadolig.

(*Disgyn y llen yn araf gyda phob un yn edrych ar y corff marw ar y llawr*)

Hwyr a Bore

(Drama Fer)

Buddugol yn Eisteddfod Genedlaethol Abertawe, 1964

———

Cyflwynwyd y ddrama hon am y tro cyntaf gan Gwmni'r Gegin, Theatr Fach Cricieth, yn Eisteddfod Genedlaethol Abertawe, Awst 1964.

———

Cymeriadau:

William Parri	Gŵr dros ei drigain oed
Cadi Parri	Ei wraig—tua hanner cant oed
Marged Parri	Ei ferch—tua phymtheg oed
Dic Parri	Ei fab—tuag un ar bymtheg oed

Golygfa:

1—Ystafell yn nhŷ William Parri wedi ei dodrefnu'n gysurus heb fod yn foethus. *Amser*: Hanner awr wedi saith yn y bore.

2—Yr un ystafell tua hanner awr wedi saith yn yr hwyr.

GOLYGFA I

Pan gyfyd y llen, fe welir Cadi Parri yn hulio'r bwrdd ar gyfer brecwast. Gall y cynhyrchydd ddodrefnu'r ystafell yn ôl ei chwaeth gan ofalu bod un drws yn rhywle yn y mur cefn yn arwain i'r llofft; un drws ar y dde yn arwain i'r gegin fach, ac un drws ar y chwith yn arwain allan. Mae ffenestr yn un o'r muriau, ac fe ddylid cyfleu lle tân yn rhywle. Clywir miwsig boreol yn dod o set radio sydd wedi ei dodi mewn lle amlwg.

15

CADI (*yn agor y drws sy'n arwain i'r llofft ac yn gweiddi*): Marged! (*Mae'n mynd at y set radio, ei diffodd, ac yn dychwelyd i'r drws*) Marged! Ma' hi bron yn chwarter i wyth . . . Wyt ti'n gwrando arna i?

LLAIS MARGED (*o'r llofft*): Dwi'n dŵad, dwi'n dŵad. Sdim isio i chi ddeffro'r stryd.

CADI: A dwêd wrth dy annwyl frawd 'mod i wedi galw arno fo am y tro dwytha. (*Clywir sŵn tegell yn chwibanu o'r gegin fach*) O'r nefoedd! (*Mae'n rhedeg i'r gegin fach i'w ddiffodd gan ddychwelyd yn syth â'r tegell yn ei llaw. Mae'n tywallt y dŵr i'r tebot sydd eisoes ar y bwrdd, ac yna'n rhoi gorchudd drosto. Daw Marged i mewn yn gysglyd wedi ei gwisgo mewn gŵn wisgo.*)

CADI: Alwis di ar Dic?

MARGED (*heb ddeffro'n iawn*): Do.

CADI: Ydi o'n codi?

MARGED (*yn eistedd yn gysglyd mewn cadair*): Am wn i.

CADI: Am wn i! Be' 'ti'n 'i feddwl 'am wn i'?

MARGED: Mi'i clywais i o'n symud o gwmpas. Lle ma' fy slipars i? (*Mae'n chwilio amdanynt o dan y gadair*)

CADI: Mi ddylat ti fod wedi mynd i mewn. Symud y pot roedd o. Dwi'n gwybod am 'i dricia fo. Symud y pot yn ôl a 'mlaen er mwyn i rywun feddwl 'i fod o'n cerdded o gwmpas. (*Mae'n cerdded yn wyllt at y drws eto ac yn gweiddi*) Dydw i ddim yn gweiddi arna ti eto, llafn! Mi gei di ysgwyd y pot 'na yn ôl a 'mlaen tan Sul Pys o'm rhan i. (*Mae'n dod yn ôl at y bwrdd ac yn dechrau torri crystyn y dorth i ffwrdd*)

MARGED (*yn chwilio o gwmpas*): Welsoch chi 'mhinna gwallt i?

CADI (*heb gymryd yr un sylw o gwestiwn Marged*): Os ydi o'n meddwl 'mod i'n mynd i weiddi fy hun yn sâl arno fo bob bora, mae o'n gwneud diawl o fistêc.

MARGED (*yn dod o hyd i'r pinnau gwallt y tu ôl i'r cloc*): Dyma nhw. (*Mae'n edrych ar y cloc*) I be' oedd isio dweud 'i bod hi'n chwarter i, 'ta? Dim ond hannar awr wedi saith ydi hi ar y cloc yma!

CADI: Mi ddwedais i neithiwr 'mod i isio i ti godi'n gynnar i helpu.

MARGED: Nefoedd yr adar! Dim ond am fod Dic yn dechra gweithio am y tro cynta. Mi fysa rhywun yn meddwl . . .

CADI: Sgin hynny ddim byd i'w wneud â'r peth. A llai o'r 'nefoedd yr adar' yna hefyd cyn i mi roi twll clust i ti.

MARGED: A doedd dim angen hulio tada heddiw chwaith.

CADI: Dim dy dad ydi'r unig un yn y tŷ 'ma sy wedi riteirio, 'ngeneth i!

MARGED: O!

CADI: A dyna lle'r wyt ti'n dŵad i mewn.

MARGED: Fi?

CADI: O hyn allan *chdi* sy'n mynd i hulio dy frawd i'r gwaith. Dwi wedi cael llond bol ar y peth, a faswn i ddim wedi codi heddiw chwaith oni bai 'i bod hi'n fora cynta iddo fo.

MARGED (*gyda gwên ar ei hwyneb*): Ac mi fyddwch chi a tada yn cael *lie in* bob dydd felly?

CADI: Galw di o'n be' fynni di, ac mi gei di ddechra trwy dorri'i fwyd tun o. Hwda! (*Yn estyn y dorth a'r gyllell i Marged*) Dwi'n siŵr bod yr ŵy fel haearn Sbaen.

(*Wrth gychwyn yn frysiog i'r gegin, mae Cadi yn baglu ar draws pâr o esgidiau hoelion mawr sydd wedi eu gadael ar y llawr*)

CADI (*bron â syrthio*): Drapia ulw las! Be' ma'r rhain yn dda luch 'u tafl fan hyn. Mi fuo bron i mi stwyo fy ffêr hefo nhw. (*Mae'n codi'r esgidiau ac yn eu rhoi i Marged*) Dos â nhw i'r bin 'na!

MARGED (*mewn syndod*): I'r bin?

CADI: Fydd dy dad ddim isio nhw rhagor.

MARGED (*yn cymryd y pâr ac edrych arnynt*): Ond mi wnan nhw'n iawn o gwmpas y tŷ.

CADI: I'r bin â nhw! Dwi ddim isio gweld dim byd o gwmpas y tŷ 'ma fydd yn fy atgoffa fi o'r twll chwaral 'na.

MARGED (*yn cychwyn mynd yn anfodlon*): Fydd o ddim yn fodlon, gewch chi weld.

CADI: Welith o mo'u colli nhw. Gwthia'r ddwy cyn belled ag y medri di i'r gwaelod. Dos yn dy flaen! Mi ro' inna 'i siŵs gora fo'n barod wrth y ffendar 'na. Ffwrdd â thi! (*Mae'n gwthio Marged allan, ac yna'n tynnu pâr o esgidiau ysgafn allan o focs. Rhydd chwythiad iddynt a'u rhwbio â'i llewys, yna eu rhoi yn barchus wrth y tân*)

MARGED (*yn dod i mewn yn waglaw*): On'd ydi o'n beth od, dudwch, mam. Tada yn riteirio ddoe a Dic yn dechra gweithio am y tro cynta heddiw.

CADI: Wnes ti 'u gwthio nhw o'r golwg?

MARGED: Do, ac mi rois i grwyn tatws drostyn nhw. Mi fydd chwith ganddo fo ar ôl y chwaral 'na, gewch chi weld.

CADI: Ma'n dda gan f'enaid i 'i fod o wedi gadael y lle, beth bynnag. Diolch i Dduw nad ydi Dic ddim yn gorfod mynd yno, ddyweda i. A dos i olchi dy ddwylo ar ôl bod yn y bin 'na (*wrth weld Marged yn ailddechrau torri'r bara*) Ydi'r hogyn 'na'n dŵad, 'ta? (*Mae'n mynd*

at y drws i weiddi eto) Os na fyddi di i lawr mewn dau funud, mi
fydda i'n dŵad i fyny a dy lusgo di allan. (*Tra mae'n gwneud hyn,
mae Marged yn rhwbio'i dwylo yn ei gŵn wisgo; yn eu harogli; eu
rhwbio eto, ac yna'n mynd ymlaen gyda thorri'r bara*)

CADI (*wrth Marged*): Dwi ddim yn mynd i weiddi arno fo eto. Mi gaiff
aros yna trwy'r dydd os ydi o isio! Ia, dyna be' wna' i—gadael iddo
fo gysgu i'r diawl i ddysgu gwers iddo fo.

MARGED: Faint o frechdana dorra i?

(*Daw William Parri i mewn yn llewys ei grys gyda gwydryn gwag yn ei law*)

CADI (*yn edrych ar William mewn syndod*): I be' 'ti isio codi, 'ta?

WILLIAM (*yn sarrug*): Wyt ti'n meddwl 'i bod hi'n bosib i ddyn gysgu a
chditha'n rhefru yng ngwaelod y grisia 'na?

CADI: Ar yr hogyn 'na ma'r bai! Dwi'n gweiddi arno fo ers dros hannar
awr, 'taswn i rywfaint elwach.

WILLIAMS: Wel, mae o'n codi rŵan.

CADI: Sut gwyddost ti?

WILLIAM: Mi wagis i'r glás dŵr yma am 'i ben o.

CADI (*ar ôl ysbaid byr*): Be' dd'wedaist ti?

WILLIAM: Dwi newydd wagio llond glás o ddŵr am 'i ben o.

MARGED: Ew! Go dda.

CADI: Wyt ti'n drysu ne' rwbath?

WILLIAM: Roeddat ti isio iddo fo godi, on'd oeddat?

CADI: Ond be' 'tasa fo'n cael niwmonia, ddyn!

WILLIAM: Wnaeth dropyn bach o ddŵr 'rioed ddrwg i neb.

CADI: Doedd dim isio bod mor uffernol o dan din chwaith. Welaist di
'rioed fi yn chwara tric budr fel'na arna ti, naddo?

MARGED: Mi ddysgith wers iddo fo!

CADI (*yn troi ati'n wyllt*): A sgin titha ddim byd i'w ddweud chwaith.
Faint o weithia dwi wedi gorfod sgrechian yng ngwaelod y grisia 'na
arnat ti?

WILLIAM: Oes 'na banad i gael?

CADI: Tollda hi dy hun. Mae o yn y tebot, ac os wyt ti'n disgwyl cael
brecwast, mi fydd yn rhaid i ti aros nes bydd Dic wedi mynd. Ma'
gen i ddigon ar fy nwylo fel ma' hi! (*Mae'n mynd allan yn frysiog i'r
gegin fach. Dechreua William dywallt te o'r tebot i gwpan sydd ar y
bwrdd. Mae'n oedi ac yn codi'r cwpan i fyny i edrych arni.*)

MARGED: Sut deimlad ydi o i fod wedi riteirio, tada?

WILLIAM: Hy! (*Mae'n rhoi'r tebot a'r cwpan i lawr ac yn cerdded i gyfeiriad y drws sy'n arwain allan. Yn hongian ar hoelen y tu ôl i hwnnw mae hen fag armi.*)

MARGED: Mi gewch ddiogi drwy'r dydd.

WILLIAM (*yn tynnu cwpan anferth—mŵg—allan o'r bag ac yn dychwelyd at y bwrdd*): Dim tra bydd dy fam o gwmpas.

MARGED: Ydach chi am weithio tipyn yn yr ardd?

WILLIAM (*yn tywallt te o'r cwpan i'r mŵg ac yna'n gorffen ei lenwi o'r tebot*): Falla!

MARGED (*yn synnu wrth weld y mŵg*): Nefi! Be' ydi hwnna?

WILLIAM: Be' 'ti'n feddwl—eliffant?

MARGED: Ond welais i 'rioed mo hwnna o'r blaen. Iechyd! dwi'n siŵr 'i fod o'n dal peint. Ble cawsoch chi o?

WILLIAM (*yn eistedd i yfed ei de*): 'Myg chwaral i ydi o.

(*Daw Cadi i mewn yn wyllt o'r gegin gydag ŵy wedi ei ferwi ar lwy yn ei llaw*)

CADI (*yn edrych o gwmpas*): Ydi o byth wedi dŵad? (*Yn rhoi'r ŵy ar y bwrdd*)

MARGED: Mi glywais i'r tsiaen lafytri'n cael ei thynnu rŵan jyst.

CADI (*yn codi'r tebot*): Wel, dwi am dollti te—rhyngddo fo a'i betha. (*Ni ddaw ond diferyn neu ddau allan o'r tebot*). I ble mae'r te wedi mynd i gyd? (*Marged yn cyfeirio ei bys at ei thad sydd â'i gefn atynt yn yfed*)

CADI (*yn synnu wrth weld y mŵg*): Be' yn y byd mawr ydi hwnna sy' gen ti?

WILLIAM: Myg! M-Y-G, Myg! Welais di 'run o'r blaen ne' rwbath?

CADI: Ble cefaist ti o?

MARGED: Myg chwaral ydi o!

CADI: Be' mae o'n dda fan hyn, 'ta?

WILLIAM: Oeddat ti'n disgwyl i mi 'i adael o ar ôl yn . . .

CADI: Dwyt ti ddim yn mynd i gael defnyddio hwnna o gwmpas 'y mwrdd i. Gad i ni gael hynna'n hollol glir rŵan.

WILLIAM: Dydi'r cwpana ffansi yna'n dda i ddim . . .

CADI (*yn cerdded ato*): A sbia golwg sy arno fo. Ma'r baw wedi cledu o gwmpas y glust yna.

WILLIAM (*wedi gwylltio*): O'r nefoedd! Roeddwn i'n meddwl bod dyn yn mynd i gael tipyn bach o seibiant ar ôl riteirio.

CADI: Ac mi gei di hefyd dim ond i ti beidio troi'r gegin yma'n gaban chwarel!

(Daw Dic, y mab, i mewn yn gwisgo trowsus a singlet. Mae golwg ddiflas arno.)

DIC (*wrth ei dad*): Ma'n singlet i'n socian i chi fod yn dallt.

WILLIAM: Ddylat ti ddim 'i gwisgo hi yn dy wely!

CADI (*braidd yn bryderus*): Tynn hi'r munud yma rhag i ti gael annwyd marwol.

WILLIAM: A lapia dipyn o wadin amdano fo tra byddi di wrthi.

CADI (*wrth William*): Cau di dy geg! Fasa neb call yn gwneud ffasiwn beth. (*Mae'n troi at Dic*) Mi a' i nôl un eiri i ti o'r cwpwrdd tanc yna. (*Mae'n mynd allan*)

DIC (*yn edrych i mewn i'w drowsus*): Synnwn i ddim nad ydi 'nhrôns i'n damp hefyd.

MARGED: Hidia befo, babi clwt . . . mi gest di sbario molchi. (*Mae'n dechrau chwerthin yn uchel*)

DIC: Dydi o ddim byd i chwerthin yn ei gylch, coelia di fi. Fasat ti'n hoffi cael hanner dy foddi yn dy wely?

WILLIAM: Mi gei di dy gam-drin dipyn gwaeth cyn diwedd y dydd, 'ngwas i.

CADI (*yn rhoi ei phen i mewn yn unig*): Dyna ti. (*Yn taflu'r singlet i Dic*) Gwisga amdanat reit sydyn. (*Yn diflannu'n ôl i'r gegin fach*)

DIC (*wrth ei dad*): Be' dach chi'n feddwl—cael fy ngham-drin?

(Mae Dic yn gorffen gwisgo amdano yn ystod yr ymgom a ganlyn)

WILLIAM: Wyddost ti be' ddaru nhw i mi y diwrnod cynta yr es i i'r gwaith?

DIC: Pwy?

WILLIAM: Yr hogia. Tynnu 'nhrwsus i i lawr, a phardduo 'mhen ôl i!

MARGED: O, tada!

WILLIAM (*yn gwenu wrth gofio'r amser*): Ac nid dyna'r cyfan chwaith. Mi fuo rhaid i mi ganu 'Hen Wlad Fy Nhadau' ar ben y bwrdd yn y caban hefo sêt tŷ bach rownd 'y ngwddw.

DIC: Wnân nhw ddim hynny i mi, beth bynnag.

WILLIAM (*fel petai'n gobeithio y buasai Dic yn cael yr un driniaeth*): Wyddost ti ddim, 'ngwas i, wyddost ti ddim!

DIC: Does yna ddim parddu na seti tŷ bach luch 'u tafl o gwmpas siop drepar.

WILLIAM (*yn siomedig*): Nac oes, mae'n debyg. (*Ei wyneb yn goleuo eto*) Ond mi fydd yna siswrn! Bydd, mi fydd yna siswrn yn saff i ti.

Dwi'n cofio Twm Bach Siôn Margiad, y jermon acw, yn cael torri'i wallt yn y bôn gan Twm Pwyswr. Mop o wallt cyrls ganddo fo'n cychwyn yn y bora, ac yn mynd adra yn y nos a'i gorun o fel cefn draenog.

DIC: Hy! Fasach chi'n disgwyl i mi adael llonydd iddyn nhw wneud hynny i mi?

WILLIAM: Chei di ddim siawns, 'ngwas i. Dau yn gafael yn dy freichiau di o'r tu ôl, a dau arall—un ym mhob coes.

DIC: Dim ond tri sydd yn y siop i gyd—Huws Drepar a'i fab, a Miss Prydderch. Fedrwch chi feddwl am y rheini yn fy nal i i lawr.

CADI (*yn dod i mewn yn frysiog o'r gegin fach gyda phlatiad o rywbeth yn ei llaw*): Dal pwy? Brysia rŵan, 'ngwas i. (*Yn rhoi'r platiad i lawr*)

MARGED: Tada oedd yn dweud y basan nhw'n torri'i wallt o yn y bon.

CADI: Gwallt pwy yn enw'r tad?

MARGED: Gwallt Dic. Mi ddaru'r hogia yn y chwarel dorri cyrls Twm Bach i gyd pan aeth o i'r gwaith y tro cynta.

CADI: Oeddan nhw'n drysu ne' rwbath?

WILLIAM: Dyna'r ffordd sy gynnon ni i roi croeso i rywun newydd, a'i dorri fo i mewn yr un pryd.

CADI: Rhag cywilydd iddyn nhw, dd'weda i, a'r peth bach wedi colli'i dad a phob peth.

WILLIAM: Dipyn o hwyl oedd y cwbwl . . .

CADI: Wel, fydd yna ddim ciamocs felly yn y lle ma' Dic yn mynd. (*Mae'n troi at Dic*) Tyrd yn dy flaen, 'ngwas i, ne' mi fyddi di'n hwyr, a dwyt ti ddim isio codi gwrychyn Mr Huws y diwrnod cynta, nac wyt?

(*Tra mae Cadi'n stwnsian o gwmpas Dic, daw Marged i eistedd ar fraich cadair ei thad*)

MARGED (*wrth ei thad*): Be' dd'wedodd 'i fam o?

WILLIAM: Mam pwy?

MARGED: Twm Bach Siôn Margiad, pan aeth o adra heb gyrls.

WILLIAM (*wrth ei fodd yn dweud y stori*): O diawch, mi fuo 'na dipyn o helynt. Mi gafodd 'i fam o afael ar Twm Pwyswr yn y stryd ymhen rhyw dridia wedyn. Doedd o ddim wedi'i gweld hi'n dŵad, 'ti'n gweld, achos roedd o â'i gefn ati yn siarad hefo rhywun ar y pryd. Wel, wir i ti, dyma hi'n 'i daro fo ar ochor 'i wegil hefo bagal 'i hambarél. Chafodd o ddim siawns i . . .

CADI (*wrth Marged*): Wyt ti wedi gorffen torri'i fwyd tun o?

MARGED: Do.

CADI: Dos â nhw i'r gegin fach, 'ta, a rho dipyn o ham rhyngddyn nhw. (*Mae'n siarad hefo Dic*) Ham cartra, cofia.

MARGED (*wrth ei thad*): Be' ddigwyddodd wedyn?

CADI (*yn codi ei llais*): Glywais di be' dd'wedais i? Ac wedi i ti orffen, rho nhw yn y bocs 'na sydd ar y drenin bord.

MARGED (*yn codi'n anfodlon*): O'r nefi! (*Yn mynd allan yn frysiog i'r gegin*)

CADI (*wrth Dic*): Bwyta di lond dy fol rŵan. Wnei di ddim byd ar stumog wag, wyddost ti! Gymeri di frechdan fach arall?

DIC: Dim diolch!

CADI: Pisin o dost, 'ta?

DIC: Dim diolch!

CADI: Hefo marmaled neis arno!

DIC: Dim diolch, mam. Dach chi'n gwybod yn iawn na fydda i ddim yn bwyta llawar o frecwast.

(*Tra mae'r ymgom yma yn mynd ymlaen rhwng Dic a'i fam, mae William wedi mynd i'r bag armi unwaith eto, ac wedi tynnu hen dun bwyd tolciog, budr yr olwg allan ohono.*)

WILLIAM (*wrth Dic*): Mi gei di fenthyg hwn. Fydda i ddim 'i angen o eto, 'ddyliwn.

CADI: Dwi wedi prynu un newydd iddo fo, thanciw! Dwyt ti 'rioed yn meddwl y caiff o fynd i'r siop hefo rhyw hen racsyn sglyfaethus fel hwnna.

WILLIAM: Mi fedra i 'i sgrwbio fo hefo'r hen frws weirs 'na sy gen ti yn y spens.

CADI: Fydd dim angen. Mi brynais i un plastig iddo fo yn y dre ddoe. Ma'r rheini'n fwy *hygienic*, meddan nhw i mi.

LLAIS MARGED (*o'r gegin fach*): Mam! Lle ma'r ham 'na?

CADI (*yn cychwyn i'r gegin fach*): Trugaredd y tada! Oes rhaid i mi wneud popeth fy hun yn y tŷ 'ma? (*Yn diflannu i'r gegin fach*)

(*Mae William yn edrych yn synfyfyriol ar ei dun bwyd*)

DIC (*ar ôl ysbaid*): Diolch am y cynnig, tada, ond dwi'n siŵr . . . wel, fasa fo ddim . . . hynny yw . . .

WILLIAM (*yn rhoi'r tun bwyd yn ôl yn y bag*): Wrth gwrs fasa fo ddim yn gweddu i ti . . . siop drepar ydi siop drepar. (*Does dim byd yn gas yn ei lais pan ddywed hyn*)

DIC (*yn eiddgar*): Faswn i ddim yn meindio cael benthyg eich belt chi chwaith. Ma'r hen fresys newydd yma ma' mam wedi'i brynu i mi yn brifo'n sgwydda i.

WILLIAM (*yn tynnu'r belt oddi amdano*): Wrth gwrs y cei di! Yli, weli di'r pocedi 'ma sy ynddo fo? Pocedi celc ydi'r rhain.

DIC (*yn rhoi'r belt am ei ganol*): Celc?

WILLIAM: Mi fydd bron bob chwarelwr yn cadw tipyn o'i gyflog ar y slei, 'ti'n dallt, ac yn 'i gelcio fo tan amser holides er mwyn rhoi sypreis i'r wraig . . .

DIC (*yn tynnu ei fresys i ffwrdd*): Mi fasa'n well gynnoch chi 'ngweld i'n mynd i'r chwaral, yn basa, tada? (*Mae'n stwffio'r bresys o'r golwg dan glustog un o'r cadeiriau*)

WILLIAM (*heb lawer o argyhoeddiad*): Bobol bach, na faswn i. Ma' dy fam yn llygad 'i lle yn dy yrru di i'r siop yna.

DIC: Ydi, mae'n debyg.

WILLIAM: Be' sy'n bod, wyt ti ddim isio mynd, 'ta?

DIC: Ydw ond . . .

WILLIAM: Ond be'?

DIC: Wel, faswn i ddim yn meindio cael bod hefo'r hogia. Roedd Twm Bach yn dweud 'u bod nhw'n cael miloedd o hwyl yna . . .

CADI (*yn dod i mewn gyda'r bocs plastig yn ei llaw*): Dyna ti. Wyt ti'n 'i hoffi o?

DIC (*heb gymryd fawr sylw ohono*): Ydw, neis iawn!

CADI: Ma' rhaid i ti frysio, wyddost ti.

DIC (*yn gwneud osgo i fynd*): Reit! Lle ma' 'nghôt i?

CADI (*yn gweiddi ar Marged o'r gegin fach*): Marged!

MARGED (*yn rhoi ei phen i mewn*): Ia?

CADI: Dos i nôl 'i gôt ora fo o'r lobi.

WILLIAM (*yn codi ei ysgwyddau ac eistedd i lawr*): Haleliwia! (*Mae'n codi papur newydd ac yn dechrau ei ddarllen*)

DIC: Be' sy o'i le ar fy nghôt arall i, 'ta?

CADI: Mi gei di dy gôt ora.

DIC: Ond, mam, os oedd y gôt arall ddigon da i fynd i'r ysgol, pam na . . .

CADI: Dydi hi ddim digon graenus i fynd i'r siop, dyna i ti pam! (*Mae'n agor drôr*) Sgin ti hancas bocad?

DIC: Nac oes, a does arna i . . .

CADI: Dyma ti un. (*Yn rhoi hancas iddo.*) A rho'r llall 'ma yn dy bocad ucha fel hyn . . . (*Yn gwneud hynny ei hunan*)

DIC (*yn ceisio'i hatal*): O'r andros, mam! Peidiwch â stwnsian, wnewch chi . . .

CADI: Mi fydd yr hen geg drws nesa 'na yn llgada i gyd pan ei di allan. Dwi'n siŵr 'i bod hi'n sbecian o'r tu ôl i'r cyrtan 'na ers meitin. (*Daw Marged i mewn gyda'r gôt orau, a chymer Cadi hi*) Rŵan, 'ta! Rho hon amdanat. (*Mae'n helpu Dic i'w gwisgo*) Arna i y bydd pobol yn gweld bai os na fydd llawar o lewyrch arnat ti. (*Mae'n sefyll yn ôl i edrych yn edmygus arno*) Dyna welliant. Tyrd, mi ddo i dy ddanfon di i'r drws er . . .

DIC: Mi fedra i fynd fy hun, diolch.

CADI: Paid â siarad lol! (*Yn ceisio'i wthio tua'r drws*)

DIC: Ylwch, mam, dach chi ddim yn dŵad i'r drws hefo fi a dyna ben ar y matar. Hwyl! (*Mae'n mynd allan yn wyllt*)

CADI (*yn cychwyn ar ei ôl*): Wyt ti'n siŵr fod . . .

WILLIAM (*yn codi ei ben o'i bapur*): Yn enw'r tad, gad lonydd iddo fo, ddynas! I waelod y stryd mae o'n mynd—nid i Timbactw.

(*Mae Cadi'n rhedeg i'r ffenestr i edrych allan ar ei ôl gyda Marged yn specian wrth ei sawdl.*)

CADI (*wrth edrych*): Y peth bach! Sbia arno fo'n mynd. (*Mae'n tynnu hances allan o'i phoced ac yn dechrau sniffian iddi*)

MARGED: Tasa ganddo fo ambarél, mi fasa fo'n edrach 'run fath yn union â'r gweinidog Wesla.

CADI (*yn gadael y ffenestr fel petai'n methu dioddef edrych, ac yn dychwelyd at y bwrdd*): Mae'n hen bryd i titha roi dy ddillad ysgol amdanat hefyd. Mi wna inna damad o frecwast i ni. (*Mae'n dechrau stwnsian o gwmpas y bwrdd eto, ond deil Marged i edrych allan drwy'r ffenestr*)

CADI (*gan edrych ar William*): Wyt ti am ista'n fan'na drwy'r dydd?

WILLIAM (*yn dal i ddarllen*): Falla.

CADI: Mi fedar y tân 'na wneud hefo tipyn o lo arno fo hefyd.

WILLIAM (*yn dal i ddarllen*): Reit!

CADI: Os diffoddith o, dydw i ddim yn mynd i'w ailgynna fo, i ti fod yn dallt.

WILLIAM (*yn taflu ei bapur i'r ochr*): O'r nefoedd! Lle ma'n sgidia fi?

CADI: Wrth y ffendar.

WILLIAM (*yn chwilio*): Wela i mohonyn nhw.

CADI: Ma'n nhw dan dy drwyn di.

WILLIAM: Siŵs gora 'di'r rhain.

CADI (*yn ceisio bod yn ddifater*): Wel, dyna ti.

WILLIAM: Sgidia chwaral o'n i'n 'i feddwl. (*Wrth glywed sôn am esgidiau chwarel, mae Marged yn troi oddi wrth y ffenestr ac yn cychwyn at y drws sy'n arwain i'r llofft*)

MARGED: Mi . . . mi ydw i am . . . fynd i newid, 'ta. (*Yn diflannu*)

CADI: Mi gei di wisgo'r rheina.

WILLIAM: Dydw i ddim isio'u gwisgo nhw. Lle ma'n sgidia chwaral i?

CADI: Mi fydd y pâr yna'n ysgafnach i ti . . .

WILLIAM: Yn enw popeth, Cadi, gwranda arna i! Dydw i ddim isio gwisgo fy siŵs gora i fynd i godi glo, a pheth arall, ma' fy sgidia chwaral i'n llawer mwy cysurus, felly llai o'r blydi lol yma—ble ma' nhw?

CADI (*gyda her yn ei llais*): Yn y bin!

WILLIAM (*ar ôl ennyd o ddistawrwydd*): Be' dd'wedaist ti?

CADI: Dwi wedi'u taflu nhw i'r bin.

WILLIAM (*yn gwylltio*): Be' ddiawl sy arna ti, ddynas—wyt ti'n drysu ne' rwbath.

CADI (*yn cerdded ato gyda'r gyllell fara yn ei llaw*): Paid ti â chodi dy lais arna i, ceiliog dandi. Ma'n nhw yn y bin, ac yno cân nhw fod!

WILLIAM: Ond doeddan nhw ddim gwaeth na newydd . . .

CADI: Rhyw hen fflachod yn bwrw'u gwadna oeddan nhw, ac rwyt ti'n gwybod hynny fel finna. Peth arall, mi fyddi di dipyn smartiach o gwmpas y pentra 'ma yn dy siŵs gora—dwi ddim isio rhoi gwaith siarad i'r hen geg drws nesa 'na.

WILLIAM (*yn eistedd yn y gadair wedi rhoi'r ffidil yn y to*): O am nerth . . .

CADI (*yn dod o hyd i fresys Dic dan y glustog*): Nefoedd yr adar! Mae o wedi mynd heb ei fresys. (*Tywyllwch wrth iddi redeg am y drws*)

GOLYGFA II

Pan gyfyd y llen mae Cadi'n dal i stwnsian o gwmpas y bwrdd fel petai heb ei adael drwy'r dydd. Mae'n amlwg ei bod yn paratoi pryd arall. Mae'r set radio ymlaen fel yn y dechrau.

LLAIS AR Y RADIO: . . . Dywedodd y Cyrnol Trelis mai'r Strontiwm 90 yn yr awyr oedd yn gwneud pobol yn fwy sychedig, ac y dylai'r llywodraeth wneud rhywbeth yn ei gylch. A dyna ddiwedd y newyddion.

LLAIS MERCH AR Y RADIO: Noswaith dda. Yr amser yw saith o'r gloch, ac yn awr fe gyflwynwn raglen o fiwsig ysgafn i'ch diddori. (*Daw miwsig ysgafn o'r set radio, ac y mae Cadi yn ei droi ychydig yn is. Mae'n dychwelyd at y bwrdd dan ganu. Daw William i mewn gyda het am ei ben a chôt law amdano. Mae golwg braidd yn guchiog ar ei wyneb*)

CADI (*yn edrych arno*): Fuost ti 'rioed allan yn y stryd hefo'r hen gôt garpiog yna amdanat.

WILLIAM (*yn flin*): Do, ac mi'i gwisga hi unrhyw dro fynna i hefyd, i ti fod yn dallt.

CADI: O, a phwy sy wedi tynnu blewyn o dy drwyn di, 'ta?

(*Mae William yn tynnu ei gôt a'i het ac yn eu taflu ar y gadair. Yna mae'n mynd at y set radio ac yn ei diffodd yn ddiseremoni.*)

CADI: Be' sy'n bod arnat ti?

WILLIAM: Ma' gen i gur yn fy mhen, a dwi newydd . . .

CADI (*yn addfwynach ei thôn*): Mi a' i nôl aspirin i ti.

WILLIAM: Dwi ddim isio'r un. Dim byd ond llonydd i . . . (*Mae'n eistedd i lawr yn edrych fel petai rhywbeth ar ei feddwl*)

CADI: Panad fach, 'ta, mae o yn y tebot yn barod. (*Mae'n tollti'r te*)

WILLIAM: Lle mae pawb?

CADI: Marged yn y llofft yn gwneud ei *homework*, a Dic heb gyrraedd adra eto.

WILLIAM (*wedi synnu*): Ond ma' hi wedi troi saith.

CADI (*yn rhoi'r te iddo*): Dyma ti.

WILLIAM: Diolch.

CADI: Dydi'r ffaith bod y siop yn cau am chwech ddim yn dweud 'u bod nhw'n gorffan gweithio.

WILLIAM: Fe dd'wedodd Huws Drepar y basa fo adra cyn hannar awr wedi chwech bob nos. (*Mae'n mynd i edrych allan drwy'r ffenestr*)

CADI: Falla bod rhaid gwneud y cownt i fyny am y dydd. (*Mae'n mynd yn ôl at y bwrdd gyda gwên ar ei hwyneb*) Beth bynnag, dwi'n falch.

WILLIAM (*yn troi i edrych arni*): Yn falch?

CADI: Dwi'n falch 'i fod o'n hwyr.

WILLIAM: Pam yn y byd mawr?

CADI: Nid yn falch i fod o'n hwyr, ond yn falch nad ydw i ddim yn poeni 'i fod o'n hwyr.

WILLIAM (*yn methu deall*): Am be' ddiawl 'rwyt ti'n siarad, dŵad?

CADI: Tasa fo wedi mynd i'r hen chwaral 'na, mi faswn i bron â drysu ers meitin, fel roeddwn i pan oeddit ti funud ne' ddau ar ôl. Ofn bob math o betha . . . a wyddost ti be' aeth heibio'r ffenast 'na'r pnawn 'ma?

WILLIAM: Na wn i'n enw'r dyn!

CADI: Yr hen ambiwlans lwyd yna'n mynd o'r gwaith.

WILLIAM (*fel petai'n ailgofio rhywbeth*): Ia'n 'te.

CADI: A doedd 'y nghalon i ddim yn 'y ngwddw i. Dyna i ti beth braf. Mi o'n i'n arfar mynd yn sâl i gyd wrth weld 'i lliw hi, ond heddiw roeddwn i'n gwybod bod y ddau ohonoch chi 'mhell o'i chrafanga hi.

WILLIAM (*yn mynd i eistedd i lawr eto*): Mynd â Twm Bach i'r 'sbyty roedd hi.

CADI: Be' 'ti'n 'i feddwl?

WILLIAM: Twm Bach ddisgynnodd o'r rhaff.

CADI (*wedi dychryn braidd*): Twm Bach, dy jermon di?

WILLIAM: Dyna lle buo fi mor hir—yn gweld 'i fam o. (*Mae'n codi ei lais*) Meddylia! Y diwrnod cynta i mi fod o'na, a dyma'r ffyliaid gwirion yn 'i yrru fo i'r clogwyn. Dydi o ddim allan o'i glytia eto!

CADI: Ydi o wedi brifo'n arw.

WILLIAM: Torri'i ddwy goes.

CADI: Mi alla petha fod yn waeth. Mae o'n ddigon ifanc iddyn nhw asio.

WILLIAM: Nid dyna'r pwynt! Dwi wedi dweud ganwaith wrth Huws Bach Stiward nad ydi'r hogia bach 'ma ddim i gael 'u gyrru i'r rhaff nes 'u bod nhw wedi bod yna o leia flwyddyn a dyma . . .

CADI: Yli, mae'n hen bryd i ti ddechra sylweddoli nad oes gen ti ddim byd i'w wneud â'r lle yna rhagor—rhyngddyn nhw â'u petha . . . Sut oedd 'i fam o?

WILLIAM: Wedi cael tipyn o sioc.

CADI: 'Rhen greadures, a'i dad o yn 'i fedd a phob peth. (*Mae'n mynd yn ôl at y bwrdd fel petai'n awyddus i anghofio am y peth*) Ond dyna fo, arni hi ma'r bai, ddylai hi ddim fod wedi'i yrru o yna yn y lle cynta.

WILLIAM: Dynion fel fi ddyla fod yn y rhaff, nid rhyw gywion dandi bach.

CADI (*yn mynd ymlaen gyda'r paratoi bwyd*): Rwyt ti'n bump a thrigain, cofia.

WILLIAM (*yn gwylltio braidd*): Be' sy gan hynny i'w wneud â'r peth. Mi faswn i'n gallu gweithio deng mlynedd arall yn y chwaral 'na heb droi blewyn. Uffern dân! Rwyt ti'n siarad fel petawn i'n hen ferfa wedi'i thaflu ar doman sgrap.

CADI: Ma' rhaid i bawb riteirio ryw dro.

WILLIAM: Ryw dro, oes! Ond does dim sens bod dyn yn cael 'i daflu ar y clwt dim ond am 'i fod o'n bump a thrigian . . . Oes golwg dyn yn methu gweithio arna i, oes yna? Ydw i'n edrach fel petawn i wedi chwythu 'mhlwc?

CADI (*yn gweld bod ei deimladau wedi eu brifo*): Choeliais i fawr!

WILLIAM: Does ganddyn nhw ddim digon o sens i sylweddoli nad ydi pawb ddim yn heneiddio'r un fath. Petaen ni ond yn cael y rhyddid i orffen pan fyddwn ni'n teimlo fel rhoi'r cerrig i fyny . . . ond na . . . (*Mae'n dynwared rhyw swyddog*) . . . Rydach chi'n bump a thrigian, Mr Parri, a does arnon ni ddim eich angen chi rhagor. Diolch yn fawr i chi, a dyma'ch llyfr pensiwn . . .' Llyfr pensiwn, o ddiawl. Be' ma' coron yr wythnos yn dda i neb.

CADI: Wnawn ni ddim llwgu, beth bynnag!

(*Daw Marged i mewn o'r llofft yn ei thiwnic ysgol*)

MARGED: Ddoth o byth? (*Yn edrych o gwmpas*)

CADI: Naddo, a phaid â dweud wrtha i dy fod ti wedi gorffen dy *homework* mor fuan â hyn.

MARGED: O, gadewch i mi gael sbel fach, mam, ne' mi fydda i wedi mynd yn wirion bost hefo'r algebra 'na.

CADI: Wel, paid â chwyno wrtha i pan ddaw hi'n adeg y *Senior*, dyna i gyd. Sgin ti ddim ond ychydig fisoedd, cofia!

(*Nid yw Marged yn cymryd llawer o sylw o hyn ac y mae'n mynd at ei thad sy'n sipian ei de ac yn edrych yn fyfyriol i'r gwagle o'i flaen*)

MARGED (*wrth ei thad*): Gawsoch chi ddiwrnod da, tada?

WILLIAM (*heb droi i edrych arni*): M!

MARGED: Lle buoch chi?

CADI: A phaid â styrbio dy dad chwaith.

MARGED: Be' sy'n bod? Ydi o'n sâl ne' rwbath?

CADI: Wedi cael tipyn o ypset, dyna i gyd.

MARGED: Pam?

CADI: Yr hogyn bach 'na sy'n brentis iddo fo yn y chwaral sy wedi cael damwain.

MARGED: Pwy?

WILLIAMS: Twm Bach.

MARGED: Hwnnw gafodd dorri'i gyrls?

WILLIAM: Mae o wedi cael torri'i ddwy goes rŵan!

MARGED: Ydi o . . . ydi o'n wael iawn.

WILLIAM (*yn codi ac yn cerdded at y ffenestr*): Dim felly, mi fydd allan o waith am 'chydig fisoedd, dyna i gyd. (*Mae'n edrych allan*) Lle ddiawl ma'r hogyn 'na?

MARGED: Sut digwyddodd y peth?

WILLIAM (*yn dal i edrych allan*): Disgyn o'r rhaff . . . dyma fo, mae o wedi cyrraedd. (*Yn canfod Dic yn dod*)

CADI (*wrth Marged*): Reit! I ffwrdd â chdi i orffen dy *homework* er mwyn iddo fo gael llonydd hefo'i fwyd.

MARGED (*yn siomedig*): Ond, mam, dwi isio gwybod sut hwyl gafodd o.

CADI: A dwi ddim isio clywad run ohonoch chi'n sôn am Twm Bach nes bydd o wedi cael tamaid i'w fwyta.

(*Daw Dic i mewn gyda golwg braidd yn ddiflas ar ei wyneb*)

DIC: Mae'n . . . mae'n ddrwg gen i fod . . .

CADI: Tyrd â dy gôt i mi, 'ngwas i. (*Yn ei helpu i dynnu ei gôt fawr*)

MARGED: Sut hwyl gest ti, 'ta?

WILLIAM: Pam rwyt ti mor hwyr?

MARGED: Ges di barddu ar dy ben ôl?

CADI: Yn enw popeth, gadewch i'r hogyn gael dŵad i mewn. (*Mae'n rhoi côt Dic i Marged*) Dos â hon i'r lobi 'na. (*Mae'n troi at Dic*) Tyrd, ma' dy fwyd di'n barod . . . Oedd Mr Huws yn cael 'i blesio hefo chdi? (*Mae Marged yn mynd allan yn frysiog gyda'r gôt*)

DIC: Wel . . . i ddweud y gwir . . .

CADI: Dwi wedi ffrio iau a nionod hefo tipyn bach o stwns rwdan. Dwi'n siŵr dy fod ti bron â llwgu. (*Yn mynd allan i'r gegin fach*)

WILLIAM: Oedd o'n waith caled?

DIC: O . . . faswn i . . . faswn i ddim yn dweud 'i . . .

(*Daw Marged i mewn yn awyddus i holi mwy*)

MARGED: Oedd Miss Prydderch yn gwneud llgada arnat ti?

WILLIAM: Sut foi ydi Huws Drepar i weithio iddo fo?

DIC: Wel, rhyw ddyn . . . o, wyddoch chi . . .! 'Run fath â . . . â . . .

WILLIAM: Be' sy'n bod arnat ti? Gad i ni gael tipyn o'r hanes.

MARGED: Ia, tyrd yn dy flaen.

CADI (*yn dod i mewn gyda phlatiad o rywbeth yn ei dwylo*): Ylwch, dwi
wedi gofyn i chi'ch dau adael llonydd iddo fo fwyta. (*Yn rhoi'r plât i
lawr o flaen Dic*) Dyma ti—mae o'n chwilboeth, cofia . . . oeddat ti'n
hoffi'r lle?

DIC: Rhyw le distaw iawn oedd o i . . .

CADI: Be' 'ti'n 'i feddwl, distaw?

DIC: Wel . . . wel, neb i siarad hefo nhw yn . . . yn y . . .

WILLIAM: Dyna fantais y chwaral, digon o hogia am sgwrs . . .

CADI: Beth am y cwsmeriaid, doedd y rheini ddim yn siarad hefo chdi?

DIC: Doedd ganddyn nhw fawr i'w ddweud.

WILLIAM: Oeddat ti ddim yn licio'r lle 'ta?

CADI: Wrth gwrs 'i fod o'n licio. Tyrd, bwyta dy fwyd, 'ngwas i. (*Wrth
weld Dic yn troi a throsi'r bwyd hefo'i fforc*)

(*Mae'n amlwg erbyn hyn fod rhywbeth yn poeni Dic*)

DIC: Dydw i ddim llawar o awydd bwyd i ddweud y gwir wrthach chi,
mam.

CADI: Rois i ormod o fwyd tun i ti?

DIC (*fel petai'n falch o unrhyw esgus*): Do, dyna chi . . . y . . . roedd yr
ham yna'n llenwi rhywun.

CADI: Lle ma' dy focs di?

DIC: Be'?

CADI: Lle ma' dy focs plastig di? Ddois di ddim â fo i mewn hefo chdi,
cofia!

DIC: Naddo? . . . o, falla . . . mae'n debyg 'i fod o . . . Ydi o ar y gadair
yn . . .

CADI: Doedd o ddim yn dy law di pan ddois di i'r tŷ.

DIC: Aeth Marged â fo i'r . . .

MARGED: Welais i mohono fo!

CADI: Dwyt ti 'rioed yn meiddio dweud dy fod ti wedi'i golli o a finna
wedi . . .

DIC: Falla 'mod i wedi'i adael o yn y chwaral pan . . . (*Mae'n distewi'n
sydyn fel petai wedi brathu ei dafod. Ceir ysbaid hir o ddistawrwydd*)

DIC: O'r nefoedd, mam! Waeth i chi gael gwybod rŵan mwy na hwyrach ddim. Dwi wedi gadael y siop.

CADI: Gadael . . .?

MARGED: Ond i be' . . .?

WILLIAM: Be'?

CADI: Tynnu 'nghoes i rwyt ti.

DIC: Nage, mam. Allwn i ddim diodda'r lle. Fedrwn i ddim treulio gweddill f'oes hefo rhyw gadi ffans fel'na!

CADI: Wyt ti'n ystyriad be' 'ti'n 'i ddweud . . .?

DIC: A Huws Bach yn gweiddi wrth 'y nhin i drwy'r bora. Rown i wedi syrffedu ar y peth . . .

CADI: Wyddost ti faint o drwbwl ges i . . .

DIC: Mi dd'wedais i wrtho fo yn y diwadd am stwffio'i blydi job.

CADI: Dweud be'?

WILLIAM (*fel petai'n mwynhau'r stori*): Be' dd'wedodd o?

DIC (*yn sylweddoli bod ei dad yn rhyw hanner balch o'r peth*): Dim byd ond agor 'i geg yn llydan.

CADI: A be' dd'wedith yr hen drwyn drws nesa 'na pan glywith hi. (*Does neb yn cymryd fawr sylw o beth mae Cadi yn ei ddweud erbyn hyn, mae'r diddordeb i gyd yn Dic*)

MARGED: Be' wnest di wedyn?

DIC: Mynd i fyny i'r chwaral i chwilio am waith.

WILLIAM (*wrth ei fodd*): I'r Offis Fawr?

CADI (*yn codi ei llais wrth glywed hyn*): Wyt ti wedi colli dy synhwyra ne' rwbath?

WILLIAM (*yn troi at Cadi yn wyllt*): Cau dy geg, ddynas! I'r hogyn gael dweud 'i stori. (*Yn troi at Dic*) Gest di waith?

DIC: Dechra ddydd Llun nesa.

CADI (*dan ei hanadl*): Duw a'n gwaredo.

DIC: Yn yr Offis Fawr oeddwn i pan ddoethon nhw â Twm Bach i mewn.

WILLIAM: Twm Bach Siôn Margiad?

DIC: Fe ddaeth Twm Pwyswr â fo i mewn yn 'i haffla, a'i roi o i orwadd ar yr hen soffa ledar 'na sy yn y *Waiting Room*.

WILLIAM: Sut oedd o?

DIC: Braidd yn wyn o gwmpas 'i wefla . . . ac mi ges i fynd hefo fo i'r hospitol yn yr ambiwlans wedyn . . . dyna lle bûm i mor hir.

CADI (*fel petai wedi ildio'n llwyr erbyn hyn*): Wyt ti'n sylweddoli be' wyt ti wedi'i wneud?

(*Cyfyd William a mynd allan yn sydyn fel petai wedi cofio am rywbeth*)

MARGED: Ond, mam, i'r chwaral mae o isio mynd, a waeth i chi sylweddoli . . .

CADI: Bydd di ddistaw! Mi wrandawa i arna ti pan fydd gen ti lond tŷ o blant yn disgwl 'u tad adra o'r diawl lle.

DIC: Dydi'r chwaral ddim mor ddrwg â hynny, wyddoch chi, mam, a mi fydda i dipyn hapusach yno nag yn yr hen siop 'na.

MARGED (*tan wenu*): A falla y caiff o job yn stiward ryw ddiwrnod—yn gweithio mewn lle saff!

CADI: Mi fyddi di'n dyfaru dy enaid, marcia di be' dwi'n 'i ddweud wrthat ti . . . dyfaru dy enaid . . .

(*Daw William Parri i mewn gyda'r pâr esgidiau chwarel, a daflwyd i'r bin ar y dechrau, yn ei law. Mae crwyn tatws a mân sbwriel arall yn glynu wrthynt.*)

WILLIAM (*yn eiddgar*): Edrych, wnaiff y rhain dy ffitio di? Bu ond y dim i dy fam 'u taflu nhw . . .

CADI (*yn rhythu'n wyllt ato*): Dos â'r rheina allan . . .

WILLIAM (*yn cael ei wthio at y drws yn ôl*): Ond, ddynas, ma'r rhain yn . . .

CADI: Dos â nhw o 'ngolwg i, o 'ngolwg i!

WILLIAM (*yn protestio*): Ond ma'r rhain yn bâr da i . . .

CADI (*yn dal i'w wthio at allan*): Chaiff o ddim rhoi'r rheina am 'i draed. Os bydd rhaid iddo fo fynd i'r twll lle, mi bryna i bâr newydd iddo fo . . .

(*Deil William i brotestio fel y daw'r llenni i lawr gyda Marged a Dic yn pwffian chwerthin*)

Poen yn y Bol

(DRAMA FER)

Cydfuddugol yn Eisteddfod Genedlaethol Llandudno, 1963

Cyflwynwyd y ddrama hon am y tro cyntaf gan Gymdeithas y Ddrama Gymraeg, Prifysgol Bangor, yn yr Ŵyl Gelfyddyd, 1964.

Cymeriadau:

Bili Puw yn blentyn ysgol (tua deuddeg oed)
Neli Huws yn blentyn ysgol (tua deuddeg oed)
Bili Puw yn ŵr ifanc
Neli Huws yn ferch ifanc
Jôs Bach Scŵl (athro ysgol)
Mam Bili Puw
Tad Bili Puw
Gofalwr yr Ysgol
Y Cynghorydd Pritchard
Plant Ysgol (rhyw hanner dwsin o blant deuddeg oed)
Gwragedd y Pentref (tair gwraig)
Meddyg
Gweinyddesau Ysbyty
Llais Bili'n Glaf

Dylai'r llwyfan fod wedi ei rannu'n ddwy adran gan y Llenni Rhannu. Bydd y rhain yn cael eu hagor a'u cau yn union fel y Llenni Blaen yn ystod y ddrama. Gan fod y rhan fwyaf o'r actio yn digwydd o flaen y Llenni Rhannu, dylid cyfyngu'r arwynebedd y tu ôl iddynt i gyn lleied o le ag y bo modd.

Cyfyd y Llen Blaen ar lwyfan hollol dywyll ond ar ôl ysbaid byr fe egyr y Llenni Rhannu yng nghefn y llwyfan i ddangos golygfa mewn Theatr Ysbyty. Gwelir y bwrdd llawfeddygol (gyda'r claf yn gorwedd arno), ynghyd â meddyg, gweinyddesau, etc.

MEDDYG: Pawb yn barod? . . . Dewch â'r hambwrdd yna ychydig yn nes, nyrs. (*Un o'r gweinyddesau yn gwthio hambwrdd gydag offer llawfeddygol arno yn nes at y meddyg*) . . . Diolch . . . (*Mae'r meddyg yn troi i siarad gyda'r claf ar y bwrdd*) . . . Fyddwn ni ddim yn hir rŵan, Mr Puw. Sut ydych chi'n teimlo?

BILI PUW Y CLAF: Ddim yn rhy ddrwg, doctor, ond ma' 'ngheg i'n sych grimp.

MEDDYG: Peidiwch â phoeni am hynny, dyna effaith y bigiad yna gawsoch chi gynnau.

BILI PUW Y CLAF: Faint o amser fyddwch chi'n . . .?

MEDDYG: Fyddwn ni ddim chwinciad, Mr Puw. Wyddoch chi, mae tynnu pendics y dyddiau yma'n llai o ffys o lawer na thynnu dant. Fyddwn ni fawr o dro â'ch cael chi'n ôl yn y ward yna . . . (*Mae'n troi at un o'r gweinyddesau*) . . . Swab, nyrs . . . (*Mae'r nyrs yn rhoi tipyn o wlân cotwm iddo*) . . . Dyna ni . . . (*Gafaela'r meddyg ym mraich y claf*) . . . Ether Meths! (*Mae'r weinyddes yn dal dysgl fechan o flaen y meddyg ac y mae yntau'n socian y gwlân cotwm yn yr Ether Meths sydd ynddi. Wedyn dechreua rwbio braich y claf â'r cotwm.*) . . . Dwi'n mynd i roi pigiad fach arall i chwi rŵan, Mr Puw, ac mi fydd honno'n peri i chi gysgu'n syth . . . (*Mae'n troi at y weinyddes eto*) . . . Syrinj, nyrs. (*Rhydd hithau syrinj iddo*) . . . Rŵan, 'ta (*Yn siarad gyda'r claf*) does dim byd i chwi boeni yn ei gylch. Cyn gynted ag y byddwch chi'n teimlo'r nodwydd yma yn eich braich, dechreuwch gyfrif, ac mi fentra i rywbeth na fedrwch chwi ddim cyfrif ymhellach na thri . . . Barod? (*Mae'r meddyg yn pigo braich y claf*)

BILI PUW Y CLAF: Un . . . dau . . . t-tri . . . (*Tywyllwch hollol am eiliad neu ddau, yna cryfheir y goleuni i oleuo blaen y llwyfan. Dylai'r Llenni Rhannu, a gaewyd yn ystod y tywyllwch, edrych fel llenni cefn naturiol. Rhed Neli Huws, geneth tua deuddeg oed, i mewn o'r chwith wedi ei gwisgo mewn tiwnic ysgol. Mae'n cael ei hymlid gan fachgen o'r un oed yn gwisgo 'blazer' ysgol. Bili Puw yn blentyn ysgol ydyw.*)

NELI HUWS YN BLENTYN (*yn rhedeg o gwmpas y llwyfan o flaen Bili*): Dal di fi . . . dal di fi . . . cusan os gwnei di . . . dal di fi. (*Mae bron yn canu'r geiriau*)

BILI'N BLENTYN (*yn ei hymlid o gylch y llwyfan*): Cadw dy gusan! Isio'r afal yn ôl ydw i.

NELI'N BLENTYN: Ffor shêm. Bili Puw!

BILI'N BLENTYN: Mi ca i o 'tasa rhaid i mi dorri 'ngwddw wrth neud.

NELI'N BLENTYN: Ma' bwyta fala gwyrdd yn codi poen yn bol.

BILI'N BLENTYN (*yn dal i'w hymlid*): Dim ots gen i!

NELI'N BLENTYN (*yn dal i redeg*): Ma' ots gen i . . . Dal di fi . . . dal di fi
. . . Cusan os . . . (*Mae'n cael ei chornelu ac yn dechrau gwichian mewn ffug ofn*)

BILI'N BLENTYN (*yn cerdded ati'n fygythiol*): Dwêd dy bader, Neli Huws, dwêd dy bader.

NELI'N BLENTYN (*yn brofoclyd*): Ein Tad yr hwn wyt yn y Nefoedd, gad iddo 'nal i a hynny yn y twllwch. (*Tywyllwch sydyn. Clywir Neli a Bili'n chwerthin*)

LLAIS BILI'R CLAF (*i'w glywed o'r tywyllwch*): Diawl! Mi fydda i'n hwyr eto os na fydda i'n siapio. (*Clywir cloch ysgol*)

LLAIS BILI'R CLAF (*i'w chlywed o'r tywyllwch, cloch yn canu gyda rhythm tri churiad i'w chnul . . . ding, ding, ding . . . ding, ding, ding . . . ding, ding, ding . . .*) Un, dau, tri . . . un, dau, tri . . . un, dau, tri . . . (*Y geiriau'n un â sŵn y gloch. Distawa'r gloch ar ôl amser byr.*) A'r ddaear oedd luniaidd a llawn fel casgan, canys tywyllwch oedd ar wyneb y dyfnder, ond . . . ond Jôs Bach Scŵl a ddywedodd, 'Bydded goleuni'. (*Goleuir blaen y llwyfan a gwelwn tua hanner dwsin o blant ysgol yn sefyll yn grŵp destlus o flaen eu hathro. Jôs Bach Scŵl yw'r athro ac y mae golwg wyllt a blêr arno.*)

JÔS BACH SCŴL (*wrth y plant*): Rŵan, 'ta, gyda'n gilydd . . . un, dau . . . tri.

PLANT (*yn cydadrodd*):
Dyna sydyn boenus gri!
Cwningen fach mewn trap mewn cae:
Unwaith eto, dyna hi . . .
(*Sgrech uchel gan Neli o ganol y côr adrodd*)

JÔS BACH SCŴL (*yn flin*): Pwy oedd honna?

PLANT (*yn cydadrodd*): Neli Huws, syr.

JÔS BACH SCŴL: Neli Huws, dewch allan i fan hyn.

NELI'N BLENTYN (*yn dod i sefyll o'i flaen yn ofnus*): Bili ddaru 'mhinsio fi, syr.

BILI'N BLENTYN (*o ganol y côr adrodd*): Hi ddaru ofyn i mi. (*Mae'r plant i gyd yn chwerthin*)

JÔS BACH SCŴL (*yn gweiddi'n uchel*): Seilens! (*Distawrwydd llethol*) Tyrd tithau yma, hefyd, y gwalch bach drwg. (*Daw Bili i sefyll wrth ochr Neli o'i flaen*) Sgynnoch chi ddim parch, d'wedwch (*Yn siarad hefo'r ddau*), sgynnoch chi ddim parch i'r petha bach sy'n gwingo fel twniddimbe mewn trap mewn tŷ mewn ffatri mewn ysgol mewn trwbwl?

JÔS BACH SCŴL (*wrth Neli a Bili'n Ifanc*): Dywedwch ar fy ôl i. 'Yr wyf
 fi yn galw ar y personau sydd yma'n bresennol.'
BILI'N ŴR IFANC A NELI'N FERCH IFANC: 'Yr wyf fi yn galw ar y personau
 sydd yma'n bresennol . . .'
JÔS BACH SCŴL: 'I dystiolaethu fy mod i.'
BILI'N ŴR IFANC A NELI'N FERCH IFANC: 'I dystiolaethu fy mod i . . .'
BILI'N ŴR IFANC: Bili Puw!
NELI'N FERCH IFANC: Neli Huws!
JÔS BACH SCŴL: 'Yn dy gymryd di . . .'
BILI'N ŴR IFANC A NELI'N FERCH IFANC: 'Yn dy gymryd di . . .'
NELI'N FERCH IFANC: Bili Puw!
BILI'N ŴR IFANC: Neli Huws!
NELI'N FERCH IFANC: Yn ŵr . . .
BILI'N ŴR IFANC: Yn wraig . . .
JÔS BACH SCŴL: 'Priod cyfreithlon i mi.'
BILI'N ŴR IFANC A NELI'N FERCH IFANC: 'Priod cyfreithlon i mi.'

(*Rhydd Bili'n Ŵr Ifanc fodrwy am fys Neli'n Ferch Ifanc*)

JÔS BACH SCŴL: Yr wyf yn hysbysu eu bod yn awr yn ŵr a gwraig briod.

(*Daw'r Plant i mewn o bob ochr i'r llwyfan a dawnsio'n gylch o
gwmpas y grŵp o gylch y bwrdd*)

PLANT (*Tan ddawnsio*):
  Bili Puw mae'n ddewis,
  Cusan ar ei wefus.
  Ding-dong, ding-dong,
  Clywch y gloch yn canu.
(*Clywir sŵn cloch ysgol*)

(*Daw'r Gofalwr i mewn tan chwifio'i frws. Gall fod yn dal i wisgo coler
gron.*)

GOFALWR: Cerwch o'ma'r tacla. Cerwch o'ma!

(*Rhed pawb allan o flaen y Gofalwr gan adael Bili'n Ŵr Ifanc a Neli'n
Ferch Ifanc ar ôl ar y llwyfan. Eistedda'r ddau ar y cadeiriau gan
edrych yn gariadus ar ei gilydd.*)

NELI'N FERCH IFANC: 'Gwyn fyd yr adar gwylltion.'

BILI'N ŴR IFANC: 'Hwy gânt fynd i'r fan a fynnon.'

NELI'N FERCH IFANC: 'Weithiau i'r môr, ac weithiau i'r mynydd,

BILI'N ŴR IFANC: A dod adre' yn ddigerydd.'

NELI'N FERCH IFANC (*yn tynnu afal coch allan o dan ei gwisg*): Dwi wedi cadw hwn i ti.

BILI'N ŴR IFANC (*yn ei gymryd*): Nefi, diolch! (*Mae'n dechrau ei fwyta'n awchus. Rhed Neli'n Blentyn i mewn o'r chwith—yn union fel y gwnaeth yn nechrau'r ddrama. Dilynir hi gan Bili'n Blentyn. Ni chymer y ddau sy'n eistedd yr un sylw ohonynt.*)

NELI'N BLENTYN (*yn rhedeg o gylch y llwyfan*): Dal di fi . . . dal di fi . . . cusan os gwnei di . . . dal di fi. (*Mae'n canu'r geiriau fel o'r blaen*)

BILI'N BLENTYN (*yn ei hymlid*): Dwêd dy bader, Neli Huws. Dwêd dy bader!

NELI'N BLENTYN (*yn bryfoclyd*): Ein Tad yr hwn wyt yn y Nefoedd, gad iddo 'nal i, a hynny yn y twllwch. (*Tywyllwch dudew. Clywir Bili a Neli'n Ifanc y tro hwn yn chwerthin.*)

LLAIS BILI'R CLAF (*o'r tywyllwch*): A'r ddaear oedd luniaidd a llawn o gwningod bach, canys tywyllwch oedd ar wyneb y dyfnder, ond Jôs Bach Scŵl a dorrodd y trap yn rhacs. O'r un fechan! O'r un fach!

LLAIS Y GOFALWR (*o'r tywyllwch*): Fasach chi'n licio i mi 'u stido nhw, Jôs—'u stido nhw'n ddu-las?

LLAIS JÔS BACH SCŴL (*o'r tywyllwch*): Aros lle'r wyt ti, a rho'r wisg wen orau amdani.

LLAIS MAM BILI (*o'r tywyllwch*): Ond be' fydd pobol yn 'i feddwl ohonon ni?

LLAIS PLANT (*yn canu o'r tywyllwch*):
Neli fach yn giami,
Mae yn disgwl babi.
Doc-tor, doc-tor!
Dewch ar frys i'w helpu.

(*Clywir sŵn baban yn wylo'n ysgafn yn y tywyllwch, ond fel y cryfha'r goleuni'n araf, fe gryfha llais y baban nes bo'n sgrechian nerth ei ben. Wedi i'r llwyfan oleuo, fe welwn Neli'n Ferch Ifanc, gyda thipyn llai o raen arni nag o'r blaen, yn cerdded o gwmpas y llwyfan yn ceisio cysuro rhywbeth a ymddengys fel baban wedi ei lapio mewn siôl yn ei breichiau. Daw Bili'n Ŵr Ifanc i mewn wedi ei wisgo yn ei gôt uchaf, ac yn cario pecyn o lyfrau ysgrifennu ysgol dan ei fraich.*)

BILI'N ŴR IFANC (*yn gweiddi'n uchel i'w wneud ei hun yn glywadwy*): Fedri di ddim rhoi taw ar honna?

NELI'N FERCH IFANC: Beth?

BILI'N ŴR IFANC (*yn gweiddi'n uwch*): Fedri di ddim cau 'i cheg hi? (*Mae'n rhoi'r llyfrau i lawr ar y bwrdd*)

NELI'N FERCH IFANC: Ei phawen fach hi sy'n brifo.

BILI'N ŴR IFANC: Beth?

NELI'N FERCH IFANC (*yn gweiddi'n uwch*): Ei phawen hi sy'n boenus.

BILI'N ŴR IFANC: Nefoedd yr adar! Tyrd â hi yma. (*Mae'n cipio'r siôl a'i chynnwys oddi ar Neli. Yna, fe dafla'r siôl i ffwrdd i ddangos cwningen sy'n cael ei magu ynddi. Rhed i ochr y llwyfan a'i thaflu o'r golwg yn union fel petai'n ei gollwng yn rhydd.*) Shiw! Shiw! (*Cyn gynted ag y gollynga'r gwningen o'i ddwylo, fe ddistawa'r sŵn wylo ar amrantiad*)

NELI'N FERCH IFANC (*yn rhedeg ar ei ôl yn bryderus*): Be' 'ti'n drio'i wneud?

BILI'N ŴR IFANC (*yn cerdded yn ôl i ganol y llwyfan tan dynnu ei got uchaf a'i thaflu dros y gadair*): Yn y grug ma'i lle hi!

NELI'N FERCH IFANC (*yn wylofus*): Sgin ti ddim hawl . . .

BILI'N ŴR IFANC: Ma' hi ddigon â byddaru rhywun. Dwi wedi clwad digon o sŵn trwy'r dydd yn yr ysgol 'na heb ddŵad . . .

NELI'N FERCH IFANC: Yn cicio dy sodla tra bydda inna'n slafio adra'n fan hyn yn dwll lludw . . .

BILI'N ŴR IFANC: Siarad yn y dosbarth . . .

NELI'N FERCH IFANC: Golchi clytia drewllyd . . .

BILI'N ŴR IFANC: Gweiddi yn yr iard . . .

NELI'N FERCH IFANC: Nes ma' 'nwylo bach i'n gignoeth . . .

BILI'N ŴR IFANC: Sgrechian yn y lle cinio!

NELI'N FERCH IFANC: A dyma'r tâl dwi'n 'i gael. (*Mae'n dechrau wylo*)

BILI'N ŴR IFANC (*yn troi at ei wraig yn wyllt*): Ble ma' 'mwyd i?

(*Mae Neli'n Ferch Ifanc yn tynnu plât allan o dan ei ffedog ac afal o'i phoced, a'u rhoi i Bili'n Ŵr Ifanc*)

BILI'N ŴR IFANC (*yn gwylltio a tharo'r plât a'r afal i'r llawr*): Fala! Fala! Dim byd ond fala o fora gwyn tan nos.

NELI'N FERCH IFANC (*yn anghofio'i dagrau mewn syndod*): 'Ti wedi newid dipyn ar dy gân, on'd wyt ti?

BILI'N ŴR IFANC: Nes bod 'y mol i bron â byrstio. (*Mae'n rhoi ei law ar ei fol fel petai mewn poenau*)

NELI'N FERCH IFANC: Y cnewyllyn a'r cwbwl oedd hi ers talwm.

BILI'N ŴR IFANC: Ma'r hada'n gwneud sŵn 'run fath â morthwl sinc bob tro dwi'n cerddad.

NELI'N FERCH IFANC: Ond dwi'n neb rŵan—hen hosan wedi'i throi heibio . . .

BILI'N ŴR IFANC: Paid â chodi dy lais.

NELI'N FERCH IFANC: Hen ferfa wedi rhydu ar doman sgrap.

BILI'N ŴR IFANC: Wnei di fod ddistaw, ddynas.

NELI'N FERCH IFANC: Yfad coffi yn 'u cotia ffyr! Dyna i ti be' 'ma merchaid y stryd 'ma yn 'i wneud bob bora'—yfad coffi a . . .

BILI'N ŴR IFANC: A glafoerio dros 'u cŵn rhech wrth hel clecs. Mi fasa'n well gen i dy weld ti'n gwisgo hen sach am dy gefn na . . .

NELI'N FERCH IFANC (*yn wylo, gyda'r un oslef yn union ag oedd gan Mam Bili*): O! Be' fydd pobl yn 'i feddwl ohona i, be' fydd pobl yn 'i feddwl ohona i. Heb ddwy ddima i'w rhwbio yn 'i gilydd.

BILI'N ŴR IFANC: Wyt ti'n disgwl i mi roi'r badall ffrio ar y tân i' gwneud nhw ne' rwbath?

NELI'N FERCH IFANC: Mi fasat ti'n gallu gwella tipyn ar dy stad.

BILI'N ŴR IFANC: Be' 'ti'n 'i feddwl?

NELI'N FERCH IFANC: Cael *Headship*.

BILI'N ŴR IFANC: *Headship*? *Headship* dd'wedaist di? Wyt ti'n meddwl 'u bod nhw'n tyfu ar goed cwsberis ne' rwbath?

NELI'N FERCH IFANC: Ma' 'na ffordd i'w cael nhw—ma' pawb arall yn . . .

BILI'N ŴR IFANC: Yli, paid â dechra hyn'na rŵan. Dwi wedi dweud . . .

NELI'N FERCH IFANC: Mi fasa'r Cynghorydd Pritchard yn dy helpu di . . .

BILI'N ŴR IFANC (*yn gwylltio'n llwyr*): I'r diawl â'r Cynghorydd Pritchard! Dwi wedi dweud wrthat ti o'r blaen nad ydw i ddim yn mynd i lyfu llaw 'run ceiliog ffesant o gownsilar.

NELI'N FERCH IFANC (*â'i llais yn dechrau tyneru tipyn*): Ond ma' ganddo fo ddylanwad.

BILI'N ŴR IFANC: Dim tra bo chwythiad yno' i!

NELI'N FERCH IFANC (*yn dechrau anwesu gwallt Bili*): Er 'y mwyn i, 'nghariad i. Côt ffyr a choffi yn y bora! Car a berfa newydd sbon.

BILI'N ŴR IFANC (*yn gwthio'i llaw i ffwrdd*): Na! Na! Na! (*Mae'n cydio yn ei fol fel petai'r poenau'n ei lethu*) O! dwi wedi llyncu draenog! (*Mae'n eistedd i lawr tan riddfan*)

NELI'N FERCH IFANC (*yn mynd allan yn frysiog*): Mi a' i i nôl tipyn o giabi a dŵr poeth i ti, 'mlodyn tatws i . . . (*Mynd allan*)

(*Tra mae Bili'n rhwbio ei fol, fe glywir lleisiau'r Plant yn canu o'r tu allan*)

LLEISIAU PLANT:

Neli'n magu'r babi.

Bili'n gorfod golchi.

Poena'r byd! Poena'r byd!

Peidiwch byth â phriodi.

BILI'N ŴR IFANC (*yn rhuthro'n wyllt i ochr y llwyfan tan weiddi nerth ei ben*): Heglwch hi! Heglwch hi!

(*Fe glywir sŵn y Plant yn rhedeg i ffwrdd tan chwerthin*)

BILI'N ŴR IFANC (*yn ei ddybla mewn poen*): O! Ma' briga celyn yn tyfu trwy 'motwm bol i.

(*Tra mae'n gwingo, daw gŵr pwysig iawn yr olwg i mewn o'r tu ôl iddo. Ymhellach ymlaen, fe eilw Bili ef yn Gynghorydd Pritchard. Dechreua sgwario o gwmpas y llwyfan.*)

CYNGHORYDD PRITCHARD (*gyda thinc bwysig yn ei lais*): Poena'r byd, Mistar Puw? Poena'r byd? Mae'r rheini arnon ni i gyd.

BILI'N ŴR IFANC (*yn ei weld am y tro cyntaf; yn anghofio'i boenau, ac yn twtio tipyn arno'i hun*): Sut . . . sut ydach chi Mistar . . . y . . . Cynghorydd Pritchard?

CYNGHORYDD PRITCHARD: At fy ngwddw mewn gwaith.

BILI'N ŴR IFANC: Wrth gwrs, syr, wrth gwrs—ma' 'na ddigon o alw ar bobol fel chi.

CYNGHORYDD PRITCHARD: Does dim munud o lonydd i'w gael—mae pawb eisiau rhywbeth.

BILI'N ŴR IFANC: Isio cyngor?

CYNGHORYDD PRITCHARD: Eisiau tŷ cyngor!

BILI'N ŴR IFANC: Cael eich barn chi?

CYNGHORYDD PRITCHARD: Cael 'y mhleidlais i!

BILI'N ŴR IFANC: Chwilio am gymorth?

CYNGHORYDD PRITCHARD: Chwilio am swydd!

(*Mae Bili'n Ŵr Ifanc yn edrych yn euog i'r llawr gyda'r Cynghorydd Pritchard yn cerdded yn araf o'i amgylch fel dyn yn archwilio anifail cyn ei brynu*)

CYNGHORYDD PRITCHARD (*ar ôl ysbaid go hir*): Beth sydd gen ti i'w gynnig?

BILI'N ŴR IFANC (*yn codi ei ben yn awyddus*): Cwalifications, Mistar Cynghorydd . . . a . . . a Testimonials—llond trol ohonyn nhw.

CYNGHORYDD PRITCHARD: 'Dda i ddim!

BILI'N ŴR IFANC: Mi alla i ddysgu Cymraeg a Lladin . . .

CYNGHORYDD PRITCHARD: Chwara plant!

BILI'N ŴR IFANC: Cynhyrchu drama . . .

CYNGHORYDD PRITCHARD: Lol i gyd!

BILI'N ŴR IFANC: Canu piano.

CYNGHORYDD PRITCHARD: Gwastraff amser!

BILI'N ŴR IFANC: Sefyll ar 'y mhen ac adrodd Iesu Tirion . . .

CYNGHORYDD PRITCHARD: Sgin ti Fatric?

(*Ceir ysbaid byr o ddistawrwydd gyda Bili'n edrych ar y Cynghorydd mewn syndod*)

BILI'N ŴR IFANC: Matric?

CYNGHORYDD PRITCHARD (*yn gweiddi*): Ma-tric! MA-TRIC!

BILI'N ŴR IFANC: Oes, ond . . .

CYNGHORYDD PRITCHARD: Wyt ti wedi darllen y Rhodd Mam?

BILI'N ŴR IFANC: Tu chwithig allan.

CYNGHORYDD PRITCHARD: Sawl diwrnod sy yn yr wythnos?

BILI'N ŴR IFANC: Saith—i bawb ond Tad Neli.

CYNGHORYDD PRITCHARD: Ble mae o?

BILI'N ŴR IFANC: Yn ei wely.

CYNGHORYDD PRITCHARD (*mewn syndod*): Pwy?

BILI'N ŴR IFANC: Tad Neli.

CYNGHORYDD PRITCHARD (*yn gwylltio*): Y Rhodd Mam! Y Rhodd Mam! Ble mae'r Rhodd Mam?

BILI'N ŴR IFANC (*yn edrych yn euog ar y llawr eto*): Ar hoelan yn y tŷ bach.

CYNGHORYDD PRITCHARD: Ugain Punt!

BILI'N ŴR IFANC (*yn codi ei ben mewn syndod*): Ugain punt?

CYNGHORYDD PRITCHARD: Ugain punt! Mi fydd yn anodd argyhoeddi'r pwyllgor.

BILI'N ŴR IFANC (*yn wylofus*): Ond does gen i ddim ugain punt i . . .

CYNGHORYDD PRITCHARD: Deugain i gyd.

BILI'N ŴR IFANC: Deugain?

CYNGHORYDD PRITCHARD: Ugain am fwyta fala, ac ugain am ysgrifennu ar waliau'r tŷ bach.

BILI'N ŴR IFANC: Ond pwy dd'wedodd . . .

GOFALWR (*yn dod i mewn tan chwifio'i frws llawr*): 'Nid oes yna le i lechu', dyna i chi be' sgwennodd o, Mistar Pritchard—'Nid oes yna le i lechu . . .'

BILI'N ŴR IFANC: Palu clwydda.

CYNGHORYDD PRITCHARD (*yn dynwared Arwerthwr*): Deugain dd'wedais i—deugain! Oes yna ychwanegiad at ddeugain?

GOFALWR: Deg a deugain . . . deg a deugain!

BILI'N ŴR IFANC (*yn gweiddi'n orffwyll*): Pe tasa gen i gant, faswn i ddim . . .

CYNGHORYDD PRITCHARD: Cant! Cant wedi ei gynnig gan Bili Puw. Cant! Oes yna ychwanegiad at gant?

GOFALWR: Cant a hannar!

CYNGHORYDD PRITCHARD: Cant a hanner, gyfeillion—cant a hanner! Oes yna ychwanegiad eto . . .?

BILI'N ŴR IFANC (*yn gweiddi nerth ei ben*): Dach chi ddim yn gall—y ddau ohonoch chi.

CYNGHORYDD PRITCHARD: Dau! Dau gant! Dau gant wedi ei gynnig . . .

GOFALWR: Tri chant!

CYNGHORYDD PRITCHARD: Pedwar cant!

GOFALWR: Pum cant!

CYNGHORYDD PRITCHARD: Chwe chant!

BILI'N ŴR IFANC (*yn rhoi ei ddwylo dros ei glustiau a'i fol bob yn ail*): Byddwch ddistaw! Byddwch ddistaw!

GOFALWR: Saith gant!

CYNGHORYDD PRITCHARD: Wyth gant!

BILI'N ŴR IFANC: Ma' 'mhen i'n hollti a 'mol i'n rhwygo.

NELI'N FERCH IFANC (*yn rhedeg i mewn*): Be' ar y ddaear fawr sy'n mynd ymlaen yma?

GOFALWR (*heb gymryd sylw ohoni*): Naw cant!

CYNGHORYDD PRITCHARD: Mil!

GOFALWR: Dwy fil!

CYNGHORYDD PRITCHARD: Tair mil!

(*Daw Jôs Bach Scŵl i mewn yn frysiog o gefn y llwyfan, trwy raniad canol y llenni*)

JÔS BACH SCŴL (*yn gweiddi*): Seilens! (*Distawrwydd hollol gyda phawb yn edrych yn ofnus arno*)

JÔS BACH SCŴL (*yn geryddol*): Ydach chi ddim wedi sylwi'u bod nhw'n cau o'n cwmpas ni. Ust! (*Pawb yn gwrando*)

(*Fe glywir sŵn yn y pellter sy'n nodweddiadol o ryfel—saethu, awyrennau, bomiau'n ffrwydro, sgrechian, etc. Yn ystod y sŵn, fe ddaw'r Gwragedd o'r chwith ac aros i wrando'n grŵp ar un ochr i'r llwyfan. Daw'r Plant i mewn o'r ochr arall a gwneud yr un peth. Daw Tad a Mam Bili i mewn trwy ganol y Llenni Rhannu yng nghefn y llwyfan. Ar ôl ysbaid o wrando, fe bellha'r sŵn, ond fe bery'n ysgafn trwy'r ymddiddan nesaf rhwng y Gwragedd a'r Plant. Yn ystod yr ymddiddan yma, nid yw'r naill grŵp yn cymryd yr un sylw o beth y mae'r llall yn ei ddweud. Fe ddylai'r gweddill ar y llwyfan sefyll yn hollol lonydd. Eistedda Bili'n Ŵr Ifanc gyda'i ben rhwng ei ddwylo.*)

GWRAGEDD (*yn cydadrodd*): 'Gwaed! gwaed! gwaed!'

PLANT (*yn cydadrodd*): 'Dyna sydyn boenus gri!'

GWRAGEDD: 'Magnel, awyrlong a thân'.

PLANT: 'Cwningen fach mewn trap mewn cae'.

GWRAGEDD: Gwaed! Gwaed! Gwaed!

PLANT: 'Unwaith eto dyna hi'.

GWRAGEDD: 'Ac angau yn galw y gân'.

PLANT: 'Ond ni allwn ddweud p'le mae Hi yn galw am ryddhad'.

GWRAGEDD: 'Gwaed! gwaed! gwaed!

PLANT: 'Drwy'r ofnus 'nawn yn crio'i gwae,
Gan ddychryn pethau byw y wlad'.

(*Derfydd y sŵn ac fe ystwytha pawb o'u parlys*)

GOFALWR: Glywsoch chi am Tomi Gorlan—bora 'ma y cafodd 'i fam druan o y teligram.

CYNGHORYDD PRITCHARD: 'I chwythu'n dipiau mân meddan nhw.

GWRAIG 1: Mi ddaethon nhw o hyd i'w fraich o. (*Mae'n gostwng ei llais*) Ma'n nhw'n dŵad â hi adra mewn bocs.

GWRAIG 2: Ma' darn ohono fo'n well na dim.

GWRAIG 3: Digon i wneud angladd!

JÔS BACH SCŴL (*yn troi at Bili*): Sgin ti ddim cywilydd, dywed—yn eistedd ar dy din yn fan'na a'r pethau bach yn dioddef?

BILI'N ŴR IFANC: Dydw i ddim yn mynd i gymryd rhan yn y syrcas— dwi wedi dweud wrthach chi o'r blaen.

GWRAIG 2: Wn i ddim sut y gall o ddal 'i ben i fyny yn y stryd yna.

MAM BILI (*yn dechrau wylo gyda'i gŵr yn ei chysuro*): O! be' fydd pobl yn 'i feddwl ohonon ni . . .

GWRAIG 1: A'i ffrindia fo'n cael eu lladd fel pys yn y ffrynt 'na.

BILI'N ŴR IFANC (*yn rhoi ei ddwylo ar ei glustiau eto*): Gadwch lonydd i mi!

NELI'N FERCH IFANC (*yn ceisio'i gysuro*): Paid â gwrando arnyn nhw 'nghariad i, paid â gwrando arnyn nhw.

GOFALWR: Sgynno fo ddim cydwybod.

CYNGHORYDD PRITCHARD: Mae rhai 'fath â fo yn waeth na bradwyr.

GOFALWR: Isio'u saethu nhw i gyd sy.

CYNGHORYDD PRITCHARD: Yn erbyn wal!

BILI'N ŴR IFANC (*yn llamu ar ei draed yn wyllt*): Pwy ydach chi i ddeud be' ydi be'.

PAWB: Conshi! Conshi! Conshi!

BILI'N ŴR IFANC: Sgynnoch chi ddim syniad . . .

PAWB: Llwfrgi! Llwfrgi! Llwfrgi!

BILI'N ŴR IFANC: Petaech chi wedi darllen y Rhodd Mam cyn 'i hongian o ar hoelan yn y tŷ bach, mi fasach chi'n deall.

GOFALWR: Ma' gynno fo ofn.

PAWB: Ofn! Ofn! Ofn!

CYNGHORYDD PRITCHARD: Ofn i Neli fynd i hel dynion tra bydd o i ffwrdd.

NELI'N FERCH IFANC: Na! . . . paid â gwrando arnyn nhw . . .

PLANT (*yn cydadrodd*):
Ofn cario dŵr o'r ffynnon
Ar ôl machlud haul;
Ofn cysgu yn y siambar
Heb y lamp—
Ofn mygu dan y blanced.

GOFALWR: Ofn marw mae o.

PAWB: Ie, ofn marw, marw, marw.

BILI'N ŴR IFANC (*yn gweiddi nerth ei ben*): Sgin i ofn dim byd ond Duw a Jôs Bach Scŵl.

PAWB: Ofn, Ofn, Ofn.

(*Mae pawb yn cylchu o gwmpas Bili'n Ŵr Ifanc ac yn dechrau siarad a gweiddi ar draws ei gilydd. Fe glywir brawddegau fel y rhai a ganlyn yn dod i'r amlwg weithiau—'di-asgwrn cefn', 'u saethu nhw i gyd', 'cachgi', 'ofn ei gysgod', 'cywilyddus, i ddweud y gwir', 'eraill yn cwffio drosto fo', etc. Yn ystod y cynnwrf yma, y mae Jôs Bach Scŵl wedi cael cyfle i dynnu desg fechan a stôl o'r tu ôl i'r Llenni Rhannu. Fe eistedda ar y stôl y tu ôl i'r ddesg yng nghefn y llwyfan. Mae gwallt gosod y Barnwr am ei ben.*)

JÔS BACH SCŴL (*yn curo'r ddesg â morthwyl bach pren*): Seilens! 'Seilens in Côrt!' (*Distawrwydd llethol*)

(*Try pawb i edrych arno, ac yna cilio'n ofnus i ffurfio rhyw hanner cylch o'i gwmpas gan adael Bili'n Ŵr Ifanc yng nghanol y llwyfan. Ceisir cyfleu rhyw fath o olygfa 'Llys Barn' yn ystod y deialog sy'n dilyn. Gall y plant ymddangos fel Rheithwyr yn sefyll yn grŵp destlus wrth ochr y Barnwr—Jôs Bach Scŵl.*)

JÔS BACH SCŴL: Dewch â'r carcharor ymlaen.

(*Daw'r Cynghorydd Pritchard a'r Gofalwr bob ochr i Bili'n Ŵr Ifanc a'i wthio i sefyll mewn lle addas o flaen Jôs Bach Scŵl*)

JÔS BACH SCŴL (*yn edrych yn fygythiol ar Bili*): Beth am Tomi Gorlan wedi ei sbredian o gwmpas Benghazi?

BILI'N ŴR IFANC: Petai pawb wedi gwrthod, fasa 'na neb i'w sbredian.

GWRAIG 1: Ofn cael 'i sbredian mae o!

GWRAIG 3: Ofn cael 'i fraich mewn bocs!

BILI'N ŴR IFANC: Os ydach chi'n meddwl 'mod i'n mynd i wrando arnoch chi'n paldaruo . . . (*Ceisia'i ryddhau ei hunan, ond y mae'r Cynghorydd Pritchard yn gafael yn dynn ynddo*)

GOFALWR (*yn rhoi pwniad i Bili yn ei fol â choes ei frws llawr*): Sa'n llonydd o flaen dy well. Sa'n llonydd, wnei di.

BILI'N ŴR IFANC (*yn gafael yn ei fol mewn poenau*): O! O! . . . 'mol bach i . . . 'mol bach i . . .

CYNGHORYDD PRITCHARD: Poena byw, Bili Puw, poena byw—mae'r rheini arnon ni i gyd.

GWRAIG 2: Mae o'n crïo fel babi blwydd.

PAWB (*yn wawdlyd*): Babi mami! Llwfrgi! Ofn ei gysgod!

JÔS BACH SCŴL (*yn curo'r ddesg*): Seilens! (*Distawrwydd llethol*) Os gŵyr rhywun am achos anghyfreithlon y mae'r creadur hwn yn euog ohono, dyweded yr awron, neu na ddyweded byth ar ôl hyn.

MAM BILI: Mi ddôth â gwarth ar 'y mhen i.

PLANT (*yn cydadrodd*): Bwyta fala gwyrdd.

GOFALWR: Sgwennu ar y walia.

PLANT (*yn cydadrodd*): Nid oes yma le i lechu . . .

CYNGHORYDD PRITCHARD: Dydi o ddim yn gwybod y Rhodd Mam.

PLANT (*yn cydadrodd*): Ar hoelen yn y tŷ bach.

GWRAIG 1: Mi gafodd 'i dorri allan o'r capel.

JÔS BACH SCŴL: 'I dorri allan o'r capel . . . 'i dorri allan. Am beth . . . am ragrithio? . . . am ladrata . . . am odinebu?

NELI'N FERCH IFANC: Am garu nes bod y trap yn jibidêrs.

PAWB: Gwarth! gwarth! gwarth!

JÔS BACH SCŴL: Mae dy bechodau'n ddirifedi, Bili Puw.

PLANT (*yn cydadrodd*): Clymwch faen melin am ei wddw a'i daflu i eigion y môr.

JÔS BACH SCŴL (*yn troi i edrych ar y Plant*): Euog?

PLANT (*yn cydadrodd*): Euog!

JÔS BACH SCŴL (*wrth y Gofalwr*): Dewch â'r Poenydiwr i mewn.

PAWB: Y Poenydiwr! Y Poenydiwr!

(*Mae'r Gofalwr yn mynd i gefn y llwyfan ac yn ailagor y Llenni Rhannu. Daw'r Meddyg a welwyd yn nechrau'r ddrama i mewn. Mae mwgwd am ei wyneb ac mae'n cario 'syrinj' anferth yn ei ddwylo. Cerdda'n araf at Bili'n Ŵr Ifanc a dechreua hwnnw strancio. Gafaela'r Cynghorydd Pritchard a'r Gofalwr ynddo rhag iddo redeg i ffwrdd.*)

BILI'N ŴR IFANC: Peidiwch! Peidiwch! Peidiwch! Er mwyn Duw, peidiwch! (*Ceir tywyllwch dudew pan fo'r Meddyg am ei bigo â'r 'syrinj'*)

LLAIS BILI'R CLAF (*o'r tywyllwch*): Ydach chi ddim yn gweld bod y lle 'ma'n troi fel chwrligwgan . . . Dal dy afael, Neli, dal dy afael . . . Ma'n nhw'n cau o'n cwmpas ni fel locustiaid . . . Cerwch o'ma'r diawliaid! Cerwch o'ma. Cerwch i Benghazi i chwilio am y gwningen fach yn goch gan waed . . . dim ond 'i phawen hi dach chi isio . . . mi fydd hynny'n ddigon i 'neud angladd.

(*Pan fo blaen y llwyfan wedi ei glirio'n llwyr, fe ellir agor y Llenni Rhannu a goleuo cefn y llwyfan i ddangos yr olygfa 'Theatr Ysbyty' unwaith eto. Gwelir y Meddyg a'r Gweinyddesau yn tynnu eu mygydau fel petai'r driniaeth lawfeddygol drosodd. Da o beth fuasai recordio'r araith olaf yma gan Bili ar dâp fel y gall y gynulleidfa ei chlywed gydag yntau'n ymddangos yn hollol lonydd fel petai'n cysgu'n drwm.*)

LLAIS BILI'R CLAF: Neli! . . . Neli! Ma'n nhw'n poeri . . . ma'n nhw'n poeri nodwydda nes bod y draenog mewn stranc gwyllt dan 'y mogal i . . . Poeri a bytheirio brwmstan . . . cynffonnau ysgall a chyrn drain yn rhwygo, twlcio a chodi cyfog . . . Alla i ddim dianc. Neli . . . Ma'n nhw'n clymu 'ngholuddion i â weiran bigog . . . Peidiwch! . . .

Peidiwch! . . . 'fedra' i ddim fforddio . . . fedra i ddim fforddio . . .
fedra i ddim fforddio i dalu . . . Cant . . . dau gant! . . . tri! Dim mwy
. . . Fedra i ddim fforddio dim mwy . . . côt ffyr . . . berfa newydd . . .
dim mwy . . . un . . . dau . . . tri chant . . . un . . . dau . . . tri . . . un . . .
dau . . . tri. (*Goleuir y llwyfan i gyd a daw'r Meddyg allan i'r blaen
gydag un o'r Gweinyddesau yn ei ddilyn. Dechreua dynnu ei fenig
rwber tan siarad â hi. Yn y cyfamser, y mae'r Gweinyddesau eraill yn
twtio a chadw offer yn y cefn.*)

MEDDYG: Mi faswn i'n hoffi i chi alw amdana i pan fyddwch chi'n
ailwisgo'r archoll fory, nyrs.

GWEINYDDES: O'r gorau, doctor.

MEDDYG: A dwi'n credu y bydd yn well iddo fynd ar benisilin am ryw
chwe diwrnod. (*Mae'r Weinyddes yn nodio'i phen. Fe wthir Bili'n
Glaf ar droli heibio iddynt a diflannu i'r chwith o'r llwyfan.*)

MEDDYG (*wrth weld y claf yn mynd*): Wel dyna un, beth bynnag, fydd
hefo tipyn llai o boen yn ei fol pan ddeffrith o. Nos da, nyrs. (*Mae'n
mynd allan i'r dde*)

GWEINYDDES: Nos da, doctor. (*Mae'n dilyn y claf i'r dde o'r llwyfan*)

Saer Doliau

Cyflwynwyd y ddrama hon am y tro cyntaf gan Gwmni Theatr Cymru
ar Daith y Gwanwyn, 1966

Cymeriadau:

Ifans
Merch
Llanc

RHAN 1

YMWELYDD

Amser: Un Bore

*Lle blêr iawn yw Gweithdy'r Saer Doliau gyda chistiau pren, darnau o
goed, offer saer, etc. ar hyd a lled yr ystafell. Ar silffoedd mae'r
doliau—rhai'n garpiog, rhai heb ben, neu goes, neu lygaid, neu fraich.
Yn y mur cefn, mae drws yn arwain allan, ac yn y muriau eraill, drws
yn arwain i'r ystorfa, drws yn arwain i'r seler, a ffenestr fechan gyda
dorau pren arni. Yn y gweithdy, hefyd, mae mainc weithio a theleffon
hen ffasiwn.*

*Pan gyfyd y llen, mae'r golau'n weddol wan ac ymhen ychydig daw'r
Saer Doliau i mewn. Mae'n edrych o gwmpas fel petai'n disgwyl gweld
rhywun yno.*

IFANS: Bore da, blant. Sut noson gawsoch chi? M-m? (*Mae'n hongian ei
gôt law ar hoelen, ond ceidw ei gap am ei ben*) Pawb wedi cysgu'n
iawn? Ynte gawsoch chi'ch styrbio. Na hidiwch, mae'r hen Ifans yma
eto i'ch trwsio chi, ac i edrych ar ych ôl chi. Nawr 'te, gadewch i ni
weld ein gilydd. (*Egyr ddorau'r ffenestr a llifa'r golau i mewn*) A!
Bore braf. (*Troi at y doliau*) Nawr 'te, pwy sy gynta? Na, 'rhoswch
chi . . . (*Mae'n ceisio cofio rhywbeth*) . . . Be' hefyd? Ym . . . o, ie,
côt weithio, siŵr iawn. Rhag ofn i chi fethu fy nabod i, yntê, ac i
gadw fy nillad inna'n lân. Ble ma' hi hefyd? Oes rhywun wedi'i
gweld hi? M-m! Fan hyn gadewais i hi. Ynte fan'cw? (*Daw o hyd i'r*

61

gôt weithio) A, dyma hi. Mi wyddwn i'n iawn ble'r oedd hi, ond nad o'n i ddim yn cofio. (*Gwisga'r gôt*) Nawr 'te, ble'r oedddwn i? (*Edrych o'i gwmpas ar y doliau*) Pwy sy gynta'r bore 'ma? Eh? Leusa, Marged, Siani, Betsan, Gygls. (*Cyfyd un o'r doliau ac edrych arni*) Am enw. Gygls! (*Mae'n gwasgu bol y ddoli ac yna ei hysgwyd. Clywir sŵn rhywbeth yn rhydd y tu mewn iddi.*) Mae dy du mewn di'n racs, Gygls. Ydyn nhw'n disgwyl i mi drwsio'r tu mewn yn ogystal â'r tu allan? Aros di ble'r wyt ti. Mae gen i ddigon ar fy mhlât heb ymhèl â dy du mewn di. Pwy arall? Na, arhoswch funud. Dwi ddim wedi gorffen eto efo Sera Jên, 'naddo? (*Â at y fainc a chodi dol ungoes*) Mae'r goes yna'n sownd fel cloch, beth bynnag . . . ydi, fel cloch, Sera Jên. (*Mae'n craffu ar y goes*) Aros di. Oes wir. Oes wir. Crac bach yn dy ben-glin di. Ond mi rwbia i dipyn o wêr cannwyll i hwnna. Does dim byd gwell na gwêr cannwyll i lenwi cracia. (*Cnoc ar y drws*) O wel, rhaid i ti aros am funud. (*Mae'n cerdded at y drws*) Doliau eto, reit siŵr. Parsel newydd o hyd o hyd. O, wel . . . (*Egyr y drws. Nid oes neb na dim i'w weld ond parsel ger y drws. Caria Ifans ef at y fainc, gan deimlo'i bwysau.*) Mae mwy nag un yn hwn. Does byth ddiwedd ar waith saer doliau. (*Tyn y papur ac edrych i'r parsel. Nid yw'n hoffi'r hyn mae'n ei weld.*) Go damia las! Sawl gwaith mae eisiau dweud yr un peth. Does gen i ddim amser i edrych ar betha fel hyn. Mae gen i ddigon fel mae hi. (*Mae'n tynnu doli ddu garpiog o'r parsel a'i thaflu oddi wrtho. Daw dwy neu dair arall o'r parsel.*) Wel, myn cebyst. Blacs i gyd. Petha caridyms, dyna ydyn nhw. Rydw i at 'y ngwddw mewn gwaith fel mae hi heb gymryd y rhain i mewn.

IFANS (*Parhad*): Mi gawn ni weld pwy sy'n mynd i gael y llaw uchaf, pwy ydi'r meistr yma, o cawn. Digon digywilydd i mi . . . Rhaid i ddyn ofalu am ei hunan-barch. O rhaid. Mi ro i stop ar hyn. (*Mae'n croesi at ddrws y seler, gwrando am ennyd, ac yn datgloi'r drws. Trwy gydol y ddrama, mae allwedd y seler wedi ei chlymu o gylch ei wddf ac yn hongian y tu mewn i'w drowsus. Wedi gwneud hyn, mae'n casglu'r doliau duon i gyd.*)

IFANS: A thithau hefyd (*yn codi Gygls*) Ydw i i fod i wneud gwyrthiau hefo cynnwys boliau? (*Mae'n taflu'r doliau i'r seler*) Gwehilion! (*Mae'n cau'r drws a'i gloi ar frys*) Mae gen i barch i 'nghrefft. A rhywun sy'n meddwl yn wahanol, ma'n nhw'n gwneud andros o fistêc. O ydyn. 'Tasan nhw'n cael eu ffordd eu hunain, mi fasa'r lle 'ma fel tŷ Jeraboam. A fedrwn i ddim goddef peth felly. Does dim byd yn debyg i fod yn drefnus. (*Daw'n ôl at ei fainc a chodi'r ddol ungoes*) Ble mae'r goes arall 'na? (*Chwilia o gwmpas y fainc*) Petai dyn yn cael llonydd i wneud ei waith, fydda peth fel hyn ddim yn digwydd . . . y blacs yna'n dŵad i styrbio rhywun. (*Mae'n dyfalu am ennyd*) Falle 'i bod hi wedi mynd efo'r siafins. (*Mae'n edrych mewn hen focs sy'n llawn i'r ymylon. Tyrcha ei law iddo.*) Helo . . . dyma hi. (*Mae'n tynnu morthwyl allan gan edrych yn hurt arno*) Sut aeth hwn i fan'na, ys gwn i? Mi ddylwn wybod y gwahaniaeth rhwng coes morthwyl a choes Sera Jên. Twt lol, cynhyrfu efo'r parsel felltith 'na wnes i. Dim byd arall. (*Dyry'r morthwyl o'r neilltu gan ddechrau chwilio eto am goes y ddoli*) Dwi'n siŵr i mi 'i gweld hi neithiwr . . . Ynte fi sy'n meddwl? Dwi'n cofio . . . ia . . . mi rhois hi ar y fainc wrth ochr . . . wrth ochr . . . wrth ochr rhywbeth. (*Mae'n chwilio'r fainc eto. Mae'n crafu ei ben a meddwl yn galed.*) Y bocs tŵls! (*Rhuthra ato a gwagio'i gynnwys yn ddiseremoni ar y llawr*) Wn i ddim i be' mae hanner y rhain yn dda. (*Mae'n amlwg nad yw coes y ddoli yn y bocs*) Ifans, yr hen ffŵl, paid â chwilio dim rhagor. Fo sydd wedi mynd â hi. (*Ymddengys bod y 'fo' hwn y tu hwnt i ddrws y seler*) Mi'i gwela hi. Fo cipiodd hi i gael hwyl am 'y mhen i. (*Symuda'n gyflym at y teleffon, ond wrth iddo frysio i'w godi saif i ymbwyllo. Mae'n tynnu ei gap, ymbarchuso, ac eistedd. Sylla ar y ffôn am ennyd, yna gafael ynddo'n ofnus-barchus a dechrau siarad.*) Helô, Giaffar . . . Giaffar, ydach chi yna? . . . Ifans sydd 'ma . . . Ifans Saer Doliau . . . Mae'n flin gen i'ch poeni chi, ond mae *o* wedi bod wrthi eto . . . *Fo*, Giaffar, fo sydd yn y seler. Mae o wedi bod yn prowla eto . . . Coes y ddol, Giaffar, coes Sera Jên. Wedi chwilio bob man, a does neb arall alla fod wedi mynd â hi . . . Gwrandwch, Giaffar, faswn i ddim yn meiddio mynd â'ch amser chi oni bai 'mod i wedi cael mwy na digon ar 'i *antics* o . . . Do, wrth gwrs, mi fydda i'n cloi bob nos. Dyna'r peth ola 'nes i, a phoeri ar yr allwedd wedyn. Poeri, Giaffar, poeri ar yr allwedd. Wel, os na fydda i'n cofio 'mod i wedi poeri ar yr allwedd, mi fydda i'n dod yn ôl bob cam rhag ofn 'mod i wedi anghofio cloi'r drws. Ond os byddai'n cofio 'mod i wedi poeri ar yr allwedd, mi fydda i'n gwybod fod y drws wedi'i gloi, oherwydd ar ôl cloi'r drws y bydda i'n poeri ar yr allwedd. Dwi'n cofio poeri neithiwr, felly fe gafodd y drws ei gloi . . . Gwrandwch, Giaffar, rhyngoch chi a fi, cerdded drwy'r muriau mae o, greda i. Fedrwch chi mo'i weld o, beth bynnag . . . ia, dyna ydi o, anweledig. Fel gwynt. Siŵr i chi . . . O galla, galla, mi alla i brofi'r peth. Faswn i byth yn cyhuddo neb o ddim os na fedrwn i brofi . . . Mi ddeuda i wrthoch chi. Dach chi'n cofio i mi riportio fod llygad chwith y ddoli glwt goch wedi diflannu . . . wel, lliw dydd gola oedd hynny, a reit o

dan y 'nhrwyn i. Ffwt—fel'na. Na, na. Na, na, mi sgubais i'r lle o'i
ben i'w gwr, bob twll a chongol, ac mi wyddoch un mor drwyadl a
gofalus ydw i efo popeth . . . A heddiw y morthwyl yn y bocs siafins
a dim hanes o goes Sera Jên. Rydw i wedi cael digon arno fo, Giaffar,
ac mi fydd raid gwneud rhywbeth reit sydyn yn 'i gylch o. Poeni
amdanyn nhw ydw i, y dolia. Dydw i ddim mo'i ofn o fy hun,
cofiwch, yn enwedig wrth ych bod chi y pen arall i'r lein 'ma. Ond
amdanyn nhw, fydd 'na ddim un ar ôl os caiff o'i ffordd. Prun
bynnag. Giaffar, mi ddalia i i'w gadw fo dan glo, rhag ofn, yntê.
(*Daw'r ferch ifanc i mewn. Adweithia'r saer iddi, gan ddwyn y sgwrs
i ben cyn gynted ag y medr.*) Mae gwaith yn galw nawr. Diolch i chi,
Giaffar . . . Rhaid i mi fynd . . . gwaith yn galw . . . diolch yn fawr . . .
dyna chi . . . dyna chi . . . Da boch chi. Da boch chi, Giaffar. Da boch.
(*Try'r Saer i wynebu'r ferch. Mae hi â'i chefn ato yn edrych ar y
doliau. Merch ifanc olygus ydyw, wedi ei gwisgo'n ddeniadol. Mae'n
ddymunol ac annwyl a phan awgryma feirniadaeth ni fradycha'r
caledwch sydd o dan y croen.*)

IFANS: Hei! Hei, chi fan'na. Be' ydach chi'n feddwl ydach chi'n 'neud?

MERCH: Dim. Dwi'n gwneud dim. Edrych ydw i.

IFANS: Clywch. Gwrandewch. Chewch chi ddim. Does gynnoch chi
ddim hawl.

MERCH: Ewch ymlaen â'ch gwaith, Mr Ifans. Peidiwch â gadael i mi
darfu arnoch chi.

IFANS: Tarfu! Wrth gwrs ych bod chi'n tarfu arna i. Dydach chi ddim i
fod i mewn yma. Does neb yn cael dod yma. Neb.

MERCH (*yn nesáu ato gan edrych o gwmpas yr ystafell*): Diddorol.

IFANS: Be' sy'n ddiddorol?

MERCH: Yr olwg sydd ar y lle 'ma.

IFANS: Golwg? O, wel, ia, dyna fo dach chi'n gweld. Camargraff. Fel
hyn yr ydw i wedi trefnu'r gweithdy—i fy siwtio i dach chi'n gweld.
Mi wn i'n union ble mae pob peth.

MERCH: Diddorol.

IFANS: Be'?

MERCH: Chi, Mr Ifans. Rŷch chi'n ddiddorol iawn. I mi, beth bynnag.

IFANS: Ydw i'n ddiddorol i chi?

MERCH: Wrth gwrs. Dyna pam yr ydw i yma.

IFANS (*Yn methu gwybod sut i adweithio*): Hei, hei, clywch. Gwrandwch.

MERCH: Ia?

IFANS: Yn ddiddorol be' dach chi'n 'i feddwl?

MERCH: Be' da *chi'n* 'i feddwl?

IFANS: Be' *dwi'n* 'i feddwl? Be dach *chi'n* 'i feddwl?

MERCH: Be' dach chi'n 'i feddwl dwi'n 'i feddwl?

IFANS: Meddwl *be'* ydach chi'n'i feddwl ydw i.

MERCH: A be' ydi hynny?

IFANS: Meddwl ych bod chi'n meddwl 'mod i'n ddiddorol i chi mewn ffordd . . . mewn ffordd bersonol felly. Dyna ydw i'n 'i feddwl dach chi'n 'i feddwl.

MERCH: Mae fy niddordeb i bob amser yn un personol. Oes gynnoch chi wrthwynebiad?

IFANS: Oes. Hynny ydi . . . Wel, mae peth fel hyn yn . . . yn . . .

MERCH: Yn be', Mr Ifans?

IFANS: Wel, yn . . . wel, yn beth anghyffredin iawn.

MERCH: Ond nid annymunol. Yn y bôn rydach chi fel pob dyn arall.

IFANS: Clywch, *miss*, dwi ddim yn gyfarwydd â . . .

MERCH: Nac ydach, mae'n amlwg. Ond peidiwch â gofidio, fe ddown i nabod ein gilydd yn fuan iawn. Dwi ddim yn cael llawer o groeso gynnoch chi.

IFANS (*yn rhyw dwtio mymryn arno'i hun*): Maddeuwch i mi. Pe gwyddwn i eich bod chi'n dod . . . mi faswn wedi paratoi ar eich cyfer chi. Dwi ddim wedi cael ymwelwyr . . . yn enwedig rhywun fel chi. (*Mae'n clirio lle iddi ar focs*) Eisteddwch. Gwnewch ych hun yn gartrefol. (*Mae hi'n eistedd, a sylla Ifans ar ei choesau*)

MERCH: Oes rhywbeth o'i le?

IFANS: O'i le? O, nac oes, nac oes. Dim ond—os ca' i fod mor hy â dweud—mae'n neis gweld coesa go iawn. Dwi'n gweld digon o goesa, cofiwch . . . coesa doliau. Bob maint a siâp. Ond dydyn nhw ddim fel 'na. Mae'r rheina'n ddelach.

MERCH: A beth amdana i? Ydw i ddim yn fwy deniadol na'ch doliau chi?

IFANS: Mae 'na rywbeth o'i le ar bob un o'r rheina. Does 'na ddim byd o'i le arnoch chi.

MERCH: Mi gaf aros, felly?

IFANS: Aros yma? Ydach chi o ddifri?

MERCH: Fydda i byth yn gwamalu, Mr Ifans.

IFANS: Am faint?

MERCH: Am faint?

IFANS: Awr? Diwrnod? Wythnos? Mis?

MERCH: Y peth pwysig yw y bydda i gyda chi o hyn ymlaen, drwy'r dydd a'r nos.

IFANS: Dydd a . . . a nos?

MERCH: Dyna dd'wedais i.

IFANS: Gobeithio na wna i eich siomi chi.

MERCH: Wnewch chi ddim. Cofiwch, fi ddaeth atoch chi.

IFANS: Ia, ia, wrh gwrs.

MERCH: Mae croeso i mi, felly?

IFANS: Croeso? Croeso? Wrth gwrs bod yna groeso i chi. Ddigwyddodd peth fel hyn erioed o'r blaen i mi. (*Mae'n awr yn gweld y teleffon ac yn cofio am y Giaffar*) Miss, chewch chi ddim aros yma. Fasa'r Giaffar ddim yn leicio. Ac ma'n rhaid i mi gadw'i reola o. Rhaid i chi fynd, nawr, ar unwaith.

MERCH: Peidiwch â chynhyrfu, Mr Ifans.

IFANS: Nid cynhyrfu yr ydw i. Wedi cael nerth, nerth i wrthsefyll temtasiwn.

MERCH: Pwy oedd yn eich temtio chi?

IFANS: Pwy oedd yn . . ? Wel, chi, chi, neb arall, chi. Ydach chi'n meddwl mai twpsyn ydw i? Rydw i'n deall tricia rhai fel chi'n iawn. Fy arwain i i brofedigaeth wnaech chi. Yntê? Yntê?

MERCH: Rwy'n gofyn eto. Pwy oedd yn eich temtio?

IFANS: O, chware gêm rŵan, aiê? O'r gora, fedrwch chi drympio hyn? Os ydi merch ifanc ddeniadol yn cynnig cysgu efo un fel fi, be' arall fasach chi'n galw peth felly?

MERCH (*Mae'n gwbwl hunanfeddianol ar waethaf cynnwrf Ifans*): Gwendid.

IFANS: Gwendid? O, am beidio derbyn, debyg.

MERCH: Am beidio gwrthod y syniad ar unwaith. Os gwêl dyn demtasiwn mewn sefyllfa, adlewyrchiad arno fo yw hynny.

IFANS: Be'? Be'? Chi ddaru gynnig . . .

MERCH: Cysgu efo chi?

IFANS: Ia.

MERCH: Pa bryd?

IFANS: Gynna.

MERCH: Naddo.

IFANS: Do! mi glywais i chi â'm clustiau fy hun.

MERCH: Fydde neb yn disgwyl i chi glywed gyda chlustiau neb arall, Mr Ifans.

IFANS: Ohô! Ohô! Gwneud sbort am 'y mhen i, aiê? Reit! mi'ch riportia i chi. Dyna be' wna i. Ych riportio chi. (*Mae'n croesi at y teleffon*)

MERCH: A chydnabod, wrth gwrs, ych bod chi wedi creu temtasiwn lle nad oedd un.

IFANS: Ond mi glywais chi â'm clustiau . . . Mi'ch clywais chi.

MERCH: Yn dweud y byddwn i gyda chi drwy'r dydd.

IFANS: A'r nos. Cofiwch hynny. A'r nos!

MERCH: Drwy'r dydd a'r nos. A dyna 'wy'n 'i olygu, Mr Ifans. Fel y pethau rydach chi'n hoff ohonyn nhw, a'r pethau rydach chi'n 'u casáu. Fel y pethau rydach chi'n 'u hofni, a'r pethau rydach chi'n 'u caru. Y pethau sydd efo chi ddydd a nos na fedrwch chi mo'u cyffwrdd nhw na'u gyrru i ffwrdd. Dyna'r cyfan ddywedais i. Chi'ch hun greodd y gweddill.

IFANS (*yn tybio bod rhywbeth o'i le arni*): O, ia, wela i, Wela i. Dwi'n deall. O ble daethoch chi? Mae'n siŵr 'u bod nhw'n chwilio amdanoch chi. Well ichi fynd nawr. Dowch, mi ddof gyda chi at y drws. (*Cyfyd hithau a mynd at ddrws y storws*) Fedrwch chi ddim mynd allan ffordd 'na. Drws y storws ydi hwnna. (*Egyr hi'r drws a mynd i mewn*) Mae hi'n dywyll yna. Fedrwch chi weld dim bron. Pam na wrandwech chi arna i, dyma'r unig ffordd allan. (*Daw'r ferch yn ôl*)

MERCH: Pryd buoch chi yn y storws ddiwethaf, Mr Ifans?

IFANS: Mi fydda i'n mynd yna reit amal.

MERCH: Fyddwch chi? Be' sydd yna i gyd?

IFANS: Wel . . . y . . . pob math o bethau—am wn i. Sut gwn i be' sydd 'na i gyd?

MERCH: Na wyddoch, wrth gwrs. Mae hynny'n ddigon dealladwy gan fod popeth ar draws 'i gilydd, a llwch dros y cwbwl. Ac mae hynny'n beth rhyfedd, a chitha'n mynd yna'n reit aml.

IFANS: Chredwch chi byth mor sydyn mae llwch yn disgyn ffordd yma. Fel cawod o eira weithia. 'Taswn i'n tisian yn fan'na, mi faswn fel dyn du mewn chwinciad.

MERCH: Neu ddyn eira, Mr Ifans.

IFANS: *Miss*. Rhaid ichi fynd. Beth petai rhywun yn gwybod ych bod chi yma? Meddyliwch amdana i. Mi fydde stori fel hon yn fêl i'w dant nhw. Ifans Doliau a'i drowsus i lawr. Dyna fel y bydda'r stori cyn i chi droi.

MERCH: Mae'ch parchusrwydd chi'n gwbl ddiogel, credwch fi. Rwy'n aros.

IFANS: Dydi o ddim yn fy natur i i wylltio. Ond dyna wna i. Dyna wna i os nad ewch chi. Does gynnoch chi ddim math o hawl i fod yma. Lle preifat ydi hwn. Edrychwch, mi profa i o i chi. (*Mae'n agor y drws*) Dyna fo. P R E I F A T. (*Yn darllen y gair ar y drws*) Ystyr hynny ydi—cadwch allan. Dowch. Allan â chi.

MERCH: Mae 'na dipyn o waith twtio yma.

IFANS: Fy musnes i ydi cyflwr y gweithdy 'ma. A does yr un hoeden benchwiban yn mynd i chwilio beia'i gwell. (*Cyfyd y ferch goes doli o ganol sbwriel*)

MERCH: Pwy biau hon, tybed?

IFANS: Be' sy gynnoch chi? Dowch i mi weld. Coes arall Sera Jên. Tric eto. Gynnoch chi roedd hi drwy'r amser.

MERCH: Go brin, Mr Ifans . . .

IFANS: A finna'n gwastraffu amser . . .

MERCH: Newydd gyrraedd ydw i . . .

IFANS: Yn chwilio amdani ymhob man . . .

MERCH: Roedd hi yma drwy'r amser.

IFANS: Fel 'tai gen i ddim digon i'w wneud . . .

MERCH: Arnach chi roedd y bai . . .

IFANS: Heb orfod chwilio am betha . . .

MERCH: Yn ei cholli hi yn y lle cynta. Arnach chi roedd y bai, Mr Ifans. Yntê? Neb arall. Chi, Mr Ifans.

IFANS: Mi faswn wedi dod o hyd iddi fy hun, cofiwch. Chi . . . ia, dyna fo—chi, chi styrbiodd fi.

MERCH (*yn codi tedi*): O, dyma gariad bach. Roedd gen i un 'run fath yn union â hwn ers talwm.

IFANS (*yn gwneud osgo i gymryd y tedi oddi arni*): Dach chi ddim i fod i gyffwrdd dim.

MERCH: 'Run ffunud â Charadog.

IFANS: Caradog?

MERCH: Un llygad oedd ganddo ynta hefyd. Mi wniais fotwm yn lle'r un coll. Roedd o'n ddigri hefo un llygad mawr ac un llygad bach.

IFANS (*yn cipio'r tedi*): Dach chi ddim i afael yn y petha.

MERCH: Wna i ddim niwed iddyn nhw.

IFANS: Dwi ddim yn dweud, ond dyna'r rheol.

MERCH: Roedd gen i daid 'run fath â chi.

IFANS: Y?

MERCH: Taid.

IFANS: O.

MERCH: Yn debyg iawn i chi. Fyddwch chi'n dweud stori?

IFANS: Stori?

MERCH: Wrth blant bach . . . wyres fach, efallai, cyn iddi gysgu . . . dim ond 'i thrwyn hi'n sbecian allan dros ymyl y dillad, a'i llygaid hi'n fawr o ryfeddod, a Charadog yn cael ei wasgu'n dynn yn ei chesail.

IFANS: Fuo gen i 'rioed blant . . . dim amser . . . hynny ydi, dim amser i briodi . . . rhy brysur fan hyn . . . rhywbeth i'w wneud o hyd.

MERCH: Druan â chi. Ac mae gynnoch chi wyneb mor garedig, mor garedig ag un taid.

IFANS (*wedi ei blesio*): Wel . . . wn i ddim am hynny.

MERCH: Allai neb creulon fod yn saer doliau.

IFANS (*yn edrych o'i gwmpas ar y doliau*): Na, na. Rydach chi'n iawn. Mae rhaid edrych arnyn nhw fel plant . . . fel . . . plant diniwed . . . a . . . a . . .

MERCH: Ac edrych ar 'u hola nhw.

IFANS: O ia, fel plant.

MERCH: Dod i'w nabod nhw bob un.

IFANS: Pwysig iawn. Eu nabod nhw.

MERCH: A pheidio'u cam-drin nhw.

IFANS: Ia, peidio'u cam-drin nhw.

MERCH: Na'u taflu nhw i'r sbwriel.

IFANS: Na'u taflu nhw i'r . . . Y?

MERCH (*yn rhoi ei llaw yn y bocs a thynnu goliwog allan*): A bod yn ofalus o bob un, yntê, a'u cadw nhw rhag niwed.

IFANS: Ia . . . wel . . . dwn i ddim sut aeth hwnna i . . . Mae'n debyg mai . . .

MERCH: Sambo!

IFANS: Sut?

MERCH: Ai dyna'i enw?

IFANS: Be' wn i?

MERCH: Biti, mae hwn wedi colli'i ddau lygad.

IFANS: Wrthi'n 'i drwsio oeddwn i. Mae'n rhaid 'i fod o wedi llithro oddi ar y fainc.

MERCH: Mae rhywbeth yn hoffus mewn doli ddu. On'd oes?

IFANS (*yn cipio'r goliwog a'i roi ar y fainc*): Maen nhw'n ôl-reit.

MERCH: Ydach chi'n hoff o ddoliau duon?

IFANS: Ylwch, *miss*, rydach chi'n fy nghadw i oddi wrth fy ngwaith. Os gwelwch chi'n dda, fyddwch chi mor garedig â gadael nawr.

MERCH (*fel pe'n cychwyn. Erys*): Mi gymer amser hir i gael trefn ar y lle.

IFANS: Fi pia'r lle 'ma, cofiwch chi hynny.

MERCH: Ers pryd?

IFANS: Ers pryd be'?

MERCH: Y piau chi'r lle.

IFANS: Ers . . . wel . . . ers . . . pan roddwyd 'Preifat' ar y drws 'na. Dyna i chi ers pryd.

MERCH: A chi ydi'r meistr felly.

IFANS: Wrth gwrs. Wrth gwrs.

MERCH: A finna'n meddwl mai rhywun arall oedd o.

IFANS: O, dyna egluro petha. Wedi dod i'r lle rong ydach chi . . . rhywle arall ydach chi eisio . . . nid fan'ma. Fi piau fan'ma.

MERCH: Gyda phwy oeddech chi'n siarad ar y ffôn gynnau?

IFANS: Dydi hynny ddim o'ch busnes chi.

MERCH: Ac mi ddaru chi gyfeirio ato fo wedyn . . . Y Giaffar, dyna oeddech chi'n ei alw, yntê?

IFANS: Gwrandwch, *miss* . . .

MERCH: O, mi faswn i'n hoffi mynd â'r doliau 'ma i gyd efo mi. Fe rown i enw ar bob un ohonyn nhw. Sali, Siani, Eleri, Olwen, Ann, Babs, Gwyneth, Myfanwy, Jini, Meleri, Elin, Catrin . . .

IFANS: Sut gwyddoch chi? Sut gwyddoch chi 'u henwau nhw?

MERCH: A dacw Sera Jên.

IFANS: Ond sut gwyddoch chi'r enwau?

MERCH: Edrychwch arni. Fydda'r un enw arall yn addas iddi hi. Mae ganddi wyneb Sera Jên, dŷch chi ddim yn meddwl? Sera Jên yw hi o'i chorun i'w *hun* sawdl.

IFANS: Mynd i osod y goes arall oeddwn i.

MERCH: Y goes ddaru chi golli.

IFANS: Ie. Nage! Y goes yr oeddwn i'n methu dod o hyd iddi.

MERCH: Un enw sydd ar gyfer pawb, yntê? Mae rhai'n ddigon ffodus i gael yr enw iawn o'r dechra. A'r lleill yn gorfod cario enw anaddas ar hyd eu hoes. Ydach chi'n meddwl bod Ifans yn eich siwtio chi, Ifans?

IFANS: Arhoswch chi funud. Arhoswch chi. Dyna'r oeddwn i wedi meddwl 'i ofyn i chi gynna. Sut gwyddech chi f'enw i? Pwy ddeudodd wrthach chi.

MERCH (*yn archwilio'r ddol*): Dichon mai'r Giaffar dd'wedodd.

IFANS (*mewn dychryn*): Y Giaffar?

MERCH: Wyddech chi fod 'na grac yn y ben-glin 'ma?

IFANS: Ydach . . . ydach chi'n nabod y Giaffar.

MERCH: Mi fydd eisiau gofal gyda hon.

IFANS: Y Giaffar sy wedi'ch anfon chi felly?

MERCH (*yn cerdded o gwmpas*): Pryd cafodd y llawr 'ma ei sgubo ddiwethaf?

IFANS: Ddoe . . . y . . . echdoe . . . wel, yr wythnos ddiwethaf, beth bynnag.

MERCH: Ble mae'r brwsh?

IFANS (*fel pe bai'n ansicr, yn rhedeg i chwilio*): Y brwsh. Y brwsh . . . 'Rhoswch chi . . . (*Daw o hyd iddo*) Dyma fo. (*Cyfyd ef i edrych ar ei ben. Mae wedi hen wisgo.*)

MERCH: Pam na fasech chi wedi cael un newydd?

IFANS: Wel . . . wel . . . chi'n gweld . . .

MERCH: Dim amser debyg.

IFANS: Dd'ywedodd y Giaffar ddim byd . . . hynny ydi, pan oeddwn i'n siarad ar y . . . chefais i ddim rhybudd eich bod chi'n dod, neu mi faswn wedi . . . hynny ydi . . .

MERCH: Mi ofala i am un newydd.

IFANS: O. Reit. Diolch. Fuoch chi'n siarad efo fo? Gawsoch chi air efo fo'i hun?

MERCH: Dewch yma.

IFANS: Y?

MERCH: Dewch yma. (*Mae'n croesi ati yn araf. Gwthia hithau ef ar ei liniau.*) Mae yna farc ar eich talcen chi. (*Cymer hances a pharatoi i'w lanhau*)

IFANS (*yn tynnu'n ôl*): Sdim angen . . .

MERCH (*yn sychu ei dalcen yn addfwyn*): Dyna ni. Llwch. Mae o wedi mynd nawr.

IFANS: O . . . diolch. (*Cais godi ond deil y ferch ef i lawr*)

MERCH: Ydych, yn debyg iawn i Taid. (*Mae'n tynnu ei bys ar hyd ei drwyn.*) 'Run siâp trwyn. (*Saif Ifans yn hurt*) 'Run clustiau. 'Run tro yn yr ên. Wyneb, addfwyn caredig. Fedra i ddim deall pam na chawsoch chi wraig.

IFANS (*yn ei ddatgysylltu ei hun yn ffwndrus*): Ia, wel . . . gormod o gyfrifoldeb. (*Mae'n mynd at y fainc fel petai am weithio*)

MERCH: Ga' i fod yn ffrind i chi?

IFANS: Ffrind?

MERCH: Mi fydde'n ddiflas i ni fod yn elynion cyn dechrau.

IFANS: Dechrau be'? Clywch, ma' gen i bob hawl i'ch gorchymyn chi o'r gweithdy 'ma.

MERCH: Rhag ofn 'mod i wedi camddeall, mi wna i'n siŵr.

IFANS: Yn siŵr o be'?

MERCH: O'ch hawlia chi. O bwy yw'r meistr. Esgusodwch fi. (*Mae'n croesi at y ffôn a gwneud osgo i'w godi*)

IFANS (*yn ei hatal*): Hei, gan bwyll, *miss*. Gan bwyll. Dd'wedais i ddim mai fi oedd meistr y lle, naddo.

MERCH: Rydych chi'n siarad fel petaech chi'n meddwl hynny.

IFANS: Dim o gwbwl. Dim o gwbwl. Efallai i mi ddweud mai fi piau'r lle, falle hynny. Ond dd'wedais i ddim mai fi oedd y meistr.

MERCH: Beth yw'r gwahaniaeth?

IFANS: Wel, mae 'na wahaniaeth rhwng perchennog a meistr, on'd does?

MERCH: Oes 'na?

IFANS: Hynny ydi . . . beth dwi'n ceisio'i ddweud ydi . . . fi piau'r lle . . . ond . . . ond bod y Giaffar wedi bod wrth y llyw fel 'tai. A ni sydd

wedi cael yr elw i gyd, bob dima. Mae o'n ddigon bodlon ar hynny . . .
Doedd o ddim yn cwyno am y trefniadau oedd o? Nac oedd, wrth
gwrs, fasa fo byth yn edliw'r tipyn arian dwi'n 'i gael. Mae o
uwchben 'i ddigon fel y gwyddoch chi, ond 'i fod o'n cael pleser
wrth edrych ar ôl petha. Trefnu petha ydi'i hobi fo. A threfnydd da
ydi o hefyd.

MERCH: Fasa neb yn dweud hynny wrth edrych ar y lle yma.

IFANS: Ia, wel, efalla fy mod i wedi bod tipyn bach yn aflêr. Ond un fel
'na ydw i.

MERCH: Beth am yr offer? Ydyn nhw mewn cyflwr da?

IFANS: O, mae'r tŵls yn union fel y cawson ni nhw yn y dechra . . . ar
wahân i ryw ddau neu dri sy wedi cael eu lladrata.

MERCH: Gan bwy?

IFANS: Ganddo fo.

MERCH: Pwy fe?

IFANS: Sh! (*yn pwyntio at ddrws y seler*) Wyddoch chi, fe sydd yn y
seler 'na.

MERCH: O, mae 'na rywun gyda chi, felly?

IFANS: Peidiwch â 'nghysylltu i efo hwnna beth bynnag wnewch chi.
Does a wnelo fi ddim â fo. Ond 'i fod o'n aflonyddu arna i a phrowla
o gwmpas y lle fel gwynt. Dwgyd petha, a malu gêr a ballu. (*Mae'n
atal ei eiriau gan syllu'n amheus arni*) Dd'wedodd y Giaffar ddim
wrthach chi? Naddo, mae'n amlwg. A finna wedi riportio'r peth bob
tro. Dwi ddim yn deall y Giaffar o gwbwl . . . Wn i, wn i. Dydan ni
ddim yn sôn am yr un Giaffar. (*Yn obeithiol*) Dydw i'n dweud o'r
dechra, wedi dod i'r lle rong ydach chi, wedi camgymryd.

MERCH: Chi ydi Ifans, yntê?

IFANS: 'Taech chi'n 'u cyfri nhw, mae 'na ddega, miloedd o Ifansus yn y
byd. Enw cyffredin iawn.

MERCH: Ond dim ond un Effraim Cadwaladr Ifans.

IFANS (*a'i siom yn amlwg*): Dim ond meddwl oeddwn i.

MERCH: Mae'n well i ni ddechrau felly.

IFANS: Dechrau be'?

MERCH: Gwneud archwiliad manwl o bob twll a chongl, Effraim
Cadwaladr Ifans. Gwneud cyfri o bopeth. Cymryd stoc, os leciwch
chi.

IFANS: Cymryd . . . cymryd stoc?

MERCH: Mynd drwy'r lle gyda chrib mân. (*Saif Ifans fel petai wedi ei
syfrdanu*)

RHAN 2

PROTEST

Amser: Y noson honno

Mae'r gweithdy'n dywyll. Egyr y drws a daw Ifans i mewn gyda hen lusern gannwyll hen ffasiwn, yn ei law. Â at ddrws y seler i sicrhau ei fod ar glo, a rhydd ei glust ar y pren i wrando. Llusga stôl neu gadair at y teleffon, tyn ei gap ac eistedd gan syllu'n bryderus arno. Gwelwn ei wefusau'n symud fel petai'n ymarfer yr hyn mae am ei ddweud. Ar ôl oedi, pryd mae'n gwneud osgo i gydio yn y teleffon fwy nag unwaith, mae o'r diwedd yn ei godi'n ofnus.

IFANS (*yn ofnus i ddechrau, ond yn cryfhau wrth fynd ymlaen*): Helô . . . Helô . . . Giaffar? Ydach chi yna? . . . Ifans sydd 'ma . . . Ifans. Mae'n ddrwg iawn gen i'ch styrbio chi mor hwyr, ond digwydd dod yn ôl i'r gweithdy wnes i . . . methu cofio oeddwn i wedi poeri dach chi'n gweld—Wedi poeri ar yr allwedd ai peidio . . . ac mi ddois yn ôl rhag ofn nad oeddwn i ddim wedi cloi . . . a meddwl efalla gallwn i gael sgwrs bach efo chi . . . hynny yw . . . gan fod y drws wedi cael 'i gloi wedi'r cwbwl, ne' mi faswn wedi cael siwrna seithug, yn baswn? Felly, dyma fi'n meddwl, a deud wrtha fy hun, mi ga' i sgwrs bach efo'r Giaffar, medda fi, fel'na, gan i fod o, chware teg iddo fo, yn barod i wrando arna i bob amser, medda fi fel'na . . . ac felly dyma fi. Gobeithio nad oeddach chi ddim wedi mynd i'r gwely na dim felly. Hen beth cas ydi deffro rhywun o drwmgwsg. P'run bynnag, y . . . mae hi wedi bod yn ddiwrnod reit dda yn y gweithdy heddiw. Lot o waith wedi'i wneud, a dim golwg ohono fo drwy'r dydd. Cofiwch chi, mae'r gwaith yn dipyn o faich i un i'w gario . . . ydi, wir, yn dipyn o faich. Dwi ddim yn cwyno, cofiwch, dim o gwbl, dim ond deud 'i fod o'n dipyn o faich. Hynny ydi, dim ond un pâr o lygaid sydd gen i, a dim ond un pâr o ddwylo hefyd, 'tai hi'n mynd i hynny. Dwi'n gobeithio nad ydach chi'n meddwl 'mod i'n rhy hyf arnoch chi wrth siarad fel hyn, ond mi fydda i'n hoffi siarad o'r frest yn blwmp ac yn blaen, fel daw hi 'ntê? A pheth arall, dydw i ddim mor ifanc ag yr oeddwn i, chwaith, o nac ydw. Ac nid pawb yn f'oed i fasa'n rhoi cymaint o oria i'r gwaith, a hynny heb ofyn am ddime goch y delyn o ofar teim. Glywsoch chi fi'n gofyn am teim and e hâff ne' dybl teim rywdro? Ac nid pawb fasa'n fodlon bod wrthi ar y Sul fel rydw i, heb sôn am weithio heb ofar teim. Mae 'na le i ddiolch, on' does, Giaffar, nad ydw i ddim fel rhai dwi'n 'u nabod. Daliwch y lein am funud. (*Mae'n mynd at ddrws y seler i wrando. Yna dychwel at y teleffon.*) Ydach chi yna? Meddwl 'mod i'n clywed sŵn. Ia, deud oeddwn i nad ydw i ddim yn cwyno, dim ond dwyn ych sylw chi at y ffaith 'i bod hi'n oer fellltigedig yn y gweithdy 'ma. Mi fydd fy mysedd i'n ddu-las weithia. Mae 'na ffasiwn beth â *Factory Act* 'tawn i eisiau bod yn ocward felly. O na, dydi petha ddim fel gallan nhw fod o bell ffordd . . . ac mi ddylech chi fod wedi cymryd petha fel'na i ystyriaeth cyn anfon y ferch 'na i fusnesa o gwmpas y lle, a finna wedi bod yn gweithio fel nigar ers blynyddoedd, a 'nhad a 'nhaid o 'mlaen i. Be' fasan nhw'n 'i ddweud, tybed? Mae gan bawb 'i deimlad, cofiwch. Cymryd stoc, medda hi, fel 'tai hi piau'r lle. Mi dd'weda i gymaint â hyn. Roeddwn i'n teimlo i'r byw. A dyna pam, Giaffar, fod yn rhaid i mi brotestio. Protestio, Giaffar. (*Daw sŵn o gyfeiriad y storfa. Mae Ifans yn gollwng y ffôn.*) Hei, pwy sy 'na? Dwi'n gwbod fod 'na rywun. (*Ymbalfala am erfyn i'w amddiffyn ei hun. Cyfyd fwyell.*) Mae gen i fwyell yn fan hyn i ti gael gwbod . . . bwyell . . . Glywaist ti? (*Saib*) Tyrd ymlaen 'ta, dangos dy hun . . . does gen i ddim gronyn o dy ofn di. (*Clec arall, sy'n peri i Ifans neidio'n ôl*) Arnat ti fydd y bai os brifa i di . . . Dwi'n barod amdanat ti. (*Mae'n symud yn araf at y drws allanol*) Felly . . . felly, paid ti â meddwl y gwnei di feistr arna i â chware bach . . . Dwi wedi setlo petha mwy na chdi cyn heddiw. Does gen i ddim mymryn o dy ofn di, dealla di. (*Fel mae'n cyrraedd y drws, mae'n diflannu drwyddo heb wneud unrhyw ymdrech i'w gau. Deil y lantern i gynnau fel y daw'r llenni i lawr.*)

RHAN 3

ARCHWILIAD

Amser: Y bore wedyn

Pan gyfyd y llen, mae'r ferch yn cyfrif rhywbeth sydd ar y silffoedd cefn ac yn gwneud nodiadau mewn llyfr bach. Mae'n gwisgo sbectol yn awr, ac wedi clymu ei gwallt yn ôl. Ymddengys yn llawer mwy militaraidd na'r ferch a welsom yn Rhan 1. Ar ôl ysbaid, egyr y drws allanol yn araf, a daw pen Ifans i'r golwg. Gan fod y drws agored rhyngddo ef a'r ferch, nid yw yn ei gweld. Dechreua gamu'n ddistaw tua'r ystorfa ond, fel mae'n gwneud hyn, caea'r ferch y drws allanol gyda chlep.

IFANS (*yn neidio mewn dychryn*): O . . . o, chi sy na . . . roeddwn i'n meddwl . . . dach chi yma o hyd, felly . . .?

MERCH: Oeddech chi'n gobeithio na fyddwn i ddim?

IFANS: Bobol annwyl, dim o'r fath beth . . . Na, dim o gwbwl . . . Dim o gwbwl.

MERCH: Ai dyma pryd y byddwch chi'n cyrraedd bob bore?

IFANS: O na . . . na, *miss* . . . na . . . dyna be' o'n i'n mynd i'w ddweud wrthach chi nawr . . . y niwl 'na sy, dach chi'n gweld . . . welwn i ddim pellach na blaen 'y nhrwyn . . . ac ma' hi mor beryg yn y stryd 'na fel . . .

MERCH: Mae'r niwl 'run fath i bawb, Ifans . . . Mae'n agos i un ar ddeg, a'r gwaith i fod i ddechrau am wyth.

IFANS: Dyna pryd y bydda i'n arfar dŵad hefyd pan . . . pan . . .

MERCH: Pan na bydd niwl na glaw na gwynt.

IFANS: Dyna'r union beth o'n i'n mynd i'w ddweud . . .

MERCH: Ond, wrth gwrs, mi fyddwch chi'n gwneud iawn am yr amser yn y nos, yn byddwch?

IFANS: Be' . . . be' dach chi'n 'i feddwl, os ca' i fod mor hy â gofyn?

MERCH: Gweithio'n hwyr yn y nos, Ifans—*Over Time!*—a hynny heb ddima goch y delyn o gydnabyddieth.

IFANS (*ar ôl saib hir o edrych yn amheus arni*): Wel, ia . . . Be' sy o'i le yn hynny? Mi fydda i'n gweithio'n amal yn . . . yn yr hwyr . . . Does dim byd o'i le yn hynny, nac oes?

MERCH: A'r lle mor oer a phopeth! Ych bysedd chi'n mynd yn ddu-las 'rwy'n siŵr. A dych chi ddim mor ifanc ag oeddech chi.

IFANS (*yn codi ei lais ychydig*): Ylwch . . . ylwch yma, *miss*, wn i ddim be' dach chi'n drio'i ddweud, ond mi ddeuda i hyn wrthach chi . . .

MERCH: Reit! Dyna ddigon o'r mân siarad yma . . . mae gwaith i'w wneud. (*Mae'n pwyntio at ddau focs anferth mewn congol o'r gweithdy*) Be' ydi'r rhain fan hyn?

IFANS (*Ifans yn ei dilyn*): Gwrandwch am funud, *miss* . . . be' oeddach chi'n 'i feddwl nawr pan dd'wedsoch chi . . .

MERCH: Ma'n nhw ar y ffordd fan hyn . . . be' sydd ynddyn nhw?

IFANS: *Hold on* am funud bach, dwi isio cael hyn yn hollol glir cyn mynd gam pellach . . . pwy ddywedodd wrtha chi 'i bod hi'n oer yma a phetha felly . . . a . . . a 'mod i'n meddwl bod y gwaith yn . . .

MERCH: Ydych chi ddim yn teimlo'r lle'n oer, ynte?

IFANS: Wel . . . wel, ydi . . . ydi, ma' hi'n oer . . . ond meddwl o'n i mai chi oedd yn . . .

MERCH: Ond nid rhy oer i chi dynnu'ch côt a dechra gweithio, gobeithio!

IFANS: Y?

MERCH: Tynnwch ych côt a gwnewch dipyn o waith. *(Mae Ifans yn tynnu ei got yn araf a'i hongian ar yr hoelen heb ddweud dim ond edrych yn amheus ar y ferch)*

MERCH *(yn cerdded at y ddau focs)*: Mae'n debyg y bydd rhaid i mi ddarganfod drosto fy hun be' sy yn y ddau focs 'ma?

IFANS: Siafins!

MERCH: Be' dd'wedsoch chi?

IFANS: Siafins, *miss* . . . dipyn o siafins . . . dyna i gyd.

MERCH *(yn cerdded at un o'r bocsys ac agor y caead)*: Llawn i'r ymylon. I beth yn enw rheswm ydych chi'n cadw rhyw sbwriel fel hyn?

IFANS: Glaw, *miss* . . . wedi bod yn glawio'n drwm, dach chi'n gweld.

MERCH: Glaw?

IFANS: Pistyllo ers dyddia . . . roedd o'n dŵad i mewn dan y drws 'na ddoe. *(Pwyntio at y drws yn y mur cefn)* . . . dyna pam ma' 'na gymaint o fwd a baw ar y llawr 'ma . . . yma ac acw *(Mae'n edrych o gwmpas y llawr)* . . . wel . . . wel, mae o dros y llawr i gyd erbyn hyn . . . a fedrwch chi mo'i weld o.

MERCH: A beth sydd a wnelo'r glaw â'r siafins?

IFANS: Dyna be' dwi'n drio'i ddeud, *miss* . . . ma' . . . ma' hi wedi bod yn glawio'n ddi-stop ers . . . wel, ers . . . wythnosa . . . mi faswn i'n socian wrth gerdded rownd y bloc. Lot o ffordd, dach chi'n gweld. A fasa fy iechyd i ddim yn dal.

MERCH: Pa floc?

IFANS: Ma' rhaid mynd â'r siafins rownd y bloc i'r cefn i'w llosgi, dach chi'n gweld . . . sgin i ddim drws cefn . . . fuo gen i 'run rioed . . . a ma' hi wedi bod yn glawio gormod i mi fynd â nhw. Ac erbyn meddwl, fasan nhw ddim yn llosgi 'taswn i wedi mynd â nhw. Peth gwael am dân ydi glaw.

MERCH: Oes gynnoch chi ddim bin i'w rhoi nhw?

IFANS: Dyna'r pwynt . . . mi oedd gen i un . . . o, oedd, reit tu allan i'r drws 'na . . . un handi oedd o hefyd, gwerth ceiniog ne' ddwy. Nid rhyw hen racsyn o rwbath, cofiwch . . . bin del, gwerth 'i weld. Roedd hi'n bleser rhoi rybish ynddo fo. Ond mi gafodd 'i fachu.

MERCH *(ddim yn deall y term)*: Bachu?

IFANS: Mi roddodd rhywun 'i bump arno . . . 'i ladrata fo! . . . a rhyngoch chi a fi, ma' gen i syniad go lew pwy ddaru hefyd. *(Yn mynd at y bocs a gafael ynddo)* Ond mi a' i â nhw rŵan tra mae'n egwyl fach. Fydda i . . . ddim . . . chwinciad. *(Yn tuchan wrth godi'r bocs)*

MERCH: Dwi bron â chredu bod y gwaith yma'n ormod o faich i chi, Ifans.

IFANS (*yn dal i fustachu*): Wel . . . wel, ma' . . . ma' tipyn o waith i'w wneud, cofiwch. O oes . . . ma' tipyn.

MERCH: A'i bod hi'n hen bryd i chi gael rhywun yma i'ch helpu chi!

IFANS (*yn gollwng y bocs mewn syndod*): I f'helpu i . . . be' dach chi'n 'i feddwl? Ylwch yma, *miss* . . . dwi ddigon bodlon cydnabod bod y gwaith yn drwm, ond wela i ddim bod isio . . . Diawch, mi faswn i'n gallu lygio'r rhain ag un fraich ond bod yr hen darth bore 'ma wedi ffeithio tipyn ar y fegin wrth i mi . . . Brensiach y bratia, ddynas, ma' . . . ma' . . . ma'r gwaith yma'n waith delicét, wyddoch chi . . . nid pawb fedar wneud gwaith fel hyn . . . ma' hi wedi cymryd oes gyfan i mi ddysgu, a . . . a . . . fasa rhywun arall ddim ond yn gwneud stomp o betha! Cawlio'r cwbwl i gyd.

MERCH (*yn cerdded i gefn y llwyfan ac yn edrych ar grŵp o ddoliau carpiog, du sydd ar silff mewn un gornel*): Ydi'r doliau duon yna i fod yn y gornel damp yna?

IFANS (*yn cerdded ar ei hôl*): A . . . a . . . a pheth arall, ma'r lle 'ma wedi bod yn perthyn i'r teulu ers blynyddoedd—ers canrifoedd! Fedrwch chi ddim caniatáu i ryw betha ifanc, dibrofiad, ymhèl â gwaith fel hyn.

MERCH: Pam mae'r doliau duon acw yn y lle mwya tamp yn y gweithdy?

IFANS: Be'?

MERCH: Dach chi ddim yn gwrando ar un gair dwi'n 'i ddweud wrthach chi, Ifans. Y doliau duon acw! Pam mae'r rheina wedi'u taflu i'r gornel damp acw?

IFANS: Fan'na maen nhw wedi cael 'u cadw 'rioed . . . ond dydw i ddim isio gweld neb diarth yn dŵad dros riniog drws y gweithdy 'ma. Deallwch chi hynny unwaith ac am byth. Mae sens yn dweud na fasa neb arall yn gallu gwneud y gwaith cystal â fi.

(*Clywir sŵn—fel darn o bren yn disgyn—yn dod o'r storfa*)

IFANS (*yn troi ei ben yn sydyn at y drws arall—drws y seler*): Be' oedd hwnna? (*Yn bagio'n ôl*)

MERCH: Chlywais i ddim byd!

IFANS: Dwi'n siŵr 'mod i wedi clywed sŵn yn dŵad o'r . . .

MERCH (*yn cerdded at ddrws y seler*): Gyda llaw, Ifans, ble mae allwedd y drws yma?

IFANS (*yn dal i wrando gyda'i glust ar y drws erbyn hyn*): Dwi'n berffaith siŵr 'mod i wedi clywed rhywbeth yn . . .

MERCH: Dwi'n gofyn cwestiwn i chi!

MERCH: Wyt ti'n colli arnat dy hun neu rywbeth?

LLANC: Fe allwn i, gydag chydig o gydweithrediad. (*Gafael yn ei dwy ysgwydd*)

MERCH (*yn taro ei ddwylo i lawr a cherdded heibio iddo*): Nid i hynna y dois i â thi yma, chwaith . . . gad i ni gael hynny'n berffaith glir.

LLANC (*yn chwerthin*): Be' sy'n bod? Ma' dipyn o hwyl yn iawn yn 'i le.

MERCH: Nid dyma'r lle . . .

LLANC: Rhywle arall, 'ta?

MERCH: Mae gen ti ddigon ar dy blât, gŵd boi . . . a dydi amser ddim yn mynd i aros yn 'i unfan i ti.

LLANC: Ond fe alla i orffen y gwaith unrhyw ddiwrnod dim ond i chi ddweud y gair . . . heddiw, os liciwch chi!

MERCH: Sgin ti ddim syniad, yn nac oes? Dyna'ch drwg chi . . . rhuthro fel cath i gythral . . . mi fydda i'n amau weithiau mai ti ydi'r un iawn. (*Sŵn yn y drws cefn. Daw Ifans i mewn tan stryffaglio hefo'r bocs siafins. Symuda'r ferch a'r llanc oddi wrth ei gilydd.*)

MERCH: Fe ddylai'r bin gyrraedd heddiw, Ifans.

IFANS: Bin?

MERCH: Bin newydd yn lle'r un gafodd ei ladrata. Fe ellir mynd â hwnnw rownd y bloc unwaith yr wythnos wedyn. (*Mae'n cychwyn at ddrws y storfa ond cyn iddi ddiflannu drwyddo mae'n troi at y llanc*) Ac fe gei di fod yn gyfrifol am hynny. (*Mynd i'r storfa*)

Mae Ifans yn ceisio mynd â'r bocs i'r gornel ond y mae'r llanc yn mynnu mynd ar ei ffordd yn bwrpasol. Nid yw Ifans yn dweud dim ond tuchan a rhoi pâr o lygaid iddo. Â Ifans y tu ôl i'w fainc a dechrau gweithio. Ymhen ychydig, daw'r llanc i sefyll y tu ôl i'r fainc wrth ei ochr. Gwelwn ef yn tynnu chewing gum allan o'i boced. Rowlia'r papur yn belen a'i daflu ar y fainc o flaen Ifans. Edrycha hwnnw arno gyda golwg sarrug ar ei wyneb a thaflu'r papur ar y llawr. Ar ôl ysbaid, gwelwn y llanc yn ymestyn ei law i gyrraedd rhywbeth sydd ar y fainc o flaen Ifans. Ymddengys Ifans fel petai wedi dod i ben ei dennyn a cheisia daro'r llawr gyda morthwyl neu rywbeth cyffelyb.

LLANC (*yn ymestyn ei law yn ôl mewn dychryn*): Be' gebyst sy arnoch chi, ddyn?

IFANS: Fi pia honna. (*Mae'n codi cyllell i fyny oddi ar y fainc*)

LLANC: Jest i chi waldio mys i'n slwts!

IFANS: Dyna be' o'n i'n drio'i wneud!

LLANC: Dim ond isio'i benthyg hi am funud bach i grafu'r . . .

IFANS: Pryna un dy hun, y gwallt cadi ffan!

LLANC: Hei, llai o hynna.

IFANS: Cadw dy ddwylo i ti dy hun, 'ta.

LLANC: 'Ngwallt i ydi o.

IFANS: 'Nhŵls i 'di'r rhain hefyd.

LLANC: Ond ma' rhaid i mi gael tŵls i weithio . . . dach chi'n disgwyl i mi iwsio 'nannedd?

IFANS: Gwna fel mynnot ti . . . ond cadw dy fysedd budur oddi ar fy mainc i.

LLANC: Pwy dach chi'n 'i alw'n fudur?

IFANS: Ti—dyna i ti pwy! Ti!

LLANC: Un da'n deud.

IFANS: Y?

LLANC: Rydw i'n lanach na chi, beth bynnag. Pryd cawsoch chi fath ddiwetha?

IFANS: Beth 'ti'n 'i feddwl?

LLANC: Dydw i ddim mor fudur â rhai. Dach chi'n ogleuo dros y lle.

IFANS (*yn araf tan gamu at y llanc*): Be' dd'wedaist ti'r cythral bach. (*Mae'n dal y gyllell saer yn fygythiol yn ei law*)

LLANC (*yn camu'n ôl*): Rhowch y gyllell yna i lawr, ddyn!

IFANS: Paid ti â meddwl y cei di siarad â fi fel . . . (*Mae'n baglu ar draws rhyw focs neu rywbeth cyffelyb nes mae ar ei hyd ar y llawr. Y llanc yn chwerthin yn ddistaw.*)

IFANS (*yn chwilio am y gyllell*): Paid ti â meddwl 'mod i . . . (*Mae'r llanc yn plygu i godi'r gyllell. Ond mae Ifans yn neidio amdani.*) Sa'n ôl, y corrach . . . (*Mae'n dechrau chwifio'r gyllell yn ofnus i gyfeiriad y llanc*)

LLANC: Rhowch y gyllell 'na i lawr yn enw popeth cyn i . . .

IFANS: Cyn be' . . . cyn be' . . . wyt ti'n meddwl na wna i . . . wyt ti'n meddwl 'mod i ofn i hiwsio hi ne' rwbath? (*Mae'n gwneud rhyw osgo ofnus i'w phwyntio at y llanc*)

LLANC (*yn neidio'n ôl gyda rhyw ffug ofn*): Dach chi'n mynd o'ch pwyll, deudwch? (*Mae rhyw wên ar ei wyneb fel petai'n mwynhau'r sefyllfa*)

IFANS: Tyn dy eiriau'n ôl, 'ta. (*Gall y ddau gylchu'r fainc—un o flaen y llall—yn ystod yr ymgom a ganlyn*)

LLANC: Pa eiriau?

IFANS: Bod . . . bod . . . 'na ogla arna i.

LLANC: Dewadd, tynnu'ch coes chi oeddwn i.

IFANS (*fel petai yn awyddus i ddŵad â'r ffars i ben, yn enwedig os yw ef yn mynd i ennill*): 'Ti'n tynnu dy eiriau'n ôl, 'ta?

LLANC: Ydw! Mi fuoch yn y bath neithiwr, a'r noson cynt, a'r noson cynt, a'r bore 'ma cyn dŵad.

IFANS (*yn aros yn ei unfan*): 'Ti'n lwcus, 'ngwas i . . . o, wyt . . . lwcus . . . mi ddeuda i hynny wrthat ti . . . lwcus iawn! (*Cawn ysbaid o dawelwch gyda'r ddau yn edrych ar ei gilydd*)

IFANS: Paid . . . paid ti â meddwl bod gen i d'ofn di.

LLANC: Reit!

IFANS: Be' ti'n 'i feddwl 'reit'?

LLANC: Na, dydw i ddim yn meddwl bod gynnoch chi f'ofn i!

IFANS: Dwi wedi byta petha mwy na thi i frecwast!

LLANC: Reit!

IFANS (*yn mynd yn ôl i'w ran ef o'r fainc*): Reit! (*Ysbaid eto o ddistawrwydd*)

LLANC: Dach chi am roi'r gyllall 'na i lawr, 'ta? (*Wrth weld Ifans yn dal i rythu arno hefo'r gyllell yn ei law*)

IFANS: Wyt ti'n cau dy hopran, 'ta!

LLANC: Ydw.

IFANS: Reit! (*Mae'n rhoi'r gyllell i lawr yn araf ar y fainc. Cyfyd hi eto a'i symud yn nes i'w ben ef o'r pren.*)

LLANC: Be' ga' i i grafu'r paent oddi ar wyneb y ddol 'ma, 'ta?

IFANS: Defnyddia dy 'winedd.

(*Mae'r llanc yn codi'r ddol i fyny ac yn dechrau crafu ei hwyneb gyda'i ewinedd. Mae Ifans yn ei wylio o gil ei lygad.*)

IFANS: Ac os oes 'na ogla ar rywun . . . arnat ti mae o.

LLANC: Hy!

IFANS: Be' dd'wedaist ti?

LLANC: Dim byd.

IFANS: Paid ti â meddwl 'mod i wedi cael 'y magu mewn budreddi, 'ngwas i.

LLANC: Dd'wedais i ddim y fath beth . . .

IFANS: Well i ti beidio hefyd . . . nid caridyms ydw i. (*Nid yw'r llanc yn cymryd fawr o sylw ohono*)

IFANS: Glywaist di be' dd'wedais i?

LLANC: Y?

IFANS: Nid un o'r caridyms ydw i, i ti fod yn deall.

LLANC: Reit!

IFANS: I ni gael hynny'n hollol glir cyn dechra. (*Mae'r llanc yn gwneud osgo i godi darn o gadach oddi ar y fainc*)

IFANS (*yn cipio'r gyllell i fyny eto ac yn neidio'n ôl*): Llai o hynna!

LLANC: Ond ma' rhaid i mi gael cadach ne' rwbath i lanhau'r paent 'ma oddi ar 'y ngwinedd.

IFANS: Cymer bwyll, 'ta.

LLANC: Pwyll o be'?

IFANS: Jyst cymer bwyll, dyna i gyd . . . paid â meddwl nad ydw i ddim yn barod amdanat ti.

LLANC (*tan wenu*): Am be' dach chi'n siarad, ddyn?

IFANS: Hidia di befo . . . 'ngwas i, hidia di befo. (*Mae'r llanc yn codi'r cadach i fyny'n araf*)

IFANS (*yn camu ychydig yn ôl*): Dwi . . . dwi'n ddigon sydyn, cofia . . .

LLANC (*yn amlwg yn tynnu arno yn awr*): I be'?

IFANS: I ddelio hefo . . . hefo . . . rhyw gyw slywen fel ti. (*Seibiant tra mae'r llanc yn glanhau ei ewinedd gyda'r cadach*) . . . Unrhyw amser, co . . . A phaid ti â meddwl yn wahanol, y sbrigyn, merchetaidd ceiniog a dima. (*Mae'r llanc yn gwenu arno fo*)

IFANS: Felly, ma' croeso i ti drio rhywbeth . . . unrhyw amser . . . unrhyw amser . . . dwi'n barod amdanat ti . . .

LLANC (*yn taflu'r cadach yn sydyn ar y fainc i ddychryn Ifans yn fwriadol. Mae Ifans yn neidio'n ôl eto.*) Ydi'ch nerfa chi'n ddrwg ne' rwbath?

IFANS: Dydw . . . dydw i ddim rhy hen i dy daclo di, co bach.

LLANC: Y hy!

IFANS: Be' ti'n . . . be' 'ti'n 'i feddwl 'y hy'?

LLANC: Dim byd ond 'y hy'! (*Distawrwydd gyda'r ddau yn rhythu ar ei gilydd*)

IFANS: Mi . . . mi riportia i di i'r . . . i'r Giaffar . . . Ia, dyna be' wna i . . . mi riportia i di i'r Giaffar a . . .

LLANC: Reit! Gwnewch, 'ta, falla ga' i dŵls gynno fo wedyn!

IFANS: Wyt ti'n meddwl na wna i ddim ne' rwbath?

LLANC: Dydi o ddiawl o ots gen i be' wnewch chi!

IFANS: Rwyt ti wedi mynd rhy bell . . . mi . . . mi ddeuda i wrtho fo dy fod ti'n rhegi a phethau felly. (*Mae'n bagio at y ffôn.*) . . . a phaid â trio fy rhwystro i chwaith . . . ne' . . . ne' mi fydd edifar . . . (*Mae'n codi'r ffôn i fyny at ei enau, rhoi ei gyllell i lawr a chodi gweddill y ffôn at ei glust*) Giaffar . . . Giaffar . . . dach chi yna . . . Ifans sy 'ma . . . mae o wrthi eto, Giaffar . . . yr hogyn 'ma . . . mwy na llond i ddillad, dyna i chi be' ydi o. (*Mae'r llanc yn gwneud arwydd amheus hefo'i fysedd ac yn eistedd ar y fainc*) . . . does dim rhithyn o fanars yn perthyn iddo . . . dim pwt o barch . . . a dwi wedi cael llond bol i chi fod yn deall . . . 'Tasa fo'n gwneud tipyn o waith, faswn i ddim yn meindio cymaint, ond dydi o ddim . . . mae o'n berwi o ddiogi.

LLANC: Hei, *hold on*, 'rhen ddyn, sgin i ddim tŵls i . . . (*Prysura at y ffôn*)

IFANS: Glywch chi o, Giaffar, yn torri ar 'y nhraws i . . . ac yn rhegi a . . . ma'i iaith o ddigon â chodi gwallt ych pen chi . . . ac yn y gweithdy, cofiwch.

LLANC (*yn rhuthro at Ifans a thrio cymryd y teleffon oddi arno fo*): Chewch chi ddim deud anwiredd amdana i chwaith . . . (*Mae'n trio gweiddi i lawr y ffôn*) . . . Palu anwireddau mae o, *chief.*

IFANS (*yn ceisio'i wthio i ffwrdd*): Dos o' ma . . .

LLANC (*yn dal i weiddi i lawr y ffôn*): Ac mae o'n gwrthod rhoi benthyg y gêr i weithio . . . cha' i fenthyg dim byd . . . (*Mae Ifans yn mynd ar ei liniau ar y llawr gyda'r ffôn*)

IFANS: Dos o ma'r cythral bach . . . mae o'n trio'n lladd i, Giaffar . . . mae o'n trio . . . (*Ceisia'r llanc gael y ffôn oddi arno; erbyn hyn mae'r ddau yn ymrafael ar y llawr. Daw'r ferch i mewn ac edrych mewn syndod ar y ddau.*)

MERCH: Be' yn y byd mawr sy'n digwydd yma? (*Mae'r llanc yn neidio ar ei draed a golwg reit euog arno*)

IFANS: (*yn dal i fod ar y llawr*): Dach chi ddim yn gweld . . . welsoch chi mohono fo yn . . . yn trio'n lladd i a . . .

LLANC: Deud anwiredd oedd o, *miss* . . . deud anwiredd wrth y *chief* . . .

IFANS: Petaech chi wedi dŵad i mewn funud yn hwyrach, mi fasa fo wedi 'nhagu i'n sych gorn yn y fan a'r lle . . . roedd o'n gwasgu 'ngwddw i a . . . (*Saif ar ei draed*)

LLANC: Wnes i ddim cyffwrdd yn 'i wddw fo, arno fo roedd y bai . . .

MERCH: Wnewch chi fod ddistaw. Oes gynnoch chi ddim cywilydd d'wedwch?

IFANS: Ond ddynes bach, welsoch chi ddim . . .

MERCH: Yn enwedig chi (*Wrth Ifans*) . . . Dwi'n hanner madda i hwn . . . ond dyn o'ch oed chi yn . . .

IFANS: Chymera i ddim tamad gynno fo i chi fod yn deall—dim tamad!

LLANC: Hen ddyn cuchiog, annifyr, dwl ydi o.

IFANS: Dydw i ddim yn rhy hen i ti, 'ngwas i, o, nac dw . . .

LLANC: Chewch chitha ddim deud clwydda amdana i chwaith.

MERCH: Wnewch chi fod ddistaw . . . Gwrandewch arna i . . . Dim gair chwaneg . . . Os dach chi isio ymladd, ewch allan i'r stryd yna . . . ond nid yn y fan hyn, dach chi'n deall . . . nid yn y gweithdy yma! (*Mae'r ferch wedi gwylltio'n llwyr gyda'r ddau a chawn seibiant o ddistawrwydd gyda'r ddau ddrwgweithredwr yn edrych yn reit ofnus ac euog*) Nawr, 'te. Ti. (*Wrth y llanc*) Dos i gael tipyn o drefn yn y storm yna . . . (*Mae'r llanc yn rhedeg i'r storfa*) . . . a chitha, yn ôl

at y fainc 'na . . . mi fydd rhaid eich cadw chi ar wahân, ma' gen i ofn
. . . yn enwedig pan fydda i ddim yma i gadw llygad arnoch chi.

IFANS: Mi ddeudis i ddigon na fasa fo ddim byd ond trwbwl . . .

MERCH: Sant ydach chi, wrth gwrs.

IFANS: Ond mae o'n dwp fel llo, *miss*, fedar o ddim . . . fedar o ddim . . .
ddim crafu paent oddi ar wyneb y ddol 'ma hyd yn oed . . . Nefi! mi
faswn i'n gallu gwneud gwell job hefo ngwinadd! (*Rhydd y ffôn yn ôl
ar y gist*)

MERCH (*yn agor ei llyfr cownt a dechrau edrych ar y twls ar y fainc*):
Oes yna chwaneg o dwls 'na hyn?

IFANS: Mae o'n rhy ddiog i fynd i dorri'i wallt hyd yn oed . . . diawch,
sut medra i drystio pobl 'fath â hwnna i . . . i wneud gwaith delicét fel
hwn . . .

MERCH: Mi fydd rhaid i ni gael twls newydd, ma'r rhain wedi gweld 'u
dyddia gwell.

IFANS: A sut medar rhywun weithio yn y dydd ac . . . yn potio ar hyd y
tafarndai 'ma yn y nos . . .

MERCH: Be' dach chi'n drio'i ddweud?

IFANS: 'I fod o'n chwil ulw gaib bob nos, dyna i chi be'.

MERCH: Sut gwyddoch chi hynny . . . oeddach chi hefo fo?

IFANS: Fi? . . . Rois i 'rioed fy nhroed dros riniog tafarn yn 'y mywyd a
wna i ddim chwaith . . . O na, dim fel'na ges i 'magu . . . 'I weld o
wnes i . . .'i weld o yn 'i lordio hi drwy'r pentra 'ma hefo'i ffrindia
neithiwr . . . ac roedd y rheini lawn mor feddw â fo ac yn rhegi a
gweiddi . . .

MERCH: Fydda i ddim yn hoffi cario straeon, Ifans.

IFANS: Cario straeon! . . . Cario straeon ddeudsoch chi? . . . Ond ma' 'na
stori a stori, *miss* . . . o, oes . . . ac ma' hi'n ddyletswydd arnoch chi i
riportio rhai petha . . . a dyna be' wna i hefyd . . . riportio 'i brancia fo
i gyd i'r Giaffar.

MERCH (*yn cerdded at ddrws y storws*): Ddoi di i mewn i fan hyn am
funud?

IFANS: Ia . . . deudwch chi wrtho fo . . . mi wrandawith o arnoch chi . . .
waeth i mi heb na deud dim.

LLANC (*yn ymddangos yn y drws*): Ia?

IFANS: A gofynnwch iddo fo hefyd pwy oedd yr hogan goman yna oedd
yn hongian am 'i wddw fo.

MERCH: Dyna ddigon, Ifans. (*Mae'n troi at y llanc*) Dos i lawr i'r dre i
brynu llond bocs o dwls newydd.

IFANS: Be' . . . be' dd'wedsoch chi?

MERCH (*heb gymryd fawr o sylw o Ifans*): A gofala dy fod ti'n cael y rhai gorau sy yn y siop.

IFANS: Hei . . . *hold on!* Gan bwyll, nawr. Ara deg. Tŵls, dd'wedsoch chi? . . . Mynd i nôl tŵls? Ylwch, fi sy'n gyfrifol am gêr y gweithdy 'ma a . . .

MERCH: 'Tasach chi wedi bod yn fwy cyfrifol, fasan nhw ddim mewn cymaint o stad ag y ma'n nhw heddiw . . . drychwch (*Mae'n codi cynion coed oddi ar y fainc*) Drychwch ar y cynion yma . . . dydi'r rhain ddim wedi gweld carreg hogi ers blynyddoedd.

IFANS: Mi fydda i'n 'u hogi nhw'n gyson.

MERCH: Ac ma'r tŵls yn y bocs acw wedi rhydu'n solat.

IFANS: Ond fuo 'na ddim galw am . . .

MERCH: Ac yn ôl y cyfri o be' sy i fod yma, mae'u hanner nhw ar goll.

IFANS: Wel . . . wel, dyna be' dwi wedi bod yn drio'i ddeud wrthach chi . . . Y Fo sy wedi mynd â nhw . . .

LLANC: Mynd â be' . . . wnes i ddim cyffwrdd mewn dim.

IFANS: Nid ti dwi'n 'i olygu . . . ond Fo. (*Mae'n amneidio at ddrws y seler*) . . . Fo yn y seler 'na . . . roedd o'n prowla wedyn neithiwr . . .

LLANC (*yn rhedeg at ddrws y seler*): Wel, wrth gwrs . . . Y Bo Bo . . . Drychiolaeth y Dyfnder Du . . . (*Mae'n mynd ar ei gwrcwd ac yn gweiddi drwy'r twll clo*) . . . Tyrd â'r tŵls 'na'n ôl, y lleidr diawl!

IFANS: Paid ti â gwneud sbort o . . .

LLANC (*yn troi i edrych ar Ifans*): Sbort o be'? . . . Dwi'n 'i ofni o fel gŵr â chleddau . . . Bo Bo Bwci Bo, cnoi y fuwch a llyncu'r llo, Bo Bo . . .

MERCH (*yn gweiddi'n uchel*): Taw! (*Distawrwydd hollol gydag Ifans a'r llanc yn edrych arni*) . . . Tyd oddi wrth y drws 'na.

LLANC: Dim ond chwara oeddwn i . . .

MERCH: Gall chwara droi'n chwerw . . . Tyd yma. (*Mae'r llanc yn gadael y drws*) Rydyn ni wedi gwastraffu digon o amser yn barod y bore 'ma.

IFANS: Mae o'n berwi o ddiogi . . .

MERCH: Dwi wedi paratoi rhestr o'r petha fydd eisiau. (*Mae'n tynnu darn o bapur allan o'r llyfr cownt*) Dwêd wrthyn nhw am anfon bil i mi. Dyma ti. (*Mae'n gwneud osgo i roi'r rhestr i'r llanc*)

IFANS (*yn cipio'r rhestr cyn i'r llanc gael gafael ynddi*): Os oes rhaid cael tŵls, mi a' i i'w nhôl nhw . . . fydd y llipryn yma ddim yn gwybod be' 'di be'.

MERCH: Mae'r archeb yn ddigon eglur i bawb. Rhowch hi'n ôl iddo fo.

IFANS: Ond mi neith y petha siop 'na fo o dan 'i drwyn . . . 'i dwyllo fo

wnân nhw . . . ac . . . ac ma' 'na rai tŵls na fedrwch chi ddim 'u
disgrifio nhw ar bapur . . . (*Mae'n darllen y rhestr wrth ddweud hyn*)
Rarswyd bach . . . dach chi ddim isio'r rhain i gyd, *miss*!

MERCH: Oes. I gyd.

IFANS: Ond . . . ond lli' drydan . . . a . . . *lathe* . . . ma'r rhain yn . . . yn
costio ffortiwn.

MERCH: Fi sy'n talu.

IFANS: Ond . . . ond . . . ond ma' petha fel hyn yn beryg dach chi'n deall
. . . yn beryg bywyd . . . Nefoedd bach, mi allan nhw andwyo dyn am
weddill 'i fywyd . . . un camgymeriad a fft,—dyna'ch braich chi i
ffwr' yn y bôn.

MERCH: Yna mi fydd yn rhaid bod yn fwy gwyliadwrus, Ifans . . .

IFANS: Ond, *miss* . . . gwastraffu arian . . . ac . . . ma'r hen dŵls yn well o
lawer . . . os oeddan nhw'n ddigon da i 'nhad a 'nhaid a . . .

MERCH: Ma' rhaid i ni symud hefo'r oes, Ifans.

IFANS: Dwi'n gwybod hynny, *miss* ond . . . ond . . . (*Mae'n cofio am
rywbeth yn sydyn*) . . . Peth arall, waeth i ni heb na'u cael nhw . . .
fyddan nhw'n dda i ddim . . . affliw o ddim byd!

MERCH: Pam felly?

IFANS: Wel, y lectric, *miss* . . . y lectric . . . does 'na ddim lectric yn y
gweithdy 'ma . . . ac weithia nhw ddim ar baraffin, wyddoch chi . . .
(*Chwardd yn uchel*)

LLANC: Mae o ar y ffordd!

IFANS: Pwy? (*Deil i chwerthin*)

LLANC: Y lectric!

IFANS (*yn peidio â chwerthin*): Be' 'ti'n 'i feddwl?

MERCH: Ma'r dynion yn dŵad yma i'w osod o.

IFANS: Be'? Be'?

LLANC: Ac maen nhw'n mynd i weirio'r lle o'r top i'r gwaelod . . . y
seler a'r cwbwl . . .

IFANS: Dim ffiars o beryg. Dim ffiars o beryg.

LLANC: Gola mawr drwy'r lle i gyd.

MERCH (*wrth y llanc*): Dal dy dafod, wnei di.

IFANS: Chân nhw ddim mynd yn agos i'r seler 'na—dim tra bydd 'y nau
lygad i'n gorad. Dwi'n ych rhybuddio chi rŵan.

MERCH: Dydy nhw ddim yn mynd ar gyfyl y seler, Ifans . . . y gweithdy
a'r storws yn unig . . . mi fydd hynny'n help mawr i chi hefo'ch
gwaith.

IFANS: Ma'n well gen i betha fel y ma'n nhw . . . yr hen drefn a'r hen
dŵls.

LLANC: Mi neith y tŵls newydd i mi, 'ta . . . Dewch â'r ordor i mi gael mynd. (*Mae'n gwneud ymdrech i ddwyn y darn o bapur*)

IFANS: 'Nei di ddim byd o'r fath, cefndar . . . os oes tŵls newydd i fod, mi a' i i'w nhôl nhw . . . thrystiwn i mo'na ti 'mhellach na hyd braich.

LLANC: Yli, dwi wedi syrffedu ar dy gega di. Bla, bla, bla, bla, bob dim o'i le.

IFANS: Aros di'r gwalch. Mi dorra i dy grib di. (*Gwna osgo i fynd am y llanc*)

MERCH: Tewch! Tewch! Welis i ddim dau debyg i chi . . . fedrwch chi ddim cytuno ar bwy sydd i fynd i brynu'r tŵls hyd yn oed, heb sôn am 'u defnyddio nhw.

IFANS: Dydw i ddim yn mynd i adael i ryw geiliog dandi fel hwn . . .

MERCH: Dyna ddigon, Ifans! Ewch i'w cael nhw'ch hun, 'ta, yn enw popeth.

IFANS: Reit, 'ta. Reit. Dyna synnwyr rŵan (*wrth y llanc*) a dy roi ditha yn dy le. Mi a' i os . . . os oes rhaid 'u prynu nhw . . . dach chi'n siŵr bod rhaid cael y *lathe* a'r lli' drydan 'na . . .?

MERCH: Bob un sy ar y rhestr 'na . . . ac os na fedrwch chi'u defnyddio nhw, mi fedar rhywun arall.

IFANS (*yn tin-droi wrth y drws*): Mi fyddan yn beryg bywyd, gewch chi weld.

MERCH (*wrth y llanc*): Ma'n well i ti fynd ne' chawn ni byth . . .

IFANS: Dwi'n mynd . . . dwi'n mynd . . . ond mi fyddwch chi'n difaru'ch enaid, gewch chi weld . . . (*Mae'n mynd allan*)

LLANC (*ar ôl ennyd o ddistawrwydd*): Ma'n well i mi fynd yn ôl i'r storws 'na i orffan. (*Mae'n cerdded at ddrws y storfa*)

MERCH: Hanner munud.

LLANC: Ia?

MERCH: Roeddwn i'n meddwl ein bod ni'n deall ein gilydd.

LLANC: Be' sy'n bod, felly?

MERCH: Mi wyddost yn iawn be' sy'n bod . . . Wyt ti'n trio rhoi parddu yn y potas?

LLANC: Ond fe dd'wedsoch chi y dylwn i . . .

MERCH: Fe dd'wedais i nad oeddit ti i neud dim nes byddwn i'n dweud wrthyt ti!

LLANC: Ond mae petha'n symud yn union fel y plania . . . mae o fy ofn i'n barod . . . a chynta'n y byd y cawn ni wared ohono fo . . .

MERCH: Fe all gweithredu'n fyrbwyll sbwylio'r cyfan . . .

LLANC: Dwi wedi gwneud fawr o ddim ond tynnu'i goes o a . . .

MERCH: Tynnu'i goes o? Tynnu'i goes o, dd'wedaist ti? . . . Trio'i dagu o

. . . dyna be' dd'wedodd o roeddat ti wedi'i neud . . . ac yn ôl yr ymrafael oedd yn mynd ymlaen pan ddois i mewn . . .

LLANC: Tagu pwy? . . . Diawch . . . wnes i ddim byd o'r fath . . . Mae o'n deud clwydda fel pys, dach chi'n gwybod yn iawn . . . Disgyn ar lawr ddaru o a . . . a 'nhynnu i ar 'i gefn.

MERCH: Roeddach chi'n ymladd, fe welis i chi.

LLANC: Wel, doeddwn i ddim yn mynd i adael iddo fo ddeud clwydda amdana i wrth y *Boss*.

MERCH: *Boss*?

LLANC: Wel, y dyn pia'r sioe 'ma.

MERCH: O, a phwy 'di hwnnw, felly?

LLANC: Y dyn 'na, y dyn mae o'n 'i ffonio bob cyfla ma o'n 'i gael . . . Giaffar . . . ne' beth bynnag mae o'n 'i alw fo.

MERCH (*yn araf*): Ac rwyt ti'n meddwl mai hwnnw 'di'r *boss*, felly?

LLANC: Diawch, sgin i ddim syniad . . . ond ma'r hen ddyn yn . . . yn riportio pob peth iddo fo ac mae o'n deud yr anwiredda mwya dan haul wrtho fo . . . amdanach chi hefyd . . .

MERCH: Gest ti air hefo fo?

LLANC: Hefo pwy?

MERCH: Hefo'r Giaffar 'ma . . . y dyn ar y ffôn.

LLANC: Ches i ddim cyfla . . . ond mi driais 'y ngora glas . . . dyna be' oeddwn i'n 'i wneud pan ddaethoch chi i mewn rŵan jest . . . roedd o'n palu celwyddau wrtho fo a deud 'mod i'n berwi o ddiogi ac . . . ac mi waeddis i lawr y ffôn.

MERCH: Atebodd o di?

LLANC: Dwn i ddim . . . roedd yr hen ddyn yn fy ngwthio fi o'r ffordd.

MERCH: Fasat ti ddim wedi clwad neb 'tasa fo wedi gadael i ti wrando.

LLANC: Na faswn?

MERCH: Dwi ddim yn credu bod 'na neb yr ochor arall.

LLANC: Neb ar y ffôn . . . Ond mi dwi wedi clywed yr hen ddyn yn siarad lawer gwaith hefo fo.

MERCH: Hefo fo'i hun falla.

LLANC (*yn methu deall*): Be'?

MERCH: Siarad hefo fo'i hun mae o.

LLANC: Ond i be' aflwydd . . .?

MERCH: Glywaist di o'n gofyn am rif 'rioed?

LLANC: Rhif be'?

MERCH: Rhif teleffon. Sylwest ti na fydd o byth yn gofyn am rif . . . a does gan y teclyn hen ffasiwn yna ddim deial arno fo.

LLANC: Falla mai *direct* lein ydi hi . . . ma' 'na rai hefo *direct* lein i'w gilydd.

MERCH: Glywaist ti hi'n canu ryw dro . . . Glywaist ti'r gloch yn canu?

LLANC: Wel . . . wel, naddo erbyn ichi ddeud, chlywais i 'rioed . . .

MERCH: Peth rhyfadd na fasa'r Giaffar yn awyddus i siarad hefo fo weithia.

LLANC: Felly, dach chi'n meddwl . . . falla . . . falla nad oes na neb ar y lein yr ochr arall?

MERCH: Dwi ddim yn meddwl fod yna lein hyd yn oed!

RHAN 5

CYNNYDD

Amser: Yn ddiweddarach

Erbyn hyn, mae'r trydan wedi cyrraedd. Gwelwn y bylb golau yn hongian o'r nenfwd, a'r llif drydan yn hawlio lle amlwg yn y gweithdy. Yn un gornel, mae step ladder *fodern, ac yn y gornel arall bin plastig. Ar y mur wrth ddrws yr ystorfa, mae rhyw fath o* main switch *i reoli'r llif gron. Pan gyfyd y llen, mae'r llanc ar y teleffon. Nid oes neb arall ar y llwyfan.*

LLANC: Helô . . . helô . . . oes 'na rywun yna? Helô . . . Y Saer Dolia sy 'ma . . . ydach chi'n 'nghlywad i? . . . Helô . . . helô, Giaffar . . . ydach chi yna? . . . Helô . . .

(Clywir sŵn y tu allan i'r drws ac y mae'r llanc yn rhoi'r ffôn i lawr yn frysiog ac yn rhedeg i'r storfa. Daw'r Saer Doliau i mewn ac edrych o'i gwmpas fel o'r blaen.)

IFANS: Hei! . . . oes 'na rywun yma? . . . Helô 'ma! *(Mae'n cerdded at ddrws y storfa a'i agor)* Hei! . . . Tân! Tân! *(Ar ôl gwrando am ychydig mae'n cerdded yn ôl i ganol yr ystafell)* Dydi'r diawchiaid ddim wedi cyrraedd eto! . . . Gobeithio na ddôn nhw ddim, chwaith, dd'weda i . . . dwi ddim eisio gweld lliw 'u hwyneba nhw byth . . . byth bythoedd dragywydd . . . y tacla anystyriol . . . difetha'r lle 'ma

. . . (*Wrth dynnu ei gôt, mae'n edrych i fyny ar y bylb trydan sy'n hongian o'r to*) Nhw a'u geriach . . . (*Wedi tynnu ei gôt, mae'n cerdded at y swits golau ar y mur a switsio'r bylb ymlaen ac i ffwrdd amryw o weithiau. Yna, mae'n cerdded yn ôl o dan y bylb a syllu arno am ychydig*) Faswn i ddim yn hir yn dy setlo ditha chwaith . . . (*Mae'n codi darn o bren a cheisio taro'r bylb ond heb fawr o lwyddiant*) Aros di funud, 'ta. (*Mae'n llusgo'r* step ladder *o'r gornel a'i gosod o dan y bylb. Bob tro y mae cefn Ifans at ddrws y storfa, rhydd y llanc ei ben allan i edrych arno.*) Mi setla i di . . . O gwnaf . . . mi gawn ni weld pwy 'di'r bos . . . (*Mae'n dringo'r ysgol. Wedi cyrraedd y top, ceisia dynnu'r bylb ond mae'n llosgi ei law gan fod y bylb yn boeth. Daw i lawr yn frysiog a dechrau ymbalfalu yn y bocs twls. Tyn siswrn anferth allan a dringo'r ysgol eilwaith.*) Mi ddangosa i ti be' 'di be' . . . Ma' 'na fistar ar Mistar Mostyn hefyd . . . (*Wedi cyrraedd y top, mae'n torri fflecs y golau ryw droedfedd uwchben y bylb a deil ef yn fuddugoliaethus rhwng ei fys a'i fawd. Daw i lawr yr ysgol unwaith eto a mynd at y swits golau. Gwelwn ef, yn ei ddiniweidrwydd, yn ei switsio ymlaen gan syllu ar y bylb yn ei law. Chwardd yn uchel o ddarganfod ei fuddugoliaeth ac egyr ddrws y seler. Teifl y bylb i mewn a chloi'r drws cyn gynted ag y gall.*) Chân nhw ddim y llaw ucha arna i ar chwara bach . . . O, na chân . . . (*Mae'n cerdded at y llif gron*) Mae 'na ffordd i dy setlo ditha hefyd . . . (*Mae'n dechrau ysgwyd y peiriant a'i guro â'i ddwrn. Mae'n craffu arno. Wrth iddo wneud hyn, try'r llanc y* main switch *ymlaen heb i Ifans ei weld. Ceir y sŵn mwyaf ofnadwy yn dod o grombil y peiriant a neidia Ifans yn ôl mewn dychryn. Gwna bob math o ymdrech i'w stopio ac yn y diwedd teifl ddarnau o goed, offer, etc. ato. Gwelwn y llanc unwaith eto yn troi'r* main switch *i ffwrdd a distawa'r peiriant yn araf. Wedi iddo ddistewi'n llwyr, eistedd Ifans i lawr yn agos i'r ffôn gan sychu'r chwys oddi ar ei dalcen â darn o gadach budr*) Rarswyd! Mi fuo bron i mi 'i chael hi rŵan . . . Duw â'n gwaredo. (*Mae'n edrych ar y ffôn a chythru iddo yn ddiseremoni heb dynnu ei gap y tro yma. Ar y teleffon.*) Giaffar . . . Helô . . . helô, Giaffar . . . Giaffar, dach chi'n gwrando arna i? . . . Helô . . . Dwi wedi cael llond bol i chi fod yn deall . . . Llond bol! Ma'n nhw wedi troi'r lle 'ma yn Dŷ Jeraboam . . . Diawch, dwi'n methu'ch deall chi'n tôl, Giaffar . . . yn tôl! . . . Pam na ddangoswch chi be' 'di be' iddyn nhw unwaith ac am byth . . . Fedra i neud dim byd fy hun . . . Ma'n rhaid i chi neud rhwbath, Giaffar . . . Ma'n rhaid i chi! . . . Dwi wedi dŵad i ben 'y nhennyn . . . Ma' . . . ma'r peirianna felltith 'ma

ddigon â byddaru rhywun . . . yn rhuo o fora gwyn tan nos . . . a
phwy roddodd ganiatâd iddyn nhw . . . Y? . . . Dyna be' faswn i'n
licio'i wybod . . . pwy roddodd ganiatâd iddyn nhw ddŵad â'r
geriach i mewn yn y lle cynta . . . Giaffar, dach chi'n gwrando arna i?
. . . Deudwch rwbath . . . Deudwch rwbath tasa fo ddim ond pesychu i
ddeud ych bod chi yna . . . Dydi hynny ddim yn gofyn gormod, nac
ydi . . . Diawch! . . . dach chi ddigon â pheri i ddyn feddwl mai fo
sy'n rong a nhw sy'n iawn. Deudwch rwbath . . . dach chi'n 'nghlwad
i? Giaffar . . . deudwch rwbath . . . dach chi ddim wedi deud dim ers
dyddia. O'r gora, 'ta, os ma fel 'na dach chi'n teimlo, gwrandwch ar
hyn . . . dyma fo i chi yn blwmp ac yn blaen . . . Fedra i ddim diodda
mwy . . . dim diwrnod mwy . . . Dwi'n mynd i falu'r holl bali lot yn
dipia mân . . . Glywsoch chi . . . bob sgriw a nytan . . . bob olwyn,
powlan ac echel . . . Ma' . . . ma' gin i hen ordd yn y tŷ 'cw . . . mi
ddo i â honno . . . mi ddo i â honno yma heno . . . heno nesa! . . . ac
mi leinia i'r lli' gron 'na nes bydd hi ddim gwerth 'i chodi . . . mi'u
cnocia i nhw'n bantia . . . a . . . ac . . . mi rwyga bob weiran gopa
wallgo o'r walia 'ma . . . mi fala i bob bylb . . . a . . . ac . . . wedi i mi
orffan hefo'r lle . . . (*Gwelwn y llanc eto yn troi'r* main switch *ymlaen
ac y mae'r llif gron yn ailddechrau ei chwyrnu byddarol. Neidia Ifans
eto mewn dychryn gan daflu rhagor o bethau ati i'w stopio. Ymhen
ysbaid byr ar ôl hyn, â Ifans ar ei liniau ar y llawr gan guddio'i ben
a'i glustiau rhag y sŵn. Rhed y llanc allan o'r storfa ac agor a
chau'r drws allanol i roi'r argraff mai nawr mae'n dod i mewn.*)

LLANC: Be' dach chi'n drio'i neud?

IFANS (*yn gweiddi*): Gwna rywbeth . . . gwna rywbeth yn lle sefyll yn
fan'na . . . gwna rywbeth . . .

LLANC: Dwi'n clywed dim dach chi'n 'i ddeud . . .

IFANS: Ma' hi wedi rhysio, wedi mynd yn wyllt.

LLANC: Be'?

IFANS: Rhysio . . . ma'r weiars wedi croesi . . . gwna rywbeth . . .

LLANC: Diffoddwch y peth yna, dwi ddim yn clywed gair . . .

IFANS: Be'?

LLANC: Trowch y peiriant 'na i ffwrdd!

IFANS: Dyna be' dwi'n drio'i neud, y twpsyn . . . ond fedra i ddim . . .
ma'r . . . ma'r weiars wedi croesi . . .

LLANC (*yn mynd at y* main switch): Dim ond symud hwn sy isio . . . fel
hyn. (*Mae'r peiriant yn marw'n araf*) Mae o wedi'i farcio arno yn
eitha plaen . . . 'OFF' at i fyny ac 'ON' at i lawr . . . ylwch, dowch
yma i mi gael dangos i chi.

IFANS: Ddo i ddim yn agos ato fo . . . byth dragwyddol . . .

LLANC: I be' o'dd isio rhoi'r peth ON o gwbl?

IFANS: ON? . . . ON? . . . Be' 'ti'n 'i feddwl 'ON'? . . . Es i ddim yn agos ato fo . . . y weiars sy wedi croesi . . . dwi wedi deud digon y basa hyn yn saff o ddigwydd.

LLANC: Ond mi o'dd y switch i lawr ar 'ON' . . . fasa fo ddim yn symud 'i hun . . .

IFANS: Es i ddim yn agos ato fo . . . Wyt ti ddim yn 'y nghlywed i'n deud wrthat ti . . . Mae'r peth yn beryg marwol . . . Wyddost ti ddim be' all ddigwydd . . .

LLANC: Falla ma' fo ddaru!

IFANS: Y?

LLANC: Fo . . . fo . . . yn y seler . . . Falla'i fod o'n hoffi'r gêr newydd 'ma . . . a . . . a'i fod o isio trei arnyn nhw . . . (*Mae'n edrych i fyny i ble'r oedd y bylb yn hongian. Ifans yn edrych i fyny'n sydyn.*) Mae o wedi dwyn y bylb . . . ma' o wedi cymryd at y petha lectric 'ma'n saff i chi . . . (*Mae Ifans yn edrych yn amheus ar y llanc fel petai'n rhyw led amau bod y llanc yn gwybod mai ef sy'n gyfrifol am ddiflaniad y bylb*) . . . A sbiwch . . . mae o wedi mynd â darn o'r weiran hefyd . . . falla'i fod o wedi mynd â fo i'r seler am 'i bod hi mor dywyll yna . . . dach chi ddim yn meddwl?

IFANS: Falla . . .

LLANC: Oedd y lli' gron yna ymlaen pan ddaethoch chi i mewn?

IFANS: Nawr aeth hi 'mlaen . . . Nawr, y funud yma . . . Wnes i ddim ond edrych arno a dyma fo'n dechra.

LLANC: Mae o yma, felly. Fo o'r seler. Wedi hoffi'r gêr newydd mae o ac eisiau trei arnyn nhw.

IFANS: Be' 'ti'n 'i feddwl?

LLANC (*yn edrych o'i gwmpas yn ddramatig*): Mae o yn y stafell yma rŵan . . . 'tasan ni ond yn gallu'i weld o . . . (*Ifans yn edrych o'i gwmpas yn sydyn ond yn dal i edrych yn amheus ar y llanc*) . . . Dach chi ddim yn teimlo'i bod hi wedi mynd yn oer yn sydyn . . .?

IFANS: Y?

LLANC (*yn ffug ddramatig*): Oer . . . mae hi wedi mynd yn oer yn sydyn . . . mae hynny bob amser yn arwydd o bresenoldeb ysbrydion drwg. (*Mae'n edrych o'i gwmpas*)

IFANS: Clyw . . . paid â meddwl y gelli di fy nychryn i, co . . . Dwi'n hidio 'run ffeuan i ti fod yn deall . . . dim hynna. (*Mae'n clecian ei fys a'i fawd*)

LLANC (*heb gymryd fawr o sylw o'r hyn y mae Ifans wedi ei ddweud*): Ma' hi'n dechra mynd yn boeth eto rŵan . . .

IFANS (*yn edrych o'i gwmpas yn ofnus*): Wyt ti'n gwrando arna i . . . (*Mae'n bagio'n araf at y* main switch *ar y mur*) Dwi'n deall be' dach chi'n trio'i neud . . . y ddau ohonoch chi . . . ond chewch chi ddim gwared ohona i ar chwara bach . . . O, na chewch . . .

LLANC (*yn gweiddi ac yn pwyntio at rywbeth y tu ôl i Ifans*): Gwyliwch!

IFANS (*yn troi mewn dychryn*): Y?

LLANC (*yn pwyntio at y* main switch): Peidiwch â mynd yn agos at hwnna . . .

IFANS: At be'?

LLANC: Roeddach chi'n mynd i gyffwrdd ynddo fo . . . 'tasach chi wedi pwyso yn erbyn hwn'na, mi fasa hi ar ben arnach chi!

IFANS: Be' 'ti'n 'i feddwl?

LLANC: Ma' hwnna'n berwi hefo lectric . . . yn fan'na ma'r *electronics* yn troi fel chwrligwgan . . . a 'tasa chi'n twtsiad ynddo fo . . . fft! . . . Mi fasa hi ar ben arno chi . . . Fflach fawr, a dyna hi. Ble ma'ch menig chi? (*Cerdda'r llanc at y fainc a chodi pâr o fenig beic modur*)

IFANS: Menig?

LLANC (*yn dangos y menig beic a'u gwisgo*): Fel y rhain . . . Mae'n rhaid i chi gael menig!

IFANS: I be', yn eno'r dyn?

LLANC: Fiw i chi gyffwrdd yn y peirianna 'na heb fenig . . .

IFANS: Dydw i ddim yn mynd i gyffwrdd ynddyn nhw . . . dwi wedi deud wrthat ti . . . cadw'n glir . . . Mae fy hen dŵls i'n ddigon da i mi.

LLANC: Ond mi fydd yn rhaid i chi gael menig hefo'r rheini hefyd.

IFANS: Be' 'ti'n 'i feddwl?

LLANC: Fedrwch chi ddim twsiad mewn dim metal, dach chi'n gweld . . . dim heb fenig, felly . . . mae'r awyr yma'n glwstwr o'r lectronics . . . ac . . . ac mae metal yn 'u tynnu nhw ato fo . . . bob metal . . . *Electro magnito force* dach chi'n deall . . . fiw ichi gyffwrdd dim byd heb fenig . . . (*Mae Ifans yn troi'n sydyn ac yn mynd am ei gôt sy'n hongian ar hoelen yn rhywle*) . . . Ble dach chi'n mynd?

IFANS: Meindia dy fusnes!

LLANC: Gwyliwch yr hoelen 'na sy'n dal ych côt chi . . . mae honna'n fetal hefyd . . . Ac mae'n well i chi beidio gwisgo sgidia hoelion mawr o hyn allan . . . na giard wats. (*Deil y bachgen y gôt i Ifans ei gwisgo. Daw'r ferch i mewn.*)

MERCH: Ac i ble rydach chi'n meddwl ych bod chi'n mynd?

IFANS (*yn gwisgo'i gôt heb edrych arni*): Allan!

LLANC (*wrth y ferch*): Mae o ofn y lectric.

MERCH: O!

IFANS: Does gen i ofn affliw o neb ohonoch chi, deallwch chi. Neb!

MERCH: Pam dach chi'n mynd allan, ynte?

IFANS: Dwi'n mynd i weld y Giaffar . . . dyna i chi ble dwi'n mynd . . . I weld y Giaffar . . .

MERCH: Be' sy o'i le ar y ffôn?

LLANC: Ie, pam na riportiwch chi ni ar y ffôn fel y byddwch chi'n arfar 'i wneud?

IFANS: Mae'n well gen i 'i weld o'n bersonol y tro yma.

LLANC (*yn codi'r ffôn*): Mi alwa i arno fo, os liciwch chi . . .

IFANS (*yn rhuthro ato ac yn cipio'r ffôn o'i ddwylo*): Rho hwnna i lawr . . .

MERCH: Siaradwch chi hefo fo, ynte?

IFANS: Dwi wedi deud wrthach chi mod i'n mynd i'w weld o'n bersonol . . . wyneb yn wyneb . . .

LLANC: Wn i be' sy . . . falla fod y ffôn wedi torri. Mae hynny'n digwydd weithia. Mi wna i notis i'w roi arno—*Out of Order.*

MERCH: Ydi o ddim yn ateb, ynte?

IFANS: Dim o'r fath beth . . .

LLANC: Ne' falla nad ydi o ddim adra . . . falla'i fod o wedi mynd ar 'i holides . . .

MERCH: Ne'n cysgu . . . ia, dyna fo, ma' hi braidd yn fora . . .

IFANS: Fydd o byth yn cysgu . . . dach chi'n deall, byth yn cysgu! . . . Byth . . .

LLANC: Hei . . . hwyrach 'i fod o wedi cael dropyn gormod ac yn methu codi at y ffôn . . . (*Chwardda'r llanc a'r ferch yn uchel*)

IFANS: Byddwch ddistaw! . . . Oes gynnoch chi ddim parch . . . Mae'r Giaffar yn iawn . . . O ydi . . . a pheidiwch chi â meddwl am funud na dydio ddim . . . Roeddwn i'n siarad hefo fo bora heddiw ddiwetha . . . Fe dd'wedodd wrtha i am fynd i'w weld o . . . ac mi . . . mi dwi'n mynd hefyd . . . Mi ga' i sgwrs hefo fo wyneb yn wyneb. (*Mae'n cerdded at y drws allanol*) . . . Ac ma' gen i lot i'w ddweud wrtho fo hefyd . . . lot fawr . . . mi fydd edifar gynnoch chi ddydd ych geni . . . (*Mae'n mynd o'r golwg drwy'r drws*)

LLANC (*yn rhedeg at y drws ac yn gweiddi ar ei ôl*): Cofiwch ni ato fo. (*Mae'n dechrau chwerthin dros y lle ond nid yw'r ferch hyd yn oed yn gwenu. Mae'n edrych yn synfyfyriol o'i blaen.*)

LLANC (*yn dod yn ôl i ganol y llwyfan*): Wedi mynd gartra mae o i gael y morthwyl mawr . . . Dyna ble mae o wedi mynd . . . i nôl yr ordd . . .

MERCH: Gordd?

LLANC: I falu'r lle 'ma'n dipia mân . . . Ia, 'tawn i'n marw! Mi clywais o . . . malu pob peiriant sy yn y lle 'ma, medda fo.

MERCH: Wrthyt ti dd'wedodd o hyn?

LLANC: Nage . . . wrth neb! . . . Siarad ar y ffôn oedd o . . . a finna'n cuddio . . .

MERCH: Be' dd'wedodd o i gyd?

LLANC: Deud wrth y Giaffar 'i fod o wedi cael llond bol ar betha . . . a . . . a'i fod o'n mynd i ddŵad yma heno ar ôl . . .

MERCH: Heno?

LLANC: Ia . . . ar ôl i ni glirio oddi yma . . . hefo gordd, medda fo, ac mae o'n mynd i waldio pob peiriant sy 'ma'n racs grybibion, jibidêrs.

MERCH: Wyt ti'n meddwl y gwneith o?

LLANC: Mi drith 'i ora glas. (*Mae'n pwyntio at y man lle bu'r bylb*) . . . Ylwch, mae o wedi dechra'n barod.

MERCH (*yn edrych i fyny*): Be' ddigwyddodd?

LLANC: Mi'i torrodd o i ffwrdd hefo siswrn . . . duwch, biti na fasa fo wedi cael sioc.

MERCH (*yn edrych o gwmpas yr ystafell*): Ble mae'r bylb rŵan, 'ta?

LLANC: Gan y Bwci Bo . . . mi'i taflodd o fo i'r seler.

MERCH (*yn fyfyriol*): Mae o o ddifri, felly . . .

LLANC: Roedd o mewn tipyn o stad ar y ffôn, beth bynnag, yn enwedig am nad oedd y Giaffar yn 'i ateb o.

MERCH (*yn troi i edrych arno'n sydyn*): Sut gwyddit ti?

LLANC: Dwi newydd ddeud wrthach chi . . . Roeddwn i'n gwrando arno fo . . .

MERCH: Sut gwyddit ti nad oedd y Giaffar ddim yn ateb?

LLANC (*yn edrych arni mewn syndod*): Ond . . . ond mae'n amhosibl . . .

MERCH: Dwi'n gwybod hynny ond sut gwyddit ti nad oedd neb yn ateb a thitha ymhell oddi wrth y ffôn . . .

LLANC: Wel, dyna be' oedd o yn 'i weiddi . . . 'd'wedwch rywbeth', medda fo, 'd'wedwch rywbeth' . . . 'tasach chi ond yn pesychu i ddweud eich bod chi yna'.

MERCH (*yn fyfyriol eto*): Dyna dd'wedodd o?

LLANC: Ac mi fydd o yma heno i chi cyn wiried â 'mod i'n ddyn byw . . . hefo gordd!

MERCH (*ar ôl seibiant hir*): Mi fydd yn rhaid i ni drefnu cyfarfod croeso iddo fo, yn bydd?

RHAN 6

Y GIAFFAR

Amser: Yn hwyrach y noson honno

Mae'r llanc newydd osod bylb newydd yn lle'r un a dorrwyd a goleua'r ystafell. Gwelwn ei fod mewn gwisg foto-beic. Mae'r helmet, y gogls a'r siaced gerllaw. Dyry loudspeaker *o dan y fainc weithio, a dirwyn y weiran ohono at recordydd-tâp. Ac yna, mae'n dychwelyd ac edrych o'i gwmpas. Daw'r ferch i mewn.*

MERCH: Ydi popeth yn barod?

LLANC: Bron iawn. Mi neidith allan o'i ddillad heno ac mi fydd yn dianc am 'i fywyd. Siawns na chawn ni lonydd wedyn. Cofiwch, roedd 'na rywbeth reit ddigri ynddo fo hefyd.

MERCH: Roeddet ti'n 'i weld o'n ddigri?

LLANC: Fedrwch chi ddim peidio chwerthin am 'i ben rywsut. Y stwnsian dibwrpas a'r stryffaglio pathetig a'r cyfan yn gwbl aneffeithiol. Fel gwenyn meirch wedi disgyn i'r dŵr yn y pot jam. Ddaw o ddim yn agos i'r lle byth eto, gewch chi weld.

MERCH: Ac rwyt ti'n gweld hynny'n beth digri?

LLANC: Ydach chi ddim?

MERCH: Ydi'r tâp wedi'i gysylltu?

LLANC: Ym mhlwg y storws. Wêl o mo'r weirian yn y tywyllwch.

MERCH: Mae o'n dod. (*Cipia'r llanc yr helmet a'r gogls a'r siaced. Â'r ferch at ddrws y storws.*) Diffodd y golau. (*Gwna'r llanc hynny a rhedeg i'r storws gan gau'r drws. Daw Ifans i mewn gyda lantern yn un llaw a gordd yn y llall. Edrych ar y peiriannau, yna ar y teleffon. Petrusa am ychydig eiliadau, yna croesa at y ffôn a'i godi.*)

IFANS: Giaffar . . . ydach chi yna? I chi fod yn deall, mae gen i ordd . . . Glywsoch chi . . . gordd! Cyn y bydda i wedi gorffen, mi fydd y lle ma'n racs grybibion . . . Deudwch wrtha i, ydw i'n gwneud y peth iawn? . . . Giaffar, ydach chi'n 'nghlywed i? . . . Os ydw i'n gwneud y peth rong, deudwch wrtha i am beidio. Helô . . . Giaffar . . . deudwch rwbath . . . helô . . . helô . . . (*Ymddengys nad oes neb yn ateb a dyry'r ffôn i lawr. Mae'n cerdded at y peiriannau, poeri ar ei ddwylo a chodi'r ordd i daro.*)

MERCH (*ar y tâp*): Saer Dolia.

IFANS: Pwy sy 'na?

LLANC (*ar y tâp*): Saer Dolia.

IFANS: Ble rydach chi?

MERCH (*ar y tâp*): Pwyso arnach chi!

LLANC (*ar y tâp*): Mygu . . .

MERCH (*ar y tâp*): Gwasgu . . .

LLANC (*ar y tâp*): Pwyso . . .

(Adweithia Ifans yn ofnus i ddechrau ond yn fuan mae'n adnabod y lleisiau, ac yn gweld y lousdpeaker *dan y fainc)*

IFANS: Chi sydd 'na . . . chi'ch dau. Mi wn i'n iawn. (*Daw miwsig electronig o'r fainc*) Dach chi'n meddwl 'mod i'n ddwl. Stopiwch y swn 'na a dowch i'r golwg. Dwi'n barod amdanoch chi. Dowch! Dowch! (*Daw'r llanc i'r golwg o ddrws y storfa. Mae'n gwisgo'r siaced a'r helmet erbyn hyn.*) Pwy sy 'na? Y? Pwy sy 'na? Sa'n ôl! Sa'n ôl! (*Cyfyd yr ordd yn fygythiol*)

LLANC: Rhowch honna i lawr, yr hurtyn.

IFANS (*yn camu'n ôl ond yn dal yr ordd yn fygythiol o'i flaen*): Sa'n lle rwyt ti.

LLANC: Rhowch honna i lawr fel dwi'n dweud.

IFANS: Ti wyt ti . . . mi wn i'n iawn . . . ti wyt ti. Chei di mo fy hambygio i eto. Mae'r amser wedi mynd heibio. Fi pia'r lle 'ma. 'Ti'n deall, fi. (*Mae'n eistedd i lawr yn ei gadair bron wedi ymlâdd. Saif y llanc am ennyd. Yna try at ddrws y seler.*)

LLANC: *Miss, miss.* (*Daw hithau*) Da i ddim. Mae o'n rhy styfnig i gael 'i ddychryn hyd yn oed. (*Eistedd Ifans a'r ordd o hyd yn ei law. Cipia'r llanc hi oddi arno a'i lluchio draw. Cyfyd Ifans ei ben . . .*)

IFANS: Pam na cha' i lonydd gynnoch chi? Wnes i ddim byd i haeddu cael fy nhrin fel hyn.

LLANC: Dim ond tin-droi yn ych llanast ych hun.

MERCH: Esgeuluso'r gweithdy.

LLANC: Lluchio doliau yn lle trwsio.

MERCH: Llenwi craciau gyda chŵyr.

LLANC: Colli petha.

MERCH: Dweud anwiredda.

LLANC: Creu bwganod.

MERCH: Gwrthod gwellianna.

LLANC: Osgoi gwaith.

MERCH: Beio rhywun arall.

IFANS: Ia, ia, ond nid ar gam. Fo fy'n gyfrifol, fo yn y seler.

LLANC: Peidiwch â phalu celwyddau. (*Wrth y ferch*) Gadewch i ni fynd. Does dim pwrpas aros yma. (*Â'r ferch i'r storws*)

IFANS: Clywch! Gofynnwch i'r Giaffar. Gofynnwch i'r Giaffar eich hun.

LLANC: Pa bryd ydach chi am sylweddoli nad oes 'na ddim Giaffar? (*Yn croesi at y teleffon a'i godi*) Does 'na ddim sŵn o gwbl yn y teclyn hen ffasiwn yma. Dim hym na chlecian na dim. Dim oll. A dydi teleffon heb ddim sŵn ddim yn gweithio. Dydi rheswm yn dweud nad oes 'na neb yn ych clywed chi, na chitha'n clywed neb. Ond dyna fo, waeth heb â disgwyl i chi fod yn rhesymol.

IFANS: Aros! Gwranda arna i. Mae'r weiran yn mynd yn syth at y Giaffar.

LLANC: Yn syth i'r siling. Dim cam pellach. Mae hi'n darfod mewn gwe pry cop yn y siling.

IFANS: Gwe pry cop? Sut gwyddost ti? Sut gwyddost ti?

LLANC: Mi eglura i o'n syml i chi. Cyn medrwch chi gael teleffon i weithio, rhaid i chi gael weiran yn dŵad i'r lle. A does 'na 'run. Does 'na ddim weiran yn dod yn agos i'r lle 'ma, yn nac oes?

IFANS: Dim weiran?

LLANC: Dim llathen. Ne' mi fasech yn 'i gweld hi. Yn basech?

IFANS: Felly, does 'na ddim . . .

LLANC: Nac oes. Neb. Gwe pry cop . . . a dim byd.

(*Mae Ifans yn croesi at y ffôn, ei godi a gwrando*)

IFANS: Gwe pry cop.

LLANC: A dim.

IFANS: Does 'na ddim Giaffar?

LLANC: Synnwyr cyffredin o'r diwedd. Wrth gwrs does 'na ddim Giaffar. (*Yn croesi at y storws*) Ydach chi'n barod i fynd, miss? (*Egyr drws y seler ohono'i hun gyda chlec. Neidia Ifans mewn dychryn.*)

LLANC (*yn chwerthin*): Go dda! Bron i chi fy nychryn i!

IFANS: Na! Na! (*Mae'n bagio mewn arswyd fel petai rhyw ddrychiolaeth wedi dod allan. rhed at y drws allanol a'i agor. Erbyn hyn, mae barrau mawr wedi ymddangos ar draws y porth i'w atal rhag dianc. Dechreua garlamu o gwmpas y gweithdy yn hollol orffwyll.*) Giaffar! Giaffar! (*Disgyn ar draws ei fainc*)

LLANC: Twt lol, difetha'r hwyl i gyd. Pam ddiawch na fasach chi'n rhedag allan y tro cynta, y twpsyn. (*Mae'n ei bwnio â blaen ei droed*) Cym on, ddyn. Fedrwch chi ddim cymryd tipyn o hwyl. Rhowch y golau ymlaen, miss. (*Sylweddola nad yw hi yno*) O, wel . . . (*Try'r golau ymlaen ei hunan a mynd at ddrws y seler gan alw*) Mae'r hen ffŵl wedi llewygu, dowch odd'na. (*Yn mynd at Ifans a galw dros ei ysgwydd*) Mi fydd yr un fath yn union eto pan ddaw o ato'i hun. (*Wrth Ifans*) Sut mae cael gwared ohonoch chi, deudwch? Mi fyddwch yn stwnsian a photsian eto ddydd ar ôl dydd. (*Galw dros ei ysgwydd*) Dowch yma, *miss*, i ni gael hwn ato'i hun. (*Daw hi o'r storws wedi ei gwisgo'n union fel yr oedd ar y dechrau un*) Iechyd, welais i mo'r wisg yna o'r blaen. (*Mae'r ferch yn cerdded heibio iddo at y Saer Doliau*)

MERCH: Mae Effraim Cadwaldr Ifans wedi marw.

LLANC: Be'? Be' dd'wedsoch chi? Ond . . . ond doeddwn i ddim ond eisio'i ddychryn o. Dyna oedd y cynllun, yntê? Ei ddychryn o. Dim byd arall. Ydach chi'n siŵr?

MERCH: Yn hollol siŵr. (*Gwthia'r ferch Ifans oddi ar y fainc a disgyn yn sypyn diymadferth i'r llawr*)

LLANC: Doedd o ddim i fod i farw. Chi ddaru! Chi ddaru agor drws y seler! Mi'ch gwelais chi. (*Mae'r llanc wedi cael tipyn o fraw ei hun erbyn hyn*)

MERCH: Wyt ti'n siŵr?

LLANC: Rydwi'n hollol siŵr.

MERCH: A finnau yn y storws drwy'r amser?

LLANC: Mi ddaru chi . . . mi ddaru chi fynd drwy'r wal . . . (*Yn sylweddoli beth mae wedi'i ddweud*) Mynd drwy'r wal. (*Mae'r ferch yn cychwyn am y drws*) Hei. Arhoswch! Be' wna i â hwn?

MERCH: Ti yw'r Saer Doliau nawr.

LLANC: Ble dach chi'n mynd?

MERCH: Oddi yma gan mai ti piau'r lle o hyn ymlaen.

LLANC: Fedrwch chi ddim mynd allan ffordd 'na.

MERCH (*A'i llaw ar glicied y drws*): Pam?

LLANC: Baria . . . y baria ar y drws. (*Y ferch yn agor y drws. Nid oes barrau y tu allan mwyach.*)

MERCH: Bariau?

(*Â allan. Rhed y bachgen at y drws ar ei hôl ac edrych i fyny ac i lawr. Daw'n ôl i mewn â golwg hurt ar ei wyneb. Saif yng nghanol y llwyfan am ychydig gan edrych ar y corff fel petai'n pendroni beth i'w wneud ag ef. Edrych ar ddrws agored y seler a dechreua lusgo'r corff tuag ato. Pan mae ar fin ei wthio i mewn, clywir y teleffon yn canu'n glir ac uchel.*)

Tŷ ar y Tywod

Cyflwynwyd y ddrama hon am y tro cyntaf ar y llwyfan gan Gwmni Theatr Cymru yn Eisteddfod Genedlaethol y Barri, 1968, ac wedyn ar daith yr Hydref yr un flwyddyn.

Cyflwynwyd y ddrama gyntaf ar y teledu gan y BBC, Nos Sul, Rhagfyr 22, 1968.

AWGRYM AR GYFER CYNHYRCHU

Yn Eisteddfod Genedlaethol y Barri fe ddefnyddiodd y cynhyrchydd *Ddelw* a *Merch* (Gaynor Morgan Rees) i chwarae rhan Lisa.

Yng nghorff y ddrama yr wyf wedi nodi gyda * pryd y gellid newid y ferch am y ddelw heb i'r gynulleidfa weld y weithred.

G.P.

Cymeriadau:

Gŵr y Tŷ
Lisa
Llanc
Merch
Gŵr y Ffair

ACT 1

Cyfyd y llen i ddangos ystafell afreal a bregus iawn yr olwg. Gellid yn hawdd fod wedi ei hadeiladu o gardiau papur gan mor frau yr ymddengys. Gwelwn fod rhai o'r muriau wedi cracio oherwydd ansicrwydd y seiliau, ac y mae pyst pren yn dal rhannau o'r to i fyny. Y mae rhywfaint o'r adeilad eisoes wedi suddo i'r tywod. Yn y mur cefn, mae drws yn arwain yn syth allan i'r traeth, ac fe ellir clywed y môr yn suo'n dawel heb fod ymhell i ffwrdd. Ar y chwith, mae cwpwrdd gweddol fawr ac wrth ei ochr, mynedfa arall yn arwain i'r ystafell gefn. Yn y mur ar y dde, mae ffenestr gyda llenni tenau, bratiog, wedi eu tynnu drosti, ond y mae golau'r haul o'r tu allan yn llifo i mewn drwyddynt. Yn hongian ar y mur wrth ochr y ffenestr, mae ysbienddrych. Yr unig ddodrefn yn yr ystafell, ar wahân i'r cwpwrdd, yw bwrdd, cadair a gwely.

Ymhen ychydig eiliadau, clywir y drws allanol yn cael ei ddatgloi, a daw gŵr i mewn tan gario rhywbeth sy'n ymddangos fel corff dynol tan orchudd gwyn. Gyda chryn drafferth, rhydd y corff i orwedd ar y gwely cyn rhuthro yn wyllt a phryderus i gloi'r drws ar ei ôl. Mae wedi ei wisgo yn eithaf hafaidd (côt liain olau, sandalau, etc.), ac ymddengys yn flêr heb fod yn fudur. Ar ei drwyn mae'n gwisgo spectol drwchus, ac y mae ganddo herc amlwg yn ei goes chwith. Wedi cloi'r drws, rhuthra at y ffenestr gan ddefnyddio'r ysbienddrych i edrych allan drwyddi.

GŴR Y TŶ (*allan o wynt braidd*): Na . . . dim adyn byw yn unlle . . . Neb yn ame . . . neb yn gwybod. (*Mae Gŵr y Tŷ yn hongian yr ysbienddrych yn ôl ar y mur ac yna troi i edrych i gyfeiriad y 'corff' ar y gwely. Mae'n nesáu yn araf tuag ato gyda golwg gynhyrfus ddifrifol ar ei wyneb, ac wedi ei gyrraedd, dadorchuddia'r pen yn betrusgar. Gwelwn wyneb merch ifanc.*)

GŴR Y TŶ (*yn edrych arni yn gariadus*): Cysgu wyt ti o hyd, fy mechan i . . . mor welw . . . mor eiddil. Ond rwyt ti'n ddiogel nawr—heb boen na phryder (*Mae'n anwesu ei grudd yn dyner*) . . . ond eto'n oer—yn oer a llonydd . . . (*Mae'n taflu'r gorchudd o'r neilltu ac yn ei chodi yn ei ddwylo unwaith eto*) . . . Paid ti â phryderu nawr . . . wna i ddim dy ollwng di. (*Mae'n gosod y 'corff' i sefyll ar ei draed a gwelwn am y tro cyntaf mai delw gŵyr sydd ganddo. Delw ydyw o ferch ifanc brydferth gyda golwg drist ar ei hwyneb. Mae gwisg garchar hen ffasiwn amdani, a'i dwylo wedi eu clymu mewn cyffion. Saif Gŵr y Tŷ am eiliad neu ddau i syllu ym myw ei llygaid gwydr sefydlog ac yna ar ei dwylo.)*

GŴR Y TŶ: Petawn i . . . petawn i'n cael dy ddwylo di'n rhydd . . . *(Mae'n bodio'r cyffion ac yn anwesu ei breichiau)* . . . yn rhydd i chwifio . . . a chynnal . . . i blethu ac i anwesu . . . *(Mae golwg bell fyfyrgar ar ei wyneb yn awr)* . . . i'w cydio yn y tywyllwch . . . *(Mae fel petai'n cofio am rywbeth yn sydyn)* . . . Aros di funud, mae gen i lif bach yn rhywle . . . *(Mae'n meddwl)* . . . nawr 'te, ble mae hi? . . . dim ond yr wythnos ddwetha . . . aha! *(Mae'n cofio ble mae ac yn agor drôr y bwrdd. Ar ôl chwilota am ychydig, daw o hyd iddi.)*

GŴR Y TŶ: Dyma hi! *(Mae'n cerdded yn eiddgar yn ôl at y ddelw gyda llafn llif fetal yn ei law)* Fe dyrr hwn trwy rywbeth gyda tipyn o amynedd . . . a dyfalbarhad. *(Mae'n penlinio o'i blaen; rhythu ar y cyffion ac yn dechrau llifo'r gadwyn yn eiddgar)* Fyddwn ni ddim yn hir yn awr. *(Ar ôl llifo am ychydig, erys am ennyd eto gyda'r olwg freuddwydiol ar ei wyneb)* . . . Mi fyddet ti yno hyd dragwyddoldeb, wyddost ti, oni bai amdana i . . . a phawb yn . . . yn rhythu a gwawdio—un ar ôl y llall drwy'r dydd . . . bob dydd . . . *(Mae'n ymysgwyd o'i freuddwyd eto ac yn edrych ar wyneb y ddelw)* . . . Beth dd'wedodd y pethe Ffair yna tybed pan sylwon nhw dy fod ti wedi mynd . . . Os sylwon nhw hefyd . . . doeddet ti ddim ond un mewn tyrfa . . . tyrfa oer unig . . . wedi'ch rhewi'n oes oesoedd . . . Ond fe weles i'r boen y tu ôl i'th lygaid llonydd . . . y boen a'r ofn. *(Mae'n dechrau llifio eto tan chwerthin wrtho'i hun)* Ond fe ges i ti allan o'r lle, on'do fe . . . Fe achubais di—reit o dan 'u trwyne nhw. Diawch! hoffwn i fod wedi bod yno i weld 'u hwynebe nhw. *(Saib i feddwl)* Falle caiff y ddau sac am fod mor esgeulus . . . Mae hynny yn eitha posib, wyddost ti . . . o odi . . . achos dim ond gweision bach odyn nhw. *(Daw golwg o gasineb i'w wyneb)* . . . Fe sy berchen y lle—Gŵr y Ffair. Rwy wedi'i weld e droeon yn 'u bwgwth nhw am ryw flerwch neu'i gilydd . . . a hwythau'n crynu gan ofn. *(Gwena unwaith eto)* Ond chaiff o mo'i ffordd 'i hunan 'da fi . . . Wyddet ti . . . wyddet ti 'i fod o wedi ceisio'i ore glas i 'nghael i i symud o fan hyn. *(Mae'n edrych o gwmpas yr ystafell)* Mae am dynnu'r lle i lawr medde fe . . . er mwyn ehangu'i dipyn Ffair. Mae o wedi trio bob tric posib i gael gwared ohono i . . . anfon y plant i aflonyddu . . . gofyn i'r awdurdode gondemnio'r lle . . . cynnig arian mawr imi . . . Edrych *(Mae'n tynnu pentwr o lythyrau allan o focs esgidiau)* . . . Dyma nhw iti—degau o lythyrau oddi wrtho fo'n cynnig ffortiwn i mi am y lle . . . ond wna i ddim symud i'r cythral . . . pam dylwn i . . . mae gen i gystal hawl i'r traeth yma â neb . . . ac mae gen i gynllunie . . . mae gen i gynllunie i ailgodi'r hen le yma. I osod gwell sylfaen. (*Mae'n edrych o'i gwmpas ac yn rhoi ei law ar un o'r props pren sy'n dal rhan o'r to i fyny*) . . . Wnaiff o . . . wnaiff o ddim suddo i'r tywod wedyn . . . Sylfaen o goncrit a muriau cerrig yn lle coed bregus dda i ddim. Wnaiff yr heli ddim bwyta trwy'r rheini, a pheth arall, mae'r awdurdode wedi addo dod â dŵr yma—ond i mi dalu hanner y pris . . . a thrydan . . . a charthffos . . . Mi fydda i ar ben fy nigon wedyn . . . unwaith y caf fi ddigon o arian. (*Ysbaid o feddwl dwys yn awr, yna ymysgwyd o'i freuddwyd a throi eto at y ddelw*) Ond ddaw yna ddim Ffair i'r ochr yma o'r traeth—dim tra bydda i byw! . . . Fi sy berchen fan hyn . . . Fi a ti. (*Mae'n anwesu gwallt y ddelw*) . . . Dim ond ni'n dau yn gysur i'n gilydd . . . (*Mae'n tynnu ei law i lawr ei chefn a dechrau bodio brethyn bras ei gwisg garchar*) . . . Petawn i ond yn cael dy ddwylo di'n rhydd . . . (*Mae'n rhythu ar gadwyn y cyffion*) . . . Odi'r llif yma'n cael rhyw effaith dwêd? (*Mae'n amlwg ei fod yn ei chael yn anodd i weld drwy'r sbectol gan fod ei drwyn bron yn cyffwrdd y gadwyn*) . . . Drato'r sbectol felltith yma . . . (*Mae'n tynnu'r sbectol ac yn glanhau'r gwydrau â godre ei gôt, ac yna yn rhythu unwaith eto ar y gadwyn.*) . . . dyna ni . . . gwelliant . . . odi! . . . odi, myn gafr, rwy bron trwodd yn barod. (*Mae'n dechrau llifio eto, yn awr gyda brwdfrydedd newydd*) . . . Fydda i ddim yn hir . . . dyfalbarhad . . . (*Mae'r gadwyn yn torri*) . . . Dyna ni! (*Yn orfoleddus yn awr*) 'Ti'n rhydd . . . Wyt ti'n 'nghlywed i? . . . mae dy ddwylo di'n rhydd . . . i chwifio . . . ac i anwesu . . . i wasgu a chofleidio. (*Diflanna'r gorfoledd yn araf o'i wyneb wrth iddo sylweddoli fod y ddelw mor farw ag erioed—gyda'i dwylo yn yr un safle yn union â chynt. Saib hir o ddistawrwydd fel y mae'n rhythu arni.*) . . . Y wisg yna 'di'r drwg. (*Mae'n cerdded yn frysiog at gist sydd ganddo yng nghornel yr ystafell*) Sut gelli di anghofio'r gorffennol a honna amdanat ti. (*Mae'n agor caead y gist a chodi pentwr o ddillad amrywiol ohoni*) . . . ond aros di funed, ryden ni'n saff o rywbeth i ti fan hyn. (*Ymhellach ymlaen, caiff ei gyhuddo o fod wedi dwyn y dillad yma oddi ar y traeth*) Rown i'n gwybod y deuai'r rhain yn handi ryw ddydd. (*Mae'n didoli'r dillad tan chwerthin yn foddhaus*) . . . nawr 'te, beth am hon. (*Daw o hyd i wisg a deil hi i fyny o flaen y ddelw ond mae'n amlwg ei bod lawer yn rhy laes iddi*) . . . Dda i ddim. (*Teifl hi'n ôl i'r gist a dechrau chwilio am un arall*) . . . Beth am hon, 'te? (*Daw o hyd i un arall tipyn mwy lliwgar a phan ddeil hi fyny o flaen y ddelw gwelwn fod patrymau optical*

modern arni, ond ei bod yn edrych braidd yn gwta) . . . I'r dim! . . .
Campus! . . . Aros di nawr 'te . . . *(Mae'n edrych ar y ddelw am*
ennyd gan roi ei law yn betrusgar ar ei gwisg. Daw rhyw swildod
rhyfedd drosto. Mae'n tynnu'r wisg garchar yn drwsgl gan edrych y
ffordd arall. Pan wêl fod y ddelw'n gwisgo pais ddu, mae'n edrych yn
fwy cysurus, a rhydd y wisg fodern amdani tan fwmian canu. Wedi
iddo'i gwisgo, mae'n camu'n ôl i edmygu'r olygfa ond sylwa am y tro
cyntaf bod hem laes y bais ddu tua throedfedd yn is na'r wisg fodern.
Dylai hyn wneud i'r ddelw edrych yn fwy pathetig nag erioed.) . . .
Hm! . . . Aros di . . . *(Mae'n mynd i nôl siswrn)* . . . Fydda i ddim yn
hir yn setlo hynny . . . *(Mae'n penlinio wrth y ddelw fel petai ar fin*
torri'r hem, ond erys yn sydyn fel petai newydd feddwl am rywbeth)
. . . Nawr 'te, gan bwyll . . . mae ffordd i wneud popeth ond i rywun
'i weithio fe mâs yn bwyllog . . . ia . . . dyna fe . . . *(Mae'n sythu o*
flaen y ddelw ac yn gwthio'r siswrn dan y wisg i dorri llinynnau
ysgwyddau'r bais. Wedi gwneud hyn, mae'n penlinio eto ac yn rhoi
plwc i odre'r bais. Disgynna'r cyfan yn dwt o gylch traed y ddelw.) . . .
Dyna ni! *(Mae'n chwethin wrth ei fodd. Yn y man, distawa, a daw*
golwg mwy difrifol i'w wyneb.) . . . Dyna ti, fy nghariad i . . . mor
ifanc . . . mor brydferth . . . *(Clywir lleisiau dau yn chwerthin heb fod*
ymhell y tu allan) . . . Beth oedd hwnna? . . . *(Cynydda'r lleisiau a*
chlywn mai mab a merch ydynt. Daw golwg ofnus dros wyneb Gŵr y
Tŷ.) Nhw! . . . nhw sy 'na *(Mae'n cario'r ddelw yn frysiog i'r*
cwpwrdd*) . . . wedi dod i chwilio amdanat ti. *(Mae'n cloi'r drws a*
rhoi'r allwedd yn ei boced) . . . ond chân nhw . . . chân nhw mohonot
ti . . . mi ofala i am hynny . . . *(Mae'n gafael yn yr ysbienddrych ac*
edrych allan drwyddi) . . . Na! . . . *(Daw tinc o ollyngdod i'w lais.)* . . .
Na, nid nhw odyn nhw, diolch i Dduw—Ymwelwyr! . . . ie, dim ond
ymwelwyr sy 'na—pâr bach ifanc yn mynd i nofio. *(Mae'n rhythu*
allan gyda diddordeb mawr yn awr) . . . Nawr 'te . . . ble ma'n nhw
wedi gadael eu dillad . . . *(Mae'n edrych i fyny ac i lawr y traeth)* . . .
Falle'u bod nhw wedi newid yn y gwesty . . . na! *(Wedi ei gynhyrfu yn*
awr) . . . dacw nhw, myn gafr i . . . Fan acw wrth yr hen jeti . . .
(Mae'n chwerthin yn foddhaus) . . . dau bentwr bach destlus . . . mi
ân nhw i'r môr yn y funed, ac wedyn, fydda i fawr o dro . . . *(Mae'n*
sylwi ar rywbeth yn sydyn) . . . Duwedd mawr, man a man iddi fod
heb ddim na gwisgo dim ond hynny . . . Mm! . . . siapus . . . deniadol
iawn . . . cerdded law yn llaw . . . cicio'r tywod yn gawodydd melyn

*Newid y Ddelw am y Ferch.

. . . chwerthin a chellwair . . . (*Clywir sŵn miwsig ffair yn y pellter*) . . .
Drato'r hyrdigyrdi 'na—ma'n nhw'n rhedeg i'r Ffair . . . a . . . a
mynd â'r dillad . . . rhedeg i ffwrdd . . . (*Rhydd ei ysbienddrych i lawr
gyda golwg drist arno*) . . . Mae pawb yn mynd i'r Ffair . . . pawb . . .
(*Daw golwg bell freuddwydiol i'w wyneb fel petai'n hiraethu am fynd
i'r ffair ei hunan ond yn sydyn mae'n ymysgwyd o'i freuddwyd*) . . .
Nhw a'u Ffair Wagedd . . . Randibŵ o fore gwyn hyd nos . . . (*Mae'n
eistedd i lawr*) . . . Roedd hi'n dawel braf 'ma ers talwm . . . a digon o
ffrindie . . . digon yn galw . . . (*Daw'r olwg freuddwydiol yn ôl i'w
wyneb*) . . . o, oedd, roedd gen i ddigon o ffrindie bryd hynny . . .
(*Mae'n gwenu*) . . . ac ambell ferch . . . wel, amryw ohonyn nhw, i
ddweud y gwir . . . Roedd rhywbeth . . . Roedd 'na rywbeth o
'nghylch i oedd yn denu merched . . . roedden nhw'n heidio o
'nghwmpas i, dim ond i mi ddangos fy ngwyneb . . . rwy'n cofio'n
iawn . . . (*Mae yn ei fyd breuddwydiol eto yn awr*) . . . Sioned â'i
chroen fel marmor gwyn . . . wedyn, Einir—un fywiog oedd hi . . . ac
yna Bethan . . . ie, Bethan â'i gwallt modrwyog euraidd—yn gariadus
. . . yn gariadus iawn . . . Fe allwn i fod wedi cael unrhyw un ohonyn
nhw petawn i . . . petawn i isio. (*Mae'n cofio'n sydyn am y ddelw yn
y cwpwrdd a brysia ato a datgloi'r drws. Edrych yn hir ar y ddelw, a
chlywn fiwsig y ffair yn cynyddu'n araf.*) . . . A gaf fi'r pleser o'r
ddawns yma, madam? (*Mae'n moesymgrymu iddi. Daw'r ddelw yn
fyw a cherdded allan o'r cwpwrdd eto. Rhydd ei freichiau amdani a
dechreua'r ddau dddawnsio'n gyflym o gwmpas yr ystafell. Yn sydyn,
mae carreg yn cael ei thaflu i mewn drwy'r ffenestr gan falu'r gwydr
yn deilchion. Y foment honno, saif y ddau fel petaent wedi eu parlysu.
Clywir lleisiau plant y tu allan yn canu'n uchel.*)

LLEISIAU'R PLANT: Dyn bach mewn sianti
Yn byw ar swnd a heli
Hanner pan! Hanner pan!
Seilam mae dy le di.

GŴR Y TŶ: Plant y Ffair yna eto. (*Yn rhedeg at y ffenestr a'i hagor*)
Mi'ch riportia i chi am hyn . . . o, gwnaf . . . mi'ch riportia i chi.
(*Mae'r ddelw'n dal yn llonydd yn ei hunfan*)

LLEISIAU'R PLANT (*yn canu'n brofoclyd*): Dim yn gall! Dim yn gall!
Seilam mae dy le di.

GŴR Y TŶ: Ewch adre'r cnafon drwg . . . Ffwrdd â chi! (*Mae ei lais yn
nerfus a chrynedig fel petai braidd yn ofnus o'i aflonyddwyr ifanc*)

LLEISIAU'R PLANT (*yn dal i chwerthin a gwawdio*): Hanner pan! Hanner pan!

GŴR Y TŶ: Os do' i mas, byddwch chi'n flin . . . (*Mae'r plant i'w clywed yn rhedeg i ffwrdd tan chwerthin*) . . . Ie, hawdd gellwch chi redeg i ffwrdd nawr. (*Mewn gwirionedd, mae'n falch eu bod yn gwneud*) . . . chi'n gwybod be' fydde'n digwydd . . . (*Mae'n cau'r ffenestr ac yn dychwelyd yn drist i ganol yr ystafell*) . . . Glywaist ti nhw? . . . y pwdrod bach digwilydd . . . ond ma'n nhw wedi mynd rhy bell tro hyn . . . Fe'u riportia i nhw . . . Fe gân dalu am y ffenestr 'na . . . (*Mae'n eistedd i lawr wedi cynhyrfu'n lân*) . . . Mae o'n 'u gyrru nhw yma bob dydd fel hyn i fy nhormentio i . . . (*Dechreua rwbio'i goes gloff*) . . . Mi fyddwn i wedi rhedeg a'u dala nhw hefyd oni bai am yr hen goes yma . . . Mae'n fwy poenus nag arfer heddi . . . (*Mae'n troi i edrych ar y ddelw sy'n dal i fod yn hollol lonydd fel o'r blaen*) . . . Ond ryw ddiwrnod mi fyddan nhw'n flin, o, byddan . . . pan fydda i wedi . . . pan fydda i wedi gwella'n iawn . . . a'r boen i gyd wedi mynd . . . mi ddysga i wers iddyn nhw'r adeg honno. (*Mae'n codi'n frysiog ac yn mynd i'r cwpwrdd unwaith eto*) . . . wyddet ti fod hwn gen i? . . . (*Mae'n tynnu gwn mawr dau faril hen ffasiwn allan*) . . . ŵyr 'run ohonyn nhw . . . does neb yn gwybod . . . (*Mae'n dychwelyd i'w gadair tan wasgu'r gwn yn gariadus i'w fynwes fel petai'n cario baban*) . . . ond mae o gen i ers blynyddoedd rhag ofn . . . (*Bron na welwn ni fflach ffanatig yn ei lygaid am foment*) . . . pwy a ŵyr . . . (*Mae'n troi i edrych ar y ddelw gyda'r olwg bell freuddwydiol yn dychwelyd i'w lygaid yn awr*) . . . Dyna pam rwyt ti'n berffaith saff 'da fi, 'ti'n gweld . . . Fe hoffwn i weld rhywun yn ceisio mynd â thi oddi arna i nawr . . . hyd ange . . . glywaist ti . . . hyd ange . . . Fi a ti fan hyn am byth. (*Daw'r ddelw yn fyw unwaith eto a brysio ato*)

DELW: Mi wyddwn y gallwn i ddibynnu arnoch chi. (*Mae'n eistedd wrth ei draed a rhoi ei phen i bwyso ar ei liniau. Nid yw hyn yn peri dim syndod iddo a dechreua anwesu ei gwallt.*)

GŴR Y TŶ: Wrth gwrs y gallet ti, 'merch i. (*Saib o chwarae â'i gwallt*) . . . mae aur yn dy wallt di.

DELW: Fe allwn gysgu'n awr.

GŴR Y TŶ: A chyn bo hir fe ddaw rhosys cochion i'th ruddiau . . .

DELW: Rwy'n teimlo'n ddiogel am y tro cyntaf erioed—yn gynnes, a chysurus, a dibryder . . . gaf fi aros, yn caf?

GŴR Y TŶ: Does dim bellach all ein gwahanu . . .

DELW: Yn gwmni i'n gilydd am byth . . .

GŴR Y TŶ: Ac yn gysur pan fo'r diwetydd yn anadlu i lawr gwegil rhywun . . .

DELW: A'r machlud yn gwasgu . . .

GŴR Y TŶ (*yn araf a myfyrgar*): A . . . thawelwch yr hirnos . . . yn llethu. (*Ysbaid freuddwydiol eto*) . . . allwn i ddim . . . allwn i ddim ddiodde dy weld ti'n sefyll yno ddydd ar ôl dydd.

DELW: Nos ar ôl nos.

GŴR Y TŶ (*yn ymysgwyd eto o'i freuddwyd*): . . . Ond rwyt ti'n rhydd nawr! (*Mae'n edrych arni gydag edmygedd newydd*) . . . ac yn ddigon o ryfeddod . . . (*Mae fel petai'n cofio am rywbeth yn sydyn*) . . . yn union fel diwrnod y carnifál. 'Ti'n cofio . . . (*Mae'n hercio at y gist ac yn dechrau chwilio eto ymysg y dillad. Rhydd y gwn y tu ôl i'r cwpwrdd.*) . . . Dyma hi! (*Mae'n tynnu het â chantel lydan allan—un a wisgir yn aml ar lan y môr i gadw'r haul o'r llygaid. Rhydd hi ar ben y Ddelw.*) . . . Doedd neb yno mor brydferth â thi . . . mor siapus . . . a'th groen fel gwyddfid yn yr haul . . . gwyddfid a dau rosyn coch . . . (*Daw rhyw olwg drist dros ei wyneb wrth iddo ddwyn yr achlysur i gof*) . . . Trwy'r dydd gwyn fe'th ddilynaist . . . allwn i ddim edrych ar ddim byd arall, ac yn gweddïo am gael digon o blwc i ddweud rhywbeth wrthyt . . . i dorri gair . . . (*Mae yng nghanol ei fyd breuddwydiol eto'n awr*) . . . ond be wnest ti pan ddois i . . . codi dy drwyn . . . troi dy gefn . . . chwerthin . . . o, do, mi'th glywais i di'n chwerthin gyda'r gweddill wrth i mi brysuro i ffwrdd . . . y criw ohonoch chi . . . chwerthin a gwatwar . . . a'r goes yma'n mynd yn drymach a thrymach . . . a'r cyfan oeddwn i'n mo'yn oedd siarad â thi . . . ac . . . ac efallai gafael yn dy law . . . a mynd am wâc fach i lawr i'r traeth. (*Mae'r ddelw sydd wedi bod yn llonydd am dipyn bellach yn bywiogi eto'n awr*)

DELW: Wrth gwrs y dof i nghariad i. (*Yn gafael yn ei law*) Pa ferch ifanc yn ei hoed a'i synnwyr allai wrthod?

GŴR Y TŶ (*yn rhoi ei sbectol ar y bwrdd*): I lawr at y San Meri Ann sy'n tynnu wrth ei hangor . . . i lawr at lan y dŵr . . . (*Sŵn môr yn chwyddo'n amlwg*)

DELW: Law yn llaw a chicio'r tywod yn gawodydd melyn.

GŴR Y TŶ (*yn ddifrifol o deimladwy*): Mi fydd rhaid imi dy gario ar ôl cyrraedd y graean a'r gwymon.

DELW (*yr un mor deimladwy yn ôl*): Rhag taro fy nhroed wrth garreg.

GŴR Y TŶ (*yn ei chipio yn ei freichiau*): Ac yna'r San Meri Ann. (*Mae'r ddau'n chwerthin yn uchel ac y mae ef yn mynd trwy'r mosiwn o'i chario i'r cwch*) Dyna ti. (*Fe rydd y ddelw i lawr ar y gwely, ac fe dry'r cyfan yn gwch dychmygol*) Dim ond codi'r angor nawr . . . a llacio tipyn ar dennyn y *jib* yna.

DELW: Hwi, gwch bach! . . . a gadael y Ffair a'r sŵn . . . a'r malu.

GŴR Y TŶ: Glywi di'r brisyn yna'n gafael nawr?

DELW (*yn edrych i fyny*): A'r hwyliau'n tochio'n swigod gwyn . . . 'chwythodd y gwynt ni i'r Eil o Man' (*Edrych drosodd nawr ac yn rhoi ei llaw yn y dŵr*)

GŴR Y TŶ: Dyma iti beth yw hwylio, 'mechan i.

DELW: Mae'r dŵr yma fel arian byw . . . yn corddi . . . yn berwi . . . ble'r ei di, Twm Pen Ceunant?

GŴR Y TŶ: Hoffet ti fynd rownd y trwyn?

DELW (*wrth ei bodd*): O ie . . . rownd yr Horn, rownd yr Horn!

GŴR Y TŶ: Tynn yr hwyl yna i mewn, ynte, mor dyn ag y medri di. (*Mae'r Ddelw yn tynnu'r rhaff ar ochor dde i'r cwch dychmygol ac yntau'n tynnu'i rhaff ar y stern: yntau wedyn yn gwthio'r llyw i ochor dde'r cwch am eiliad, cyn ei dynnu'n galed yn ôl i'r canol*)

GŴR Y TŶ: Gwylia dy ben. (*Yn gwyro ei phen a chwerthin*) . . . 'a mynd y mae i roi ei droed ar le na welodd dyn erioed'.

DELW (*yn pwyntio i gyfeiriad y lan*): Dacw hi'r hen Eglwys ar y traeth bach . . . glania . . . glania.

GŴR Y TŶ: Glanio? . . . ond nawr . . . dim ond nawr wnaethon ni gychwyn . . .

DELW: Dim ond ni'n dau ar y traeth bach . . . ni'n dau a'r Eglwys . . . wyt ti ddim yn deall?

GŴR Y TŶ: Ni'n dau . . . a'r Eglwys.

DELW (*yn camu o'r cwch*): . . . Dere.

GŴR Y TŶ: Ble 'ti'n mynd? . . . paid â 'ngadael i . . . aros! (*Y ddelw'n awr yn rhedeg yn ysgafndroed o gwmpas*)

DELW: Ceisia nal i, ynte.

GŴR Y TŶ (*bron mewn panic mawr*): Na . . . aros (*Yn ceisio'i dal*) . . . paid â rhedeg . . . paid â rhedeg i ffwrdd . . . (*Yn cael gafael yn ei llaw o'r diwedd*) . . . paid â . . .

DELW (*fel petai'n edrych ar rywbeth*): . . . onid yw hi'n brydferth . . . gad i ni fynd mewn.

GŴR Y TŶ (*Saib*): Ti a fi?

DELW (*Saib*): I'r Eglwys! (*Yn dal ei llaw i ddangos y ffordd. Mae'r ddau yn edrych ar ei gilydd am ennyd*).

GŴR Y TŶ: Wnei di . . .?

DELW: O gwnaf, gwnaf, gwnaf . . .

GŴR Y TŶ: 'Ti'n siŵr . . .?

DELW (*Gwenu*): Ydw. Pam na fyddet ti wedi gofyn yng nghynt . . .?

GŴR Y TŶ (*ar ôl seibiant hir o edrych ym myw llygaid ei gilydd*): . . . Aros funud, 'te . . . (*Cyfyd y gorchudd oedd dros y ddelw ar ddechrau'r ddrama a'i wisgo amdani i gyfleu rhyw fath o wisg briodas.*) . . . Mae'n rhaid . . . mae'n rhaid iti gael gwisg wen. (*Rhwbia lwch oddi ar y gorchudd â godre ei lawes*) . . . ne' mi fydd pobol yn siarad (*Mae'n trefnu'r gorchudd fel ei fod yn hongian dros ei hysgwyddau*) Dyna ni. (*Mae'n camu'n ôl i'w hedmygu*) . . . yn bictiwr!

DELW: Blodau!

GŴR Y TŶ: Wrth gwrs. (*Mae'n cymryd tusw o ddaffodils plastig sydd ganddo mewn llestr ar y silff a'u dodi yn ei dwylo*)

DELW: O, diolch . . . Rhosys cochion.

GŴR Y TŶ: Barod, 'te?

DELW: Ydw! (*Mae'n mynd i sefyll wrth ei hochor yn swil ac yn dal ei fraich iddi. Cymer hithau ei fraich a'r eiliad honno clywir nodau gorfoleddus yr ymdeithgan briodasol yn llenwi'r lle. Cerdda'r ddau i flaen y llwyfan tan gadw amser i nodau'r gerddoriaeth.*)

GŴR Y TŶ (*i gyfeiriad y gynulleidfa ac wedi i'r miwsig ddistewi*): Yr wyf fi yn galw ar y personau sydd yma'n bresennol . . .

DELW: I dystiolaethu fy mod i . . .

GŴR Y TŶ: Yn dy gymryd di . . .

DELW: Yn ŵr . . .

GŴR Y TŶ: Yn wraig . . .

DELW a GŴR Y TŶ (*efo'i gilydd*): Briod gyfreithlon i mi. (*Mae'r ddau'n troi yn swil i wynebu ei gilydd ac yna mae eu gwefusau'n closio'n araf i gusanu. Pan maent ar gysylltu, clywir cnoc uchel ar y drws. Unwaith eto mae'r ddau'n sefyll yn hollol lonydd fel petaent wedi eu parlysu. Clywir cnoc eto dipyn uwch a mwy awdurdodol y tro hwn a deffry'r gŵr fel petai o freuddwyd*).

GŴR Y TŶ (*wrtho'i hun bron*): Pwy . . . pwy sy 'na'n awr? (*Mae'n ymbalfalu am ei sbectol ond deil y ddelw yn hollol lonydd a marw fel o'r blaen*) . . . y plant yna eto, mae'n debyg. (*Daw o hyd i'w sbectol a'i rhoi ar ei drwyn*)

LLAIS LLANC: Agor y drws yma . . .

GŴR Y TŶ (*mewn dychryn*): Nhw—ma'n nhw wedi dod (*Yn rhedeg at y telesgop i edrych allan*)

LLAIS LLANC: Agor y drws yma.

GŴR Y TŶ (*yn edrych trwy'r telesgop*): Ie . . . nhw sy 'na . . . roeddwn i'n ame bod y plant yna wedi dy weld ti (*Mae'n llusgo'r ddelw yn

frysiog unwaith eto tua'r cwpwrdd) . . . ond chân nhw mohonot ti . . .
(Yn ei gwthio i mewn—yn chwilio'n wyllt am yr allwedd yn ei boced)

LLAIS LLANC: Rydan ni'n gwbod dy fod ti yna, cefndar, felly agor y drws yma cyn i mi roi 'nhroed drwyddo.

GŴR Y TŶ *(mewn panig llwyr yn awr am na all ddod o hyd i'r agoriad)*: Ble mae'r allwedd yna? . . . ble rois i hi? . . .

LLAIS LLANC: 'Ti'n clywed be' dwi'n 'i ddeud wrthat ti?

GŴR Y TŶ *(yn crynu gan ofn)*: Cer i ffwrdd . . . does 'da chi ddim hawl i fod yma.

LLAIS MERCH: Be' dd'wedais di?

GŴR Y TŶ: 'Sgynnoch chi ddim . . . 'sgynnoch chi ddim hawl i fod yr ochor yma i'r traeth . . .

LLAIS LLANC: Mae gynnon ni bob hawl, y cythral. Agor, wnei di!

GŴR Y TŶ *(Yn gwthio bwrdd yn erbyn y drws)*: Mi . . . fydda i'n galw'r polis.

LLAIS MERCH: Beth?

GŴR Y TŶ: Y polîs! Mi fydda i'n galw'r polîs.

LLAIS LLANC: Sut medri di'r cranc? Mi rown i ddeg iti—*(Mae'n dechrau cyfrif yn araf)* . . . un . . . dau . . . (*Rhydd y gŵr gadair arall ar ben y bwrdd yn erbyn y drws*)

LLAIS MERCH: . . . tri . . . pedwar . . . (*Cadair arall*) . . . pump . . . chwech . . . (*Mae'n awr yn gwthio â'i holl nerth yn erbyn y drws*) . . . saith . . . wyth . . . naw . . .

LLANC (*yn neidio i mewn i'r ystafell trwy'r drws sy'n arwain o'r gegin gefn*): Deg! . . . (*Try'r Gŵr mewn dychryn i edrych arno. Mae'r Llanc yn flêr iawn yr olwg gyda'i wallt wedi ei dorri'n fyr fel draenog. Mae pob osgo o'i eiddo yn fygythiol ac fe fyddai'n ddiamau wrth ei fodd yn achosi poen i rywun arall*) Rŵan, 'ta, General Custer—(*Pwyntio at y bwrdd a'r cadeiriau yn erbyn y drws*)—mi gei di dynnu dy faricêd i lawr!

LLAIS MERCH (*y tu allan i'r drws*): Wyt ti i mewn yna?

LLANC: Ydw.

GŴR Y TŶ: Ond sut . . . ble . . .?

LLANC: Y drws cefn, cefndar. Mae pob *General* da'n amddiffyn y tu ôl yn ogystal â'r ffrynt. Rŵan, 'ta—cliria'r rheina (*Yn chwifio ei gansen*) cyn i ti gael blas hon ar dy feingefn. (*Gŵr y Tŷ yn dal i rythu arno fel petai wedi ei barlysu gan ddychryn*) 'Ti'n clwad? (*Yn ei bwnio yn ei stumog*)

GŴR Y TŶ (*yn neidio'n ôl fel petai wedi cael bidog yn ei fol ac yn gweiddi'n boenus*): Paid! (*Mae'n rhaid sefydlu mor aml ag sydd*

bosib na all ddioddef hyd yn oed y mymryn lleiaf o boen, ac yn ofni
unrhyw fath o ffyrnigrwydd yn angerddol)

LLANC: Y cadeiriau yna i ddechrau. (*Mae Gŵr y Tŷ yn ymbalfalu*
amdanynt i'w symud ond mae'n rhy ffwdanus i gael gafael ynddynt
hyd yn oed, heb sôn am eu codi) O'r nefoedd! (*Mae'r Llanc yn ei*
wthio o'r ffordd) Dos o'r ffordd, y bacha byns, ne' mi fyddwn ni yma*
drwy'r dydd! (*Mae'n llusgo'r cyfan ag un plwc nerthol i ganol y*
llawr a dadfolltio'r drws. Daw merch i mewn wedi ei gwisgo'n
ddynol fel y mae merched ffair fel arfer, ond nid oes dim byd dynol
yn ei chorff siapus; yn wir, mae'n rhywiol iawn ei golwg a'i
hymarweddiad.)

MERCH (*yn cerdded yn araf at Gŵr y Tŷ gyda gwên gellweirus ar ei*
hwyneb): Ac i be' oedd isio'n cloi ni allan 'ta blodyn? (*Mae'r Gŵr yn*
bagio'n ofnus o'i blaen) . . . Be' sy'n bod? . . . oes arnat ti f'ofn i
pisin? . . . a finnau'n meddwl dy fod ti'n lecio merched . . . dy weld
di'n gwneud llygada gwely arna i yn y ffair. (*Yn bryfoclyd*) Felly, tyrd
yma rŵan, cyw, i ti gael tipyn o fwytha . . .

GŴR Y TŶ: Na . . . does arna i . . .

LLANC (*yn symud cadair y tu ôl iddo ac yn ei orfodi i eistedd ynddi*):
Stedda'n fan'na, Romeo!

MERCH: Paid ti â bod yn gas hefo fo rŵan. (*Yn ffug deimladol*) Bechod!
. . . (*Mae'r ddau yn sefyll bob ochor iddo ac y mae'r ferch yn rhoi ei*
llaw am ei ysgwyddau) . . . Dyna ni, ylwch . . . digon o sioe . . . rŵan
'ta, pam oeddat ti'n gwrthod agor inni rŵan . . . (*Dim ateb*) . . . y? . . .

LLANC: Ateba, crinc . . . (*Yn rhoi hergwd iddo*)

GŴR Y TŶ: Wnes i ddim . . . doeddwn i ddim yn gwybod . . .

MERCH: Mi fydde rhywun yn meddwl bod gen ti rywbeth i'w guddio (*Yn*
edrych ar y Llanc) Dim ond pobol euog fydd yn bolltio drysa liw
dydd gola.

LLANC: A bildio baricêds a ballu.

MERCH: Felly, beth amdani?

GŴR Y TŶ: Wnes i ddim cyffwrdd ynddi hi . . .

MERCH (*mewn ffug syndod*): Hi? . . . pwy 'hi' . . . ddaru neb sôn dim am
'hi' . . . dwi ddim yn meddwl, naddo? (*Wrth y Llanc*)

LLANC: Naddo . . . neb.

MERCH: Pa *hi* felly?

GŴR Y TŶ: Dwi'n gwybod dim . . .

MERCH: 'I gariad o efalla . . . 'ti'n meddwl bod ganddo fo bisin fach go
handi wedi'i chuddio yn y tŷ yma?

LLANC: Synnwn i ddim, ma' golwg digon ych-a-fi arno fo . . .

MERCH: Sôn am dy gariad oeddit ti, tybed . . . ne' dy wraig falla? . . . ie, siŵr . . . 'i wraig o . . . dyna pwy oedd ganddo fo mewn golwg.

GŴR Y TŶ: Ie . . . a 'ngwraig i . . . ma' hi . . .

LLANC: Yli, cefndar . . . dim o'r blydi lol yma . . . mi welodd y costgard di yn 'i chario hi ar dy gefn ar hyd y traeth (*Yn ei wthio nes cnocio ei sbectol i ffwrdd*)

GŴR Y TŶ: Roedd hi . . . roedd hi'n wael . . . wedi . . . wedi llewygu . . . 'i chalon hi.

LLANC: Be'?

GŴR Y TŶ: Mae mam yn cael pylia weithia, 'chi'n gwbod, yn enwedig pan mae hi . . . pan mae hi'n gwneud gormod . . . y trip rownd y trwyn yna ddaru ei chynhyrfu hi . . . dyw hi ddim wedi dod i arfer â'r môr eto.

LLANC (*wrth y ferch*): Sgynno fo fam, 'ta?

GŴR Y TŶ (*mewn byd ar ei ben ei hun yn awr*): Na, falle mai'r briodas fuo'n ormod iddi. Y rhialtwch a'r dathlu . . . fuo hi 'rioed 'run fath ar ôl colli'r baban . . .

LLANC: Be' mae o'n falu—Mam . . . gwraig? . . . be' sgin ti?

GŴR Y TŶ: Petai hi wedi cael llonydd gan y cnaf . . . yn 'i thrin hi fel gwnaeth o . . . rhwygo'r rhosyn coch o'i grudd . . . crafu'r aur o'i gwallt . . . ei thrin fel anifail.

LLANC: *Nut case*, myn diawl. (*Mae'n dangos arwyddion o anniddigrwydd*)

GŴR Y TŶ: A dyna pam mae'n rhaid inni fod yn ddistaw a gadael iddi orffwys . . . heb neb i rythu a gwawdio . . .

MERCH: Yli, paid â thrio bod yn glyfar hefo ni, mêt. (*Mae hithau hefyd yn nerfus gan nad yw yn deall y sefyllfa o gwbwl*)

LLANC: 'Tisio i mi 'i setlo fo . . .?

MERCH: Ble mae hi cyn inni ddechra arnat ti?

LLANC (*yn codi ei lais*): 'Ti'n clwad . . . ble ma' hi? (*Daw'r ddelw i mewn yn awr trwy ddrws y gegin . . . a rhedeg at y Gŵr yn ofnus. Nid yw'r ddau arall yn ei gweld o gwbwl*)

GŴR Y TŶ: Rŷch chi wedi'i deffro hi. (*Yn edrych ar y ddelw*)

MERCH: Deffro pwy? Ble mae hi?

DELW: Paid â gadael iddyn nhw fynd â fi.

GŴR Y TŶ (*yn rhoi ei ddwylo amdani i'w chysuro*): Dim tra bydd anadl yno' i.

LLANC (*yn codi ei law i'w daro*): Gawn ni weld am hynny.

MERCH (*yn ei atal*): Na, aros funud . . . falle'i fod o'n boncyrs go iawn.

GŴR Y TŶ: Does dim rhaid i ti bryderu.

LLANC: Dydan ni'n pryderu dim gyfaill. Actio mae'r gwalch a meddwl y byddwn ni'n mynd oddi 'ma.

DELW: Does dim all ein gwahanu . . .

GŴR Y TŶ: Yn gwmni i'n gilydd am byth . . .

LLANC: Mae gen ti obaith!

MERCH: Falle bydde'n well i ni fynd i nôl y *chief*.

DELW: Yn gysur pan fo'r nos yn anadlu i lawr gwegil rhywun . . .

LLANC: Na, os awn ni, mi fydd wedi cael y gora arnon ni.

GŴR Y TŶ: A'r machlud yn gwasgu . . .

DELW: A'r tawelwch yn llethu . . . (*Mae'r Llanc yn rhuthro am y Gŵr a'i godi gerfydd lapedi ei got*)

LLANC: Yli . . . llai o hynna . . . wyt ti'n clwad?

GŴR Y TŶ (*yn edrych yn bryderus ar y ddelw*): Edrych be' wnest ti . . . rwyt ti wedi rhoi cic iddi . . . Edrych . . . (*Mae'r Llanc yn edrych yn hurt i ble mae'r Gŵr yn edrych)* Fy ngwraig annwyl i . . . (*Mae'r ddelw yn codi a cherdded allan yn drist*) . . . Paid â mynd!

LLANC: Y?

GŴR Y TŶ: Tyrd yma, 'nghariad i.

MERCH: Dydw i ddim yn meddwl mai actio mae o . . . mae o'n gweld petha . . .

LLANC (*fel petai'n colli pob rheolaeth arno ef ei hun*): Ie . . . actio! . . . actio! . . . actio! (*Mae'n dechrau ei ysgwyd a'i beltio*)

GŴR Y TŶ: Paid . . . paid . . .

MERCH: Dwêd ble mae'r ddelw, ynte . . ?

LLANC: Ne' mi cura i di'n ddu-las (*Rhaid i'r olygfa yma ymddangos yn hollol greulon*) 'Ti'n clwad (*Rhoi ei fraich am ei wddw*)

GŴR Y TŶ: 'Ti'n fy nhagu . . .

MERCH: Ble ma hi, 'ta? . . . Dwêd wrthan ni ble mae hi? . . . (*Mae'r Gŵr yn gwneud sŵn rhyfedd yn ei wddf*) Dim rhy galed (*Wrth y Llanc*)

LLANC: Mi'th gwasga i di'n slwts . . .

MERCH: Dim rhy galed ne' fedr o ddeud dim wrthan ni . . .

LLANC (*yn gwrando dim arni*): Chei di mo'r llaw ucha arna i.

MERCH: Paid . . . paid; gollwng o! . . . wyt ti'n clwad—gollwng o! (*Yn gweiddi ar dop ei llais*) Gad lonydd iddo fo'r lob gwirion. (*Mae'r Llanc yn rhyddhau Gŵr y Tŷ ac y mae hwnnw'n disgyn yn ddiymadferth i'r llawr. Mae'r ferch yn rhuthro ato ac yn penlinio wrth ei ochr tra mae'r Llanc yn dal i syllu'n hurt. Yn yr ennyd yma o ddistawrwydd, ymddengys Gŵr y Ffair yn y drws. Gŵr tew gyda het galed frown am ei ben, gwasgod goch a gwisg liwgar amdano, a chwip fach yn ei law.*)

GŴR Y FFAIR: Be' sy'n mynd ymlaen yma? (*Neidia'r ferch ar ei thraed mewn dychryn ac y mae'r Llanc hefyd yn cymryd cam ofnus yn ôl*)

MERCH: Mae o . . . mae o wedi . . .

GŴR Y FFAIR (*yn edrych ar y corff ar y llawr*): Be' dach chi 'di neud rŵan? (*Yn dod i mewn.*)

LLANC: Ddaru mi ond . . .

GŴR Y FFAIR (*Yn ei wthio o'r ffordd*): Dos o dan draed! (*Mae Gŵr y Ffair yn sefyll uwchben y corff ac edrych i lawr arno. Ysbaid hir o ddistawrwydd tra cyfyd ei lygaid i rythu ar y ferch i ddechrau ac yna ar y Llanc. Tywyllwch*).

LLEN

LLANC: Nefoedd, falla fod ganddo ddwy wraig—fel Arab . . . (*Mae'n chwerthin yn uchel at ei ddigrifwch ei hun. Mae Gŵr y Ffair yn rhythu ar y Llanc ac y mae hwnnw'n peidio chwerthin yn sydyn fel plentyn newydd chwerthin allan o dwrn. Cawn ennyd o ddistawrwydd.*)

GŴR Y FFAIR (*yn troi i wynebu Gŵr y Tŷ*): Dwi'n siŵr y bydd y polîs yn fwy na balch i gael gair bach efo ti . . .

GŴR Y TŶ: Na . . .

GŴR Y FFAIR (*yn edrych o gwmpas yr ystafell*): Ac mi fydda'n ddiddorol ffendio faint o betha erill sy gen ti wedi'u dwyn.

LLANC: Bydda! (*yn rhuthro at y cwpwrdd ac yn ei agor. Disgynna'r ddelw* allan ohono fel darn o bren ond deil hi ddigon buan.*) Nefi! (*Mae Gŵr y Tŷ yn edrych ar y llawr yn euog*)

GŴR Y FFAIR (*yn edrych arno*): Felly . . . (*Mae'r Llanc yn ei thynnu allan ac yn ei dodi mewn lle amlwg ar y llwyfan*)

MERCH: 'Drychwch, mae o wedi gwisgo amdani a phopeth . . . (*Yn plygu i arogli'r blodau*) . . . A blodau, ylwch . . . ogla lyfli . . .

LLANC: Hei, mae o wedi torri'r hancyffs hefyd. (*Mae'r ddelw yn edrych yn hollol gomig a phathetig erbyn hyn*)

GŴR Y FFAIR (*wrth Gŵr y Tŷ, sy'n dal i edrych i lawr yn euog*): 'Ti wedi bod yn cael cythral o hwyl, mae'n amlwg . . . Reit! . . . i'r dre yna hefo ni i weld y sarjant.

LLANC (*yn neidio'n eiddgar i afael ynddo*): Reit!

MERCH (*yn agor y drws*): Well i mi fynd i nôl y fan.

GŴR Y FFAIR: Na . . . na, 'rhoswch funud . . . cheith neb ddeud 'n bod ni heb roi cyfla iddo fo . . . Cau'r drws (*Merch yn gwneud hynny*)

LLANC: Ond, *chief* . . .

GŴR Y FFAIR: Mae gen i enw trwy'r ardal yma am fod yn drugarog, on'd oes . . . be' ti'n ddeud . . .

LLANC: Wel . . .

GŴR Y FFAIR: Sigarét! (*wrth y Llanc*)

LLANC (*ddim yn deall*): Y?

GŴR Y FFAIR: Sigarét, y ffwl—reit sydyn, cyn i mi . . .

MERCH (*yn tynnu blwch allan a'i agor*): Dyna chi, *chief*. (*Yn cynnig sigarét iddo*)

GŴR Y FFAIR (*yn cymryd y cyfan i gyd*): Diolch . . . (*Mae'n dal y blwch yn agored i gyfeiriad Gŵr y Tŷ ond mae hwnnw'n troi ei ben oddi wrtho*) Smôc bach?

---

* Y Ddelw ac nid y Ferch.

LLANC (*yn rhoi hergwd iddo*): 'Ti'n gwrando'r crinc. (*Mae Gŵr y Tŷ yn gwardio mewn dychryn*)

GŴR Y FFAIR (*wrth y Llanc*): Wnei di beidio busnesu am funud. (*Codi'i lais*) 'Ti ddim yn cael dy dalu i feddwl. Dos allan . . . ma'n well gen i gael dy le di. Ia, 'ti'n niwsans glân.

GŴR Y FFAIR (*wrth y ferch*): A thitha hefyd—dwyt titha fawr gwell . . . 'drychwch, dach chi wedi'i ddychryn o allan o fodolaeth . . . allan! (*Mae'r ddau'n rhuthro allan yn frysiog. Mae yntau'n mynd at y drws.*) Steddwch yn fan'na nes bydda i'n galw arnoch chi . . . Dach chi'n deall.

LLAIS LLANC A MERCH: Reit, *chief*! (*Mae Gŵr y Ffair yn awr yn cau'r drws yn ddistaw ar eu hôl ac yn aros am dipyn y tu ôl i Gŵr y Tŷ. Ar ôl ysbaid o ddistawrwydd, mae hwnnw'n codi ei ben yn nerfus i edrych.*)

GŴR Y FFAIR: Dyna ni wedi cael gwarad â'r rheina. (*Gŵr y Tŷ yn mynd yn ôl i'w gragen unwaith eto mewn dychryn*) Does dim rhaid i ti fod fy ofn i . . . dwi'n ddyn rhesymol iawn . . . yn amyneddgar . . . bob amsar yn barod i ystyried bob ochor i'r broblem . . . i bwyso a mesur . . . Dyna ti (*Mae'n taflu sigarét iddo ond y mae Gŵr y Tŷ yn ei gadael i ddisgyn i'r llawr*) Mae yna derfyn ar fynadd Job hefyd, cofia (*Dywed hyn heb godi ei lais. Cyfyd y sigarét o'r llawr a'i dal dan drwyn Gŵr y Tŷ.*) Rho honna yn dy geg!

GŴR Y TŶ: Wi . . . Wi ddim yn smocio.

GŴR Y FFAIR (*Ysbaid hir o ddistawrwydd*): Dwi'n trio 'ngora glas hefo chdi . . . o, ydw . . . cofia di hynna . . . (*Mae'n taflu'r sigarét ac yn cerdded o gwmpas yr ystafell*) . . . ac edrych ar y lle yma. Welis i ffasiwn olwg yn 'y mywyd erioed. (*Mae'n cerdded at un o'r postiau*) . . . a be' ydi hwn ? . . . (*Yn dechrau ei guro â'i ddwrn*)

GŴR Y TŶ: Cymerwch . . . plîs, cymerwch ofal.

GŴR Y FFAIR: Pam? Rhag i'r to ddŵad ar 'n penna ni . . . 'Ti ddim yn meddwl bod y mil dwi wedi'i gynnig i ti am y lle yn fwy na'i werth o? (*Nid yw Gŵr y Tŷ yn edrych arno hyd yn oed*) . . . Gwranda, beth petawn i'n codi'r pris bum cant arall . . . y? . . . be' 'ti'n feddwl o hynna? . . . (*Mae'n tynnu bwndeli o arian allan o'i boced*) . . . Mil a hannar! . . . (*Mae'n eu taflu ar y bwrdd heb fod nepell oddi wrth Gŵr y Tŷ ac y mae hwnnw'n troi i edrych ar yr arian gyda rhyw fflach hiraethus yn ei lygaid. Mae Gŵr y Ffair yn sylwi ar ei ddiddordeb— mae'n tynnu papur swyddogol yr olwg allan o'i boced gesail.*) Ffortiwn o fewn dy gyrraedd di dim ond i ti seinio hwn . . . (*Mae'n dal y papur o dan drwyn Gŵr y Tŷ ac yn cynnig ei ysgrifbin iddo*) . . .

Rŵan 'ta, weli di'r lle gwag cynta yna? . . . rho enw'r lle ma fan'na, beth bynnag ydi o . . . ac wedyn ar y gwaelod . . . torri dy enw dy hun . . . mi fydd y fargan wedi'i selio . . . Fi fydd pia'r sianti 'ma . . . a chdi fydd pia'r bwndal arian yna . . . Diawch, mi fedri di brynu *semi-detached* bach solat tua Lerpwl ne' rwla felly . . . (*Mae Gŵr y Tŷ yn edrych yn feddylgar at y ddelw*) . . .

DELW:* Yn gwmni i'n gilydd am byth . . .

GŴR Y FFAIR: Tyrd—'nei di byth ddifaru . . .

DELW:* Dim ond ti a fi . . .

GŴR Y FFAIR: Chei di byth gynnig fel hyn eto cofia.

DELW:* Yn hwylio'r San Meri Ann rownd y trwyn . . .

GŴR Y TŶ: I le na roddodd dyn ei droed . . .

GŴR Y FFAIR: Y?

GŴR Y TŶ: A chydio dwylo . . .

GŴR Y FFAIR: Am be' 'ti'n falu . . .?

GŴR Y TŶ (*wrth Gŵr y Ffair*): Alla i ddim!

GŴR Y FFAIR: Be' 'ti'n feddwl 'elli di ddim'?

GŴR Y TŶ: Fan hyn rwy'n aros . . . Fydd y nosweithiau hirion ddim yn unig bellach. Na'r machlud yn gwasgu na'r cysgodion yn mygu.

GŴR Y FFAIR: Ond os na werthi di rŵan, mi fyddi di a'r lot i gyd wedi sincio i'r tywod 'mhen chydig o flynyddoedd—sgin ti ddim seiliau, boio . . . (*Mae'n dechrau neidio i fyny ac i lawr*) . . . dim seiliau . . . 'drycha . . . ma'r lle'n crynu fel blomonj yn barod . . . 'drycha. (*Mae'r holl ystafell yn awr yn crynu'n swnllyd*)

GŴR Y TŶ (*Yn edrych yn bryderus at y ddelw wrth ei gweld yn gwegian yn beryglus*): Peidiwch . . . peidiwch rhag ofn . . .

GŴR Y FFAIR (*yn edrych arno ac yna ar y ddelw*): Ac ma' gen ti wraig, felly . . . (*Yn brofoclyd*) Wel, wir fachgan, 'ti 'rioed yn deud. (*Yn cerdded at y ddelw*) a finna bob amser yn meddwl ma' hen lanc oeddat ti. (*Ysbaid hir yn awr tra bo Gŵr y Ffair yn edrych eto ar y ddelw ac yn byseddu'r cwrlid sydd erbyn hyn yn hongian yn flêr dros ei hysgwyddau*) . . . Faint sy ers pan wyt ti wedi priodi, 'te? Y? (*Deil Gŵr y Tŷ i syllu'n ofnus ar y llawr*) . . . Newydd briodi wyt ti, 'ta? (*Yn symud i fyny at ei gadair*) . . . Yn ystod y dyddia dwytha 'ma, debyg gen i . . . Dwi'n iawn? . . . (*Mae Gŵr y Tŷ yn nodio'i ben yn araf ond yn dal i edrych yn euog*) . . . Hei! (*Yn rhoi pwniad cyfeillgar iddo â'i benelin*) . . . Dwi'n dechra'i gweld hi rŵan . . . priodas sydyn felly . . . hogyn drwg, ia? . . . (*Mae'n dal ei fys i fyny yn ffug geryddgar*) . . . O.

---

* *Gan mai'r ddelw sydd ar y llwyfan yn awr dim ond llais yn unig a glywir.*

GŴR Y TŶ (*yn ffieiddio'n amlwg wrth y fath awgrym*): O . . . na . . . dim byd felly . . .

GŴR Y FFAIR (*yn mwynhau'r profocio'n awr fwy fyth*): Wrth gwrs hynny! (*Mae'n symud yn ôl at y ddelw ac yn byseddu'r cwrlid eto*) Priodas wen! Priodas barchus! . . . Peth rhyfadd na faswn i wedi clywad hefyd a finna'n byw mor agos . . . ond, dyna fo, dwi wedi bod mor felltigedig o brysur yn ystod y dyddia dwytha 'ma . . . dim cyfla i ddarllan papur newydd hyd yn oed . . . Dwi'n siŵr bod yr hanas ynddyn nhw i gyd . . . (*Erbyn hyn mae Gŵr y Tŷ wedi codi ei ben ac yn edrych yn freuddwydiol i'r gwagle o'i flaen*) . . . Disgrifiad manwl o bopeth . . . pwy oedd yno . . . be' oedd pawb yn 'i wisgo . . . llunia a ballu . . .

GŴR Y TŶ: A phawb yn synnu . . . (*Yr olwg freuddwydiol yn dychwelyd*)

GŴR Y FFAIR: Cannoedd o gests . . .

GŴR Y TŶ: Rhyfeddu a dotio . . .

GŴR Y FFAIR: A'r capal dan 'i sang . . .

GŴR Y TŶ: O, na . . . yn yr Eglwys . . . yr Eglwys fach ar y traeth . . . ac arogl pinwydd a gwyddfid a rhosys cochion . . . a Mair a'r seintiau'n edrych allan o'r marmor . . . croes goch ar yr allor, a'r ffenestri i gyd ar dân . . . a phopeth yn dawel . . . dawel . . . dim byd ond cri'r gwylanod a sibrwd y tonnau . . . (*Try i edrych ar y ddelw yn awr*) A hithau.

GŴR Y FFAIR: O'r gora, 'ta. Mi dd'weda i be' wna i. A fedr neb fod yn decach na hyn. Clyw 'nawr. Mi gei 'i chadw hi. Glywaist ti? Dim ond i ti arwyddo dy fod ti'n gwerthu'r lle i mi, mi gei 'i chadw. Mi anghofiwn am y busnes i gyd, dim polîs, dim byd. (*Yn rhoi'r papur o'i flaen*) Be' dd'wedi di rŵan, 'ta?

GŴR Y TŶ: Hi a fi, y traeth a'r eglwys. Amser yn sefyll yn stond. Ein dal rhwng dau fyd am byth. Hi a fi.

GŴR Y FFAIR: Ond delw ydi honna, was.

GŴR Y TŶ (*heb gymryd yr un sylw lleiaf ohono*): Fel glaw . . . a gwynt . . . Yn rhan o'r patrwm tragwyddol . . .

GŴR Y FFAIR (*gydag ychydig bach o banig yn ei lais*): 'Ti 'nghlwad i, dydi honna ddim byd ond . . .

GŴR Y TŶ: Dim darfod mwyach . . . dim peidio â bod pan fo'r niwl yn codi . . . A'r seiliau o hyn allan yn sicr a chadarn . . . Ti . . . a . . . fi . . .

GŴR Y FFAIR (*yn mynnu rhoi terfyn ar bethau*): Hei! 'Ti'n gall, y cythral gwirion? Dydi hon ddim byd ond . . . ond . . . (*Yn methu dod o hyd i air addas*) . . . ond . . . peth! . . . 'ti'n dallt? . . . PETH! . . . (*Mae'n cnocio ei phen â'i ddwrn ac fe glywir sŵn gwag*) . . . 'Ti'n gweld—

lwmp calad! . . . talp o . . . talp o . . . talp o wêr cannwyll mawr wedi'i . . . wedi'i waldio at 'i gilydd i neud siâp . . . (*Yn dechrau chwerthin yn awr*) . . . a wyddost ti siâp pwy? . . . diawl, dyma be' 'di jôc . . . (*Mae'n tynnu cerdyn wedi ei blygu yn ei hanner o'i boced gesail. Mae ysgrifen fras arno a darn o linyn wedi ei glymu wrtho.*) . . . wyddost ti pwy ydi dy annwyl wraig di . . . ? (*Mae'n chwerthin yn afreolus yn awr*) . . .

GŴR Y TŶ: Does dim rhaid i chi . . .

GŴR Y FFAIR: Lisa Prydderch . . . dyna i ti pwy . . . mae o i gyd fan hyn. (*Yn chwifio'r cerdyn ac yn adrodd y rhigwm*):

> Lisa Prydderch o Bont Cymera
> Laddodd 'i gŵr â chyllall fara
> Cuddio'i gorff mewn cist o dderw
> Onid oedd yn ddynas chwerw!

(*Mae bron yn ei ddyblau'n chwerthin yn awr*) . . . Mwrdras . . . dyna i ti be' ydi hi—MWRDRAS!

GŴR Y TŶ: Naci! . . . naci! . . . naci! . . .

GŴR Y FFAIR: Waeth ti heb na dadla, mêt . . . ma'r stori i gyd ar y cardyn yma oedd am 'i gwddw hi. Hwnna 'nest ti'i dynnu i ffwrdd a'i daflu cyn 'i chario hi allan . . . be' oeddat ti'n drio'i neud—gadal 'i gorffennol hi ar ôl . . . (*Yn chwerthin yn uchel yn awr at ei glyfrwch ei hun*) . . . Ia, reit dda . . . gadal 'i gorffennol hi ar ôl . . .

GŴR Y TŶ: Nid arni hi roedd y bai . . .

GŴR Y FFAIR (*yn edrych ar yr ysgrifen ar y cerdyn yn awr*): Ydi mae o i gyd i lawr fan hyn, rhen ddyn . . . ar ddu a gwyn . . . o, ydi . . . (*Yn darllen*) . . . Lisa Prydderch. Ganed Pont Cymera 1832. Dienyddiwyd Newgate Llundain 1853. Lladd ei gŵr mewn ffit o dymer efo cyllell fara . . .

GŴR Y TŶ: Doedd ganddi ddim dewis.

GŴR Y FFAIR: A chlyw . . . (*Yn cael mwynhad mawr wrth ddarllen*) . . . Ei drywanu bymtheg o weithiau yn ei fol . . . dyna i ti gythral mewn croen os buo 'na un erioed . . . (*Mae'n darllen yn ddistaw iddo'i hun yn awr*)

GŴR Y TŶ: Ond roedd hi wedi dod i ben ei thennyn . . .

GŴR Y FFAIR: Diawcs, ma' hwn yn fwy diddorol nag o'n i'n 'i feddwl, achgan . . .

GŴR Y TŶ: Alle hi ddim diodde mymryn mwy . . .

GŴR Y FFAIR: A wyddost ti 'i bod hi ddigon digywilydd yn y treial i hawlio *self defence* a deud ma' fo mewn gwirionadd oedd yn greulon hefo hi . . .

GŴR Y TŶ: Ond roedd o . . . dŷch chi ddim yn deall . . . roedd o (*Yn protestio'n uchel yn awr*)

GŴR Y FFAIR (*mewn syndod*): Y?

GŴR Y TŶ: Fel anifail o greulon . . . fel bwystfil . . . (*Dan deimlad mawr yn awr*)

GŴR Y FFAIR: Oeddat ti 'i nabod hi, 'ta?

GŴR Y TŶ: Yn gweiddi ar dop ei lais fel dyn cynddeiriog. (*Mae ei feddwl ymhell bell yn awr*) . . . a minnau'n tynnu'r blanced yn dynn, dynn dros fy nghlustiau rhag i mi glywed, ac yn gweddïo . . . yn gweddïo am gael cysgu a dianc oddi wrth y cyfan i gyd . . . ond alle hi ddim dianc . . . alle hi ddim . . . (*Daw gwên fach i'w wyneb yn awr*) . . . ond weithie . . . weithie, pan fydde fe i ffwrdd . . . fe ddeuai i'm hystafell i gysgu . . . wedyn, swatio'n dynn yn 'i chôl i . . . yn gynnas a chysurus . . . y gwynt a'r glaw ac yntau y tu allan a ninnau'n saff . . . (*Mae'n codi ac yn cerdded yn araf at y ddelw*) . . . Roedd hi'n braf pan oedd ef i ffwrdd—dim ond mam a fi . . .

GŴR Y FFAIR: Dy fam . . .? (*Yn darllen y cerdyn*)

GŴR Y TŶ (*wrth y ddelw*): Ddaw o'n ôl, 'chi'n meddwl?

DELW:* Mae o'n saff o ddod 'machgen i . . . mae o'n dod bob tro. Ond paid ti â phoeni dy ben bach.

GŴR Y FFAIR (*yn dal i ddarllen*): Wela i ddim byd am blant yma . . .

GŴR Y TŶ: Pam mae o mor greulon . . . wrthach chi . . .?

DELW:* Paid â chymryd sylw ohono, bach, un fel'na yw e o ran natur . . .

GŴR Y FFAIR: Mam pwy?

GŴR Y TŶ: Ryw ddydd fe fydda i . . . fe fydda i ddigon mawr i edrych ar eich hol chi . . .

DELW:* Wrth gwrs y byddi di . . . yn fachgen cryf a hardd . . .

GŴR Y FFAIR: Tri mis fuon nhw briod yn ôl hwn.

GŴR Y TŶ: Chaiff e ddim eich cam-drin chi wedyn . . .

DELW:* Na chaiff, fy mabi gwyn i . . .

GŴR Y FFAIR: Mam pwy? . . . a pheth arall, mi gafodd 'i chrogi yn 1853.

GŴR Y TŶ: Angel! (*Wrth y ddelw*)

GŴR Y FFAIR: Be 'wedest ti?

GŴR Y TŶ: Fy Angel i. Rwyt ti wedi gweddnewid popeth.

GŴR Y FFAIR: Ydw i? Sut? (*Nid yw Gŵr y Ffair yn deall y sefyllfa*)

GŴR Y TŶ: Rhoi gobaith newydd i mi. Rhoi pwrpas mewn bywyd. Codi 'ngolygon i. Mae 'na betha i edrych ymlaen atyn nhw nawr. Pethau i'w gwneud.

---

* *Llais yn unig gan mai'r ddelw sydd ar y llwyfan o hyd.*

GŴR Y FFAIR: Clyw, gw' boi, os na stopi di'r lol yma, mi ddon yma i dy nôl di. Dy roi dan glo. Wyt ti am i hynny ddigwydd? Dyma dy gyfle di i gael arian, cael lle iawn i ti dy hun, a gwella. (*Yn troi at y ddelw*) Hon sy'n dy boeni di, yntê? (*At y drws*) Hei, chi'ch dau! Rwyt ti wedi byw ar dy ben dy hun yn rhy hir i gael peth fel hyn o gwmpas.

LLANC (*yn dod drwy'r drws*): Ia, *chief*?

GŴR Y FFAIR: Ewch â hon allan.

LLANC: Reit. Ydach chi eisio help?

GŴR Y FFAIR: Go brin.

LLANC: Reit, *chief*.

MERCH: Rhwbeth i mi i'w wneud?

GŴR Y FFAIR: Bolaheulo! (*Y ddau'n cario'r ddelw allan. Cynnwrf gan Gŵr y Tŷ.*) Paid â chynhyrfu. Dim ond y tu allan i'r drws mae hi.

GŴR Y TŶ: Tyrd, does un dim all ein gwahanu. Tyrd i'r tŷ. (*Daw'r ddelw** 'nôl*). Dyna ti, aros gyda fi.

DELW: Bob amser, 'nghariad i.

GŴR Y FFAIR: Dwi'n aros gyda thi. Dyma fi. Nawr, 'te, eistedd. Eistedd fan'ma i ni gael siarad synnwyr. Does neb ond ni'n dau yma. Wyt ti'n deall? Neb arall.

GŴR Y TŶ: Neb ond ni'n dau. (*Yn edrych yn gariadus ar y ddelw*)

DELW: Neb arall.

GŴR Y FFAIR: Neb. Nawr, 'te . . . Wn i ddim pam dwi'n gwastraffu f'amsar fel hyn efo chdi i ddeud y gwir . . . Ma' gin i betha pwysicach o lawar i'w gneud . . . wyddost ti hynny? Wyddost ti? Diawch, falle fod rhywun yr eiliad yma'n fy ngneud i dan 'y nhrwyn . . . Falla 'mod i wedi colli cannoedd yn barod ers pan dwi'n fan'ma— miloedd falla! . . . (*Mae'n dechrau cerdded o gwmpas yn bwysig yn awr*) . . . Nid yn amal y bydda i'n gadal y Ffair 'na . . . o, na! Ma' rhaid i ddyn edrach ar ôl 'i eiddo os ydi o am 'i gadw fo . . . mi ddysgis i hynna pan o'n i'n ddim o beth . . . ac os bydd o'n troi 'i gefn arno fo'n rhy amal, yna mi collith o fo mor hawdd â phoeri . . . Ma'n nhw yna trwy'r adag, 'ti'n gweld, yn hofran fel haid o gudyllod yn barod i daro . . . yn gwylio a disgwl . . . ac unwaith y daw'r cyfla (*Mae'n chwibanu ac yn gwneud arwydd â'i fraich i efelychu aderyn yn disgyn o'r awyr yn gyflym ar ei ysglyfaeth*) . . . ma'n nhw wedi'i gael o (*Mae'n cau ei ddwrn yn dynn yn awr i ddynodi crafanc cudyll*) . . . ond ma' rhaid iddyn nhw godi'n fore i 'nhorri i . . . a chân nhw byth mo'r cyfle (*Ysbaid hir o rythu ar Gŵr y Tŷ*) . . . Ond roeddwn

---

** *Y ferch yn cerdded i mewn y tro hwn, wrth gwrs.*

i'n awyddus iawn i dy weld ti (*Yn ceisio tacteg arall nawr*) . . . Dyna
pam y trafferthis i i ddŵad yma fy hun yn bersonol. Pwy ydi hwn,
meddwn i . . . Pwy ydi hwn sy wedi troi'i drwyn ar bob cynnig dwi
wedi'i neud iddo fo am y lle yma—wedi anwybyddu bob llythyr dwi
wedi'i sgwennu . . . sy'n gwrthod siarad hefo 'run o 'ngweision i . . .
a hyd yn oed yn gwrthod agor drws i'r Twrna . . . Pwy ydi hwn,
meddwn i? (*Ymateb ffafriol o gyfeiriad Gŵr y Tŷ*) Ma' ganddo fo
gyts! Dyna'r peth cynta ddaeth i 'meddwl i: ma' gan hwn DIPYN . . .
GO . . . LEW . . . O . . . GYTS . . . (*Pwysleisia bob gair. Mae Gŵr y
Tŷ erbyn hyn wedi mentro i godi i edrych arno.*) . . . Ffaith i ti—
dwi'n licio rhywun sy'n dangos tipyn o asgwrn cefn, o ydw . . .

DELW (*yn siarad yn araf heb droi ei phen*): Gan bwyll nawr—bydd ar dy
wyliadwriaeth . . . (*Gŵr y Tŷ yn edrych arno*)

GŴR Y FFAIR: A dwi'n edmygu dy safiad ti—wedi gneud 'run peth fy
hun droeon.

DELW: Mae o mor gyfrwys â sarff . . .

GŴR Y FFAIR: Sefyll yn gadarn dros dy iawndera. Dim byd gwell!
(*Ysbaid hir i edrych ar Gŵr y Tŷ*) Doeddat ti ddim yn disgwl i mi
ddeud peth fel'na, nag oeddat . . . Y? . . . ond dwi'n ddyn rhesymol,
'ti'n gweld—fel dudis i gynna . . . ac mae gin i barch mawr i rywun
sy'n dangos tipyn o gyts.

DELW: Paid â chymryd dy dwyllo ganddo—dwyt ti ddim mor dwp â
hynny.

GŴR Y TŶ: Dydw i ddim mor dwp â hynny . . . (*Gyda thipyn o hyder
ynddo'i hun*)

GŴR Y FFAIR (*gyda thipyn o syndod*): Y?

GŴR Y TŶ (*yn mynd yn ôl yn ofnus i'w gragen unwaith eto*)

GŴR Y FFAIR: Be' . . . be' ddudist di rŵan . . . Y?

GŴR Y TŶ (*yn gwardio fel petai'n disgwyl bonclust*): Wi . . . wi ddim yn
mo'yn . . . gwerthu . . .

GŴR Y FFAIR: Gwatsia di fynd rhy bell, 'ngwas i . . . dwi'n licio gyts
ddudis i, ond fedra i ddim diodda blydi *cheek* . . . 'ti'n dallt . . . dim
gan . . . neb! (*Seibiant*) Dwi'n trio trw' deg hefo chdi, cofia di hynny!
. . . Trw' deg . . . (*Seibiant hir*) . . . Ond dwi'n dy ddeall di, rhen ddyn
. . . o, ydw . . . dal nôl wyt ti gan obeithio y bydda i'n codi'r pris eto
'te? Y? Dwi'n iawn? Ma' gin ti dipyn o ben at fusnas, on'd oes? . . .
Reit, 'ta! . . . Pum cant arall . . . be' am hynna? Dwy fil ar 'i ben . . .
(*Mae'n dal ei law iddo*) . . . Ti'n barod i daro bargan . . . 'ti'n barod i
daro . . . (*Deil Gŵr y Tŷ i'w anwybyddu*)

DELW (*yn symud at Gŵr y Tŷ*): Elli di ddim!

GŴR Y FFAIR: A chei di ddim chwanag allan o 'nghroen i . . . o na chei . . .
'run ffadan beni arall!

DELW (*yn ymbilgar*): Yma ma' dy wreiddiau di . . . â'th gefn at y môr . . .
elli di ddim symud heb beidio â bod . . .

GŴR Y TŶ: Na! . . . Alla i ddim . . . alla i ddim!

GŴR Y FFAIR (*Codi ei lais eto'n awr*): Be' 'ti'n feddwl—elli di ddim—y
ffŵl! . . . Sgin ti ddim dewis . . .

DELW: Ond dewis diodde . . .

GŴR Y TŶ: A dal fy nhir beth bynnag fydd yn digwydd . . .

GŴR Y FFAIR: 'Ti'n meddwl 'mod i'n mynd i adael i ryw ewach bach fel
ti gael y llaw ucha arna i?

DELW: Ond elli di—elli di ddiodde'r boen?

GŴR Y TŶ (*yn fyfyrgar*): Y boen . . .

GŴR Y FFAIR: Mi boena i di o fora gwyn tan nos nes ildi di—a dallt di
hyn—unwaith y bydda i wedi penderfynu, does dim ar wynab daear
Duw yn mynd i fy rhwystro i. Wyt ti'n meddwl i mi gael y Ffair
'na'n bresant gan Santa Clôs? Wyt ti? . . . 'Ti'n meddwl 'mod i
wedi'i chael hi ar blât, am ddim? Gwranda, mêt, dwi wedi gweithio,
dwi wedi slafio, dwi wedi ymladd hyd at waed i fildio 'nheyrnas . . .
Be' wnest ti 'rioed, 'ta? Ateb hynna. Be' sgin ti i'w ddangos heblaw'r
sianti 'ma? . . . (*Mae'n edrych o gwmpas yr ystafell*) Nefoedd yr adar,
mi fasa gin i gwilydd dangos 'y ngwynab tasa gin i ddim
ond hyn i'w gynnig . . . Yli, dos i edrych allan trwy'r ffenast 'na am
funud . . . (*Mae Gŵr y Tŷ'n dal i edrych ar y llawr*) . . . Dos! . . . (*Ni
wna unrhyw ymdrech i symud*) . . . Gwna fel dwi'n 'i ddeud wrthat ti
(*Mae'n ei lusgo gerfydd ei war at y ffenestr*) Rŵan, 'ta, edrych allan i
fan 'cw . . . Edrych arni hi. (*Mae'n agor y ffenestr iddo gael gweld yn
well*) . . . Weli di hi'n ymestyn fel neidar fawr o ben pella'r traeth acw
(*Mae Gŵr y Ffair yn sylwi ar yr ysbienddrych*) . . . Ydi hon yn
gweithio? . . . (*Mae'n edrych drwyddi*) . . . Ydi . . . dyna hi fel dinas
fawr yn codi o'r tywod . . . Edrych drwy hon, mêt, i ti gael gweld
be'di be' . . . (*Mae Gŵr y Tŷ yn edrych drwyddi'n ofnus*) . . . Edrych
ar ffrwyth llafur oes reit o dan dy drwyn di—nid yn amal y gweli di
olygfa fel'na. Yr Erw Aur . . . dyna be' ma'n nhw'n 'i galw hi—YR
ERW AUR! Ac ma'n nhw'n iawn hefyd. Ma' pob modfadd sgwâr
ohoni'n berwi efo aur, a chyn bo hir mi fydd dwy erw, tair, pedair!
pump! . . . Dyna pam ma' rhaid i ti symud o fan'ma i mi gael lle i
ehangu . . . (*Mae golwg ffanatig, bron yn orffwyll, ar ei wyneb yn
awr*) . . . Dwi'n mynd i fildio ar hyd y traeth yma i gyd . . . 'ti ddim
yn dallt . . . o un cwr i'r llall, a does neb—dim neb byw—yn mynd

i'm rhwystro i . . . (*Mae'n cerdded i flaen y llwyfan yn awr â golwg bell yn ei lygaid*) . . . Nid ar chwara bach dwi wedi cyrraedd i ble'r ydw i heddiw, ond trw' chwys fy ngwynab . . .trw' fod yn gadarn . . . trw' sgubo bob anhawstar oddi ar y ffor' (*Mae Gŵr y Tŷ erbyn hyn yn edrych arno'n llechwraidd o gefn y llwyfan*)

DELW: Trwy sathru'r gwan . . .

GŴR Y FFAIR: Mi wnes i addo i mi fy hun pan o'n i'n ddim o beth 'mod i'n mynd i fildio Ffair, a dyna be' wnes i . . .

DELW: A channoedd yn diodde yn y fargen.

GŴR Y FFAIR: Cychwyn fel prentis bach i ddechra mewn stondin saethu, ond trw' iwsio tipyn bach ar hwn (*Yn pwyntio at ei ben*) prynu partneriaeth o fewn blwyddyn.

DELW: Trwy ddwyn a thwyllo . . .

GŴR Y FFAIR: Cyn pen dwy roeddwn i wedi prynu 'mhartnar allan . . .

DELW: Ei orfodi 'ti'n 'i feddwl . . .

GŴR Y FFAIR: A chael bod yn . . . FEISTR. Edrychais i ddim yn ôl wedyn, o naddo, a fuo fi fawr o dro â chodi stondin arall, a chyflogi gwas bach fy hun . . .

DELW: Caethwas!

GŴR Y FFAIR: Ond mi wnes i'n glir iddo fo o'r cychwyn cynta pwy oedd y bos —

DELW: Trwy ei drin o fel ci . . .

GŴR Y FFAIR: A chyn gynted ag y bydda fo'n dangos yr arwydd lleia o fod yn fwy na llond 'i groen, mi fyddwn i ar 'i war o fel tunnall o rwbal.

DELW: Yn greulon a didrugaredd . . .

GŴR Y FFAIR: Dydi ddim yn talu i fod yn rhy ffeind hefo'r tacla—gwna di hynny ac mi fyddan yn cymryd mantais arnat ti'n syth—ma' rhaid 'u cadw nhw'n fan'na (*Mae'n gwneud arwydd i olygu dan ei fawd*)

DELW: Yn y baw . . .

GŴR Y FFAIR: Ble ma'u lle nhw . . . Ond Mistar ne' beidio, doedd gen i ddim amsar i ddiogi a llaesu dwylo . . . roedd rhaid i mi weithio'n gletach nag erioed o'r blaen . . . a mwya'n y byd o'n i'n weithio, mwya'n y byd o stondina o'n i'n 'u codi . . . cocynyts! . . . dartia! . . . rowlio'r geiniog! . . . bagatél . . . taro hoelion wyth . . . byrstio'r balŵns . . . ond yn y chwechad flwyddyn y dechreuodd petha o ddifri . . . MOTO CRASHES . . . yna'r heltar sgeltar . . . wedyn y merigorownd . . . *haunted house . . . hall of mirrors . . . ghost train . . .* ac i goroni'r cyfan . . . y *big dipper* . . . i fyny ac i lawr . . . ac ma' gin i gymaint o betha eto . . . gymaint o betha eto dwi iso 'u bildio . . . *wall of death*

. . . y lloeren . . . y roced . . . fedar neb fy stopio fi rŵan . . . neb! . . . neb!

DELW: Ma rhaid i rywun . . . Duw a ŵyr! . . . mae'n rhaid . . .

GŴR Y FFAIR (*yn tawelu eto'n awr fel petai wedi ymlâdd*): Dyna pam ma' rhaid i mi gael fan hyn . . . ma' rhaid i mi gael lle i ehangu (*Mae'n eistedd i lawr yn flinedig fel petai wedi bod trwy ymdrech galed. Mae'r ddelw yn awr yn rhedeg at Gŵr y Tŷ i ymbilio ag ef. Nid yw Gŵr y Ffair yn ei gweld na'i chlywed, wrth gwrs.*)

DELW: Elli ddi ddim gwneud rhywbeth . . .?

GŴR Y TŶ: Ond beth alla i 'i wneud?

GŴR Y FFAIR: Gwerthu, wrth gwrs, be' arall?—gwerthu yn enw datblygiad (*Gan feddwl mai gydag ef y mae'n siarad*)

DELW: Rhoi terfyn arno unwaith ac am byth, dyna i ti beth . . .

GŴR Y TŶ: Ond mae 'ngolwg i mor wael—rwy bron yn ddall.

GŴR Y FFAIR (*yn edrych arno gyda syndod*): Os ma' dyna sy'n dy boeni di, pam na fasat ti'n deud ynghynt, 'ta? (*Mae'n codi a cherdded ato*)

DELW: Does dim amser i hel esgusodion . . .

GŴR Y FFAIR: Yli, mi gawn i le i ti fel 'na yng nghartra'r deillion (*Mae'n clecian ei fys a'i fawd*) . . . lle cysurus!

GŴR Y TŶ: Ond allwn i byth . . .

GŴR Y FFAIR: Wrth gwrs y galla ti . . . ma' gen i gontacts ar y Cownsil, mi ca' i di i mewn mor hawdd â phoeri.

DELW: Hyd ange' ddywedaist ti . . .

GŴR Y TŶ (*yn freuddwydiol*): Hyd ange . . .

GŴR Y FFAIR: *Guaranteed* boi . . . fedar neb dy droi di allan o fan'no . . . stafall i ti dy hun . . . teledu—wel, set radio . . . tân trydan . . .

DELW (*yn dychwelyd yn drist i sefyll ble'r oedd ar y dechrau*): A finne'n meddwl y gallwn i ddibynnu arnat ti . . .

GŴR Y FFAIR: Popeth yn gweithio fel slecs—dim ond i ti bwyso botwm . . .

DELW: Yn gwmni i'n gilydd am byth . . .

GŴR Y TŶ (*gyda golwg ofnus ar ei wyneb*): Ond fedrwn i byth ddiodde'r boen . . .

GŴR Y FFAIR: Pa boen . . . be' 'ti'n rwdlian?

DELW: Mi fydd rhaid gwahanu, ynte . . . (*Mae'r ddelw yn awr yn symud yn araf at y drws allanol*)

GŴR Y TŶ (*gyda phanig yn ei lais*): Na . . .

GŴR Y FFAIR: Ia—lle bach cysurus i roi dy din i lawr.

DELW: A dychwelyd yn ôl i'm carchar oer . . .

GŴR Y FFAIR: A mi wnaiff les i ti gael tipyn o gwmpeini hefyd . . . hei,

ella y cei di afal ar bisin bach go handi, un go iawn, yna, yn lle
mwydro dy ben efo honna y tu allan 'na. Be' 'ti'n 'i ddeud?

GŴR Y TŶ: A'r tywyllwch yn tagu (*Mae'n rhythu i'r gwagle o'i flaen yn
awr*)

GŴR Y FFAIR: Y?

DELW: A'r machlud yn gwasgu (*Mae'n mynd allan o'r ystafell*)

GŴR Y TŶ: A'r diwetydd yn llethu . . .

GŴR Y FFAIR: Yli, paid â dechra hynna eto . . .

GŴR Y TŶ: A thawelwch yr hirnos yn pwyso a mygu.

GŴR Y FFAIR (*yn dechrau gwylltio'n awr*): 'Ti'n 'nghlwad i?

GŴR Y TŶ (*yn edrych i gyfeiriad y drws allanol ar ôl y ddelw*): Wnawn ni
ddim symud cam o'r lle yma . . .

GŴR Y FFAIR: Na wnei di—na wnei di, wir? (*Mae'n agor y drws allanol
ac yn gweiddi allan ar y Llanc*) Tyrd â honna i mewn eto (*Mae'n troi
i edrych ar Gŵr y Tŷ*) Sgin ti ddim dewis, 'ngwas i—dim dewis o
gwbwl (*Mae'r Llanc yn cario'r ddelw* i mewn a gwelwn y Ferch
hefyd yn sbecian yn y drws*) Gâd hi'n fan'na. (*Rhydd y Llanc hi i
sefyll wrth ymyl y drws*)

LLANC: Dach chi 'di setlo fo eto, *chief*?

GŴR Y FFAIR: Bron iawn.

LLANC: Dim ond i chi ddeud y gair, cofiwch, ac mi . . .

GŴR Y FFAIR: Allan! (*Mae'r Ferch yn diflannu o'r drws*)

LLANC: Reit, *chief*! (*Mae yntau'n mynd allan yn gyflym ac mae Gŵr y
Ffair yn cau'r drws yn glep ar ei ôl*)

GŴR Y FFAIR (*yn troi at Gŵr y Tŷ eto*): Sgin ti ddim dewis, 'ngwas i,
achos ma' lleidar wyt ti, ac ma' lle i gadw'r rheini. (*Mae'n cerdded at
y gist ble mae'r dillad lliwgar*) Ma' digon o brawf yn fan'ma. (*Mae'n
codi'r gorchudd gwyn oedd am y ddelw ar y dechrau*) ac yn fwy na
hynny, mi fedra i brofi iddyn nhw nad wyt ti ddim hannar call . . . ac
yn hollol anghyfrifol i edrych ar d'ôl dy hun (*Mae'n cerdded at y
ddelw*) Ia, dyna be' wna i, mynd â'r cwbwl i'r polîs stesion (*Mae'n
taflu'r gorchudd dros y ddelw*)

GŴR Y TŶ (*gyda theimlad*): Na!

GŴR Y FFAIR (*yn siarad â'r ddelw fel petai*): Gwell i mi dy lapio di
hefyd, ne' mi fydd pobol yn dechra meddwl 'mod inna'n dechrau
colli arni (*Mae Gŵr y Tŷ mewn panig llwyr yn awr, a gwelwn ef yn
rhuthro i ble mae ei ddryll wedi ei gadw*)

GŴR Y TŶ (*yn gafael yn dynn yn y dryll*): Peidiwch!

---

* Y Ddelw y tro hwn ac nid y Ferch.

GŴR Y FFAIR (*yn tynnu llinyn hir allan o'i boced*): Fydda i ddim chwinciad yn gwneud parsal ohonot ti.

GŴR Y TŶ (*yn bustachu i godi ar ei draed gyda'r dryll yn ei law*): Na . . .

GŴR Y FFAIR (*yn clymu'r cwrlid amdani gyda'r llinyn nes ei bod yn edrych fel* Egyptian Mummy): Dyna ni . . .

GŴR Y TŶ (*yn sgrechian yn awr tan bwyntio'r dryll at Gŵr y Ffair*): Gadewch lonydd iddi . . .

GŴR Y FFAIR: Yli, llai o hynna ne' mi . . . (*Mae'n troi i edrych arno ac yn gweld y dryll yn ei law am y tro cyntaf*)

GŴR Y TŶ: Gadewch iddi fod . . . (*Yn dal y dryll yn fygythiol*) . . .

GŴR Y FFAIR: Be' 'ti'n drio'i neud . . .?

GŴR Y TŶ: Does neb i gyffwrdd ynddi . . .

GŴR Y FFAIR (*gyda golwg reit ofnus arno erbyn hyn*): Rho . . . rho hwnna . . . rho'r gwn yna i lawr . . .

GŴR Y TŶ: Neb i roi ei ddwylo arni. (*Mae Gŵr y Ffair yn gwneud am y drws ond y mae Gŵr y Tŷ yn mynd i sefyll â'i gefn arno ac yn gwthio'r follt i'w lle. Mae wedyn yn codi'r dryll a'i bwyntio at ben Gŵr y Ffair*) . . . Hyd . . . ange' . . . d'wedais i . . .

TYWYLLWCH A LLEN

ACT III

Amser: Parhad o'r olygfa flaenorol.

Cyfyd y llen i ddangos Gŵr y Tŷ yn dal i bwyntio'r dryll yn fygythiol at Gŵr y Ffair. Mae'r ddau yn rhythu ar ei gilydd am ysbaid ac yna mae Gŵr y Tŷ yn rhoi cam ymlaen. Mae'r ddelw* o hyd wedi ei lapio yn y cwrlid.

GŴR Y FFAIR: Clyw . . . paid . . . paid â bod yn ynfyd (*Mae'n codi ei law*) . . . Rho fo i mi . . . (*Mae'n gwneud osgo fach i symud ato*)
GŴR Y TŶ: Sa'n ôl! (*Mae Gŵr y Ffair yn camu'n ofnus yn ôl*) . . . Ha . . . 'ti f'ofn i nawr ond wyt ti . . . 'ti f'ofn i . . .
GŴR Y FFAIR: Rho hwnna i lawr cyn i'r chware droi'n chwerw . . .
GŴR Y TŶ: Gollwng hi'n rhydd, ynte (*Yn amneidio at y ddelw*)
GŴR Y FFAIR (*yn gwneud ymdrech fawr i wenu*): Dwi'n gwbod be' 'ti'n neud . . . Tynnu 'nghoes i . . . dwi'n gwbod yn iawn . . . tynnu 'nghoes i wyt ti . . .
GŴR Y TŶ: Datod y cordyn yna . . .
GŴR Y FFAIR: A pheth arall, sgin ti ddim cetris yn'o fo . . .
GŴR Y TŶ: Wyt ti am i mi wasgu'r glicied yma i ddangos iti, 'te? . . . (*Mae'n gwneud osgo i wneud*)
GŴR Y FFAIR: Na! . . . na . . . rhag ofn . . . wyddost ti ddim . . .
GŴR Y TŶ (*gyda rhyw hyder newydd yn ei lais*): O, fe wn i! Felly datod y cordyn yna, a gollwng hi'n rhydd. (*Ysbaid*) Nawr!
GŴR Y FFAIR (*yn llamu i wneud*): Reit . . . dwi'n gneud . . . (*Mae'n datod y llinyn*) Dim ond cellwair o'n i . . . (*Mae Gŵr y Tŷ yn chwipio'r cwrlid i ffwrdd*)
GŴR Y TŶ (*yn taflu'r cwrlid i'r llawr*): Dyna ti—yn rhydd unwaith eto.
DELW: O . . . diolch . . . roeddwn i'n gwybod . . .
GŴR Y TŶ: Fe dd'wedais y byddwn i'n ddigon mawr ryw ddydd, on'dofe . . .?
DELW: Do — yn fachgen cryf a heini (*Mae Gŵr y Ffair yn sylweddoli fod Gŵr y Tŷ yn rhoi ei holl sylw i'r ddelw ac y mae unwaith eto yn symud yn araf i gyfeiriad y drws allanol*)
GŴR Y TŶ: Chaiff neb eich cam-drin chi eto . . .
DELW: Na chaiff . . . na chaiff, fy mabi gwyn i.
GŴR Y TŶ: Dim tra bydda i yma . . . (*Mae Gŵr y Ffair bron â chyrraedd*

---

* *Yn ystod y seibiant rhwng y ddwy act, mae'r FERCH wedi cymryd lle'r DDELW.*

y drws pan wêl Gŵr y Tŷ ef) Waeth i ti heb ddim, 'ngwas i. Ti yw'r carcharor nawr . . . (*Yn pwyntio'r dryll ato*)

GŴR Y FFAIR: Ond fedri di ddim . . .

GŴR Y TŶ: Fe alla i wneud unrhyw beth fynna i . . . (*Yn anwesu'r dryll*) tra bydd hwn gen i . . . (*Clywir cnoc ar y drws.*)

GŴR Y TŶ (*yn pwyntio'i wn yn fygythiol eto*): Dim gair . . . (*Distawrwydd llethol am ysbaid ac yna cnoc arall*) Pwy sy 'na? (*Gyda llais rhyfeddol o debyg o ran sain ac acen i Gŵr y Ffair*)

LLAIS MERCH: Fi, *chief*!

GŴR Y TŶ: Be' 'tisio . . . Y?

LLAIS MERCH: Dach chi'n hir iawn.

GŴR Y TŶ: Dwi wedi deud wrthat ti am gadw draw nes bydda i'n galw— 'ti ddim yn deall?

LLAIS MERCH: Reit, *chief*! (*Mae'n mynd i ffwrdd. Ysbaid ddistaw o wrando yn awr nes mae Gŵr y Tŷ yn torri allan i chwerthin. Mae'r ddelw yn ymuno ag ef ac yna, ar ôl edrych ar Gŵr y Tŷ am ychydig, mae Gŵr y Ffair yn gwneud ymdrech i chwerthin hefyd.*)

GŴR Y FFAIR: Ia . . . da iawn. Da iawn (*Yn chwerthin yn uchel yn awr*)

GŴR Y TŶ (*yn peidio â chwerthin, a'r wên yn rhoi lle i olwg bell ddifrifol*): Unrhyw . . . beth . . . dan haul . . .

GŴR Y FFAIR (*yn dal i chwerthin*): Mi fasa rhywun yn taeru ma' fi oeddat ti. (*Erbyn hyn, hefyd, mae'r ddelw wedi peidio â chwerthin ac y mae'r ddau yn edrych yn ddifrifol ar Gŵr y Ffair*) . . . Mi fasat ti'n gwneud dy ffortiwn ar y llwyfan.

GŴR Y TŶ (*yn uchel a llym*): Beth yw'r joc?

GŴR Y FFAIR: Y? (*Yn peidio â chwerthin yn sydyn*)

DELW: Pa destun chwerthin sydd ganddo fo?

GŴR Y TŶ (*yn cerdded yn araf a bygythiol ato*): Ie, be' sy'n ddigri?

GŴR Y FFAIR (*yn bagio'n ofnus o'i flaen*): Ond meddwl o'n i . . .

GŴR Y TŶ: Dwyt ti ddim yn cael dy dalu i feddwl . . .

GŴR Y FFAIR (*â'i gefn ar y wal erbyn hyn gyda'r ddau'n closio amdano*): Hanner munud . . .

DELW: Dim ond i ymateb yn ddigwestiwn . . .

GŴR Y TŶ: I bob gorchymyn . . . wyt ti'n deall . . . i bob gorchymyn gen i . . . Saf ar un goes!

GŴR Y FFAIR: Y?

GŴR Y TŶ: Nawr! (*Mae Gŵr y Ffair yn codi un goes yn araf*) Dyna ti . . . nawr, 'te, dy freichiau ar led (*Mae Gŵr y Ffair yn dal ei ddwy fraich i fyny wrth ei ochr*) . . . Reit dda (*Yn chwerthin gan droi at y ddelw*) . . . 'Ti ddim yn ei weld o'n debyg i'r hen grëyr glas 'na fydd ar y traeth ben bora. (*Mae Gŵr y Ffair yn dechrau gwegian ac yn gorfod rhoi ei law yn erbyn y mur i gadw ei gydbwysedd*) . . . a dim cyffwrdd yn y mur yna . . . dos i sefyll i ganol yr ystafell (*Mae Gŵr y Ffair yn mynd*) . . . Nawr, 'te, unwaith eto . . . un goes i fyny . . . breichiau ar led . . . (*Mae Gŵr y Ffair yn cael trafferth mawr i gadw ei gydbwysedd yn awr er mawr difyrrwch i'r ddau arall*) . . . Newid i'r goes arall. (*Newid coes*) . . . 'Run arall. (*Newid eto*)

GŴR Y TŶ: 'Run arall. (*Newid coes eto*) Chwith! (*Newid coes*) Dde! (*Newid coes*) Chwith! (*Newid coes*) De! (*Newid coes*) (*Mae'n cyflymu ei orchmynion yn awr fel y mae Gŵr y Ffair yn ymddangos yn union fel petai'n dawnsio*)

DELW: Gwna iddo ddawnsio.

GŴR Y TŶ: Ie, pam lai . . . Dawnsia! . . .

GŴR Y FFAIR: Fedra i ddim, 'y nghalon, 'y nghalon i (*Bron allan o wynt yn barod*)

GŴR Y TŶ (*yn anelu ei wn ato'n fygythiol*): Dawnsia, dd'wedais i . . . Dawnsia! (*Mae Gŵr y Ffair yn dechrau dawnsio*) Symud o gwmpas dipyn . . . mae gen ti ddigon o le . . .

DELW: Cyflymach! (*Mae'n dechrau amseru'r curiad trwy guro'i dwylo*)

GŴR Y TŶ: Cyflymach . . . Cyflymach . . . (*Mae Gŵr y Ffair yn ceisio cyflymu wrth i'r ddelw a Gŵr y Tŷ gyflymu eu curiad dwylo*) Cyflymach . . .

GŴR Y FFAIR (*bron wedi ymlâdd*): Fedra i ddim . . . fedra i ddim . . . ma' 'nghoesau i . . .

DELW A GŴR Y TŶ: Cyflymach . . . cyflymach . . . cyflymach . . .

GŴR Y TŶ (*yn dechrau ymgolli'n llwyr yn awr yn ei awdurdod dros Gŵr y Ffair*): . . . Uwch . . . Cod y traed yn uwch . . . (*Pan mae wedi ymgolli'n llwyr yn yr hwyl, gwelwn y ddelw'n llonyddu ac yn rhewi unwaith eto*) . . . Uwch . . . trot, trot fel y gaseg wen, trot, trot, trot, i'r dre . . . Uwch eto . . . (*Mae'r tŷ i gyd yn dechrau crynu'n awr—y to'n clecian a'r llawr yn siglo tra bo'r ddelw'n gwegian uwchben ei thraed fel yr oedd pan oedd Gŵr y Ffair yn neidio yn ystod yr ail act*) . . . Uwch . . . uwch. (*Mae Gŵr y Ffair yn baglu ac yn disgyn yn bendramwnwgl i'r llawr. Da o beth fuasai cael ambell ddarn o bren neu glwt o blaster yn disgyn o'r to ar eu pennau. Mae Gŵr y Tŷ yn edrych i fyny tua'r to ac yn gwrando ar y trawstiau'n clecian. Mae'n rhuthro'n wyllt a gafael yn dynn am un o'r pyst sy'n cynnal y to. Ar ôl ysbaid, llonydda'r cynnwrf, ac y mae'n ddistaw unwaith eto heblaw am anadlu trwm Gŵr y Ffair sy'n dal i eistedd ar y llawr.*)

GŴR Y TŶ (*yn edrych ar Gŵr y Ffair*): 'Ti'n gweld be' wnest ti . . . 'ti'n

DELW (*yn araf ac yn bwyllog*): Yr wyf yn dy ddedfrydu di i beidio â bod.

GŴR Y FFAIR: Maddeuant—rwy'n edifarhau am bopeth.

GŴR Y TŶ (*yn codi ei ddryll i anelu*): Rhy hwyr . . . dwêd dy bader!

GŴR Y FFAIR: Peidiwch! . . . Yn enw'r nefoedd, peidiwch! . . . Mi gewch y cyfan gen i.

GŴR Y TŶ: 'Ti wedi deud hynny o'r blaen . . . a dwi inna wedi deud na.

GŴR Y FFAIR: Ond y cyfan rwy'n 'i feddwl—nid yr hanner y tro yma, ond y cyfan!

GŴR Y TŶ (*yn gostwng ei ddryll eto*): Y?

GŴR Y FFAIR: Fe gewch y Ffair i gyd . . . bob erw aur ohoni . . . bob modfadd sgwâr . . . bob stondin . . . Fe fydda i'n was bach i chi . . . dyna fo . . . yn gweithio i chi dan gyflog—yn was bach a chitha'n Feistr.

GŴR Y TŶ (*yn fyfyrgar*): Yn Feistr?

GŴR Y FFAIR: Ar y cyfan i gyd, a phawb yn ufuddhau i bob gorchymyn.

DELW: Paid â gwrando arno . . .

GŴR Y TŶ: Na . . . dwi'n gwbod am dy dricia di rhy dda.

GŴR Y FFAIR: Ond wna i ddim gofyn llawer—dim ond digon o gyflog rhag llwgu—digon i fyw, dyna i gyd—Fe allwn i ofalu am un stondin i chi . . .

DELW: Ac yna dwyn a thwyllo a thyfu eto i'th saethu di.

GŴR Y TŶ: 'Thrystiwn i mohonat ti 'run cae â fi . . .

GŴR Y FFAIR: Fe gadwn draw, 'ta . . . dim ond y chi yna . . . Fe ddo i fan hyn.

GŴR Y TŶ (*mewn syndod*): Fan'ma?

GŴR Y FFAIR: Mi fydd rhaid i mi gael to uwch fy mhen—rhywle i fyw . . .

DELW: I drefnu a chynllunio sut i daro'n ôl—i ddisgwyl am ei gyfle fel cudyll.

GŴR Y TŶ: Na chei . . . byth bythoedd . . . Ac ma' rhaid i ti godi'n fora i 'nal i . . . peth arall (*Yn meddwl am rywbeth*) . . . peth arall, mi fydda i isio'r lle yma.

GŴR Y FFAIR: Ond mi fydd rhaid i mi gael rhywle . . .

GŴR Y TŶ: O, na fydd . . . chlywis ti mo'r ddedfryd?

DELW: I beidio â bod!

GŴR Y TŶ: Fyddi di ddim yma, rhen ddyn . . . dim yn bod . . . (*Yn edrych ar ddillad Gŵr y Ffair ar y bwrdd*)

GŴR Y FFAIR: Fe â' i ffwrdd, ynte—fe a' i ffwrdd ymhell o'ch golwg chi . . . o'ch cyrraedd chi . . .

GŴR Y TŶ (*yn gafael yn ei het ac yn edrych arni*): Pob erw . . . a phawb yn ufuddhau. (*Mae'n rhoi'r het am ei ben*) . . . a dydw i ddim yn mynd i edrach ar ryw ewach bach run fath â chdi yn sefyll . . . yn sefyll rhyngo i a be' dwi isio . . . unwaith y bydda i wedi penderfynu cael rhwbath sdim byd—sdim byd ar wynab y ddaear yn mynd i'm rhwystro i. (*Adlais amlwg o araith Gŵr y Ffair*)

GŴR Y FFAIR: Fe wna i rwbath dim ond i chi . . .

GŴR Y TŶ: Ac ma' 'na derfyn ar fynadd Job hefyd, dallt di . . . (*Mae'n codi'r wasgod goch i edrych arni, yna'n ei rhoi i lawr a thynnu ei gôt liain ei hun*) . . . wn i ddim pam dwi'n gwastraffu f'amser fel hyn hefo chdi i ddeud y gwir. (*Mae'n gwisgo'r wasgod goch*) . . . ma' gin i betha pwysicach o lawar i'w gneud . . . Diawch, falla fod rhywun yr eiliad yma'n fy ngneud i dan 'y nhrwyn tra mod i'n dal pen rheswm fan hyn . . . (*Mae'n tynnu'r amlen swyddogol allan o boced côt Gŵr y Ffair*)

GŴR Y FFAIR (*yn edrych wedi llwyr ildio erbyn hyn*): Dim ond llonydd . . . llonydd.

GŴR Y TŶ (*yn darllen y papur gyda diddordeb*): Na . . . fedri di ddim aros fan hyn—ma' rhaid ehangu . . . 'ti ddim yn deall—o un cwr o'r traeth i'r llall . . . (*Mae'n rhoi'r papur iddo*) . . . seinia hwn . . . a rho enw'r Ffair yn y sgwâr bach cynta yna . . . Yr Erw Aur! . . . (*Mae Gŵr y Ffair yn ysgrifennu*) . . . Dyna ti . . . a thorra dy enw ar y gwaelod . . . (*Mae'n gwneud*) Dyna ni . . . y fargen wedi ei selio . . . does neb yn mynd i'm hatal i rŵan (*Mae'n rhoi'r papur yn ôl yn ei boced*) Ma' hi wedi bod yn frwydr rhy hir a chaled i mi ddangos gwendid rŵan . . . mae'r aberth wedi bod yn rhy fawr. (*Mae'n codi ei ddryll eto*) Rhaid sgubo pob anhawster o'r ffordd . . . ei wasgu allan o fodolaeth. (*Mae bron yn orffwyll yn awr gyda'i bŵer newydd*)

GŴR Y FFAIR (*yn ymbilio i'r ddelw yn awr*): Byddwch drugarog.

GŴR Y TŶ: Nid ar chware bach dwi wedi cyrraedd lle'r ydw i heddiw.

GŴR Y FFAIR (*wrth y ddelw*): Rwy'n edifeiriol . . .

GŴR Y TŶ (*yn chwerthin*): Hei! 'ti'n gall, y cythral gwirion? (*Mae'n pwyntio at y ddelw*) Dydi honna ddim byd ond . . . ond peth! (*Mae'n cnocio ei phen â'i ddwrn fel y gwnaeth Gŵr y Ffair o'r blaen*) 'Ti'n gweld—lwmp caled—talp o wêr cannwyll wedi'i waldio i siâp. Lisa Prydderch!

GŴR Y TŶ (*mae Gŵr y Ffair yn crymu ei ben a chuddio'i wyneb yn ei ddwylo*): 'Ti'n gweld? (*Yn gafael yn ei wallt a chodi ei ben*) 'Drycha arni.

GŴR Y FFAIR: Peidiwch . . . mae 'mhen i'n hollti a'm llygaid i ar dân.

GŴR Y TŶ: Tynn dy ddwylo i lawr, 'ta a sbia arni . . . sbia ar dy lwmp o gŵyr.

GŴR Y FFAIR: Tywyllwch! . . .

GŴR Y TŶ: Y?

GŴR Y FFAIR (*yn hollol doredig yn awr*): Alla i . . . alla i weld dim, dim golau . . . dim byd!

GŴR Y TŶ (*yn chwifio ei law o flaen ei wyneb yn union fel y gwnaeth Gŵr y Ffair iddo yn Act 2*): . . . yn ddall bost!

GŴR Y FFAIR: Nodwyddau poeth . . . tywyllwch . . . Yn gwasgu a llethu . . . niwl . . . cy . . . gw . . . (*Mae ei siarad yn dirywio i fod yn ddim ond sŵn annealladwy*)

GŴR Y TŶ: Ond dwi'n ddyn rhesymol . . . o, ydw (*Mae'n tynnu ei sbectol ac yn ei rhoi ar drwyn Gŵr y Ffair*)

GŴR Y FFAIR: Trw . . . ff . . . chw . . . mmm . . . (*Nid yw bellach ond ynfytyn—swpyn o gnawd ac esgyrn yn anadlu—dyna i gyd*)

GŴR Y TŶ (*ar ôl ysbaid o edrych arno yn feddylgar*): Na . . . cheith neb ddweud na wnes i ddim dangos trugaredd . . . mi ga' i le i ti i lawr yn y dre . . . (*Mae'n cerdded at y drws a'i agor ac yna'n gweiddi allan*) Hei! chi'ch dau—dowch yma. (*Mae'n cerdded yn ôl i'r ystafell*) Dy gloi di i fyny'n saff hefo rhywun i edrach ar d'ôl di. (*Mae'r llanc a'r ferch yn rhuthro i mewn*)

GŴR Y TŶ (*yn troi i'w hwynebu*): Reit . . . mae o'n barod i fynd. (*Cawn ennyd hir o ddistawrwydd yn awr wrth i'r llanc a'r ferch edrych o un i'r llall, ond buan y mae'r ddau'n gwneud eu meddyliau i fyny*)

LLANC A MERCH: Reit, *chief* (*Mae'r ddau'n mynd i afael un bob braich iddo*)

MERCH: Mae o'n crynu fel deilen.

GŴR Y TŶ: Falla' i fod o'n oer—Gwisgwch o. (*Llanc yn mynd i nôl y gôt liain a'i gwisgo am Gŵr y Ffair*)

LLANC (*wrth ei glywed yn ramblio'n orffwyll*): Ma' hi'n hen bryd cloi hwn i fyny . . . Allan â chdi. (*Maent yn ei wthio at y drws*)

MERCH: A beth am hon? (*Yn amneidio at y ddelw sydd erbyn hyn yn hollol lonydd ac yn edrych yn union fel delw gŵyr.*)

GŴR Y TŶ: Gadewch hi ble mae hi.

MERCH: Reit, *chief*!

GŴR Y TŶ (*Maent yn mynd allan gan adael Gŵr y Tŷ a'r ddelw ar ôl. Mae Gŵr y Tŷ yn troi i edrych ar y ddelw*): Dim byd ond lwmp o gŵyr wedi ei waldio i siâp. (*Mae'n dod o hyd i'r cerdyn gyda hanes Lisa Prydderch arno*) Lisa Prydderch! (*Yn ei ddarllen*) Ie, dyna pwy wyt ti.

Lisa Prydderch o Bont Cymera
Laddodd 'i gŵr â chyllell fara.

Cuddio'i gorff mewn cist o dderw
Onid oedd yn ddynas chwerw!

(*Mae'n gosod y cerdyn am wddw'r ddelw*)

GŴR Y TŶ (*yn edrych o gwmpas y tŷ ar y tywod*): Fydda i ddim chwinciad â thynnu'r lot i lawr . . . rhaid gwneud lle . . . (*Mae'n troi at y gynulleidfa*) . . . Ma' gin i gymaint o betha dwi isio'u gwneud . . . Siamberi Arswyd! . . . Muriau Marwolaeth! . . . Lloeren yn troi fel chwrligwgan . . . Roced yn rhuthro fel cath i gythral . . . Mi fyddan nhw'n tyfu fel myshrwms dros y lle i gyd . . . mwy o Fadarch . . . Madarch mwy . . . Ymlaen â'r Ffair!

A'r eiliad hwnnw, gyda phob dyfais bosib—sain, goleuadau, fflatiau symudol etc . . . mae'r Tŷ ar y Tywod yn troi i fod yn Ffair.

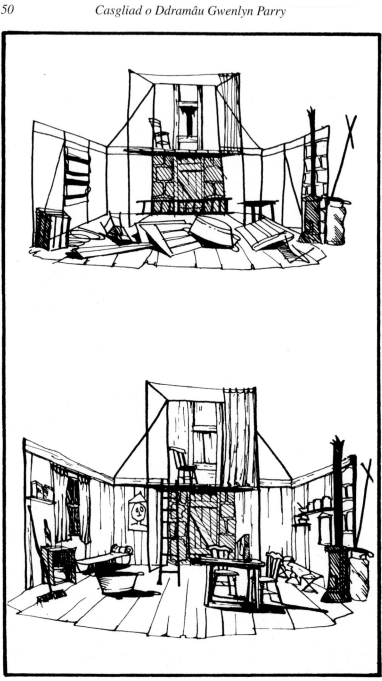

Y Ffin

(Drama Gomisiwn Eisteddfod Dyffryn Clwyd, 1973)

Cyflwynwyd y ddrama hon am y tro cyntaf ar lwyfan gan Gwmni Theatr Cymru yn Eisteddfod Genedlaethol Dyffryn Clwyd, 1973, ac wedyn ar daith yr hydref yr un flwyddyn.

Recordiwyd y ddrama gyntaf ar gyfer y teledu gan y BBC, nos Wener, 7fed o Fehefin, 1974.

Cymeriadau:

Wilias	Gŵr tua hanner cant oed
Now	Llanc tuag ugain oed
Ymwelydd	Dringwr tua deg ar hugain oed

Golygfa:

Cwt Bugail ar ochor mynydd. Ar ddechrau'r ddrama, nid yw'r adeilad ond ffrâm yn unig, a gellir gweld trwy'r muriau (gweler y darlun gyferbyn). Ar ddiwedd yr Act Gyntaf, fe wisgir y sgerbwd yma â pharwydydd sydd ar hyn o bryd wedi eu gwasgaru o gwmpas y llawr (ond gofaler nad yw'r gynulleidfa yn sylwi beth ydynt ar y dechrau fel hyn). Ymysg yr alanast hefyd, mae hen faddon alcam, gwely, ambell focs, gwellau cneifio, lamp stabal ac ysgol. Yng nghornel dde'r ystafell (bydd y cyfarwyddiadau bob tro o safbwynt y gynulleidfa), mae stôf gron hen ffasiwn gyda'r corn simdde'n anelu allan drwy'r to.

Yng nghanol y mur cefn, mae drws ac yn union uwch ei ben mae taflod fechan (croglofft) ac uwchben y platfform yma mae ffenestr gyda dorau pren arni (yn agor o'r tu mewn). Arferai'r Bugail ddefnyddio'r daflod fel rhyw fath o *look-out* a thrwy'r ffenestr gallai weld y rhan fwyaf o lethrau'r mynydd o'i gwmpas—yn wir, ar ddiwrnod clir, gallai weld yr holl ffordd i lawr i'r pentref a oedd tua mil o droedfeddi islaw. Mae'r ysgol a ddefnyddir i ddringo i'r daflod wedi disgyn yn erbyn y drws. I'r chwith o'r drws, mae ffenestr gyda'r gwydrau i gyd wedi torri ac y mae rhywun, rywdro, wedi ei bordio'n frysiog gyda thair ystyllen bren. Y tu allan, mae'r gwynt yn cwyno'n ddistaw wylofus. Ar ôl ysbaid fer, fe glywir lleisiau'n nesáu at yr adeilad.

ACT 1

WILIAS (*llais*): 'Co fe! 'Ti'n 'i weld e . . . 'co fe!

NOW (*llais*): Hwnna ydi o?

WILIAS (*llais*): Doeddet ti ddim yn 'y nghoelio i, nac oeddet?

NOW (*llais*): Ond dim hwnna ydi o'n enw'r Arglwydd?

WILIAS (*llais*): Dim ffydd 'ti'n gweld. Dim ffydd yn dy ffrind. (*Gwelir gŵr mewn oed a bachgen ifanc yn nesáu at y drws*)

NOW: Ond 'tŷ' ddudoch chi, Wilias—tŷ clyfar!

WILIAS: Aros nes ei di i mewn. (*Mae'n cael trafferth i agor y drws*) . . . lle perta welist di erioed . . . (*Mae'n ysgwyd y drws*) . . . clyd fel nyth dryw . . . chei di ddim lle fel hyn heddi am ffortiwn . . . (*Ysgwyd y drws eto*) . . . fe allwn gael cannoedd amdano fe . . . miloedd!

NOW: O Rarglwydd! Dowch, Wilias bach, ne' mi fydda i wedi rhewi'n stond.

WILIAS: Aros eiliad.

NOW: Be' gythral sy'n bod, 'ta?

WILIAS: Clo 'di rhydu falle . . . mi ddaw.

NOW: Peidiwch deud bod y goriad rong gynnoch chi.

WILIAS: Paid â siarad dwli.

NOW: Ond pam nad agorith o, 'ta? Ylwch, sefwch draw ac mi ro i ysgwydd i'r diawl.

WILIAS: Na . . . Na . . . dal dy afael am funed.

NOW: Ond dwi'n blydi rhewi, w'chi.

WILIAS: Amynedd, 'machgen i. (*Ysgwyd y drws eto*) . . . ara deg ma' dala giâr. (*Mae Now yn cerdded at y ffenestr ac yn craffu i mewn rhwng yr ystyllod pren*)

NOW: Be' am ffor' hyn, 'ta?

WILIAS: 'Tai gen i ddropyn o rywbeth i iro'r clo. (*Mae Now yn taro un o'r ystyllod pren â'i ddwrn nes bod honno'n disgyn gyda thrwst i mewn i'r ystafell*)

WILIAS: Be' gebyst wnest ti?

NOW: Rhyw hoelan a phoeri sy'n dal y sioe y gyd, Wilias.

WILIAS: Ond mi ddwedais wrthyt ti am beidio . . . (*Mae Now yn taro ystyllen arall i mewn*) . . . Paid!

NOW: Dan ni ddim yn mynd i sefyll fan'ma drw'r nos fel dau faharan fynydd, nac ydan? (*Mae'n rhoi ergyd i'r drydedd ystyllen*)

WILIAS: Aros funed!

NOW: Dyna fo, mor hawdd ag agor tun biscet.

WILIAS: Ond mi fedra i agor y drws 'taet ti'n . . .

NOW (*Mae'n ceisio dringo i mewn*): Rhowch hergwd i mi.

WILIAS: Na, aros—mae'n well i ti beidio . . .

NOW: Gwthiwch ddyn . . . rhowch ysgwydd dan 'nhin i. (*Mae'n dringo i mewn.*) 'Na ni . . . (*Llanc tuag ugain oed yw Now ac y mae wedi ei wisgo mewn hen siaced armi gyda dabs am ei draed*)

NOW (*yn edrych o gwmpas yr ystafell mewn syndod*): Nefoedd yr adar!

WILIAS: 'Ti'n iawn?

NOW: Dim hwn ydi o, siŵr Dduw . . . tynnu 'nghoes i mae o . . . tynnu 'nghoes i ma'r diawl bach.

WILIAS: 'Ti'n 'nghlywed i?

NOW: Rêl blydi sianti!

WILIAS (*yn uchel yn awr*): Now!

NOW (*yn mynd at y ffenestr*): Dan ni'n lle rong, Wilias bach. Dim hwn ydi o.

WILIAS: Helpa fi i mewn.

NOW: 'Rhoswch funud. (*Mae'n chwilio o gwmpas yr ystafell nes daw o hyd i focs; mae'n ei estyn drwy'r ffenestr i Wilias*) Sefwch ar hwn! (*Mae Wilias yn cymryd y bocs ac yn ei roi wrth droed y ffenestr. Mae'n sefyll arno ac estyn dau gês mawr i mewn.*) Ylwch, waeth i chi heb na dŵad â'n gêr ni i mewn—dim hwn 'di'r lle . . .

WILIAS: 'Na hast—ma' hi'n dechra glawio.

NOW (*yn cymryd y ddau gês*): Ond ma'r lle yn llawn o nialwch—rêl siop siafings . . . (*Wilias yn dringo i mewn*) . . . dim tŷ . . . dim tŷ go iawn . . . (*Gŵr tua 50 oed yw Wilias, ac y mae wedi ei wisgo mewn côt fawr ddu a het o'r un lliw am ei ben. Mae sgarff am ei wddf a dabs yr un fath â Now am ei draed.*)

WILIAS: Be' 'ti'n feddwl? (*Edrych o gwmpas gydag edmygedd*) . . . i'r dim, yntefe—i'r dim!

NOW: Ylwch, Wilias . . . ma' jôc yn iawn . . .

WILIAS: Sych grimp . . . dim diferyn o leithder yn unlle.

NOW: Ie, ond Wilias . . .

WILIAS: A ni sy berchen e . . . ni!—ti a fi!

NOW: Dach chi o blydi ddifri'n tydach?

WILIAS: Oes rhaid i ti regi, 'ngwas i, oes rhaid i ti?—wi wedi dweud a dweud wrthyt ti . . .

NOW: Ond. Wilias—dach chi 'rioed o ddifri . . . dim hwn ydi'r lle . . . nid fan'ma?

WILIAS (*Gwên fawr*): 'Ni wedi cyrraedd, 'machgen i—'ni gartre! (*Rhoi ei het ar hoelen a thynnu ei sgarff. Gwelwn yn awr ei fod yn gwisgo coler gron gweinidog yr efengyl. Saib hir.*)

NOW: Ond 'tŷ' ddudoch chi—tŷ go iawn.

WILIAS: Ond fyddwn ni fawr o dro a'i gael e i drefn, Now bach—dipyn o ddŵr sebon a brws câns—cot ne ddwy o baent—llenni newydd ar y ffenestr yna . . . gwely arall yn lle hwn falle . . . dau wely . . . un i ti ac un i mi.

NOW: Dim uffar o berig.

WILIAS: Now!

NOW: 'Di o ddiawl o ots gen i . . .

WILIAS: Now! Iaith! Sawl gwaith ma' rhaid imi ddweud?

NOW: Ond, ddyn, ma' sens pawb yn deud . . . 'drychwch ar y lle . . . sdim lle i droi yma.

WILIAS: Ma' hi'n bymtheg troedfedd o hyd . . . (*yn camu'r ystafell i'w mesur gyda'i draed*) . . . un . . . dwy . . . tair . . .

NOW: A sut gythral all neb fyw mewn lle fel hyn—mi fyddwn ar gefna'n gilydd.

WILIAS: Naw . . . deg . . . un ar ddeg . . .

NOW: Dwi wedi gweld gwell cwt ci.

WILIAS: Pymtheg. Dyna fe—pymtheg union—'da chydig i sbario . . .

NOW: 'Tasa 'na stafall arall yma—mi fasa'n help.

WILIAS: I be'?

NOW: Y?

WILIAS: Stafell arall—be' 'ti mo'yn stafell arall?

NOW: Wel, diawl, cwcio, byta, cysgu 'run lle . . . a be' tasan ni isio . . . lle dan ni'n mynd i . . ?

WILIAS: Ma's yn y bac—un dela welest di 'rioed.

NOW: Fasa well inni fyw yn fan'na 'ta a gneud 'n busnas fan hyn?

WILIAS (*Saib hir tra mae'n edrych arno*): 'Ti'n trio bod yn frwnt nawr, o'nd wyt ti—trio 'mrifo i . . . trial gneud loes i fi?

NOW: Duw—jôc, ddyn . . .

WILIAS (*wedi pwdu*): 'Ti'n cael pleser o hynny, o'nd wyt ti—mrifo i?

NOW: Ylwch, yr un peth dwi'n trio'i ddeud ydi—bod y lle rhy fach. Fedran ni byth fyw mewn un stafell fel hyn.

WILIAS: 'Sa well 'da ti fod dy hunan, 'ta?

NOW: Peidiwch â siarad lol.

WILIAS: Ne' fynd nôl . . . cer, yntê . . . cer os mai dyna ti'n mo'yn . . . sdim ots 'da fi . . . cer nôl atyn nhw!

NOW: Duws, peidiwch â bod mor groen-dena, wir Dduw . . . ma' petha'n wahanol rŵan on'd ydyn . . . dan ni'n rhydd . . . rhydd i neud be' gythral fynnon ni . . . (*saib*) . . . Ma' gynnon ni ddewis rŵan on'd oes? (*Mae Wilias yn gwrthod edrych arno*) . . . Wel, syniad pwy oedd o? . . . (*saib eto*) Wel, chi ddudodd . . . trefnu petha fel dan ni isio . . . tipyn o gysur, felly . . . dim dyna ddudoch chi? . . . (*Dim ateb. Saib.*) O, sylciwch 'ta, i'r diawl. (*Saib hir eto*) Ylwch, os dyla rhywun sylcio, fi ydi o . . . fi sy wedi cael 'y ngwneud!

WILIAS: Be' 'ti'n feddwl, 'gwneud'?

NOW: Wel, mi ydw i—'ngwneud yn bosal hefyd.

WILIAS: Yn bosal?

NOW: Yn bosal—'nghamarwain ar hyd y daith.

WILIAS: Camarwain pwy? Mi wnest gydsynio'n syth.

NOW: Ond nid i hyn—wnes i 'rioed gydsynio i ddŵad i rwla fel hyn, naddo? Tŷ ddudoch chi, Wilias, a waeth i chi heb a gwadu . . . ''Di prynu tŷ bach dela 'rioed yn y wlad' . . . dyna'ch geiriau chi—'tŷ tawal, mhell o gyrraedd pawb'.

WILIAS: Mae e o gyrraedd pawb—faint gerddon ni o'r dre yna nawr—faint gerddon ni? . . . tair milltir o leia.

NOW: Dach chi'n deud wrtha i . . . ond ma' sens ym mhopeth, on'd oes—tair milltir ar 'y mhenaglinia bron . . . ddudoch chi ddim mo hynny. Sut dan ni'n mynd i gael bwyd a ballu yma—dwi'n gofyn i chi . . . be' tasan ni'n mynd yn sâl ac isio doctor?

WILIAS: Pwy sy mo'yn doctor? (*Wedi ei gynhyrfu*)

NOW: Neb rŵan—ond ma' pethe'n digwydd, on'd ŷn nhw?

WILIAS: Fel beth—be' 'ti'n 'i awgrymu?

NOW: Ond ma' pawb isio doctor weithia—ffliw . . . pendics!

WILIAS (*Saib hir*): Mi ddaw doctor i rywle heddiw os bydd rhaid.

NOW: Falla hynny, ond erbyn iddo fo gyrraedd, mi fasan ni wedi cicio'r bwcad . . . a 'na chi gythral o g'nebrwng fasa 'na wedyn . . . (*Mae'n gwenu*) . . . o leia mi fasa'r arch yn mynd i lawr dan 'i stêm 'i hun. (*Wilias yn gwenu*) Ar gythral o sbîd hefyd! (*Wilias yn chwerthin*) A'r person yn ista arni gamfa led. '*Ride 'em cowboy!*' (*Mae'r ddau yn chwerthin yn uchel*) Trwy'r grug fel Masarati—nes bysa'r defaid yn sgrealu i bob man. (*Chwerthin yn afreolus yn awr*) . . . 'Na fo, dach chi'n gweld pa mor ddigri ydi o . . . Ylwch, wn i be' wna i hefo chi . . . mi 'roswn ni yma heno i gael 'n cefna atan—a fory awn i chwilio am le bach arall.

WILIAS (*difrifol a phryderus eto*): Be' 'ti'n feddwl 'lle bach arall' . . . 'ti'n meddwl 'mod i'n graig o aur neu rywbeth?

NOW: Y?

WILIAS: Sut cawn ni le arall . . . lle cawn ni'r arian i brynu lle?

NOW: Wel . . .

WILIAS (*yn gostwng ei lais eto, a siarad yn dawel—fel seiciatrydd yn*

siarad â'r claf): Dyna dy ddrwg di, Now bach . . . dwyt ti byth yn
meddwl am bethe fel hyn, 'ti'n gweld—ma' rhaid i mi wneud . . .
meddwl dros y ddau ohonon ni . . . be' fydde wedi digwydd i ti oni
bai 'mod i'n trefnu pethe a gofalu amdanat ti? . . . gofalu dy fod ti'n
cael ware teg . . . e?

NOW (*yn euog bron yn awr*): Dwi'n gwbod hynny, Wilias.

WILIAS: Doedd neb arall yna'n deall, nac oedd—dim ond fi.

NOW: Mi o'n inna'n ych gwatsiad chitha hefyd, Wilias . . . da chi'n
cofio'r cochyn diawl hwnnw'n trio bod yn glyfar hefo chi?

WILIAS: Cofio'n iawn, 'ngwas i.

NOW: Mi afaelis i yno fo gerfydd 'i sgrepan a'i ysgwyd o—mi faswn i
wedi'i dagu o'n sych. (*Mae'n cynhyrfu'n arw rŵan*) . . . 'i falu fo'n
blydi dipia mân . . .

WILIAS: Mi wn i, 'ngwas i . . .

NOW: 'I wasgu fo'n slwts . . .

WILIAS: Mi wn i, 'ngwas i . . . mi wn i . . . dan ni'n deall 'n gilydd, 'ti'n
gweld . . . does neb arall . . . rydyn ni'n lwcus o'n gilydd . . . fe
drefnodd Duw inni gyfarfod, 'ti'n gweld . . . ac ma' rhaid i ni sticio
'da'n gilydd nawr trwy ddŵr a thân.

NOW: Trwy ddŵr a thân, Wilias!

WILIAS: Dyna pam rwy'n disgwyl iti fod yn gefn imi nawr—peidio
'nghicio i pan wy i lawr . . . peidio troi dy gefn arna i ar yr awr
dywyll yma'n fy hanes i.

NOW (*yn methu deall*): Awr dywyll?

WILIAS: Dywyll iawn, 'machgen i . . . mae 'na bobol ddrwg iawn yn y
byd, 'ti'n gweld . . . pobol yn cymryd mantais arna i.

NOW (*yn gwylltio*): Pwy . . . pwy ydyn nhw, dudwch wrtha i? . . .

WILIAS: Y dyn werthodd y lle 'ma imi!

NOW: Y?

WILIAS: Mi'i prynis i e gyda phob ewyllys da, 'ti'n gweld . . . disgwyl
cael gwerth fy arian—ond dyma be' ges i . . . 'nhwyllo!

NOW: Be' dach chi'n 'i feddwl, twyllo?

WILIAS: Palas bach dd'wedodd e—sut gwyddwn i ma' lle fel hyn oedd o?

NOW: Dach chi 'rioed yn deud wrtha i na welsoch chi 'rioed fan'ma o'r
blaen, 'ta? . . .

WILIAS: Ymddiried ynddo fe . . .

NOW: 'I brynu o, heb weld be' oeddach chi'n 'i gael?

WILIAS: Fe sicrhaodd fi!

NOW: Ond be' ddaeth dros ych pen chi? . . . dach chi'n gwybod sut ma'n
nhw . . . dach chi'n gwbod . . .

WILIAS: Digwydd taro arno fe wnes i a chodi sgwrs fach . . . mi welodd yn syth 'mod i'n wahanol i'r gweddill ac fe ddechreuon ni siarad am . . . bethe . . . pethe pwysig . . . Dyna pryd y d'wedais i wrtho am 'y mreuddwyd i . . . prynu lle bach tawel 'mhell oddi wrth bawb . . . lle bach i ti a fi—i gael llonydd am byth . . . ymhell o'u cyrraedd nhw. 'Mae gen i'r union le,' medda fe . . . 'delfrydol . . . am bris teg hefyd' . . . mi rois i'r arian yn 'i law e'n syth . . . (*Mae'n edrych yn synfyfyriol i'r gwagle o'i flaen*)

NOW: Ond pam na fasach chi'n mynnu gweld y lle? . . . Roedd gynnoch chi hawl i hynny . . .

WILIAS: Roedd . . . roedd hi'n siwrna mor bell, 'ti'n gweld . . . a'r dyn mor onest yr olwg . . . (*Mae'n ansicr braidd yn awr*)

NOW: Gonast o ddiawl!

WILIAS: Rwy'n methu deall y peth . . . fel arfer 'rwy'n bur dda ar bwyso a mesur cymeriad rhywun, ond mi fethais i 'da hwn. (*Saib hir yn awr*).

NOW (*fel petai'n cael syniad sydyn*): Falle na ddaru chi ddim!

WILIAS: Beth?

NOW: Methu! . . . falla na ddaru chi ddim methu . . . falla ma' nid hwn 'di'r lle . . . falla'n bod ni yn y lle rong.

WILIAS: Na, hwn yw e, Now bach . . .

NOW: Ond doedd y goriad ddim yn ffitio . . . dan ni yn y lle rong yn saff i chi—mi o'n i'n ama gynna—lle ma fo?

WILIAS: Lle ma' beth?

NOW: Y goriad 'na—dowch imi weld o.

WILIAS (*Mynd i'w boced a nôl y goriad*): Waeth i ti heb ddim, Now, hwn ydi o. (*Mae'n rhoi'r agoriad i Now*)

NOW (*yn rhedeg at y drws*): Pam na' neith o agor, 'ta. (*Mae Wilias yn mynd gydag e. Mae Now yn rhoi'r allwedd yn y clo.*)

WILIAS (*yn edrych ar y llawr*): Dyma be' sy o'i le, 'ti'n gweld—yr ysgol yma . . . ma' hon wedi'i wejio'n 'i erbyn e . . . aros di funud. (*Mae Wilias yn symud yr ysgol*) Ceisia'i agor e'n awr. (*Mae Now yn agor y drws yn rhwydd. Mae saib fechan fel y mae Now yn rhythu ar y drws agored.*)

NOW: Y cythral sâl iddo fo—mae o wedi'ch gneud chi'n bosal, Wilias— cinc yn y diawl! (*Mae'n edrych o gwmpas y lle unwaith eto*) 'Drychwch ar y lle—'drychwch ar y nialwch sy 'ma . . . ysdol! . . . be' gythral ma' isio ysdol ar ben mynydd . . ?

WILIAS: O, ma' hynny'n . . .

NOW (*yn cicio'r bath*): A be' gythral 'di hwn?

WILIAS: Bath!

NOW: Bath? . . . Bath? . . . wel, 'na chi blydi hurt.

WILIAS: Pam?

NOW: Wel . . . wel, be' gythral ma' isio bath ar ben mynydd?

WILIAS: Beth mae bath yn dda'n rhywle?

NOW: Ar ben mynydd?

WILIAS: Mi ddrewi di'n fan'ny hefyd, wyddost ti, os na folchi di. (*Mae'r ddau yn dechre chwerthin, etc.*)

NOW: Reit dda rŵan, Wilias . . . wir dduw! . . . (*Mae'n gweld y siswrn cneifio*) . . . a be' oedd o'n 'i 'neud hefo hwn, 'ta—torri gwinadd 'i draed? (*Mae'n gafael yn y siswrn ac edrych arno*)

WILIAS (*yn dal i chwerthin*): Falle, wir.

NOW: Be' ydi o, d'wch?

WILIAS: Gwelle!

NOW: Y?

WILIAS: Siswrn cneifio, 'ngwas i—torri gwlân . . . 'ti ddim yn gweld— bugail oedd o.

NOW: Bugail? . . . bugail ddim yn gall!—alla i ddim meddwl am ddim byd gwaeth. (*Mae'n edrych ar yr ysgol*) . . . ac mi fyddwch chi'n deud nesa' bod ganddo ddefaid uffernol o dal.

WILIAS: Sut?

NOW: Fel eliffantod . . . mi oedd isio'r ysdol yma i ddringo i'w penna nhw. (*Mae Wilias yn cael pwl o chwerthin eto, ac y mae Now bob amser yn manteisio ar unrhyw gyfle i wneud i'w gyfaill chwerthin*) Rhoi hon yn erbyn 'u senna nhw. (*Mae'n rhoi'r ysgol yn erbyn y wal*) Dringo dwy lath . . . (*Mae'n dringo'r ysgol*) . . . a'u trimio nhw reit foel o gwmpas 'u tina.

WILIAS (*bron yn sâl wrth chwerthin*): Bydd distaw yn enw popeth.

NOW: Tunnall o wlân o bob dafad . . .

WILIAS: Paid . . .

NOW: A lorri Astons i'w gartio fo i ffwrdd.

WILIAS: Paid, Now bach, rwy bron â byrstio. (*Mae Now yn chwerthin 'i hunan yn awr. Mae Wilias yn cael pwl o beswch.*)

NOW: Gwatsiwch chwythu gasget, Wilias. (*Mae Now yn curo cefn Wilias*) 'Na chi.

WILIAS (*yn dod ato'i hun*): O mam bach . . . 'ti'n un da am sbort, Now bach.

NOW (*Mae'r wên yn diflannu wrth iddo sylweddoli rhywbeth*): Sut gwyddech chi?

WILIAS: Sut gwyddwn i beth?

NOW: Sut—sut gwyddech chi ma' bugail oedd o?

WILIAS: Wel . . . (*Mae'n oedi eiliad*) . . . mi dd'wedodd wrtha i, debyg gen i . . . a 'drycha ar y lle . . . mae'n ddigon hawdd dweud—tŷ bugail yw e—mae'n amlwg.

NOW: Dach chi'n deud!

WILIAS: 'Drycha! (*Mae'n gafael yn yr ysgol ac yn dringo i fyny'r daflod*) Dere i fyny i fan hyn. (*Mae Now yn dringo ato*) Agor hwnna!

NOW: Y?

WILIAS: Y ddôr fach yna—y tu ôl iti yn y mur.

NOW (*yn troi i edrych*): Diawch, 'nes i ddim sylwi ar honna. (*Mae'n agor y ddôr i ddangos ffenestr fechan yn y mur—ond nid oes gwydr arni—dim ond bwlch ydyw*) Ffenast, wir Dduw!

WILIAS: Dim ond mewn lle bugail ma' pethe fel hyn, 'ti'n gweld—mi alle gadw llygaid ar ei braidd trwy'r agoriad yna, a hynny heb orfod symud cam o'r lle yma—i'r dim ar ddiwrnod glawog.

NOW: Clyfar gebyst, Wilias.

WILIAS: Ac ar ddiwrnod clir, mi elli weld reit i lawr i'r dre . . . yr hewl fel pedol ceffyl (*Mae Now yn troi i edrych arno'n amheus*) . . . a chyda sbienddrych go dda, fe elli ddweud beth yw'r amser ar gloc y farced.

NOW: Ylwch, Wilias, dwi ddim yn licio hyn o gwbl.

WILIAS: Be' 'ti'n 'i feddwl?

NOW: Dach chi newydd ddeud wrtha i na fuoch chi 'rioed yma o'r blaen—sut gythral dach chi'n gwbod, 'ta, fod y lôn yna i lawr fan'cw fel pedol?

WILIAS (*fel petai ar ei wyliadwriaeth yn awr*): Wel . . . mi'i cerddon ni hi'r pnawn yma, o'ndo fe . . . fe welaist fel finne.

NOW: Ond beth am y cloc . . . Y? Sut gwyddech chi am y cloc?

WILIAS (*yn oedi am amser*): Be' sy'n bod arnat ti, Now Bach? (*Mae'n eistedd ar lawr y daflod gyda'i draed yn hongian drosodd i wynebu'r gynulleidfa*)

NOW: Dudwch wrtha i, Wilias—dwi ddim yn un i . . .

WILIAS: Stedda fan hyn 'da fi.

NOW: Na—dwi am gael gwybod—'di hwn mo'r tro cynta imi'ch dal chi . . .

WILIAS: Fe dd'wedodd wrtha i, sbo, wrth imi sgwrsio 'da fe'r diwrnod hwnnw—brolan y lle—canu 'i glodydd e. Falle fod e'n mestyn chydig—ond dyna dd'wedodd e.

NOW (*ar ôl ysbaid amheus*): Dach chi'n siŵr?

WILIAS: Wrth gwrs 'mod i . . . dere nawr, stedda fan hyn . . . (*Yn dangos lle iddo wrth ei ochr ar y platfform*) . . . ma' 'da fi un dda nawr . . . (*Nid yw Now yn symud*) . . . dere, ma' hon 'da'r ore 'rioed . . .

NOW (*yn symud ato'n araf*): Ma' gas gen i gael 'y nhwyllo, Wilias . . . a dach chi wedi deud clwydda wrth i o'r blaen. (*Mae'n eistedd wrth ei ochr*)

WILIAS: 'Ti'n barod?

NOW: Sgin i fawr o fynadd rŵan . . . (*Mae wedi pwdu braidd*)

WILIAS: Dere, bachan. (*Mae'n rhoi ei law am ysgwyddau Now*) . . . os mêts . . . dŷn ni ddim yn mynd i adael i ryw faniach bethe ddod rhyngon ni. Edrych. (*Mae'n syllu i gyfeiriad y gynulleidfa*) . . . 'Ti'n 'u gweld nhw?

NOW: Pwy?

WILIAS: Rheina manco! . . . cannoedd ohonyn nhw'n rhythu arnon ni.

NOW (*yn dechrau cael diddordeb yn chwarae Wilias yn awr*): Cannoedd?

WILIAS: O bob lliw a llun—methu deall be' ŷn ni'n 'i wneud yma, ond wnân ni ddim symud iddyn nhw. (*Mae'n codi ei lais ac yn cyfarch ei gynulleidfa ddychmygol*) WNÂN NI DDIM SYMUD I CHI!

NOW: Na wnawn. (*Ond heb fawr o argyhoeddiad eto gan nad yw'n rhy siŵr o ystyr y chwarae*)

WILIAS (*wrth ei gynulleidfa*): Ddown ni ddim i lawr nes cawn ni'n hawlie—'taen ni'n gorfod aros yma tan ddydd y Farn . . . (*Mae'n edrych ar Now ac yn sylweddoli ei fod yn y niwl braidd*) Ar ben to'r eglwys ŷn ni, 'ti'n gweld.

NOW: To'r eglwys?

WILIAS: Ie—protest!—rŷn ni wedi dringo i fyny yma i brotestio . . . deall?

NOW: O—protest . . . grêt . . . ia, protest.

WILIAS: Ac ma'n nhw i gyd manco yn edrych arnon ni. (*Mae'n cyfarch ei dyrfa eto*) Rŷn ni yma ar egwyddor.

NOW (*yn llawn brwdfrydedd yn awr gan ei fod yn deall y sefyllfa ddychmygol y mae Wilias wedi ei gosod*): Ydan—ac yma byddan ni nes cawn ni chwara teg.

WILIAS (*wrth ei fodd yn awr gan fod Now yn hapus unwaith eto*): Ac mi gewch chi ein saethu ni cyn y down ni i lawr.

NOW: Cewch—dan ni'n barod i hynny—dan ni'n barod i fynd i'r pen.

WILIAS: Rŷn ni wedi blino ar ryw gildwrn yn awr ac yn y man—o hyn allan, rŷn ni'n mo'yn y cyfan.

NOW: Yr holl gabwj—(*Mae'n troi at Wilias*) . . . Be' dan ni isio, Wilias?

WILIAS: Rhywbeth fynnot ti, Now bach—rhywbeth fynnot ti!

NOW: Hollol! (*Mae'n troi i gyfarch ei gynulleidfa eto*) . . . pres . . . arian . . . llond trol ohonyn nhw.

WILIAS: Cyflog teilwng am ddiwrnod gonest o waith.

NOW (*wrth Wilias*): Ond, diawl, Wilias, dan ni ddim isio gweithio.

WILIAS (*Saib byr i feddwl*): Dim gwaith i neb dros bymtheg.

NOW: Dim gwaith! Dim gwaith . . . dim gwaith . . .

WILIAS (*yn ymuno gydag ef*): Dim gwaith . . . dim gwaith . . . dim gwaith . . . (*Mae'n edrych ar Now tan wenu*) . . . 'ti'n teimlo'n well yn awr, o'nd wyt ti . . . roeddwn i'n gwybod fod gen i un dda'r tro yna.

NOW: Mi oedd honna'n un dda, Wilias.

WILIAS (*wedi ei blesio'n arw*): Mi allwn ni gael digon o hwyl fan hyn, 'ti'n gwybod.

NOW (*yn meddwl am rywbeth yn sydyn*): Hei! . . . ma' gin inna un rŵan hefyd. (*Mae'n neidio ar ei draed*)

WILIAS: Reit, 'ta. (*Yn gwneud osgo i sefyll yr un modd*)

NOW: Na . . . steddwch chi. (*Wilias yn eistedd eto*) . . . na, nid fan'na . . . fan'cw. (*Mae'n pwyntio at y llawr*) . . . lawr yn fan'cw.

WILIAS: Fel mynni di. (*Mae'n dringo i lawr yr ysgol*)

NOW: A fi'n fan hyn. (*Mae'n twtio chydig ar ei wallt, etc.*) Nefi, ma' hon yn un dda hefyd, Wilias.

WILIAS (*yn edrych i fyny arno o'r gwaelod erbyn hyn gyda brwdfrydedd*): Barod!

NOW: Na, steddwch yn y bath 'na.

WILIAS (*yn gwneud*): Fan hyn?

NOW: Gwynebwch fi, Wilias. (*Mae Wilias yn troi i wynebu Now gyda gwên fawr ar ei wyneb*) Annwyl gyfeillion, (*Mae Now yn awr yn dechrau dynwared pregethwr*) Mae'r testun heno o'r drydedd bennod o lyfr y cwningod a'r adnod 'gosa i'r wal . . .

WILIAS (*Mae'r wên yn diflannu yn awr*): Na, Now, paid . . .

NOW: Ein tad yr hwn wyt yn y daflod,
Tyrd i lawr mae'r uwd yn barod . . . (*Yn mynd i hwyl*)

WILIAS (*ar ei draed yn awr wedi cynhyrfu tipyn*): Wi ddim am wrando . . .

NOW (*yn cymryd dim sylw ohono*): Bara llaeth mewn powlan bren . . .

WILIAS: Paid!

NOW (*mewn hwyl dda yn awr*): Yn oes, oesoedd, Amen!

WILIAS (*yn gweiddi'n gynddeiriog yn awr*): Rho'r gora iddi.

NOW (*Mae Now yn peidio ac yn edrych yn syn arno. Mae ysbaid byr o ddistawrwydd*): Be' sy?

WILIAS: Dim o hynna . . . (*Mae dan dipyn o deimlad yn awr*) . . . Wi ddim am gael dim o hynna—deall?

NOW (*yn sylweddoli yn awr fod Wilias mewn tipyn o stad*): Ond gêm, Wilias bach, hwyl!

WILIAS: Ond nid hynna—rhywbeth ond hynna!

NOW: Pam?

WILIAS: Ma' rhaid inni barchu rhai petha . . . 'ti ddim yn gweld . . . allwn ni ddim fforddio i'w insyltio fe.

NOW (*gyda her*): Pwy?

WILIAS (*ar ôl ysbaid byr*): Dwn i ddim, Now bach . . . ond . . . y peth . . . rwbath . . . ma's fan'na yn rwla . . . y tu ôl i bopeth.

NOW: Straeon Tylwyth Teg!

WILIAS: Gwylia be' 'ti'n 'i ddeud.

NOW: Wel, dwi'n 'i ddeud o . . . ac mi duda i o eto hefyd . . . dwi ddim yn coelio hynna yno' fo! (*Mae'n clecian ei fys a'i fawd*)

WILIAS: Fyddi di ddim ofn iddo fe dy daro di'n farw yn y fan a'r lle?

NOW: Na fydda—am 'mod i'n gwbod nad ydi o ddim yna.

WILIAS (*yn fwy addfwyn a thosturiol yn awr*): Ond ma'n rhaid bod 'na rywbeth, 'ngwas i . . . ma' rhaid bod 'na rywbeth wedi dy greu di a minnau.

NOW: Mi dduda i wrthach chi'n union . . . pwniad sydyn yn nhin wal un noson . . . y fodan yn llyncu pry, a'r co yn 'i heglu hi . . .

WILIAS: Ma' hynny'n digwydd yn amal, 'ngwas i . . . (*Saib hir*)

NOW: Os ma' fo ddaru fi Wilias—y peth 'ma dach chi'n sôn amdano fo . . . (*Saib*) . . . chafodd o fawr o hwyl, naddo?

WILIAS: Mae'n anodd deall weithie . . .

NOW (*yn bendant yn awr*): Sdim byd i'w ddallt . . . (*Saib hir yn awr wrth i'r ddau syllu i'r gwagle o'u blaen*) . . . Chafodd o fawr gwell hwyl hefo chithe chwaith, naddo?

WILIAS (*yn ddig braidd*): Sdim byd o'i le arna i! Dipyn o straen, dyna i gyd.

NOW (*yn dal i syllu'n fyfyrgar*): Cythral o straen, dd'wedwn i (*Saib hir o ddistawrwydd yn awr—gellir clywed awyren yn rhuo uwchben a phasio'n gyflym. Mae'r ddau yn edrych i fyny.*)

WILIAS: Dyna pam mae'n rhaid i ni, Now bach. (*Wedi ei gynhyrfu*)

NOW: Rhaid be'?

WILIAS: Cadw'n glir oddi wrthyn nhw—oddi wrth bawb a phopeth . . . yn rhydd o'u crafange nhw . . . (*Mae'n edrych o gwmpas y caban*) . . . Fan hyn, ni'n dau . . . mi fyddan ni'n saff fan hyn.

NOW (*yn codi, a gafael yn ei bac*): Na . . . dim fan hyn, Wilias, ma' hynna'n bendant!

WILIAS: Ond, Now . . .

NOW: Na . . . waeth i chi ddim . . . falle na ches i 'rioed gartra y gallwn i ddweud ma' fi oedd pia fo . . . ond dwi wedi bod mewn llefydd da . . . llefydd glân . . . graenus . . . Ma' gin i'n safone, wyddoch chi.

WILIAS: Ac mi fydd graen fan hyn hefyd, Now—safon . . .

NOW: Waeth i chi heb na malu. (*Mae'n gwneud i fynd*) . . . Dowch!

WILIAS: Cicia fi pan wy 'i lawr 'ta.

NOW: Be sy arna chi?

WILIAS: Bradwr! . . . Cyllell yn fy nghefn i . . .

NOW: Peidiwch â phaldaruo, wnewch chi . . .

WILIAS: Helpa fi, 'ta . . . helpa fi i geisio cael fy arian yn ôl.

NOW: Dwi'n gaddo hynny i chi. O, dwi'n gaddo hynny . . . mi leinia i'r diawl pan ga' i afael yno fo . . .

WILIAS: Chei di byth . . . dyna'r pwynt . . . chei di byth afael ynddo fe.

NOW: Be' dach chi'n 'i feddwl?

WILIAS: Smo fe ar gael, 'ti'n gweld . . . ma' fe . . . ma' fe 'di mynd bant i . . . i Awstralia. (*Mae'n amlwg mai esgus tila yw hyn*)

NOW: Ostrelia?

WILIAS: Mi aeth yn syth yno ar ôl setlo'r fargen.

NOW: Wel, sut gythral dach chi'n disgwl cael eich pres yn ôl, 'ta?

WILIAS: Cymoni tipyn ar fan hyn . . .

NOW: Ylwch! Dwi wedi deud wrthach chi . . .

WILIAS: Na, aros funud—gad imi gwpla! 'Taen ni'n ceisio gwerthu hwn nawr—fel y mae e—fydden ni'n cael cwsmer?

NOW: Byth dragwydd.

WILIAS: Iawn! Ond beth 'taen ni'n gweithio arno fe—'i wneud e lan—atgyweirio'r lle?

NOW: Y?

WILIAS: Aildrefnu pethe—rhoi tipyn o sglein arno fe—be' wedyn, tybed? Be' wedyn?

NOW: Dach chi'n meddwl . . ?

WILIAS: Wi'n gwybod, Now bach . . . fe gaem gwsmer yn syth . . . a chael mwy na'n harian yn ôl.

NOW: Ma' gynnoch chi bwynt fan'na, Wilias.

WILIAS (*yn gwenu'n awr*): Wrth gwrs fod gen i . . . proffit sylweddol! . . . digon i brynu lle bach gwell—lle teidi.

NOW: Dach chi'n iawn, Wilias—mi brynith y Saeson yma rwbath.

WILIAS: Aros 'da fi, 'ta. Aros tan hynny . . . fydd y ddau ohonon ni fawr o dro a chael trefen arno fe.

NOW (*Saib i feddwl*): Faint gymerwn ni dach chi'n meddwl?

WILIAS: Rhyw fis ne' ddau!

NOW: Mis ne' ddau?

WILIAS: Llai! Wythnos ne' ddwy os torchwn ni'n llewys.

NOW (*yn edrych o gwmpas*): Tipyn o gontract!

WILIAS: Ond 'i werth e, Now—meddylia . . . lle bach teidi . . . palas bach i ni'n dau!

NOW: Ac nid rhyw gatch cwningan 'run fath â hwn?

WILIAS: Now . . . dishgwl . . . 'wn i be' wna i 'da ti . . . (*Saib a gwên*) . . .
mi gei di ddewis lle inni'r tro nesa.

NOW: Wir?

WILIAS: Lle bynnag mynni di, Now bach. Lle bynnag mynni di.

NOW: Bargen! (*Mae'n rhoi ei gês i lawr*)

WILIAS (*eisiau plesio'n awr*): Mi gei di'r gwely yma—fe gysga i ar lawr.

NOW: Ma' hi'n oer uffernol yma, cofiwch.

WILIAS (*edrych i fyny at y ffenestr fach*): Honco sy'n 'gored. (*Mae'n
dringo'r ysgol*)

NOW (*edrych ar y stôf*): 'Di hon yn gweithio, tybad?

WILIAS (*o ben y daflod*): Wrth gwrs 'i bod hi . . . ac ma' digon o goed o
gwmpas. (*Mae cochni'r machlud ar ei wyneb pan mae'n sefyll o
flaen y ffenestr fach*) Dyna i ti fachlud, Now bach—ble cei di well
golygfa na hynna—dwêd wrtha i?

NOW (*yn chwilio am ddarnau o goed o gwmpas yr ystafell*): 'Di hwn yn
dda i rwbath? (*Codi rhyw hen focs*)

WILIAS (*edrych allan drwy'r ffenestr*): Ma' rhywbeth gobeithiol mewn
machlud Chwefror—rhyw addewid at yr haf . . . rhyw sicrwydd 'i
fod e yno o hyd . . . (*Mae'n cau'r ffenestr ac y mae'r ystafell yn
tywyllu cryn dipyn*)

NOW (*yn sylweddoli ei bod hi wedi tywyllu*): Ma' hi'n twyllu. (*Mae
chydig o bryder yn ei lais ac y mae'n edrych i fyny at y to*) Sdim
lectric yma . . . (*Mae'n edrych o gwmpas yr ystafell gydag ychydig o
banig*)

WILIAS (*yn dod i lawr yr ysgol*): Sut?

NOW: Lectric! Sdim bylb, na swits yn unlla 'ma.

WILIAS: Nac oes, ond mater bach . . .

NOW: Ond Wilias, mi fydd hi'n dwyll bitch yma . . .

WILIAS: Paid â chynhyrfu . . .

NOW: Ond ma' rhaid imi gael gola—dach chi'n gwbod hynny . . . ma'
rhaid imi gael gola—ma' rhaid i mi . . .

WILIAS (*yn rhuthro at y llusern*): Ma' 'dan ni ole, Now bach. (*Mae'n dal
y llusern i fyny*) Edrych!

NOW: Neith hi weithio?

WILIAS: Wrth gwrs y gwneith hi (*Mae'n ysgwyd y llusern wrth ei glust i
edrych oes yna olew ynddi*)

NOW: Paraffîn?

WILIAS: Digon am nawr. (*Mae'n mynd ati i danio'r llusern*) . . . Fyddwn
ni ddim winced yn cael dipyn o ole ar y mater.

NOW: Ond fydd yna ddigon 'di'r pwynt—fydd yna ddigon i bara trw'r nos—ma' rhaid imi gael gola trw'r nos, dalltwch!

WILIAS (*yn tanio'r llusern*): 'Na ni . . . i'r dim. (*Mae'n ei chodi fel petai wedi cyflawni rhyw wrhydri mawr*) Fel leitws Mwmbwls—be' 'ti'n weud?

NOW (*yn gwenu nawr*): Duwcs, da Wilias, lamp glyfar!

WILIAS: Chei di ddim byd fel hyn heddi, wyddost ti . . .

NOW: Ond faint parith hi 'di'r peth . . . faint parith hi, Wilias . . . ma' petha fel hyn yn llyncu paraffîn, w'chi.

WILIAS: Amynedd! (*Mae'n rhoi'r llusern ar y gist ac yna cerdded at y cwpwrdd yn y gornel. Mae'n agor y cwpwrdd a thynnu twmffat bychan a photelaid o baraffîn allan.*) 'Ti'n gweld? Digon o stoc am wythnos o leia.

NOW (*Saib*): Sut gwyddoch chi?

WILIAS: Sut gwyddwn i beth?

NOW: Bod y rheina'n fan'na rŵan?

WILIAS (*yn petruso'n awr*): Wel . . . mi . . .

NOW (*wedi gwylltio'n awr*): Mi aethoch chi'n syth yna, Wilias . . . mi aethoch chi'n syth i fan'na rŵan.

WILIAS: Wel, roedd synnwyr yn dweud . . .

NOW: Roeddach chi'n gwbod—gwbod yn union ble i roid ych llaw arnyn nhw.

WILIAS: Wel . . . yn fan'na y bydde pethe'n cael eu cadw . . .

NOW: Peidiwch â 'nhwyllo i, Wilias—dach chi'n palu clwydda.

WILIAS: Disgwyl, Now bach . . .

NOW: 'Nhwyllo i yn 'y nanadd—meddwl 'mod i'n blydi twp.

WILIAS: Nawr, gwranda . . .

NOW: 'Run peth gynna hefo'r cloc yna . . . mi o'n i'n gwbod . . . dach chi wedi bod yma o'r blaen, on'd do?—Dach chi wedi bod yma o'r blaen?

WILIAS (*ar ôl saib*): Do!

NOW (*Mynd am ei gês eto*): Reit! Dwi wedi cael llond bol arnoch chi— twyllo . . . stilio . . . dach chi 'run fath â'r gweddill ohonyn nhw!

WILIAS: Ond doeddwn i ddim . . .

NOW: Dwi ddim isio clwad mwy o'ch clwydda chi . . .

WILIAS: Ma' rhaid iti . . . ma' rhaid iti wrando . . .

NOW: Dwi ddim yn mynd i wrando.

WILIAS: Ond y gwir y tro hwn—'tai Duw yn fy lladd i yn y fan . . . nawr 'ti'n gwybod na dd'wedwn i mo hynna—wedwn i byth mo hynna oni bai 'mod i o ddifri . . .

NOW: Dydi o ddim ots gen i bellach.

WILIAS: Ond doeddwn i ddim am iti fynd, 'ti'n gweld—doeddwn i ddim am iti 'ngadael i . . . er dy les dy hun.

NOW: Fy lles i?

WILIAS: Ia . . . rwy'n gwybod am fan hyn, 'ti'n gweld . . . ma' rhywbeth arbennig ynghylch yr hen dŷ bugail yma . . . gwahanol i bob man arall . . . pur . . . llesol. Mi'i prynais i e cyn gynted ag y gwelais i o ryw flwyddyn yn ôl.

NOW: Wel, ma' isio chwilio'ch pen chi, 'ta?

WILIAS: Fues i 'rioed cyn hapused yn unlle . . . dim byd yn pwyso . . . dim byd yn gwasgu . . . llonyddwch o'r diwedd.

NOW: Pam aethoch chi o'ma, 'ta?

WILIAS (*Saib*): Ofn!

NOW: Wel, 'na fo—a dach chi 'rioed yn disgwl i mi . . .

WILIAS: Nid ofn fel'na, Now bach—nid ofn y 'pethe' . . . ond . . . ofn . . . (*Saib i feddwl*) . . . mynd, 'ti'n gweld.

NOW: Y?

WILIAS: Mi ddeffris i ar y gwely yna un noson yn chwys stecs . . . doeddwn i ddim yn deall be' oedd o'i le am chydig . . . yna fe'm trawodd fi . . . beth 'tawn i'n mynd yn fy nghwsg . . . fan hyn fy hunan . . . be' 'tawn i'n *marw* a neb yn gwybod . . . be' wedyn?

NOW: Wel, dyna'n union be' o'n i'n drio'i ddeud wrthach chi gynna . . .

WILIAS: Allwn i ddim aros yma wedyn, 'ti'n gweld . . . ddim fy hunan . . . mi oedd rhaid i mi fynd . . . yn ôl . . . yn ôl yna atyn nhw.

NOW: Naethoch chi'n gall . . .

WILIAS (*Gwenu yn awr*): Yna, mi gwrddais â thi . . . ac mi o'n i'n gwybod yn syth . . . dyna'r un, medde fi . . . rydyn ni'n deall ein gilydd i'r dim . . . fe gaiff Now ddod i fyw yna 'da fi . . . fe gaiff Now y fraint.

NOW: Hy!

WILIAS: Ond roedd yn rhaid imi dy drin di'n ofalus, 'ti'n gweld . . . hyd yn oed dweud ambell gelwydd i dy gael di yma.

NOW: 'Ambell' ddudoch chi?

WILIAS: A pham oeddet ti'n mynnu gadael gynne fach, mi dd'wedais y peth cynta ddaeth i'm meddwl i . . . Awstralia! . . . er mwyn i ti aros . . . er mwyn i ti weld drosot dy hun—profi!

NOW: Wel, mi ydw i wedi gweld, diolch yn fawr! (*Mynd at y drws*)

WILIAS: 'Ti'n gwneud camgymeriad mwya dy oes!

NOW: Ma' croeso ichi ddŵad hefo fi os dach chi isio.

WILIAS (*Gweiddi*): Elli di ddim gwneud dy hunan—ma' hynny'n saff.

NOW (*Gwyllt*): Be' dach chi'n 'i feddwl?

WILIAS (*yn dawel*): 'Ti ddim 'run fath â pawb arall, Now bach . . . 'ti'n gwybod hynny'n iawn.

NOW (*Gwyllt hollol nawr*): Dwi'n gallach na chi, co bach . . . 'nes i 'rioed gloi fy hun yn londri a byta sebon, naddo?

WILIAS (*Gwyllt*): Wnes i ddim byd o'r fath!

NOW: A rhedag i gapal yn noethlymun gorn!

WILIAS (*yn gweiddi*): Celwydd!

NOW: A thorri 'ngarddyna' nes oedd y gwaed yn pistyllio. (*Gweiddi yn awr*) . . . Wnes i 'rioed dorri fy blydi garddyrna' . . .

WILIAS: Bydd ddistaw! Bydd ddistaw!

NOW: Pwy sy ddim yn gall, 'ta . . . pwy sy ddim yn gall? (*Mae'n mynd allan gyda chlep ar y drws*)

WILIAS (*yn sgrechian*): Dos, 'ta'r bastad . . . (*Mae Wilias yn eistedd i lawr fel petai wedi ymlâdd yn llwyr. Does dim swn yn unlle ond ambell ddafad fynydd yn brefu yn y pellter. Mae Wilias yn dechrau wylo yn ddistaw. Ar ôl cyfnod hir o amser, mae'r drws yn agor yn araf, a daw Now yn ôl yn edrych yn euog ac edifeiriol. Mae'n cerdded yn araf at Wilias ac yn rhoi ei gês i lawr.*)

NOW: Mae hi'n uffernol o dywyll y tu allan yna, Wilias.

WILIAS (*Gwên fechan*): Ydi hi, 'ngwas i? (*Nid yw'n troi ei ben i edrych arno*)

NOW (*yn mynd i eistedd wrth ymyl Wilias*): Ydi!

WILIAS: Paid â becso . . . mi fyddi di'n iawn fan hyn 'da fi. (*Mae'n rhoi ei law am ei ysgwydd. Fe dywyllir y llwyfan. Ar ôl ychydig eiliadau fe glywir Now yn dechrau canu 'Mae gen i dipyn o dŷ bach twt' ac fe oleuir y llwyfan drachefn. Gwelwn fod Now yn awr wedi tynnu ei gôt ac yn edrych gyda rhyw fath o frwdfrydedd newydd ar ei amgylchedd. Tan ganu, mae Now yn adeiladu'r tŷ trwy wisgo'r sgerbwd â'r parwyddydd sydd ar y llawr. Daw Wilias i mewn gyda dwy gadair, ac y mae yntau hefyd yn rhoi rhywfaint o help i Now gyda'r gwaith yma. Fe ddylai'r holl dŷ fod yn gyflawn ar ôl rhyw ddau funud, a dylai'r cynhyrchydd ddyfeisio symudiadau slic (bron fel dawns) i gyflawni hyn. Dim ond ffordd symbolaidd fydd y digwyddiad yma i ddangos fod y tŷ wedi ei wella a'i atgyweirio dros gyfnod o amser—gyda Now yn gwneud y rhan fwyaf o'r gwaith. Ar ôl gorffen hyn, mae Wilias yn mynd allan gan adael Now ar ei ben ei hun ar y llwyfan. Mae'r mur cefn wedi ei beintio eisoes â melyn llachar ac fe gyfyd Now bot o baent du i fynd i beintio'r ffenestr.*)

NOW (*yn canu wrth beintio'r ffenestr*): Bing a bong a bing a bong a bing, bong, be . . . etc. (*Yn sydyn, mae'r brws yn llithro o'i afael ac yn*

gwneud smotyn mawr du ar y wal felen) . . . Damia! (*Mae'n cael
cadach ac yn ceisio sychu'r smotyn du i ffwrdd—ond nid yw ond yn
gwneud pethau'n waeth) . . .* Damia ulw las . . . Oes 'na baent melyn
ar ôl, 'ta? (*Mae'n edrych mewn bocs sy'n llawn o duniau paent) . . .*
du, glas, gwyrdd, coch . . . (*Mae'n gwylltio) . . .* bob lliw ond blydi
melyn . . . (*Mae'n meddwl) . . .* do, mi orffenon ni'r melyn . . . fi
daflodd y tun . . . (*Mae'n edrych ar y marc du ar y mur eto) . . .* be' wna
i, 'ta . . . be' gythral wna i? . . . (*Mae'n ymddangos fel petai'n cael
syniad) . . .* Aha! . . . (*Mae'n codi'r brws paent o'r tun, a chyda chryn
ddyfeisgarwch mae'n troi'r marc du yn rhan o lun pen a sgwyddau
merch. Mae'n rhoi ffrâm o gwmpas y cwbwl.) . . .* 'Ti'n *genius*, Now
bach . . . *brilliant!* (*Mae cnoc uchel ar y drws. Am funud mae'n cael
tipyn o ddychryn, ac yn brysio i'r ffenestr i edrych allan. Daw gwên dros
ei wyneb.) . . .* Wilias! (*Mae'n mynd at y drws ac aros) . . .* Pwy sy' 'na?

WILIAS (*Llais*): Sais!

NOW: Pwy?

WILIAS: Sais! Mr Hornby Gibson Smith!

NOW: Grêt. (*Mae'n agor y drws tan wenu, gan wybod fod hwyl arall ar dro*)

WILIAS (*yn actio*): *I understand you have a furnished cottage for sale.*

NOW: *Yes . . . oh, yes . . . come in* (*Mae Wilias yn cerdded i mewn yn
bwysig iawn ei osgo*)

WILIAS: *Do you mind awfully if I look round the place?*

NOW: *Certainly . . . with pleasure . . .* (*Mae'n troi at y gornel lle mae'r
llestri, y tebot, y tecell, etc.) . . . This is the kitchen . . . as you can
see, all mod cons . . . hot and cold water throughout—all found.*

WILIAS: *Excellent!*

NOW (*yn pwyntio at y silff lle mae'r taclau safio, brws dannedd, drych,
sebon a llian, etc.*): *And this is the bathroom—open plan you see!*

WILIAS: *Ah! So adventurous.* (*Saib*) *No toilet!*

NOW: *Certainly—concealed in recess* (*Mae'n agor cwpwrdd bychan i
ddangos pot siambar . . .) One bedroom here . . .* (*Yn pwyntio at un
gwely) . . . and the other over there* (*Yn pwyntio at y gwely arall) . . .
Dining room* (*Lle mae'r bwrdd.) . . . Lounge* (*Lle mae'r cadeiriau.) . . .
and the consyrfansi up there* (*Lle mae'r daflod*)

WILIAS: *How absolutely quaint.*

NOW: *Ah yes, I nearly forgot . . .* (*Mae'n pwyntio at y stôf) . . . Central
heating throughout!*

WILIAS: *Wonderful . . . just absolutely delightfully wonderful.*

NOW: *I thought you'd like it.*

WILIAS (*yn troi i edrych at y mur cefn lle mae Now newydd wneud y darlun*) *Out of this world . . . I have never . . .* (*Mae'n stopio pan wêl y darlun*) Be' gythral yw hwnna?

NOW: Dach chi'n 'i licio fo, Wilias? . . . Dach chi'n 'i licio fo?

WILIAS (*rhwng pyliau o chwerthin*): Arbennig, y 'ngwas i—arbennig. Dere â'r brws i mi. (*Mae Wilias yn tynnu llun sgwâr ar y mur*) Beth yw hwnna? (*Yr ochor arall i'r drws*)

NOW (*Saib byr o feddwl*): Ffenast!

WILIAS: Iawn! (*Mae nawr yn tynnu llun rhywbeth fel postyn hir yng nghanol y ffenestr tra mae Now yn craffu gyda diddordeb*) Beth yw hwnna, 'ta?

NOW (*Crafu ei ben*): Wn i ddim.

WILIAS: Giraff yn pasio'r ffenast (*Mae'r ddau'n chwerthin am ysbaid hir*) *Mister! Name your price . . . I'll buy it—any price you want.*

NOW: Na! (*Yn ddifrifol yn awr a chydag ychydig o banig yn ei lais*) Fiw i ni, Wilias . . . fiw i ni.

WILIAS: Beth?

NOW (*yn edrych o gwmpas y caban gyda rhyw fath o edmygedd parhaus*): Mi oeddach chi'n iawn, dach chi'n gweld . . . mi oeddach chi yn llygad ych lle.

WILIAS (*yn methu deall yn iawn beth sydd gan Now*): Oeddwn i?

NOW: Ma 'na . . . ma' 'na rwbath ynghylch y lle yma, Wilias . . . rwbath braf . . . neis! Rwbath . . . (*Mae'n methu dod o hyd i'r geiriau iawn i ddisgrifio'i deimladau*) . . . Wnes i 'rioed deimlo fel hyn—o'r blaen felly—yn union fel hyn . . . dim cysgodion aflan . . . dim petha cas anghynnas. (*Mae'n cyffwrdd ochr ei dalcen â blaen ei fysedd*) . . . dim poena (*Saib*) . . . oes, ma' llonydd i gael fan hyn . . . (*Mae'n troi at Wilias gyda'r panig yn ei lygaid eto*) . . . Feiddiwn ni ddim gadael, Wilias . . . feiddiwn ni ddim!

WILIAS (*yn gwenu arno'n dadol*): Mi wyddwn i, Now bach, mi wyddwn i'n iawn.

NOW: Wnewch chi ddim gwerthu, 'ta? Wnewch chi ddim gwerthu felly, na 'newch?

WILIAS: D'on i 'rioed wedi bwriadu gwneud, 'machgen i.

NOW (*Pigog nawr*): Be' dach chi'n feddwl. Dyna ddudoch chi . . ?

WILIAS: Hynny ydi . . . wnes i 'rioed feddwl y bydde rhaid imi . . . roeddwn i'n gwybod, 'ti'n gweld . . . roeddwn i'n gwybod y byddet ti'n hoffi'r lle . . . ond taet ti isio, mi fyddwn wedi gwerthu'r cyfan 'bag a bagej' . . . ond mi wyddwn yn iawn na ddeua hi byth i hynny . . . rydan ni'r un fath, Now bach . . . 'run anian . . .

NOW (*Yn eiddgar*): Gawn ni aros yma, 'ta?

WILIAS: Tra byddwn ni, Now bach.

NOW: Grêt! . . . (*Mae'n cerdded o gwmpas fel bachgen bach newydd gael anrheg*) . . . blydi grêt! . . . (*Mae'n troi at Wilias yn ddifrifol eto*) . . . Dwi ddim isio cymryd mantais chwaith, cofiwch!

WILIAS: Ym mha ffordd?

NOW: Wel . . . (*Saib*) . . . mi fydd rhaid imi . . . mi fydd rhaid imi gael talu am 'y lle.

WILIAS: Paid â siarad dwli!

NOW: Na . . . na, dwi'n mynnu hynny, Wilias—'nes i 'rioed fyw ar gefn neb.

WILIAS: Ond, Now . . .

NOW: Mi ga' i joban bach i lawr yn y dre' 'na (*Mae wyneb Wilias yn gweddnewid*) . . . rwbath ysgafn.

WILIAS (*Gwyllt*): Wnei di ddim byd o'r fath!

NOW: Rownd bapur ne' rwbath . . . ne' gario post.

WILIAS (*Gweiddi*): Wnei di ddim byd o'r fath . . . cael dy lygru ganddyn nhw—dy wenwyno.

NOW: Mi ofala i am hynny . . .

WILIAS (*ar dop ei lais nawr*): Na! . . . Chei di ddim mynd yn agos atyn nhw . . . 'ti'n 'neall i . . . ddim yn agos. (*Mae Now yn edrych arno mewn syndod*) . . . P'run bynnag, nid fi sy berchen e!

NOW: Y?

WILIAS: Y tŷ yma! (*Mae'n cerdded at ei gês a'i agor*) Nid fi sy berchen y lle!

NOW: Nid . . . nid chi?

WILIAS (*yn agor y cês*): Nage.

NOW: O'r Arglwydd . . . peidiwch â dweud wrtha i . . . dim celwydd arall, Wilias . . . alla i byth ddiodda . . .

WILIAS: Doedd e ond teg, 'ti'n gweld. (*Mae'n tynnu darn o bapur o amlen yn y cês*)

NOW (*yn eistedd i lawr fel petai wedi ildio'n llwyr*): Mi ddylwn i fod yn gwbod . . . dach chi ddim hannar yna . . . (*Bron wrtho'i hunan*)

WILIAS (*yn dod â'r papur i Now*): Ti a fi.

NOW: Y?

WILIAS: Edrych. (*Mae'n rhoi'r darn papur i Now*) Gweithredoedd . . . nid fi sy berchen o, 'ti'n gweld, ond y ddau ohonon ni.

NOW: Y ddau? (*Mae'n cymryd y gweithredoedd ac edrych arnynt*)

WILIAS: Fe ges y cyfreithiwr i newid y gweithredoedd gwreiddiol . . . os oeddet ti am fyw yma 'da fi—yna—rhannu'r cyfan . . . pob peth!

NOW (*wedi ei syfrdanu'n awr*): Y cyfan?

WILIAS: Doedd o ddim yn deg . . . roedd rhaid iti gael sicrwydd . . .
fyddet ti ddim yn hapus heb rywfaint o sicrwydd . . . a beth petai
rhywbeth yn digwydd i mi . . . be' wedyn . . . doeddwn i ddim am dy
weld ti ar y clwt. (*Mae Now yn rhoi ei ben i lawr a dechrau wylo'n
ddistaw*) Be' sy'n bod? (*Nid yw Now yn ateb*) . . . Now, bach . . . be'
sy 'ngwas i?

NOW: Dach chi rhy dda i mi, Wilias . . . rhy dda . . .

WILIAS: Dere nawr . . . (*Yn rhoi ei law am ei ysgwyddau i'w gysuro*)

NOW: A finna . . . yn ama . . . yn meddwl petha cas . . .

WILIAS: Rŷn ni i gyd yn euog o hynny weithie . . .

NOW: Dwi ddim yn haeddu . . . alla i ddim . . . alla i ddim derbyn, Wilias.

WILIAS: Ond 'ti'n gwneud cymwynas â mi, Now—elli di ddim gwadu
hynny—ti sy'n rhoi.

NOW: Ond mi dala i—dwi'n benderfynol . . . mi dala i fy siâr i chi.

WILIAS: Edrych ar y lle yma, Now—edrych arno fe . . . pwy sy wedi
gweithio yma? . . . glanhau, atgyweirio . . . peintio . . . pwy sy'n
gyfrifol? (*Mae Now yn edrych*) Ti, Now bach, ti sy wedi bod wrthi.

NOW: A chi, Wilias.

WILIAS: Na—ti, Now—ti! Yr unig beth wi wedi'i wneud odi mynd lawr
i'r dre 'na nawr ac yn y man i nôl pethe . . . ond ti sy wedi bod wrthi
. . . ti sy wedi'i droi e'n balas bach.

NOW (*Gwên yn awr*): Dwi wedi mwynhau, Wilias.

WILIAS: Wel, dyna dy gyfraniad di, 'machgen i—'tawn i wedi cael
crefftwr i mewn mi fydde wedi costio ffortiwn i mi.

NOW: Dach chi'n meddwl?

WILIAS: Wi'n gwybod . . . ma' llafur yn ddrud heddi, wyddost ti—mi
fydde wedi costo cymaint ag a rois i am y lle—o leia hynny.

NOW: Ma' llafur yn ddrud, Wilias.

WILIAS (*yn rhoi ei law iddo*): Rŷn ni'n bartners, 'ta—heb i neb fod
mewn dyled i'r llall.

NOW (*ar ôl saib byr*): Partners! (*Mae'n ysgwyd llaw â Wilias*)

WILIAS (*yn cerdded at y drws fel petai'n mynd i nôl rhywbeth*): Dyna ni, 'ta.

NOW: Ond, Wilias!

WILIAS (*yn troi*): Ie?

NOW: Mi fydd rhaid inni . . . mi fydd rhaid inni fyw, yn bydd?

WILIAS: Be' 'ti'n 'i feddwl?

NOW: Mi fydd rhaid inni gael pres i'n cadw . . . fedrwn ni ddim byw ar
wynt.

WILIAS (*Gwên fuddugoliaethus eto*): Aros di . . . (*Mae'n mynd at y cês
eilwaith.*)

NOW: Mi fydd rhaid inni fyta . . . a phrynu gêr . . . a dillad a ballu . . . (*Mae Wilias yn tynnu blwch metel allan o'r cês*) . . . chawn ni ddim dôl gan y diawled.

WILIAS: Dyma ti. (*Mae Wilias yn agor y blwch o dan drwyn Now*)

NOW (*yn edrych i mewn i'r blwch â syndod am ysbaid*): 'Rarglwydd o'r Sowth!

WILIAS (*yn tynnu bwndeli o bapurau pum punt allan*): Pum cant a hanner mewn arian parod!

NOW (*gyda golwg ddifrifol rŵan*): Ble cawsoch chi nhw?

WILIAS: Fydd dim rhaid inni fod ar ofyn neb.

NOW: Ond ble cawsoch chi nhw, Wilias . . . dudwch wrtha i . . . dach chi 'rioed wedi . . ?

WILIAS: Fi sy berchen nhw, gw'boi—fi!

NOW: Na . . . ylwch . . . Ma' well gen i gael gwbod y gwir rŵan . . . os dach chi wedi'u bachu nhw . . .

WILIAS (*wedi ei frifo*): Bachu? Be' 'ti'n 'i feddwl—bachu?

NOW: Fydd o ddim mo'r tro cynta, na fydd?

WILIAS (*ar ôl saib o edrych ar Now*): 'Ti'n fy ame i eto'n awr, on'd wyt ti—'ti'n fy ame i?

NOW: Na . . . dim ond isio bod yn saff—gwbod yn union lle dwi'n sefyll.

WILIAS (*yn tynnu Beibl allan o'r cês*): Beibl! (*Yn ei godi i ddangos i Now*) . . . Fi sy berchen nhw—(*Mae'n rhoi ei law ar y Beibl*) . . . ar fy ngwir.

NOW: Nefoedd yr Adar! . . . pum cant (*Mae golwg bell arno*)

WILIAS: Mil i gyd—fe adawodd fil i mi.

NOW: Mil?

WILIAS: Hen fodryb . . . meddwl y byd ohona i . . . fe adawodd fil imi yn 'i hewyllys ddwy flynedd yn ôl . . . fe aeth y gweddill ar fan hyn . . . ma' hi'n iawn arnon ni, Now bach—mae'r ceiliog aur 'di dodwy!

NOW (*Saib o feddwl*): Na, Wilias . . . dwi wedi deud wrthach chi o'r blaen . . . 'nes i 'rioed sugno neb . . . a dwi ddim yn mynd i ddechra rŵan . . . ma' rhaid i mi ennill 'y nhamad . . . ma' rhaid imi weithio!

WILIAS: Gweithia i mi, 'ta.

NOW: Y?

WILIAS: Fe dala i ti . . . fe dala i gyflog i ti.

NOW: Cyflog?

WILIAS: Ia . . . am dy dalent . . . am dy grefft.

NOW: Ond, Wilias . . .

WILIAS: Gwranda! 'Ti'n hoffi garddio, on'd wyt? 'Ti wedi dweud droeon wrtha i . . . 'ti'n hoffi garddio?

NOW: Ydw . . .

WILIAS: Nawr, 'te . . . ma' acer o dir 'da'r bwthyn yma. (*Mae'n mynd at y ffenestr*) Dere yma—dere yma am funed. (*Mae Now yn mynd ato i edrych allan drwy'r ffenestr*) Weli di ble mae'r nant 'co—wel, ni sy berchen e—ni sy berchen y tir o fan hyn i fan 'co.

NOW: Nefi!

WILIAS: A phan ddaw'r gwanwyn, fe elli di 'i drin e . . . plannu—tyfu pethe.

NOW (*Gwên*): Tatws a ballu.

WILIAS: Tato, moron . . . rhywbeth fynni di . . . cabijis!

NOW: Pys a ffa!

WILIAS: Winwns, erfin . . .

NOW (*Llawn brwdfrydedd nawr*): Rwdins, meips, bitrwts, ciwcymbyrs . . .

WILIAS: 'Na fe . . . 'na fe . . .

NOW: Letys, radish, gwsberis, cyrants cochion, cyraints duon . . . a falla—dwy ne' dair o goed fala—a gellyg—eirin, falla.

WILIAS: Perllan gyfa, Now bach—digon i'n bwydo ni haf a gaea'—fydd dim rhaid inni ddibynnu ar neb.

NOW: A be' am gadw ieir—be' am hynny? Ma' digon o gerrig o gwmpas i fildio cwt ieir.

WILIAS: Wrth gwrs bod 'na . . .

NOW: Wya mawr brown—nid rhyw sothach *deep litter*.

WILIAS: *Free range*, Now bach—*Free range*.

NOW (*Llawn breuddwydion nawr*): A buwch falla—i gael llefrith *fresh*—na . . . sdim gwartheg ar ben mynydd, nac oes?

WILIAS: Ond ma' geifr—llaeth gafr, bachgan—sdim byd mwy iachus na llaeth gafr.

NOW: Diawl, Wilias—mi allan ni neud petha—neud petha mawr!

WILIAS: Hunangynhaliol!

NOW: Y?

WILIAS: Cadw'n hunain—fydd dim rhaid i mi brynu dim—gyda'r dalent sy 'da ti.

NOW: W'chi be', Wilias—dach chi wedi'i gweld hi . . . 'dach chi wedi'i gweld hi—wir Dduw i chi! (*Mae'n mynd allan i edrych trwy'r ffenestr eto*)

WILIAS: Mi wyddwn yn iawn y byddet ti wrth dy fodd.

NOW (*yn edrych yn synfyfyriol allan*): Mi alla i weld y cyfan rŵan . . . (*Saib*) . . . a bloda, Wilias . . . rhaid inni beidio anghofio bloda . . . nefi, mi fydd hi'n batrwm o ardd.

WILIAS (*Mae Wilias yn eistedd yn awr gyda golwg bell arno*): Eirlysia . . . briallu . . . anemoni coch . . . ffarwél haf . . .

NOW: Pluo! Ydi, wir Dduw ma' hi'n pluo.

WILIAS: Beth?

NOW: Eira, Wilias . . . ma' hi'n pluo eira . . . sgynnon ni ddigon o goed a ballu i mewn?

WILIAS (*yn mynd at y ffenestr i edrych*): Odi, wir . . . roeddwn i'n 'i hame hi gynne wrth gerdded lan o'r dre 'na . . . (*Mae'n cofio rhywbeth*) Trugaredd, mi fuo bron imi anghofio . . . (*Mae'n rhuthro at y drws, ei agor—a dod â sachaid o nwyddau i mewn*) Mi'i gadewis nhw wrth y drws gynne wrth ware 'da ti.

NOW: Lwcus ych bod chi wedi bod i lawr yn nôl stoc—mi allan ni gael 'n cau i mewn yma am ddyddia. (*Mae golwg weddol frwdfrydig arno wrth feddwl am hyn. Tra mae Wilias yn y sach.*) Duw—dwi'n licio eira—ma' rhaid imi ddeud! (*Mae Wilias yn tynnu defnydd go liwgar allan o'r sach*) Eira mân hefyd . . . 'eira mân, eira mawr,' meddan nhw.

WILIAS: Edrych.

NOW: Be' ydi o?

WILIAS: Llenni i'r ffenast 'na.

NOW (*yn eu dal i fyny i edrych arnynt*): Clyfar!

WILIAS: 'Ti'n 'u hoffi nhw?

NOW: Ma' gynnoch chi dast, Wilias.

WILIAS: Aros funud. (*Mae'n cymryd y defnydd oddi ar Now a'i roi dros ei ben fel clogyn*) Pwy 'gyrrodd chi yma ata i, ŵr ifanc?

NOW (*yn gwenu wrth weld bod Wilias â rhyw gêm*): Y?

WILIAS: Ond rŷch chi wedi dod i'r lle iawn . . . mae Madam Hwdini'n gwybod y cyfan—y dirgelion oll. Eich llaw!

NOW (*yn gweld beth sydd gan Wilias*): Dynas deud ffortiwn. Be' welwch chi, Madam Hwdini?

WILIAS (*yn edrych ar ei law*): Llwyddiant . . . llwyddiant mawr i chi a'ch partner . . . mae'r busnes yn mynd i lwyddo . . . rŷch chi'n mynd i wneud eich ffortiwn.

NOW: Pa fusnes, felly?

WILIAS: *Market gardening*—dyna be' wela i . . . tato fel ffwtbol . . .

NOW: Ia. (*Chwerthin*)

WILIAS: Cabejis fel coed gwsberis . . .

NOW (*Chwerthin yn uchel*): Tewch â deud.

WILIAS: A ciwcymbyrs fel polion teligraff. Aros funud . . . aros di funud bach . . . (*Mae'n styffaglio i gael rhywbeth o waelod y sach*) . . . Aros i ti weld be' s'da fi man hyn. (*Mae'n tynnu radio transistor allan*)

NOW (*Ei wyneb yn goleuo wrth ei gweld*): Weirles! (*Ei throi ymlaen*)

WILIAS: 'Rhen siop ail-law yna (*Yn gwrando gydag edmygedd*) Un dda, o'nd yw hi—be' 'ti'n 'i ddweud?

NOW (*yn gwenu wrth gael syniad am gêm arall*): Ga i'r pleser o'r ddawns yma, syr?

WILIAS (*yn moesymgrymu*): A chroeso, madam. (*Mae'r ddau yn dechrau dawnsio o gwmpas yr ystafell*)

NOW: Fyddwch chi'n dod yma'n aml?

WILIAS: Fe alla i ddod yma'n amlach nawr ar ôl cwrdd â chi . . . (*Yn sydyn, mae un ohonynt yn baglu, gan dynnu'r llall ar ei gefn ar y llawr. Mae chwerthin mawr yn awr ac y mae'r ddau yn dechrau ymgodymu'n chwareus. Mae Now yn goglais Wilias.*)

WILIAS: Paid, Now . . . paid, Now bach. (*Yn sydyn, fe glywir sŵn fel petai rhywun wedi rhoi cic i fur yr adeilad o'r tu allan*)

NOW: Be' oedd hwnna? (*Mae'r ddau yn gwrando. Clywir ergyd arall. Mae Wilias yn brysio i ddiffodd y radio. Gwrando eto. Clywir y sŵn yn awr fel petai'n symud yn araf ar hyd y mur i gyfeiriad y drws.*) Be' uffar ydi o?

WILIAS: Sh! (*Mae'r sŵn wedi cyrraedd y drws yn awr ac fe glywir rhywun yn ymbalfalu hefo'r glicied. Mae Wilias yn rhedeg a rhoi ei ysgwydd yn erbyn y drws.*) Mae rhywbeth yna . . . ceisio dod i mewn . . .

NOW: Be' wnawn ni? (*Mae Now yn cilio i'r gornel*)

WILIAS (*yn gafael mewn darn o bren a'i godi'n fygythiol*): Agor e! (*Mae sŵn griddfan y tu allan*)

NOW: Ond beth 'tai o . . ?

WILIAS: Agor e—rwy'n barod amdano fe! (*Mae Now yn agor y drws ac y mae'r person sydd yn pwyso yn ei erbyn yr ochor draw yn disgyn ar ei ben-gliniau i mewn i'r stafell. Gwelwn ei fod wedi ei wisgo fel dringwr gyda chlogyn neu Anorak dros ei ben, a gogls tywyll am ei lygaid. Mae gwaed yn llifo o'i dalcen i lawr ei wyneb.*)

NOW (*ar ôl ysbaid hir o edrych arno mewn syndod*): Be' gythral ydi o?

WILIAS: Drycha . . . gwaed . . . ma' gwaed ar 'i dalcen e. (*Mae Wilias yn agosáu at y dringwr*)

NOW: Na! . . . peidiwch . . . peidiwch â mynd yn agos ato fo . . .

WILIAS: Ond mae e wedi cael damwain . . .

NOW: Peidiwch â'i gyffwrdd o . . . wyddoch chi ddim . . .

WILIAS: Ond dringwr yw e . . . 'ti ddim yn gweld . . . 'di disgyn ne' rywbeth . . . allwn ni ddim mo'i adael e . . . helpa fi i'w gael e i'r gadair yna . . . (*Mae Now yn wyliadurus iawn, yn helpu i godi'r dringwr a'i roi i eistedd yn y gadair*) Nawr, 'te . . . gad inni weld . . .

(*Mae Wilias yn tynnu'r clogyn. Cyn gynted ag y gwna hyn, gwelwn wallt melyn llaes yn disgyn dros ysgwyddau'r dringwr.*)

NOW: 'Rarglwydd o'r Sowth! Fodan ydi hi! (*Mae Now yn adennill ei hyder yn awr o weld mai merch ydyw*)

WILIAS: 'Ti'n siŵr? (*Mae Wilias yn colli ei hyder*)

NOW: Wel, 'drychwch ar 'i gwynab hi . . . a'r gwallt 'na . . . sgert 'di! Yn bendant, mi alla i deimlo fo! (*Mae Now yn sychu'r gwaed â chadach*)

WILIAS (*Amheus*): Be' 'ti'n 'i feddwl?

NOW: Na . . . dydi o ddim yn ddrwg . . . rhyw sgathriad ar yr wyneb ydi o . . . (*Mae'r ferch yn griddfan yn isel am eiliad*) . . . Miss? . . . *Miss*, dach chi'n 'y nghlwad i? . . . (*Saib*) . . . misus?

WILIAS (*Chydig o bryder*): Misus?

NOW: Wel . . . wyddoch chi ddim, na wyddoch . . .

WILIAS: Reit! . . . Ma' rhaid iddi fynd . . . chaiff hi ddim aros fan hyn . . . allan!

NOW: Peidiwch â siarad yn hurt!

WILIAS: Ond chaiff hi ddim aros fan hyn . . . rwy'n dweud wrthyt ti— chaiff hi ddim aros fan hyn 'da ni!

NOW: Ylwch! . . . ma' hi wedi nogio tydi—dach chi ddim yn gweld . . . fedar hi ddim sefyll heb sôn am gerdded o'ma . . .

WILIAS: Ond beth 'tai rhywun yn . . . yn dod i wybod?

NOW: Gwybod be', yn enw'r dyn? On'd ydi'r hogan 'di brifo, 'tydi? . . . helpwch fi i chael hi i'r gwely 'na.

WILIAS: Na . . . na, dim gwely, chaiff hi ddim mynd i fan'na . . . (*Mae'r ferch fel petai'n ceisio dweud rhywbeth*)

NOW: Sh! (*Mae'r ddau yn gwrando*)

YMWELYDD (*braidd yn aneglur*): Tywyllwch . . . alla i ddim . . . tywyllwch . . . (*Distawrwydd*)

WILIAS: Be' dd'wedodd hi?

NOW: Anodd deud! (*Mae Now yn awr yn dechrau datod yr Anorak*)

WILIAS (*Pryderus*): Be' 'ti'n 'i wneud?

NOW (*yn datod ei chardigan hefyd*): Llacio'i dillad hi, 'te . . . iddi gael gwynt . . . rhag iddi fygu . . .

WILIAS: Bydd yn ofalus, os mai merch ydi . . .

NOW (*yn aros*): Ia! Merch ydi hi'n saff, Wilias . . . brestia!

WILIAS (*wedi ei gynhyrfu'n arw yn awr*): Chaiff hi ddim aros . . . waeth iti heb na dadle . . . chaiff hi ddim!

YMWELYDD (*braidd yn aneglur*): Morthwyl! . . . morthwyl yn taro . . . (*Cryfhau*) . . . Na . . . peidiwch . . . peidiwch . . .

NOW: Ma' popeth yn iawn, *miss* . . .

YMWELYDD (*fel petai'n gwrando*): Pwy sy 'na?

NOW: Dach chi'n iawn, rŵan . . . sdim byd i boeni.

YMWELYDD: Ond ble ydw i . . . pwy ŷch chi?

NOW: Now ydw i, a Wilias ydi o . . . a ni pia'r lle 'ma—ni'n dau . . . felly dach chi'n saff fan hyn!

WILIAS: Ond mi fydde'n well ichi fynd i lawr i'r dre . . . ma' . . . ma' meddyg da yn fan'no.

YMWELYDD: Ond pam ma' hi mor dywyll . . . alla i weld dim, ble ŷch chi? (*Mae Now a Wilias yn edrych ar ei gilydd mewn penbleth am ennyd*) . . . 'chi 'nghlywed i?

NOW: Ylwch, *miss* . . .

YMWELYDD: Sdim gole 'da chi? . . . torts . . . matsien ne' rywbeth?

NOW: Ylwch . . . (*Mae'n cyffwrdd ei braich*)

YMWELYDD: Peidiwch â nghyffwrdd i . . . ne' mi sgrechia i.

WILIAS: 'Na fe . . . fe wyddwn yn iawn . . . fe wyddwn y bydden ni'n cael trwbwl 'da hi.

NOW: Wnawn ni ddim byd ichi, *miss* . . . ma' popeth yn iawn . . . 'di cael damwain bach ydach chi—dyna i gyd.

YMWELYDD: Damwain?

NOW: Ond dim byd difrifol . . . sdim isio chi boeni . . . mi ddewch atach eich hun toc.

YMWELYDD: Ond pam y twllwch yma, 'te—pam y twllwch? (*Panig*)

WILIAS: Nawr, disglwch yma, *miss* . . . rŷn ni'n fodlon rhoi tipyn o gymorth . . .

NOW (*wrth Wilias*) 'Rhoswch funud . . . (*Mae Now yn ysgwyd ei law yn ôl ac ymlaen o flaen wyneb y ferch*) Dach chi'n gweld 'y llaw i?

YMWELYDD: Beth?

NOW: Dach chi'n gweld 'y llaw i'n ysgwyd nôl a blaen?

YMWELYDD: Pa law?

NOW: 'Rarglwydd—dydi hi'n gweld dim.

WILIAS: Be' 'ti'n 'i feddwl?

NOW: Ma' hi'n ddall, Wilias—ma' hi'n ddall bost.

YMWELYDD: Be' wedoch chi?

NOW (*wedi cynhyrfu'n llwyr*): Dach chi ddim yn gweld, *miss* . . . dyna be' sy o'i le . . . dyna pam ma' hi mor dywyll ichi—dach chi'n gweld dim.

YMWELYDD (*yn codi ar y gadair yn awr mewn tipyn o banig*): Sa i'n gwbod be' ŷch chi'n geisio 'i wneud . . . (*Mae'n bagio a tharo yn erbyn y bwrdd*) . . . ond rwy'n barod amdanoch chi . . . (*Mae'n ceisio ymbalfalu heibio i'r bwrdd*) . . . os na rowch chi'r gole mlaen . . . mi . . . mi sgrechia i . . . wi'n gweud wrthach chi.

NOW: Ond wir Dduw, *miss*—'tai Duw'n ein lladd ni—*ma*' hi'n ola 'ma. Ma'r dydd yn tynnu ato falle . . . (*Mae'n mynd i nôl y llusern*) . . . ond, wir i chi . . .

YMWELYDD (*Mae'n bagio o gwmpas yr ystafell yn awr fel anifail yn cael ei gornelu*): Ma' pastwn 'da fi fan hyn . . . a chyllell . . . Ma' cyllell 'da fi, i chi fod yn deall (*Mae'n taro rhywbeth yn deilchion i'r llawr*)

WILIAS: Peidiwch . . . peidiwch, *miss* . . . rŷn ni'n dweud y gwir wrthych chi . . . fydden ni ddim gwneud niwed ichi.

YMWELYDD: Cadwch draw! (*Taro rhywbeth arall i'r llawr*)

NOW: 'Rhoswch! 'Rhoswch funud . . . ma' gin i lantar fan hyn . . .

YMWELYDD: Goleuwch hi, 'te . . . goleuwch hi.

WILIAS: Rho'r blwch iddi—gad iddi oleuo matsien 'i hun . . . iddi gael gweld.

NOW (*yn agosáu gyda'r blwch matsys*): Dyma chi . . .

YMWELYDD: Peidiwch â chyffwrdd yno i.

WILIAS: Wnaiff o ddim byd ichi, *miss* . . . dim ond rhoi'r blwch yn ych llaw chi . . . mi gewch oleuo matsien eich hun wedyn . . . i weld . . . i weld drosoch eich hun. (*Mae Now yn cyffwrdd y blwch yn llaw'r ferch ac y mae honno yn gafael ynddo. Mae'n ymbalfalu i'w agor, tynnu matsien allan gydag ychydig o drafferth, a'i goleuo. Mae Wilias a Now yn edrych yn ddisgwylgar. Gwelwn y ferch yn mynd â'r fatsien yn nes ac yn nes at ei hwyneb.*)

WILIAS (*yn rhuthro ymlaen a tharo'r fatsien o'i llaw*): Cymerwch ofal, yn enw'r nefoedd! (*Mae'r ferch yn sefyll yn ei hunfan fel petai wedi ei pharlysu. Mae saib hir o ddistawrwydd.*)

NOW: Welsoch chi rwbath?

YMWELYDD (*yn dawel freuddwydiol*): Dim!

WILIAS (*ar ôl saib hir eto o ddistawrwydd*): Peidiwch â becso nawr . . . ma' pethe fel hyn yn digwydd weithie. (*Mae Wilias yn meddalu ychydig yn awr*)

NOW (*yn mynd ati*): Ma' well ichi ddŵad i ista'n ôl i'r gadair 'na (*Mae'n cymryd ei harwain yn hollol dawel yn awr yn ôl i eistedd*)

WILIAS (*yn dosturiol yn awr*): Yr ergyd 'na gaswoch chi sy wedi ypsetio pethe, 'chi'n gweld . . . digwyddodd yr un peth i ffrind imi unwaith— ond fe gas 'i olwg yn ôl yn syth 'mhen chydig ddyddie.

YMWELYDD (*ymhen amser*): Sut dois i yma?

NOW: Cicio'r drws na oeddach chi—a phan 'goron ni—mi ddisgynnoch chi i mewn (*Mae'r ferch yn cyffwrdd y briw ar ei thalcen*) Dydi o ddim yn ddrwg w'chi . . . croen 'di torri dipyn . . . ond dydi o ddim yn gwaedu rŵan.

WILIAS: Cwympo ddaru chi?

YMWELYDD: Beth?

WILIAS: Cwympo ddaru chi—cwympo wrth ddringo?

YMWELYDD: Dringo?

NOW: Ma' hi'n beryg bywyd ar y mynydd 'na—yn enwedig hefo'r eira 'ma.

YMWELYDD: Pa fynydd—welais i ddim . . .

NOW: Wel, dringwr dach chi, 'te—hefo'r gêr yna—rhaff a ballu.

YMWELYDD: Rhaff?

WILIAS: Peidiwch becso—fe ddaw'r cwbl yn ôl ichi yn y funed . . . disglwch, hoffech chi fynd i orwedd ar y gwely 'co?

YMWELYDD (*Chydig o bryder eto*): Na . . . na, wi'n iawn.

WILIAS: Wel . . . meddwl o'n i . . .

YMWELYDD (*yn torri allan i feichio crio*): Be' sy wedi digwydd imi? (*Mae Wilias a Now yn edrych fel petaent yn hollol analluog i ddelio â'r sefyllfa'n awr*)

WILIAS: Nawr . . . nawr . . . rwy wedi dweud wrthych chi . . .

NOW: Panad! Dyna be' ma' hi isio. (*Mae'n rhuthro i lenwi'r tegell a'i roi ar y stôf*) 'Di cael sioc ma' hi, dach chi'n gweld . . . lapiwch un o'r blancedi 'ma amdani, Wilias. (*Mae Wilias yn rhuthro at y gwely i nôl blanced*)

WILIAS (*yn ei rhoi yn ofalus am war y ferch sy'n dal i grio*): 'Na chi . . . fe wellith pethe nawr!

YMWELYDD: Sdim byd yna—dim!

WILIAS: Ond fe ddaw'r golwg yna'n ôl—wi'n dweud wrthych chi.

YMWELYDD: Dwi'n cofio dim—dim byd o gwbl.

NOW: Ma' hynna'n digwydd weithia hefyd—concysion! Dim yn cofio cael y slap hyd yn oed . . . dach chi'n cofio cael y warog 'na ar ych talcan, felly?

YMWELYDD: Sai'n cofio dim.

NOW (*wrth Wilias gyda gwên wybodus*): Na fo, ylwch—ro'n i'n deud wrthach chi.

YMWELYDD (*Panig bron*): Alla i gofio dim—'chi ddim yn deall—mae'r cyfan wedi mynd.

WILIAS: 'Chi'n cofio cychwyn allan i ddringo heddi? (*Mae'r ymwelydd yn siglo'i phen tan ochneidio crio*) O ble daethoch chi (*Crio*) . . . eich enw chi . . . beth yw'ch enw chi? (*Ysgwyd ei phen*)

NOW: Dach chi ddim yn cofio'ch blydi enw?

WILIAS (*yn gerdyddol*): Now!

NOW: Sori . . . (*Yn dawelach*) . . . Dach chi ddim yn cofio be' ydi'ch enw chi, 'ta?

YMWELYDD: Sgin i'r un syniad.

NOW (*dan ei wynt bron*): Nefi!

WILIAS (*ar ôl saib hir o ddistawrwydd*): Ma' rhaid inni . . . ma' rhaid inni fynd â hi at y meddyg ar unwaith.

NOW: Dach chi'n deud?

WILIAS: Wel . . . fe all pethe . . . fe all pethe fod yn waeth nag oedden ni'n 'i feddwl . . . fe all 'i bod hi wedi niweidio'i ymennydd . . . (*Y foment yma, mae'r ferch yn llithro o'r gadair mewn llewyg*)

NOW: 'Rarglwydd o'r sowth, ma' hi wedi nogio eto.

WILIAS (*yn neidio yn ôl mewn ofn*): Gwna rywbeth . . . gwna rywbeth yn lle sefyll yn fan'na.

NOW: Ond be' ddiawl fedra i 'neud? (*Mae'r ferch yn un swpyn diymadferth ar y llawr yn awr*)

WILIAS: Wel, cod hi . . . cod hi.

NOW (*yn mynd ati i wneud*): Wel, helpwch fi, 'ta, wir Dduw (*Mae Wilias yn nesáu yn ofnus*) Gafaelwch yn 'i choesa hi. (*Mae'n gwneud fel petai arno ofn cyffwrdd â nhw*) Ma' well inni fynd â hi i'r gwely na'r tro yma—ne' mi 'sgynith eto. (*Mae'r ddau yn ei chario a'i rhoi i orwedd ar y gwely. Maent yn camu'n ôl tan edrych arni yn bryderus.*) Wel, dyma be' ydi blydi cymanfa! (*Mae'r gwynt wedi cynyddu tipyn erbyn hyn, ac mae'r cenllysg i'w clywed yn taro'n erbyn y ffenestr*)

WILIAS (*yn dechrau cerdded o gwmpas yr ystafell yn bryderus*): Ma' rhaid inni wneud rhywbeth—ar unwaith . . .

NOW: Fel be'?

WILIAS (*yn edrych o gwmpas yr ystafell*): Oes yna rywbeth yma i'w chario hi?

NOW: 'I chario hi?

WILIAS: Mae'n rhaid inni fynd â hi i lawr, 'ti'n gweld . . . heb oedi.

NOW: I lawr?—be' dach chi'n 'i falu?

WILIAS: I'r dre' 'na . . . at y meddyg . . . sdim eiliad i'w golli.

NOW: Ond fedrwn ni ddim gwneud hynny, ddyn . . . be' s'arnach chi?

WILIAS (*yn chwilota am rywbeth yn awr*): Does dim yn amhosib gydag ychydig o ddychymyg, Now bach . . . shwd ma' gwneud stretsiar . . . dwy ffon . . . ne' goes brws . . . a phlanced . . . ma' digon o'r rheini 'da ni.

NOW: Ond fedrwn ni byth fynd â hi i lawr rŵan, Wilias.

WILIAS (*yn dod o hyd i ddarn hir o bren*): Dyma i ti un . . .

NOW: Ond 'drychwch, ma' hi bron 'di twllu'n barod.

WILIAS: Mi fyddi di'n iawn hefo fi, Now bach . . . paid ti â phoeni.

NOW: A chlywch y gwynt 'na—ma' 'na gythral o storm yn codi. (*Mae'n*

mynd at y ffenestr i edrych allan) 'Rarglwydd! 'Drychwch—
'drychwch ar yr eira 'na—'drychwch fel mae o'n lluwchio. (*Mae Wilias yn dod ato i edrych allan*) Mi fasan dan gladd cyn cyrraedd hanner ffordd.

WILIAS (*yn bryderus*): Ond mae'n rhaid i ni wneud rhywbeth, Now bach—wyt ti ddim yn gweld?

NOW: Mi fedar aros yma tan y bore, yn medar? Falla y bydd petha'n well erbyn hynny—ma' sens pawb yn deud 'i bod hi'n beryg bywyd y tu allan 'na!

WILIAS: Ond beth am y perygl 'tai hi'n aros yma?

NOW: Y?

WILIAS (*Edrych ar y gwely*): Hi! . . . ni'n dau . . . fan hyn ein hunain.

NOW: Be' gythral s'arnach chi? Dyn o'ch hoed chi . . . dach chi 'rioed yn meddwl . . ?

WILIAS: Nid be' rwy i'n 'i feddwl sy bwysica ar hyn o bryd—nid be' wyt ti'n 'i feddwl (*Saib*) . . . ond be' fyddan nhw'n 'i feddwl, Now bach. (*Yn amneidio at y drws*)

NOW: Wel, i'r diawl â nhw, 'ta—be' sy bwysica yn y pen draw ydi *be sy'n iawn* . . . ac mi fydd hi'n saff hefo ni, yn bydd . . . mi fydd hi'n gwbod . . . mi fydd hi'n dyst o hynny!

WILIAS (*fel petai'n siarad yn dyner â phlentyn anneallus yn awr*): Dwyt ti ddim yn gweld, nac wyt, 'ngwas i, dwyt ti ddim yn gweld be' sy gen i.

NOW: Dwi'n gweld yn iawn—felly, peidiwch â phaldaruo.

WILIAS: Ond ceisia ddeall—ma' hi wedi cael 'i hanafu.

NOW: Wel, dyna'r pwynt, a dyna pam . . .

WILIAS: Na . . . aros funed . . . gad imi egluro . . . ma' hi wedi'i tharo ar 'i phen, o'nd yw hi?

NOW: Ma' hi wedi disgyn.

WILIAS: Digon posib—digon posib 'i bod hi, ond 'does neb yn gwybod hynny, nac oes—does neb yn gwybod yn saff. Fe alle rhywun feddwl bod rhywun wedi . . . wedi'i bwrw hi ar 'i phen—yn fwriadol felly.

NOW: Y?

WILIAS: Ac unwaith y dôn nhw i wybod amdanon ni . . . gwybod popeth . . . pa gasgliad ddôn nhw iddo fe wedyn?

NOW: Dach chi 'rioed yn meddwl . . ?

WILIAS: Ni gaiff y bai, Now bach . . . dyna sut ma' hi bob tro.

NOW: Ond diawl, mi fedar hi ddeud wrthyn nhw . . .

WILIAS: Dyw hi ddim yn gwybod!

NOW: Ond . . . ond mae'n gwybod 'n bod ni wedi gneud 'n gora glas i helpu—mi all hi fod yn dyst o hynny.

WILIAS: Beth 'tai hi'n methu dweud?

NOW: Ma' gynni hi geg, 'toes—sdim byd o'i le ar 'i lleferydd hi.

WILIAS: Beth 'tai rhywbeth yn digwydd iddi . . . beth 'tai hi'n marw ar 'n dwylo ni . . . be' wedyn?

NOW (*Edrych ar y gwely, wedyn edrych ar Wilias*): Uffar!

ACT II

Amser: Y bore wedyn

Golygfa:

Mae Now yn cysgu yn y naill wely, y ferch yn y llall, a Wilias yn y gadair wrth y stôf. Mae blanced wedi ei lapio amdano ac mae'n pendwmpian. Yn sydyn, mae'r ferch yn codi ar ei heistedd yn y gwely, ac edrych yn syth o'i blaen am eiliad neu ddau—fel petai'n meddwl. Yna, mae'n troi ei phen i gyfeiriad Wilias fel petai'n edrych arno, ond nid oes unrhyw sicrwydd ei bod yn gallu ei weld. Mae'r ferch yn awr yn troi fel bod ei throed allan o'r gwely ac ar y llawr, ac yna mae'n codi i sefyll yn araf. Saif fel hyn am ysbaid hir cyn dechrau cerdded ymlaen. Y foment yma, mae Wilias yn deffro ac yn troi i edrych arni.

WILIAS: 'Chi'n iawn? (*Mae'r ferch yn sefyll yn stond fel petai wedi ei pharlysu, ond nid yw'n ateb*) 'Chi'n gweld . . . 'chi'n gallu gweld? (*Mae'n chwifio ei law o flaen ei llygaid*) O! . . . am funud roeddwn i'n meddwl . . . dowch i ishte fan hyn . . . fe wna i ddisgled fach o de ichi. (*Mae'n ei hebrwng i'r gadair ac y mae hithau'n eistedd*)

YMWELYDD: 'Run un ŷch chi?

WILIAS: Beth?

YMWELYDD: Oedd 'da fi gynne . . . 'run un?

WILIAS: O ie . . . ie, ie . . . (*Mae'n mynd at y stôf a gafael yn y tegell sydd arni*) Wiliams!

YMWELYDD . . . (*Saib hir wrth i Wilias baratoi te tan edrych braidd yn amheus arni*): . . . Mae hi'n rhyfedd o ddistaw yma'n awr.

WILIAS: Odi! Mae'r gwynt wedi gostegu erbyn hyn . . . ond mi gawson ni noson arw iawn . . . 'drychwch trwy'r ffenest 'na ichi weld yr eira . . . (*Mae'n sylweddoli ei ffolineb*) . . . O, mae'n ddrwg 'da fi . . . 'chi'n cymryd siwgwr a llaeth?

YMWELYDD (*sy'n siarad fel petai ei meddwl ymhell yn rhywle*): Dim siwgir! (*Saib eto wrth i Wilias arllwys y llefrith i'r te. Mae wedi paratoi dwy baned gyda llaw.*) . . . Now, yntefe?

WILIAS: Beth?

YMWELYDD: Eich ffrind . . . dyna dd'wedodd o . . . Now!

WILIAS: O, ie . . . Now. (*Mae'n dod â'r baned iddi*) 'Chi'n cofio am neithiwr yn iawn, ynte? (*Saib hir—mae'n meddwl*) Dyma chi. (*Mae'n rhoi'r gwpan yn ei llaw*)

YMWELYDD: Diolch!

WILIAS: Cymerwch ofal nawr—ma' fe'n chwilboeth. (*Mae'n sipian y te*) . . . mae hynny'n arwydd da—sdim byd o'i le ar eich ymennydd chi!

YMWELYDD: Ymennydd!

WILIAS: Cofio neithiwr . . . smo'r ergyd wedi gwneud difrod mawr, felly?

YMWELYDD (*Sipian y te*): Odw . . . wi'n cofio neithiwr . . . hynny odi . . . (*Mae'n meddwl eto*)

WILIAS: Ie?

YMWELYDD: Wi'n cofio siarad â chi . . . ond dim byd arall . . .

WILIAS: Ond fe ddaru ni'ch helpu chi . . . 'chi'n cofio hynny . . . rhoi diod i chi!

YMWELYDD: Odw, 'rwy'n cofio hynny . . .

WILIAS: A ddaru ni ddim byd arall . . . 'chi'n dyst o hynny . . . on'd ŷch chi?

YMWELYDD: Be' 'chi'n 'i feddwl?

WILIAS: Wel . . . 'chi'n gwbod . . . fe gawsoch bob cymorth a ware teg gan . . . gan Now a fi.

YMWELYDD: Wi'n ddiolchgar iawn ichi am bopeth!

WILIAS: Pleser! O'dd pleser 'da ni fod o help . . . ga i wneud rhywbeth i'w fwyta i chi nawr? . . . brecwast da!

YMWELYDD: Dim diolch!

WILIAS: Ond ma' digon yma—cig moch, ŵy, sosej . . .

YMWELYDD: Na . . . dim diolch—fues i 'rioed yn un am frecwast mawr—dishgled o de, dyna i gyd—hen ddigon y peth cynta'r bore.

WILIAS: 'Chi'n cofio!

YMWELYDD: Beth?

WILIAS: Be' wedoch chi'n awr—dim yn un am frecwast mawr—'chi'n cofio hynny!

YMWELYDD (*Saib o feddwl*): Odw! . . . 'chi'n iawn . . . (*Saib eto*) . . . ond nid cofio chwaith—gwybod! Gwybod hynny odw i!

WILIAS: Ond mae hynny'n rhywbeth, 'chi'n gweld . . . 'smo fe wedi mynd i gyd . . . mae'r cof yna o hyd yn rhywle . . . wedi ei gladdu . . . ond yn barod i ddod nôl.

YMWELYDD: 'Chi'n meddwl?

WILIAS: Rwy'n gwybod. Fe ddwedais i wrthych chi am y ffrind yma oedd 'da fi. Ar ôl iddo gael wad, oedd dim yna—dim byd o gwbl— hollol wag! Ond un diwrnod—wsh!—fe ddaeth y cwbwl nôl fel 'na.

YMWELYDD: 'Chi'n gysur mawr. Pwy ŷch chi?

WILIAS: Wiliams!

YMWELYDD: Ie, ie . . . rwy'n gwybod hynny . . . ond . . . beth ŷch chi . . . o ble chi'n dod . . . beth yw'ch gwaith chi? (*Mae Wilias yn edrych yn reit anghysurus. Saib.*) 'Chi yna?

WILIAS: Rwy . . . rwy wedi cwpla . . . (*Mae'n cerdded oddi wrthi*) . . . hynny yw—ymddeol, felly.

YMWELYDD: Ymddeol? . . . ond 'smo chi'n swnio'n hen . . . ma'ch llais chi ddigon ifanc, 'ta beth.

WILIAS (*wedi ei blesio'n awr*): O . . . na, 'smo fi'n hen—'mhell o fod! Ymddeol yn ifanc, 'chi'n gweld . . . mo'yn tipyn o dawelwch.

YMWELYDD: Llais addfwyn hefyd . . . llais cynnes. Hoffwn i'ch gweld chi . . . dewch yma!

WILIAS: Beth?

YMWELYDD: 'Chi wedi mynd ymhell nawr . . . dowch nes am funed. (*Mae Wilias yn symud yn ôl ati yn araf ac yn amheus*) Ble ŷch chi nawr?

WILIAS (*wrth ei hymyl*): Fan hyn!

YMWELYDD: Alla i . . . alla i'ch cyffwrdd chi?

WILIAS: Cyffwrdd. (*Yn camu'n ôl eto*)

YMWELYDD: Dim ond i gael syniad. Hoffwn i gysylltu'r llais â rhywbeth . . . teimlo'ch wyneb chi! (*Nid yw Wilias yn ateb dim ond dal i edrych arni gyda rhyw fath o gymysgedd o ofn ac amheuaeth*) Alla i?

WILIAS: Yr wyneb?

YMWELYDD: Ie . . . teimlo'r siâp. Hoffwn i gael darlun yn fy meddwl. (*Mae'n gwenu am y tro cyntaf*)

WILIAS (*yn ymlacio tipyn yn awr*): Wel . . . does dim byd o'i le yn hynny, 'ddyliwn. (*Yn penlinio wrth ei hochr*)

YMWELYDD (*yn cyffwrdd yn ei wallt*): Gwallt trwchus . . . du 'ta gole?

WILIAS: Gole! (*Mae bysedd y ferch yn symud dros ei wyneb yn awr*)

YMWELYDD: Talcen llydan . . . trwyn main, llyfn . . .

WILIAS: 'Smo i wedi shafo eto, cofiwch.

YMWELYDD: Gwefusau llawn . . . gên gadarn. (*Mae ei dwylo yn symud i lawr ei wddf . . . a chyffwrdd yn y goler gron. Mae'r bysedd yn symud ar hyd y goler.*) Coler?

WILIAS (*yn neidio oddi wrthi*): Yr wyneb dd'wedoch chi.

YMWELYDD: Coler gron?

WILIAS (*wedi ei gynhyrfu yn arw*): 'Musnes i odi hynny!

YMWELYDD: Gweinidog! . . . Gweinidog ŷch chi!

WILIAS: A beth sydd o'i le ar hynny? . . . wi'n gofyn ichi . . . be' sy o'i le ar hynny?

YMWELYDD: Dim byd o gwbwl. (*Yn codi ar ei thraed a theimlo o'i chwmpas*)

WILIAS: Sefwch ble'r ŷch chi . . . wi wedi cael digon ar y ware hurt 'ma.

YMWELYDD: Ond rwy'n eich gweld chi nawr.

WILIAS: Gweld?

YMWELYDD: Yn fy nychymyg . . . darlun clir . . . perffaith . . . roeddwn i'n gwybod rywsut. Eich llais chi . . . eich ffordd chi o siarad. Roeddwn i'n gwybod eich bod chi'n wahanol.

WILIAS (*yn dechrau sadio eto*): Oeddech chi?

YMWELYDD: Cynnes . . . caredig . . . llawn cysur . . . Ble'r ŷch chi? Mi fydda i'n iawn nawr, rwy'n gwybod—mi fydda i'n saff 'da chi. (*Mae Wilias yn edrych arni mewn penbleth*) Rhowch eich llaw imi (*Dim ateb*) . . . dim ond am funud, os gwelwch yn dda . . . (*Mae'n dal ei dwylo allan. Yn araf mae Wilias yn rhoi ei law iddi, ac y mae hithau'n gafael ynddi fel petai ei bywyd yn dibynnu ar y cysylltiad.*) Bydda', mi fydda i'n saff fan hyn! (*Saib*) Roeddwn i i fod i ddod yma, wyddoch chi.

WILIAS: Fan hyn?

YMWELYDD: Oeddwn . . . rwy'n gwybod nawr. Rwy'n cofio. Y twyllwch . . . a'r miwsig . . . y miwsig yn denu . . . ie, dyna fe, roeddwn i'n gwybod bod rhaid imi ddilyn y miwsig . . . dod o hyd iddo . . . dyna wnes i . . . rwy'n cofio hynny nawr.

WILIAS: Miwsig?

YMWELYDD: Yma roedd e . . . rwy'n gallu'i glywed e nawr . . . yma fan hyn . . . a minnau'n ceisio dod i mewn ato.

WILIAS: Y radio!

YMWELYDD: Beth?

WILIAS: Roedd y radio 'mlaen 'da ni. (*Yn gafael yn y radio*)

YMWELYDD: Ga i aros yma?

WILIAS: Be' 'chi'n feddwl?

YMWELYDD: Nes bydd pethe'n iawn . . . y golwg a'r cof . . . ga i aros yma 'da chi?

WILIAS: Wel . . . 'chi'n gweld . . .

YMWELYDD (*Yn daer*): Wi'n erfyn arnoch chi . . . fydd 'da fi ddim gobaith yn unlle arall.

WILIAS: Na fydd?

YMWELYDD: Fan hyn . . . fan hyn, 'chi'n gweld, ma'r ddolen gydiol . . . rhyngof fi a'r . . . a'r hyn sy ddim yna . . . chi ddim yn gweld hynny?

WILIAS: Odw . . . odw, wi'n credu mod i . . .

YMWELYDD: Ga i aros 'da chi, 'ta?

WILIAS (*yn gwenu nawr*): Wela i ddim pam lai.

NOW (*yn llamu o'r gwely*): Hei, *hold on—hold* blydi *on*. (*Mae Wilias yn troi i edrych arno ond mae'r ferch fel petai'n fferu*) Be' 'di'r gêm, 'ta?

WILIAS: Ma' hi'n well, Now.

NOW: Felly dwi'n gweld!

WILIAS: Ma' rhai pethe'n dod yn ôl iddi, mae'n dechre cofio . . .

NOW: Mi fedar fynd, felly, yn medar—sdim byd yn 'i nadu hi.

WILIAS: Mynd?

NOW: Ylwch, Wilias . . . dach chi'n gwbod be' ddudoch chi neithiwr . . .

YMWELYDD: Mae e'n iawn—alla i ddim manteisio mwy arnoch chi . . . mae'n well imi adael.

NOW: A dan ni ddigon tebol i fynd â hi.

WILIAS (*Cynhyrfu yn awr*): Ond wyt ti wedi edrych y tu fa's 'na? (*Mae'n symud at y ffenestr*) 'Ti wedi gweld yr eira 'na nawr? Dishgwl! Troedfeddi ohono fe.

NOW: O gwmpas fan'ma'n unig ma' hwnna—'di lluwchio'n erbyn walia—

WILIAS (*yn dringo i fyny'r ysgol*): Mae e ym mhobman—dros y lle i gyd—all neb fynd ma's yn hwnna. (*Ar gyrraedd y daflod, mae'n agor y ffenestr fach*)

YMWELYDD: Ond mae'n rhaid imi—mae'ch cyfaill yn iawn.

WILIAS (*yn rhoi ei ben allan i edrych*): Mae'r mynydd i gyd o dan gladd . . . sdim . . . sdim llwyn na chraig i'w gweld yn unlle. (*Mae'r ferch yn closio at Now.*)

YMWELYDD (*wrth Now*): 'Chi wedi bod yn garedig iawn—wna i byth anghofio!

NOW: Iawn! (*Braidd yn swil*)

WILIAS: All 'run adyn byw fynd trwy hwnna . . .

YMWELYDD (*wrth Now*): Yn enwedig chi. (*Mae'n rhoi ei law ar ei fraich*)

NOW: Fi?

YMWELYDD: Chi ofalodd amdana i neithiwr. (*Mae bron yn sibrwd nawr*) Chi roddodd ymgeledd imi.

NOW: Wel . . . mi wnes 'y ngora.

WILIAS: Ac ma' mwy ar y ffordd . . . cymyle mawr duon.

YMWELYDD: 'Chi'n ifancach na fe on'd ŷch chi?

NOW: Y?

YMWELYDD: Fe alla i ddweud ar ych llais chi . . . clir . . . cyfoethog . . .
(*Mae'r Ymwelydd yn teimlo wyneb Now yn union fel y gwnaeth gyda Wilias ar ddechrau'r olygfa*)

WILIAS (*yn troi i edrych ar Now*): Dere i weld dy hunan os nad wyt ti'n 'nghoelio i. (*Mae'n edrych yn genfigennus ar Now*)

NOW: Na . . . na, os dach chi'n deud (*Saib byr wrth iddo edrych ar y ferch ac yna ar Wilias*) Dach chi'n deud 'i bod hi rhy ddrwg iddi fynd rŵan, 'ta?

WILIAS: Allan o'r cwestiwn . . . (*Ond nid gyda chymaint o argyhoeddiad yn awr*)

NOW (*Saib eto o edrych ar y ferch ac yna ar Wilias*): Ma' well iddi aros, 'ta, 'tydi—nes bydd pethe wedi gwella!

(*Fe dywyllir y llwyfan am ychydig. Pan oleuir ef drachefn, mae'r daflod wedi ei hamgylchynu â llenni. Mae Now yn cribo'i wallt ac yn ymbincio mewn drych sydd ar y silff.*)

NOW (*yn canu'n hapus wrth gribo'i wallt*): 'O na byddai'n haf o hyd— rasus mulod rownd y byd'. (*Mae'n edrych yn edmygus ar ei lun yn y drych bach*) 'Ti'n blydi ffantastig, on'd wyt? (*Mae'n brysio i nôl sosban, tywallt llefrith iddi, a'i rhoi ar y stôf i ferwi. Ar ôl hynny, mae'n estyn hambwrdd bychan a'i ddodi ar y bwrdd. Ar yr hambwrdd mae'n rhoi cwpan a phlât cawl ac yna tywallt 'Corn Flakes' iddo. Ar ôl edrych ar yr hambwrdd am ychydig, mae'n cymryd pot bach gwydr oddi ar y silff a rhoi un daffodil ynddo—wedyn ei roi ar y hambwrdd. Wrth iddo wneud hyn, daw Wilias i mewn yn cario bwcedaid o ddŵr. Mae tusw o rug hefyd yn ei law.*)

WILIAS (*yn sarrug braidd*): Be' 'ti'n 'i wneud?

NOW (*yn troi i edrych arno'n euog*): Ro'n i'n meddwl ych bod chi'n mynd i nôl dŵr?

WILIAS: Be' 'ti'n feddwl odi hwn—lemonêd? (*Mae'n mynd i dywallt y dŵr i'r tanc plastig*)

NOW: Ond diawl, fuoch chi 'rioed yr holl ffordd i lawr i'r nant yna rŵan.

WILIAS: Ma' rhai ohonon ni'n symud yn gynt na'n gilydd, wyddost ti.

NOW: Ma' rhaid ych bod chi wedi blydi carlamu, 'ta.

WILIAS (*yn gweld y sosban ar y stôf*): Beth yw hwnna? (*Yn croesi yn frysiog i edrych*) Be' ma'r lla'th ma'n dda fan hyn?

NOW (*Hollol euog yn awr*): Wel, meddwl o'n . . .

WILIAS: Dyna dy gêm di i 'fe—cyn gynted â bod 'nghefn i wedi troi . . . (*Mae'n gweld yr hambwrdd*) Twyllwr! (*Mae Wilias yn rhoi'r 'Corn Flakes' yn ôl yn y paced*)

NOW: Wel, mae'n hen bryd gneud brecwast, 'tydi?

WILIAS (*yn newid y plât cawl am un arall*): A 'ti'n gwybod ma' fi o'dd i'w wneud e heddi.

NOW: Chi ddaru o ddoe!

WILIAS: Ti!

NOW: Chi!

WILIAS: A thithe'n gadael i'r lla'th ferwi dros y stôf.

NOW: Echdoe oedd hynny.

WILIAS: Ddoe!

NOW: Echdoe.

WILIAS: Ddoe!

NOW: Echdoe, dwi'n deud wrthach chi.

WILIAS: Dishgwl yma, gẃd boi—'smo fi'n dwp, wyddost ti.

NOW: A be' am wsnos dwytha . . . un waith ges i neud.

WILIAS: Dim o'r fath beth—dim ond dwywaith wnes i.

NOW: Unwaith nes i!

WILIAS: Ma' saith diwrnod mewn wythnos. Beth am y pedwar arall—beth am y rheini?

NOW: Dyna be' ydw i'n drio'i ddeud, 'te . . . (*Ar yr union foment yma, mae'r llenni yn y daflod yn agor. Gwelwn y ferch yn penlinio yno.*)

YMWELYDD: Bore da! (*Erbyn hyn mae'r wisg dringwr wedi diflannu ac y mae'n gwisgo crys dyn, fel gwisg amdani. Mae ei gwallt wedi ei binio yn un twmpath ar ei phen.*)

NOW A WILIAS (*gyda'i gilydd*): Bore da!

YMWELYDD: Wi'n gobeithio na wnes i ddim cysgu'n hwyr heddi eto?

WILIAS (*Yn rhoi llefrith ar ben y 'Corn Flakes'*): Dyw hi ond cynnar, ma' digon o amser. (*Mae'n mynd â'r hambwrdd i fyny'r ysgol iddi*)

YMWELYDD (*yn gwrando*): Adar! Dwi'n siŵr 'mod i'n clywad adar bach . . .

NOW: Ydach! Ma'n nhw'n glwstwr y tu allan 'na—ma' hi'n fora grêt.

WILIAS: Dyma fo'ch brecwast chi.

YMWELYDD (*yn eistedd fel teiliwr*): O Diolch! (*Mae'n cymryd yr hambwrdd ar ei gliniau tra mae'r ddau arall yn edrych arni gydag edmygedd. Mae Wilias yn dal i sefyll ar yr ysgol. Mae'r ferch yn anadlu trwy ei ffroenau ar yr hambwrdd.*) Grug!

WILIAS: Ie . . . ie . . . mi rois i sbrigyn bach o rug ar yr hambwrdd.

YMWELYDD: Bendigedig! (*Mae'n ymbalfalu amdano*)

NOW: Ma' 'na ddaffodil yna hefyd os dach chi isio—mi ddois o hyd iddyn nhw wrth yr hen chwarel 'na. (*Mae'n dringo a rhoi daffodil yn 'i llaw*) Dyma chi.

YMWELYDD: Blodyn Mawrth. (*Yn ei arogli*) Grug! Cenhinen . . . ma'r gwanwyn yma, felly—ys gwn i oes 'na ŵyn bach o gwmpas?

NOW: Oes—mi welis i un.

WILIAS: Ma' hi'n rhy gynnar i'r rheini.

NOW: Mi welis i un ddoe—dwi'n deud wrthach chi—yr un dela welsoch chi 'rioed—(*Mae'n edrych ar y ferch gyda gwên*) Cyrls i gyd . . .

WILIAS: Dyw defaid mynydd ddim yn cael ŵyn mor gynnar â hyn!

NOW: Dach chi'n deud 'mod i'n deud clwydda, 'ta—ydach chi?

YMWELYDD: Does dim siwgir yn hwn!

NOW A WILIAS (*gyda'i gilydd*): Beth?

YMWELYDD (*yn eitha swta*): Siwgir! Does dim siwgir yn hwn. (*Yn blasu'r 'Corn Flakes'. Mae Wilias yn dod i lawr oddi ar yr ysgol yn frysiog, ond y mae Now yn ei guro i'r bowlen siwgwr. Mae'n dringo'r ysgol i'w roi iddi gyda gwên fawr ar ei wyneb.*)

NOW: Mae'n ddrwg gen i, *miss*, ond Wilias ddaru 'neud y brecwast bore 'ma. (*Mae'n rhoi llwyaid o siwgwr ar y 'Corn Flakes'*) Dyna chi . . . ac mi oedd o ar dipyn o frys, on'd oeddach, Wilias? (*Mae Wilias yn rhythu'n filain ar Now wrth i'r ferch flasu ei bwyd*)

YMWELYDD: Dyna welliant—yn union fel rwy'n 'i hoffi e. (*Mae Now yn gwenu fel giât ar Wilias—braidd yn bryfoclyd*) Sut yn y byd mawr alla i fyth dalu'n ôl ichi, gwedwch . . . yr holl garedigrwydd yma.

WILIAS: Plesar, 'merch i—plesar o'r mwya!

NOW: Ia, tad!

YMWELYDD: Ond rwy'n siŵr o fod yn faich arnoch chi.

NOW: Dim o gwbwl—dan ni wedi deud wrthach chi o'r blaen—mae'n dda gynnon ni'ch cael chi yma.

YMWELYDD: 'Chi'n ffein iawn—ond fe ddylwn fod wedi mynd ers wythnose—mae'r eira wedi hen glirio.

WILIAS: O—dim i gyd. (*Mae'n edrych ar Now*) Nac yw, Now?

NOW: Duwcs, nac ydi—ma' amball *batch* go hegar yma ac acw o hyd.

YMWELYDD: Chymer yr haul yma fawr o dro â'i ddadleth e nawr.

WILIAS: Ond mae'n rhaid ichi fod yn iawn—cyn mentro, 'chi'n gweld . . .

NOW: Rhaid tad—mendio'n iawn . . . haul gwanwyn, haul gwenwyn ma'n nhw'n 'i ddeud w'chi—mi alla fod yn farwol ichi.

WILIAS: Ac fel d'wedoch chi . . . fan hyn y daw pethe'n ôl ichi . . . fan hyn mae'r ddolen gydiol—ma' gwell siawns i bethau ddod nôl fan hyn.

NOW: Hollol!

YMWELYDD: Fydd hynny ddim yn hir nawr.

WILIAS: Y?

NOW: Beth?

YMWELYDD (*yn edrych yn fyfyriol i'r gwagle o'i blaen*): Rwy'n 'i deimlo fo yn fy esgyrn. (*Mae'n chwifio'i llaw o flaen ei llygaid*) . . . mae'r golau'n cryfhau . . . a'r cysgodion yn fwy pendant—bron na wela i siâp fy llaw. (*Saib*)

WILIAS: Ond mae'n rhaid ichi fod yn iawn—yn hollol iach cyn cewch chi fynd—hollol normal fel o'r blaen . . . y golwg a'r cof yn glir fel crisial.

NOW: Nefi, bydd—fe alla fod yn beryg bywyd ichi.

YMWELYDD: Ma' pethe'n dod nôl imi fel fflach weithie ond yn gwibio i ffwrdd wedyn cyn imi gael gafael arnyn nhw.

WILIAS: Peidiwch poeni dim—does dim brys tra rŷn ni yn y cwestiwn . . . fe ddaw pethe yn y man.

YMWELYDD: Ma'r mis dwetha 'ma wedi bod yn nefoedd—diolch i chi.

WILIAS: Dyna beth ŷn ni'n dda yn yr hen fyd yma yntefe—i helpu'n gilydd—os na allwn ni helpu'n gilydd . . .

YMWELYDD (*Cwta*): Mae yna wynt main yn dod o rywle.

NOW: Drws! (*yn rhuthro i'w gau*)

YMWELYDD: Ma'r coffi 'ma fel iâ hefyd!

WILIAS (*yn rhuthro i'r sosban laeth ar y tân eto*): Mi wna i beth *fresh* ichi.

YMWELYDD: Na—does dim rhaid—wi wedi cael hen ddigon. (*Mae'n codi ac yn cychwyn dod i lawr yr ysgol yn wysg ei chefn*)

NOW (*yn rhuthro i'w chynorthwyo*): Cymwch bwyll rŵan.

YMWELYDD (*yn gwta iawn*): Fe alla i wneud fy hun—wi wedi dweud wrthych chi o'r blaen. (*Mae Now yn bagio'n ôl*) Mae'n rhaid imi ddod i arfer yn iawn—rhag ofn. (*Mae'n dod i lawr yr ysgol a cherdded yn weddol ddidrafferth i'r gadair—dim ond cyffwrdd y celfi yn ysgafn â blaen ei bysedd*) P'run bynnag, rydw i wedi hen arfer â'r lle yma erbyn hyn. (*Mae'n eistedd ac yna'n rhoi ei llaw allan fel petai'n chwilio am rywbeth ar y bwrdd*) 'Chi wedi 'i symud hi!

WILIAS: Beth?

YMWELYDD: Y radio fach—ble ma' hi?

NOW: Ar y silff—mi symudon ni hi . . .

YMWELYDD: Ond chi'n gwybod mai ar y ford fan hyn ma' hi i fod—lle galla i roi fy llaw arni.

WILIAS (*yn euog bron*): Ie . . . ond y batri, 'chi'n gweld . . . ma'r batri 'di mynd . . .

YMWELYDD: Roedd hi'n iawn neithiwr—dewch â hi i mi.

NOW (*yn mynd i nôl y transistor fach oddi ar y silff*): Doedd dim bw na be' i'w gael ohoni bore 'ma.

YMWELYDD: Dwi'n gobeithio nad ŷch chi wedi'i thorri hi—gadewch i
mi weld—(*Yn rhoi ei llaw allan*)

NOW (*yn rhoi'r radio iddi*): Na—batri ydi o'n saff ichi. (*Mae'r ferch yn
ymbalfalu â'r set a gwrando arni*)

WILIAS: Ia. Siŵr o fod . . . all dim byd arall fod wedi digwydd iddi . . .
(*Yn troi at Now*) . . . os na wnest di 'i gollwng hi.

NOW: Fi? Be' gythral dach chi'n 'i feddwl?

WILIAS: Wel, 'smo fi wedi cyffwrdd ynddi, beth bynnag.

NOW: Wel, peidiwch â thrio rhoi bai arna i, 'ta . . .

YMWELYDD (*yn addfwyn eto'n awr*): Does dim rhaid ichi ffraeo, nac oes
. . . falle mai dim ond y batri yw e . . . dyw'r byd ddim ar ben.

NOW: Ia, batri ydi o—dwi'n saff o hynna—batri!

YMWELYDD (*Yn rhoi'r radio ar y ford*): Siŵr o fod—ond 'smo hynny'n
llawer o broblem . . . ac mae'r diwrnod i gyd gyda ni i'w fwynhau fel
mynnon ni.

NOW (*Llais brwdfrydig eto'n awr*): Ydi! Beth am ichi ddŵad hefo fi am
dro i'r hen chwarel yna—ma' hen dŷ stiwart yna, dach chi'n gweld,
ac ma' llond 'rardd gefn o ddaffodils a ballu . . .

WILIAS: Fe addawoch ddod 'da fi draw at y nant y diwrnod ffein cynta . . .
twlu cerrig i'r dŵr . . . dyna be' 'chi'n mo'yn 'i wneud . . . dyna
'wedoch chi.

NOW: Ond nefi, ddyn, ma' hi'n beryg bywyd yn fan'no—be' 'tasa hi'n
syrthio i mewn?

WILIAS: Ma' hi'n beryclach ar bwys y chwarel 'na.

NOW: Dim o gwbwl—ma'r lle 'di ffensio'n saff.

YMWELYDD: Mi fydd rhaid i rywun fynd lawr i'r dre.

NOW: Y?

YMWELYDD (*Cwta eto'n awr*): I nôl batri . . . mi fydd rhaid imi gael
radio—alla i ddim bod fel pelican fan hyn drwy'r dydd heb ddim 'i
niddori fi. (*Saib hir yn awr*)

WILIAS: Mi gaiff Now fynd!

NOW: Fi?

WILIAS: Ma'r siop reit ar bwys y garej.

NOW: Ond fi fuo lawr ddoe—ych twrn chi 'di heddiw.

WILIAS: Fi sy'n talu.

WILIAS: Be' dach chi'n 'i feddwl—chi sy'n talu?

NOW: Pwy sy'n talu am bopeth yn y lle 'ma—y peth lleia y gelli di'i
wneud odi mynd i'w nôl nhw. (*Mae Now yn edrych arno mewn
syndod, ond y mae'r ferch yn torri ar y distawrwydd*)

YMWELYDD: Mi gewch chi fynd i'r dre, Wiliams! (*Now yn gwenu*)

YMWELYDD: Well i chi fynd â hi 'da chi—rhag ofn mai dim ar y batri mae'r bai wedi'r cyfan.

WILIAS (*yn cymryd y radio*): 'Chi'n iawn . . . gwell gwneud yn saff . . . wi'n mynd, 'ta . . . da boch chi. (*Allan*)

YMWELYDD (*gyda rhyw wên fodlon ar ei hwyneb*): Da boch chi, Wiliams!

(*Wedi iddo fynd, mae'r ferch yn dechrau tynnu'r pinnau o'i gwallt a gadael iddo ddisgyn yn gudynnau dros ei hysgwyddau. Yn y man, mae'n codi a cherdded at y silff yn y cefn. Rhydd ei llaw ar frws gwallt. Gwna hyn heb orfod ymbalfalu amdano o gwbwl. Gall ei bod wedi hen arfer â lleoliad popeth yn yr ystafell erbyn hyn. Hwyrach ei bod yn gweld—pwy a wŷr! Mae'n cerdded yn ôl i ganol yr ystafell yn awr tan gribo'i gwallt. Saif i wrando wrth glywed Now y tu allan yn taro'i raw yn erbyn y ddaear galed. Mae fel petai'n meddwl am rywbeth. Daw gwên dros ei hwyneb a cherdda at y drws a'i agor.*)

YMWELYDD: Now!

NOW (*llais*): Ia, *miss*?

YMWELYDD: Odi e wedi mynd?

NOW (*llais*): Beth?

YMWELYDD: Odi Wiliams wedi mynd?

NOW (*llais*): Ydi . . . sdim golwg ohono fo.

YMWELYDD: Ellwch chi ddod i mewn am funud, 'te?

NOW (*llais*): I mewn?

YMWELYDD: Ie, rwy mo'yn ichi wneud rhywbeth imi . . . (*Mae'n cerdded yn ôl tan wenu i'w chadair. Daw Now i mewn. Mae'n noeth o'i ganol i fyny.*)

NOW: Ie, *miss*?

YMWELYDD (*a'i chefn ato*): Meddwl y gallech chi gribo tipyn ar fy ngwallt i.

NOW (*wedi ei synnu braidd*): Gwallt?

YMWELYDD: Mae o'n fwy dryslyd nag arfer y bore 'ma. (*Mae'n estyn y brws iddo*) 'Chi'n meindio?

NOW (*braidd yn swil*): O . . . wel, nac 'dw, dim o gwbwl. (*Mae'n gafael yn y brws a chyffwrdd ei gwallt yn ysgafn fel petai arno ofn gwneud niwed iddo*) . . . ond dwi fawr o giamblar ar betha fel hyn, cofiwch!

YMWELYDD: Chewch chi fawr o effaith arno fel 'na beth bynnag— cribwch dipyn cletach (*Mae Now yn gwneud*) . . . Dyna chi . . . o'r corun i'r godre . . . Rhowch y llaw arall dano i'w godi oddi ar y gwegil . . . (*Mae Now yn gwneud gyda thipyn o betruster*) . . . Dyna fe . . . 'chi'n fwy o giamblar nag ŷch chi'n feddwl.

NOW (*wedi ei blesio, ac yn ennill hyder*): Dach chi'n deud?

YMWELYDD: Y drwg 'da chi, Now, yw diffyg hyder—'smo chi'n gwybod ych gallu'ch hun.

NOW: Ia . . . ond dwi 'rioed wedi gneud hyn o'r blaen, dalltwch.

YMWELYDD: Nid hyn yn unig rwy'n 'i feddwl, ond popeth—popeth chi'n 'i neud.

NOW: Dwi ddim yn ych dallt chi rŵan.

YMWELYDD: Wel . . . sut galla i ddweud (*Saib byr*) . . . fydda i byth yn eich clywed chi yn gwneud unrhyw benderfyniad yn y lle 'ma, Now.

NOW: Penderfyniad?

YMWELYDD: Cymerwch yr ardd yna nawr, er enghraifft, *chi* ddyle fod wedi penderfynu pryd i ddechre arni—neb arall!

NOW: Ond chi ofynnodd . . .

YMWELYDD: Awgrymu wnes i . . . ond fe wnaethoch chi ufuddhau yn syth . . . er bod gynnoch chi resymau da dros beidio.

NOW: Ia, ond fe glywsoch meinaps yn rhefru a mynd trwy'i betha.

YMWELYDD: Dyna'r union beth 'rwy'n 'i feddwl—chi'n gildio lawer rhy rhwydd i fympwyon Wiliams . . . ond dyna fo, mae rhai pobol wedi cael eu geni felly . . . gwylaidd! . . . diniwed!

NOW: Dim o'r fath beth.

YMWELYDD: Ond y drwg odi mai pobol felly sy'n cael eu cicio ar hyd ac ar led hefyd.

NOW: Cicio pwy? Cheith neb fy nghicio i o gwmpas, mi dduda i hynna wrthach chi rŵan . . . a tasach chi'n gallu gweld y dyrna 'ma, mi fasech chi'n deall be' dwi'n 'i feddwl . . . a dim pwdin siwat sy gen i fan hyn 'môn 'mraich chwaith . . . teimlwch y mysyls 'na . . . (*Mae'n gafael yn ei llaw a'i rhoi ar ei fraich*) . . . teimlwch y rheina (*Mae'r ferch yn codi a theimlo ei fraich*) Be' dach chi'n 'i feddwl o'r rheina, 'ta?

YMWELYDD: Anhygoel . . . wnes i 'rioed ddychmygu.

NOW: Sut gallach chi—a dw inna ddim yn un am frolio—fues i 'rioed.

YMWELYDD (*yn dal i fodio*): Caled fel dur—rwy'n siŵr eich bod chi'n ddyn i gyd.

NOW (*yn sefyll ar flaenau'i draed*): Dwy lath yn nhraed fy sana!

YMWELYDD (*yn teimlo ei gorff yn awr*): 'Tawn i ond yn gallu'ch gweld chi am foment.

NOW: Mi fedra i edrych ar f'ôl fy hun—mi dduda i hynna wrthach chi— cheith neb drin y boi yma fel pric pwdin.

YMWELYDD: Cry' fel tarw ifanc.

NOW (*wedi ymgolli mewn ymffrost yn awr*): Mi fuo dest imi ladd Arab unwaith, w'chi.

WILIAS: Lwcus nad es i ddim, 'tefe? Mi wyddwn y bydde fe lan i rywbeth unwaith y câi o 'nghefn i.

NOW: Yli—mi o'n i allan yn fan'na'n palu pan . . .

YMWELYDD: Mae'n amlwg na all 'run ohonoch chi drystio'r llall bellach—

NOW: 'Thrystiwn i mo'no fe led cae!

WILIAS: 'Sa well 'da fi drystio gwas y dic, gw'boi!

YMWELYDD: Does dim amdani ond gwahanu, felly, nac oes?

NOW A WILIAS (*gyda'i gilydd*): Y?

YMWELYDD: Wel . . . all y ddau ohonoch chi ddim byw dan yr un to fel hyn am weddill eich oes. (*Mae saib hir yn awr tra mae'r ddau yn meddwl*)

WILIAS: Eitha reit . . . 'chi'n reit yn fan'na . . . (*Troi at Now*) . . . Felly bagla hi . . . bagla hi!

NOW: Bagla be'? Os oes rhywun yn mynd, cefndar—chdi ydi o—bag a blydi bagej!

WILIAS: Fi sy berchen y lle.

NOW (*gyda gwên sbeitlyd*): 'Ti'n deud?

WILIAS: Fi prynodd o . . . f'arian i bob dime . . .

NOW: Ond fi ddaru o fel mae o . . . fy llafur i! 'Nhalent i . . . 'ti ddim yn cofio'r fargen?

WILIAS: Ma' pethe wedi newid ers hynny'r corrach!

NOW: I ti, falla, ond 'di petha byth yn newid gin dwrna—mae o i lawr gynno fo ar ddu a gwyn—enw'r ddau ohonon ni!

WILIAS: Ond ma'r gweithredoedd gen i—chei di byth dy ddwylo ar rheini, dim tra bydd . . .

YMWELYDD: Os yw enw'r ddau ohonoch chi ar y lle, dyw e ddim o bwys gan bwy mae'r gweithredoedd. Does ond un ffordd i setlo'r broblem. (*Saib*) Gwerthu'r lle!

WILIAS: Gwerthu?

YMWELYDD: Ie—a rhannu'r arian wedyn yn gyfartal! (*Saib hir eto*)

NOW: Reit! Dwi'n fodlon gwneud hynny!

WILIAS: Finne hefyd—rhywbeth i gael gwared o'r bwbach yma!

NOW: Pwy ti'n 'i alw'n fwbach . . ?

YMWELYDD: Ond yn y cyfamser, nes cawn ni gwsmer i'r lle, mi fydd rhaid inni wneud y gore o bethe fan hyn.

NOW: Dim ond iddo gadw'n glir oddi wrtha i.

YMWELYDD: Mi fydd rhaid dyfeisio ffordd, felly, i'ch cadw chi ar wahân.

WILIAS: Pella'n byd y bydd e, gore yn y byd gen i!

YMWELYDD: Mi wn i . . . mi fydd rhaid rhannu'r ystafell yma'n ddwy ran—a phob un i gadw i'w ran ei hun.

Y TŴR

(Drama Gomisiwn Eisteddfod Genedlaethol Caerdydd, 1978)

Cyflwynwyd y ddrama hon am y tro cyntaf ar y llwyfan gan Gwmni
Theatr Cymru yn Eisteddfod Genedlaethol Caerdydd, 1978)

Cymeriadau:

Gwryw
Benyw

ACT 1

Amser: Haf

Golygfa:
Ystafell mewn tŵr cylchog. Nid oes rhaid iddo fod yn berffaith grwn;
yn wir, gallai tŵr wythochrog fod yn fwy trawiadol. Mewn gwirionedd,
ail ystafell y tŵr yw hon ac y mae grisiau yn arwain i mewn iddi o'r
ystafell islaw. Nid oes rhaid gweld y grisiau yma, dim ond y drws sy'n
arwain i mewn. Yn yr un modd, mae grisiau eraill yn troelli i fyny i'r
ystafell sydd yn union uwchben. Mae'n rhaid i'r grisiau yma fod yn
weddol amlwg, gan fod rhaid i'r sawl a'u dringa fod yn hollol weladwy
i'r gynulleidfa nes cyrraedd y brig a diflannu, fel petai, i'r to.

Mae ffenestr fawr yn y mur yng nghefn y llwyfan. Mewn gwirionedd,
sgrîn yw'r ffenestr ac fe deflir lluniau arni (os yn bosib o'r tu ôl) o bryd
i'w gilydd yn ystod y ddrama. Gwelir lamp siâp lantarn hefyd ar un o'r
muriau ac fe fydd actor yn gallu ei chynnau fel y bo'r angen. Nid oes
dodrefn naturiol yn yr ystafell, dim ond darnau symudol o'r un lliw ond
o wahanol ffurf (ciwb, bocs hirsgwar, etc). Bydd y cymeriadau'n
gwneud gwahanol ddefnydd o'r ffurfiau yma yn ôl y galw ac yn eu
defnyddio fel cadair, bwrdd, gwely, etc.

Pan gyfyd y llen, mae'r llwyfan yn dywyll. Cryfheir golau gwyrdd ar
y ffenestr i greu'r argraff fod y golau yma yn llenwi'r ystafell. Yn yr un
modd, cryfheir miwsig. Nid miwsig naturiol yng ngwir ystyr y gair
ydyw, ond rhyw fath o ddilyniant o synau haniaethol, cynhyrfus ac

arallfydol. Clywir sŵn plant yn chwarae ac yna cymysgir dilyniant o ffilm ar y sgrîn (sef y ffenestr) sy'n dangos bachgen a merch fach yn rhedeg ar ôl ei gilydd ar lan y môr. Yn y man, mae'r plant yn prancio drwy'r dŵr fel dau ebol ifanc, ac yn llwyr ymgolli yn eu chwarae.

Ymhen ychydig, clywir sŵn chwerthin merch ifanc yn cryfhau wrth iddi redeg i fyny'r grisiau o'r ystafell islaw. Y foment y mae'r drws yn agor, mae'r ffilm yn diffodd yn y ffenestr. Daw'r ferch ifanc i mewn i'r ystafell, ac y mae'n edrych o'i chwmpas gyda golwg gynhyrfus o hapus arni. Mae wedi ei gwisgo fel y byddai unrhyw ferch ifanc wedi ei gwisgo i grwydro'r wlad ar ddiwrnod poeth o haf.

MERCH: Dwi yma! (*Mae'n edrych o'i chwmpas gyda brwdfrydedd, ac yna'n mynd yn ôl i'r drws a galw i lawr y grisiau*) Brysia! (*Mae'n edrych o gwmpas eto. Mae wrth ei bodd, fel petai wedi dod o hyd i rywle y mae wedi bod yn chwilio amdano ers talwm.*) . . . O'r diwadd, dwi yma! (*Mae bron yn dawnsio o gwmpas yr ystafell gan neidio dros, ac ar, ambell gelficyn. Rhed at y drws eto a gweiddi.*) Lle'r wyt ti?

LLANC (*o'r golwg yn lled bryderus*): Dwi'n dŵad! (*Daw llanc ifanc i mewn. Mae yntau hefyd wedi ei wisgo mewn gwisg achlysurol, ffasiynol. Daw i mewn yn llewys ei grys, ond y mae'n cario siaced dros ei fraich.*)

MERCH (*yn llawn cynnwrf*): Be' 'ti'n feddwl?

LLANC (*yn edrych o'i gwmpas yn amheus ond yn dal i sefyll wrth y drws*): Wn i'm.

MERCH (*o ganol yr ystafell*): Tyd i fan hyn.

LLANC: Y?

MERCH (*yn estyn ei dwylo eto*): I fan hyn ata i.

LLANC (*heb symud*): 'Ti'n meddwl y dylen ni?

MERCH: Pwy sy'n mynd i'n hatal ni? (*Saib hir tra bo'r bachgen yn edrych yn amheus ar y grisiau sy'n troelli tua'r to. Mae'r ferch hefyd yn awr yn edrych tua phen y grisiau cyn cerdded yn sydyn at y llanc.*)

MERCH: Be' sy arnat ti, dŵad?

MERCH (*yn rhoi ei breichiau am ei wddf*): Ddôn nhw ddim i fama. (*Clywir lleisiau plant yn chwerthin o gyfeiriad gwaelod y grisiau islaw*)

LLANC (*yn gwthio'i breichiau i ffwrdd*): Ma'n nhw yna!

MERCH (*braidd yn llym yn awr*): Ddôn nhw ddim i fan hyn! (*Mae'n mynd at y drws a'i gau'n glep. Distawa pob sŵn plant o'r ystafell islaw.*) Sgynnon nhw ddim hawl!

LLANC: Dim hawl?

MERCH: Chân nhw ddim!

LLANC: Ond dan *ni* yma . . .

MERCH: Dan *ni* i fod—dyma'n hamser ni. (*Mae'n nesáu ato eto a rhoi ei breichiau am ei wregys a'i dynnu ati*) . . . 'Ti ddim yn dallt?

LLANC: Ond y stafell isa 'na ddudodd . . . (*Mae'n petruso*) . . .

MERCH (*yn ddirmygus*): Dy fam! (*Saib*) . . . Hi ddudodd, 'te? . . . Hi ddudodd wrthat ti am aros lawr fan'na?

LLANC: Ma' pawb arall o'n ffrindia ni'n gneud.

MERCH: Am ma' fan'na ma'n nhw i fod. (*Mae'n ei dynnu ati eto yn addfwyn*) . . . Ond fan'ma ma'n lle ni . . . y ddau ohonan ni . . . hefo'n gilydd. (*Mae'r llanc yn dal yn anghysurus er bod y ferch yn dechrau ymgolli ychydig. Mae'n ei ddatgysylltu ei hun a mynd at y grisiau ac edrych i fyny'n ofnus.*)

LLANC: Dwi ddim yn licio'r lle 'ma o gwbwl.

MERCH (*yn chwerthin*): Be' ti'n 'i feddwl? (*Mae'n dechrau cerdded o gwmpas eto*) . . . Ma' hi'n grêt yma. (*Mae'n neidio i ben bocs mawr tra bo'r llanc yn cerdded o gwmpas yn amheus*)

LLANC (*Ofnus*): Rhyw deimlad rhyfadd . . . (*Mae'n edrych drwy'r ffenestr tuag at i lawr*)

MERCH (*yn gorwedd ar wastad ei chefn ar y bocs*): Clyfar, 'te! (*Mae'n codi ei choesau i'r awyr ac edrych arnynt gydag edmygedd*)

LLANC: Dan ni ddim hannar ffordd i fyny'r tŵr 'ma eto.

MERCH (*ar wastad ei chefn ar y bocs o hyd*): 'Ti wedi bod yn caru ar ben bwrdd erioed?

LLANC (*yn dal i edrych allan*): Dan ni lawar rhy agos i'r llawr.

MERCH: O'dd gin Sali Pritchard lyfr yn 'Raelwyd neithiwr!

LLANC (*yn mynd at y drws a rhoi ei glust arno i wrando*): Dwi'n siŵr 'u bod nhw yna o hyd.

MERCH: "*Your Position in Life*" . . . Dyna be' oedd 'i enw fo. (*Mae'r llanc yn cerdded yn araf tua'r grisiau eto*) . . . 'Ti'n dallt . . . "*Position*"! . . . Bob ffordd, bob sut . . . Nefoedd! 'Tasat ti'n gweld llunia. (*Mae'r llanc yn rhoi un droed ar y gris isaf fel petai'n teimlo a ydyw'n ddigon cadarn neu beidio*) Ac mi oedd un ohonyn nhw hefo'r 'ddau' yma ar ben y bwrdd . . . (*Mae'n troi ei phen i edrych arno a sylwi ei fod yn rhythu'n fyfyriol tua phen y grisiau*) . . . 'Ti'n clwad be' dwi'n 'i ddeud?

LLANC (*fel petai'n deffro o freuddwyd*): Y?

MERCH (*yn dod i lawr oddi ar y bocs*): 'Na fo . . . ro'n i'n gwbod . . . 'ti'n gwrando dim arna i, nac wyt.

LLANC: 'Ti'n gêm . . ? (*Yn edrych i dop y grisiau*)

MERCH (*yn obeithiol*): Beth?

LLANC: I fynd i fyny 'na . . . i'r stafell nesa.

MERCH: Ond newydd gyrraedd fan hyn dan ni.

LLANC: Mi fydd hi'n llawar saffach!

MERCH: Gwranda! Trïa ddallt . . .

LLANC: Ucha'n byd, gora'n byd—'mhell o gyrraedd pawb . . . neb i sbecian.

MERCH: Yli! Fan'ma dan ni i fod . . . a fan'ma ma' rhaid i ni aros am dipyn . . . wel, tan fyddan ni'n barod, beth bynnag.

LLANC: Barod i beth?

MERCH: Wel . . . dwn i'm . . . ond dwi'n gwbod nad ydan ni ddim yn barod i fynd rŵan. (*Mae'n mynd ato ac yn gafael yn ei ddwylo*) Gad i ni fwynhau fan'ma i ddechra . . . mentro chydig. (*Mae'n ei dynnu eto i ganol yr ystafell*) . . . ac ma' mentro yn brofiad ynddo'i hun . . . yn rhoi gwell blas ar betha? (*Saib*) 'Ti ddim yn meddwl?

LLANC (*yn betrusgar eto*): Dwi ddim ofn mentro . . .

MERCH: Tyd, 'ta . . . gwasga fi. (*Mae'n gafael yn ei freichiau a'u clymu am ei phen ôl*) Gwasga fi'n dynn! (*Mae'r llanc yn codi ei freichiau nes eu bod o gylch ei chanol, ond heb lawer o frwdfrydedd*) Mwy! Gwasga fi'n slwts! (*Mae'n ei gusanu, ond eto nid oes llawer o ymateb gan y llanc*) Mi elli di agor cefn 'y ffrog i.

LLANC: Y?

MERCH: Sip! Mi elli di 'i agor o—i lawr i'r gwaelod, os lici di.

LLANC: O!

MERCH: Tyd! (*Mae'n ei gusanu'n weddol ffyrnig yn awr ond mae'r llanc yn gollwng ei ddwylo'n llipa. Mae'r ferch yn gwylltio a'i wthio oddi wrthi.*) Nefoedd yr adar! Waeth i mi garu hefo lwmp o bwdin siwat ddim.

LLANC: Ia, wel . . .

MERCH: 'Ti rêl babi clwt.

LLANC: Ma' lle ac amser i bopath, 'toes?

MERCH (*yn gweiddi*): Faint o amsar 'ti isio . . ? Sut blydi lle?

LLANC: Sh! (*Mae'n edrych yn ofnus at dop y grisiau*)

MERCH: Bob tro dan ni'n dechra, 'ti'n nogio.

LLANC: Falla bod rhywun o gwmpas . . . glywis i sŵn rŵan dest.

MERCH (*yn goeglyd*): Pwy ddiawl ti'n 'i feddwl sy 'na—dy fam?

LLANC (*yn codi ei wrychyn*): Yli, llai o hynna . . .

MERCH: Dos adra i gysgu hefo *hi,* 'ta.

LLANC (*Tymer yn codi*): Dwi'n deud wrthat ti . . .

MERCH: Gysgi di hefo neb arall yn ôl pob golwg . . .

LLANC (*yn wyllt*): 'Nei di fod ddistaw . . ?

MERCH (*bron mewn sterics*): A 'tasat ti, fasat ti ddim yn gwbod be i'w neud.

LLANC (*yn gafael ynddi*): 'Tisio i mi 'i chau hi iti?

MERCH: Dwi ddim yn meddwl bod gin ti un hyd yn oed . . . (*Mae'r llanc yn rhoi clustan dda i'r ferch ar draws ei boch. Ar ôl iddo wneud hyn, cawn ysbaid hir o ddistawrwydd. Mae'r ferch yn troi ei chefn ar y llanc a'r gynulleidfa ac fe welwn ei hysgwyddau'n symud fel y mae'n ochneidio dan deimlad. Mae'r llanc wedi ei syfrdanu gan ei weithred greulon.*) ___ GYFLYM

LLANC: Desu! Sori . . . (*Mae'n ceisio ei throi i'w wynebu ond mae hithau yn ei ysgwyd i ffwrdd*) . . . O'n i ddim yn meddwl . . . wn i ddim be' ddaeth drosta i . . . 'Swn i ddim yn cymryd y byd â dy frifo di . . . (*Mae'r ferch yn cerdded oddi wrtho at y ffenestr. Mae'n crynu fel petai'n dal i wylo'n ddistaw.*) . . . 'Ti'n clwad . . . (*Saib hir yn awr. Nid yw'r llanc yn gwybod beth i'w wneud.*) . . . 'Ti ddim yn dallt? . . . Dwi'n meddwl y byd ohonat ti. (*Mae ochneidiau'r ferch yn gostegu. Distawrwydd hir eto fel y mae'r llanc yn ceisio penderfynu beth i'w wneud nesaf.*) SAIB MAWR

MERCH (*heb droi ei phen i edrych arno*): Dwi'n credu 'i bod hi'n hel storm.

LLANC: Ydi hi?

MERCH: Cymyla duon dros ben Foel!

LLANC: Roeddan nhw'n gaddo terfysg bora.

MERCH: Mi neith tipyn o law trana les i'r tyfiant.

LLANC (*yn nesáu at y ferch*): Ma' pob man yn sych grimp hefo'r holl haul yma dan ni 'di gael. (*Mae'n ei chyrraedd*)

MERCH: Wna i ddim cwyno chwaith—dwi wrth 'y modd hefo haul.

LLANC (*yn ei throi yn araf tuag ato*): A finna hefyd!

MERCH (*yn ei wynebu*): Fiw i ni gwyno gormod.

LLANC: Fiw i ni! (*Mae'n ei chusanu'n ysgafn ar ei gwefus. Fe dorrir ar y foment brydferth yma gan y daran gyntaf. Mae'r ferch yn neidio mewn dychryn.*)

MERCH: O'r nefoedd!

LLANC (*yn ddewr yn awr*): Ddudis i y basa hi'n tranu do? (*Yn rhoi ei fraich amdani*)

MERCH: Oes 'na ddrych yma?

LLANC: Be'?

MERCH: Rhag y mellt.

LLANC: Be' ti'n rwdlian? (*Daw taran arall*)

MERCH: Mi fydda Mam yn gneud hynny bob amser . . . troi pob drych at y wal. (*Mae'n edrych o gwmpas*) Sdim drych yma, nac oes?

LLANC: Yli, tyd i fan hyn i ista . . . dan ni'n berffaith saff. (*Mae'n eistedd wrth ei ymyl ac yn swatio i'w gesail. Mae'n ei gwasgu ato.*) 'Pharith hi fawr, 'sti!

MERCH: 'Ti ddim ofn, 'ta?

LLANC: Nac dw i.

MERCH: Ma' hi 'di twllu hefyd.

LLANC (*yn edrych ar y lamp sydd ar fur y tŵr*): 'Di honna'n gweithio, tybad? (*Mae'n codi at y lamp ac yn pwyso nobyn bach sydd ar ei gwaelod. Mae'r lamp yn cynnau a'r ystafell yn goleuo unwaith eto.*) 'Na ti glyfar!

MERCH: Clyfar iawn. (*Panic eto*) Neith y mellt ddim byd i'r lectric na neith?

LLANC: Choeliais i.

MERCH: 'Ti'n siŵr?

LLANC (*yn eistedd wrth ei hochr eto ac yn rhoi ei fraich amdani yn dadol*): Yli, os oes rhywun yn gwbod rwbath am lectric . . . fi 'di hwnnw.

MERCH (*yn mwynhau ei fraich warcheidiol*): Ia, 'te . . . Dwi'n teimlo'n saff hefo ti.

LLANC (*wedi ei blesio'n arw*): Wyt ti?

MERCH: Fydd di ofn dim byd, 'ta?

LLANC: Dim byd o bwys, 'sti.

MERCH: 'Sbrydion?

LLANC (*Chwerthin rŵan*): 'Sbrydion! 'Ti ddim ofn y rheini, nac wyt ti . . ?

MERCH: 'Swn i ddim yn licio cwarfod un yn twllwch.

LLANC: 'Nei di ddim—does 'na 'run.

MERCH: 'Ti'n meddwl?

LLANC: Saff! (*Saib hir yn awr*)

(*Clywir sŵn taran arall ond un lawer llai y tro hwn*)

LLANC: Doedd y glec yna ddim cymaint . . . ma' hi'n cilio.

MERCH: Diolch am hynny.

LLANC: 'Di stormydd ganol ha byth yn para'n hir. (*Saib hir eto*)

MERCH: Fyddi di ofn marw?

LLANC (*ar ôl saib byr*): Ma' pawb ofn marw.

MERCH: Dwi ddim!

LLANC (*wedi synnu rŵan*): Nac wyt ti?

MERCH: Wel . . . dim dest *marw* felly . . . Fel marw yn 'y ngwsg . . . 'ti'n gwbod be' dwi'n 'i feddwl.

LLANC: Nac ydw i.

MERCH: Wel . . . 'di marw'n cyfri dim i mi—ar ôl marw . . . be' sy'n digwydd wedyn felly! . . . dwi'n hidio ffliwjan am hynny . . . *sut* y bydda i'n marw 'di'r peth.

LLANC: Ma' hynny yni! . . . 'Sa well gin i farw yn 'y ngwely nag mewn damwain. Mi gafodd y prentis o 'mlaen i 'i lectrociwtio, 'sti. Uffar o fflach, medda'r hogia . . . 'i losgi'n ulw . . . O'dd o'n blydi ffŵl i fynd i weithio ar transfformars a fynta'n ddibrofiad.

MERCH: Ond mi aeth yn sydyn!

LLANC: Y?

MERCH: Wydda fo ddim am y peth—chafodd o ddim poen, felly?

LLANC: All neb ddeud hynny.

MERCH (*yn drist wrth gofio*): Ddim poen yn rhygnu fel Mam.

LLANC: Ma' hynny yni . . .

MERCH (*Saib*): 'Swn i ddim yn licio marw fel Mam . . . cael 'i byta'n fyw hefo poen a ninna'n gwbod 'i bod hi'n mynd. (*Saib*) A methu gneud dim ynghylch y peth.

LLANC (*yn dosturiol rŵan*): Ond mi ddaru hi ddiodda'n ddewr, do . . . 'ti wedi deud hynny droeon.

MERCH: Pawb yn deud clwydda wrthi bob dydd . . . 'i bod hi'n edrach yn well . . . sôn am holides ha', fasa byth yn dŵad . . .

LLANC: O'dd yn well iddi beidio gwbod . . .

MERCH (*yn fyfyrgar*): Oedd. (*Saib*) Ond mi o'n i'n teimlo weithia, wrth ista wrth erchwyn 'i gwely hi, 'i bod hi'n gwbod . . . ond 'i bod hi'n trïo cadw'r peth oddi wrtha i . . . ac mi chwaraeson ni'r gêm hyd y diwadd . . . (*Saib hir eto. Taran dawel yn y pellter. Mae'n troi ato'n sydyn.*) . . . Dyna pam ma' rhaid i ni fwynhau rŵan . . . 'ti'n dallt . . ? Bob munud ohono fo.

LLANC: 'Ti'n deud?

MERCH (*yn newid ei hymarweddiad yn hollol*): Pam dyfi di fwstash?

LLANC: 'Tisio i mi? (*Mae'n codi a mynd at y drych sydd ar y mur chwith*)

MERCH: Dwi'n licio dynion hefo mwstash.

LLANC (*yn edrych arno'i hun yn y drych*): Dwi'n meddwl y basa fo'n fy siwtio fi hefyd. (*Ar y sgrîn yn awr, gwelwn luniau sy'n cyfleu meddyliau'r llanc wrth iddo'i ddychmygu ei hun gyda gwahanol fathau o dyfiant dan ei drwyn. Yn ystod hyn, mae'r llanc yn gosod mwstash dan ei drwyn, ac fe ddylai hwn edrych yn hollol real.*)

MERCH: Ac nid rhyw fwstash bach cachu iâr, cofia . . . ond un mawr clyfar fel Zapata . . . un rhywiol yn cyrlio i lawr 'dat dy ên di . . . Ma' dynion hefo mwstash yn 'y ngyrru fi i grynu i gyd! (*Mae'r llanc yn gwisgo ei siaced am y tro cyntaf ac yn troi a cherdded at y ferch. Yn wir, mae'n edrych dipyn yn wahanol gyda'i fwstash—aeddfetach, mwy hyderus. Daw a sefyll ychydig y tu ôl i ysgwydd y ferch.)*

LLANC: Heia! (*Mae'n troi i edrych arno gyda golwg ddig arni*)

MERCH: Ble 'ti wedi bod, 'ta?

LLANC: Dwi'n hwyr?

MERCH: 'Ti'n blydi gwbod dy fod ti'n hwyr. (*Mae'n cerdded oddi wrtho*)

LLANC (*yn ei dilyn*): Rhyw chwartar awr, falla.

MERCH (*yn troi i'w wynebu eto*): *Tri* chwartar awr, cefndar . . . Saith ddudon ni . . . (*Mae'n dangos ei horiawr iddo*) . . . ma' hi rŵan yn chwartar i!

LLANC (*heb fod yn wylaidd o gwbwl, yn wir mae'n llawn hyder*): Ia . . . wel . . . ro'n i braidd yn brysur.

MERCH: Dwi'n siŵr Dduw dy fod ti'n brysur.

LLANC: A be' ma' hynny i fod i'w olygu?

MERCH: Ac mi wn i'n brysur hefo *pwy* hefyd.

LLANC: Yli, dwi wedi deud wrthat ti bod rhaid i mi weithio'n hwyr . . . nid hogyn dwi rŵan, dallt . . . ma' gin i brentis i'w drenio.

MERCH: A'r beth *dinboeth* yna yn y cantîn.

LLANC: Be' 'ti'n 'i feddwl?

MERCH: Ma' gin ti honna i'w *threnio* hefyd, 'toes, ac ma' hi wrth 'i bodd.

LLANC: Gwranda . . .

MERCH: Gwranda di arna i, 'ngwas i . . . ma' Sali Pritchard yn gweithio yn ych cantîn chi hefyd . . . ac ma' ganddi bâr o llygada gora welist ti 'rioed.

LLANC: A blydi ceg hefyd—be' ddudodd yr hen ast wrthat ti rŵan?

MERCH: Hidia di befo be' ddudodd hi, cefndar!

LLANC: Na, dwi isio gwbod—

MERCH (*Saib*): Fedri di ddim 'i gadael hi'n llonydd, na fedri?

LLANC: Pwy?

MERCH: Y sguthan bach 'na sy ar y *till*—dyna i ti pwy.

LLANC: Dwi isio gwbod yn union be' ddudodd Sali Pritchard.

MERCH: 'Ti'n gwadu dy fod ti'n rhoi lifft iddi bob nos, 'ta?

LLANC (*wedi synnu braidd bod y ffaith yma allan*): Pwy ddudodd hynny wrthat ti?

MERCH: 'Ti'n gwadu . . . dŵad wrtha i . . . 'ti'n gwadu'r sglyfath?

LLANC: Yli, ma'n hen bryd i ti garthu dy feddwl . . . dwi'n digwydd pasio'i thŷ hi ar ffordd adra . . . sdim bws yn mynd yn agos i'r lle.

MERCH: Ac mae o'n cymryd dipyn o amsar i ti *basio* hefyd, 'tydi?

LLANC: Be' ti'n 'i awgrymu?

MERCH: Dim awgrymu, boi—deud!—'Ti wedi cael dy weld yn mynd i mewn 'na hefo hi—i'r tŷ!

LLANC: O . . . dwi'n gweld—dyna sy'n dy boeni di.

MERCH: 'Ti'n gwadu, 'ta?

LLANC (*Heriol*): Nac ydw i—pam dylwn i?

MERCH: Reit! (*Yn mynd am y drws*) Dwi'n mynd!

LLANC: Ac mi fydda i'n cael smôc a sgwrs hefo'i gŵr hefyd.

MERCH: Beth? (*Mae'n stopio'n stond*)

LLANC: A heno 'ma, mi ges i beint hefo fo . . . dipyn o foi am gwrw cartra . . .

MERCH: 'I gŵr hi?

LLANC: Ddudodd yr hen siswrn ddim 'i bod hi wedi priodi, naddo . . . (*Saib*) Na, fasa hynny ddim yn ffitio'i phlania hi.

MERCH: 'Ti'n nabod gŵr yr hogan 'ma, 'ta?

LLANC: 'I nabod o'n iawn—'swn i ddim yn cymryd y byd â'i dwyllo fo.

MERCH (*Yn teimlo braidd yn annifyr rŵan*): O!

LLANC: Ia . . . blydi "O!" (*Saib hir*)

MERCH: Ma'n ddrwg gin i.

LLANC: Ddudodd hi'r gweddill wrthat ti, 'ta!

MERCH: Pwy?

LLANC: Sali Pritchard . . . ddudodd hi ddim mo'r stori arall debyg?

MERCH: Pa stori arall?

LLANC: 'I bod *hi* bron â thorri croen 'i bol isio tro arna i 'i hun.

MERCH (*Llygaid yn dechrau fflachio eto yn awr*): Be' 'ti'n 'i feddwl?

LLANC: Ma' hi'n diodda, 'tydi . . . sâl isio fo . . . ddudodd *hi* 'i bod hi wedi gofyn am lifft adra i mi droeon.

MERCH: Ma' gin Sali gar 'i hun.

LLANC: Wrth gwrs bod gynni blydi car 'i hun . . . ac mae o'n cael pyncjars yn amal ar y diawl yn ôl be' ma' hi'n 'i ddeud.

MERCH: Be' 'ti'n 'i awgrymu?

LLANC: Nid awgrymu, del—deud! Ma' hi'r un fwya tinboeth yn gwaith 'cw ac ma' pawb 'di bod yna ond fi.

MERCH (*yn ddistaw*): Yr hen ast! (*Mae'n troi a mynd i sefyll o flaen y drych sydd ar y mur de*)

LLANC: A dyna be' sy'n 'i chorddi hi iti fod yn dallt . . . fi 'di 'i gwrthod hi!

MERCH: Allwn i ddim diodda meddwl bod rhywun arall yn dy gael di.

LLANC (*yn cerdded ati ac yn gafael amdani o'r tu ôl*): Allwn i ddim diodda neb arall p'run bynnag. (*Mae'r ddau yn awr yn edrych yn y drych*)

MERCH: 'Ti'n meddwl 'mod i rhy dew?

LLANC: Y?

MERCH: Rownd fan hyn. (*Mae'n anwesu ei gwregys a'i phen ôl*)

LLANC: 'Swn i ddim yn deud. (*Maent yn datgysylltu ac yn wynebu ei gilydd*)

MERCH: Ma'r deiet Mayo Clinic 'ma'n dda, meddan nhw i mi—ma' bosib colli deg pwys mewn wythnos.

LLANC (*yn ei thynnu ato ac yn anwesu ei phen ôl*): Paid â cholli dim.

MERCH: Rhyw bwys ne' ddau, dyna i gyd.

LLANC: Dim . . . Ma' isio lle i afael . . . 'sa gas gin i fynd i'r gwely hefo ffrâm beic. (*Mae'r ferch yn toddi i'w anwes. Gwelwn y llanc yn ymbalfalu am y sip ac yn ei agor yn araf*)

MERCH: 'Ti'n deud petha od weithia.

LLANC: Un od ydw i.

MERCH: Dwi'n licio pobol od. (*Pan fo'r llanc yn rhoi'i law y tu mewn i'w gwisg ar ei chefn, mae'r ferch yn datgysylltu*) Well i ni beidio!

LLANC (*Syndod braidd*): Be' sy'n bod!

MERCH: Dim rŵan!

LLANC: Be' sy o'i le ar 'rŵan'?

MERCH (*yn symud at y grisiau*): Wel, dim fan'ma, 'ta . . . dim yn saff fan'ma. (*Mae'r ferch yn edrych i fyny'r grisiau*)

LLANC: Chdi ddudodd nad oedd neb yma.

MERCH (*yn troi ato*): 'Ti'n gêm?

LLANC (*yn obeithiol*): Beth?

MERCH: I fynd i fyny 'na! (*Yn amneidio at dop y grisiau*)

LLANC (*yn edrych yn ddifrifol yn awr*): I fyny?

MERCH: I'r stafell nesa . . . mi fydd hi'n saffach fan'no . . . neb yn busnesu!

LLANC: 'Ti ddim yn licio fan hyn, 'ta?

MERCH: Meddwl dwi 'i bod hi'n hen bryd inni ddringo tipyn.

LLANC: Diawl! (*Mae'n edrych o'i gwmpas*) Dwi'n dechrau mwynhau fy hun. (*Mae'n dechrau neidio dros, ac ar ben, y dodrefn. Mae'n sefyll ar ben y bwrdd fel y gwnaeth y ferch ar ddechrau'r ddrama. Saib. Mae'n edrych arni.*) Ma'n bosib i ni gael peth uffar o hwyl yn fan'ma, 'sti. (*Mae'n gorwedd ar ei ochr gyda'i benelin ar y bwrdd a'i ben yn pwyso yn ei law*) Be' 'ti'n 'i ddeud?

MERCH (*yn edrych arno braidd yn ddifrifol*): Iawn!

LLANC (*yn gorwedd i lawr ar y bwrdd. Saib*): Tyd yma, 'ta. (*Saib hir yn awr. Yn y man, mae'r ferch yn agor y sip ar y ffrog ac yn dadwisgo trwy ei gollwng o gylch ei thraed. Mae'n awr yn gwisgo dillad isaf. Ar ôl camu o'i gwisg, mae'n cerdded yn araf at y llanc. Nid yw'n troi ei ben i edrych arni. Mae'n sefyll wrth ochr y bocs am ennyd, yna'n gorwedd arno wrth ochr y llanc. Ar ôl ysbaid o ddistawrwydd mae'r ddau, gyda'i gilydd, yn troi i wynebu ei gilydd a choffeidio.*)

(*Ar y sgrîn gwelwn y llanc a'r ferch yn caru'n noeth mewn gwely. Dylai'r ffilm fod wedi ei harafu, a'r cymysgu o un siot i'r llall yn cyfleu symudiad sy'n ymylu ar fod yn falé. Defnyddir cerddoriaeth yn gefndir gyda'r cyfan yn cyrraedd uchafbwynt rhywiol. Diflanna'r llun a cheir saib hir. Clywir sŵn trên yn y pellter.*)

MERCH (*yn hapus iawn*): Trên! (*Saib*)

LLANC: Ia. (*Saib*)

MERCH: Ma' 'na rwbath neis mewn sŵn trên yn bell yn y nos! (*Ar ôl saib eto, mae'r llanc yn codi ac yn cerdded at y drych. Nid oes golwg rhy hapus arno. Yn wir mae rhywbeth yn ei boeni. Mae'n cribo'i wallt. Mae'r ferch yn dal i orwedd ar wastad ei chefn yn hollol lonydd fel petai'n cysgu. Ar ôl cribo'i wallt, mae'r llanc yn dal i edrych arno'i hun yn hir a myfyrgar. Try yn sydyn ac edrych at y ferch.*)

LLANC: Pwy ddysgodd di?

MERCH (*yn ddioglyd*): Beth?

LLANC: 'Ti'n gwbod be' ydw i'n 'i feddwl!

MERCH (*yn freuddwydiol*): Nac ydw i . . .

LLANC (*yn codi ei lais*): O wyt!

MERCH (*yn troi ei phen ac edrych arno mewn syndod*): Be' sy'n bod arnat ti?

LLANC: Dwi ddim yn biwritan, dallt, ond dwi isio gwbod . . . dyna i gyd . . . pwy? . . . pryd?

MERCH (*yn codi ar ei heistedd*): Be' 'ti'n 'i falu?

LLANC: Wnest ti ddim dysgu hynna wrth dorri gwinadd dy draed, naddo . . ?

MERCH: Y?

LLANC: A 'ti'n gwbod be' ma'n nhw'n 'i ddeud!

MERCH: Be' ma'n nhw'n 'i ddeud be'?

LLANC: Am nyrsys.

MERCH: Be' ti'n 'i feddwl—nyrsys?

LLANC: 'Ti'n nyrs, 'twyt?

MERCH: Ydw!

LLANC: 'Na fo . . .

MERCH: 'Na fo be'? (*Yn dechrau colli ei thymer*)

LLANC: Dach chi'r nyrsys yn . . . wel . . . yn gweld petha, 'tydach . . . pobol mewn gwlâu a ballu?

MERCH: Wel siŵr Dduw yn bod ni—be' arall 'ti'n 'i ddisgwl?

LLANC: Dynion yn noeth ac ati . . .

MERCH: Wel?

LLANC: Yli . . . paid â thrïo bod yn ddiniwad hefo fi . . . dwi wedi bod yn rhosbitol, dallt . . . mi ges i dynnu 'mhendics, do—mi ges i dynnu 'mhendics.

MERCH: O bechod!

LLANC: A nyrs bach ifanc oedd hefo fi, dallt . . . hen ddiawl bach bowld . . .

MERCH: Taw â deud. (*Mae'n gwenu'n awr*)

LLANC: Dwy ohonyn nhw . . . yn fy siafio fi o gwmpas . . . 'y mhetha. (*Mae'r ferch yn dechrau chwerthin*) . . . ia, 'na ti . . . dyna fel oeddan nhw . . . yn gigyls i gyd . . . wrth 'u blydi bodd. (*Yn gweiddi'n uchel. Mae'r ferch yn peidio â chwerthin. Ysbaid hir o ddistawrwydd.*)

MERCH: Oeddat ti wrth dy fodd, tybad?

LLANC: Dyna'r pwynt dwi'n drïo'i neud, 'te . . . 'ti mewn lle i gael hwyl, 'twyt . . . i neud petha . . .

MERCH: Wela i . . . (*Mae'n dod i lawr oddi ar y bocs a cherdded at ei gwisg*) . . . Dyna sy'n dy gorddi di, ia? (*Mae'n dechrau gwisgo mewn distawrwydd*)

LLANC: Wel . . ma' gin i hawl i gael gwybod, 'toes? (*Nid yw'r ferch yn ateb, dim ond gwisgo gyda golwg wedi llwyr bwdu arni hithau'n awr*) Ma' rhaid inni fod yn onast, 'toes . . . gonast hefo'n gilydd cyn cychwyn.

MERCH: Ddudis i 'rioed 'mod i'n fyrjin, naddo?

LLANC: Ddudist ti 'rioed dy fod ti wedi bod hefo neb arall chwaith.

MERCH: Wnest ti ddim gofyn i mi.

LLANC: Am 'y mod i'n dy drystio di—dyna i ti pam.

MERCH: P'run bynnag, doedd y lleill ddim yn cyfri.

LLANC: Cyfri digon i ddysgu be' oedd be' i ti.

MERCH: Ma' merch yn gwbod yn reddfol sut a be' i'w wneud—amgenach na dyn.

LLANC: Dan ni ddim yn dwp chwaith . . . dwi'n gwbod pryd ma' merch wedi . . . (*Mae'n petruso*)

MERCH: Wedi be'?

LLANC (*Saib*): Wedi cael profiad!

MERCH: Sut?

LLANC: Be' 'ti'n 'i feddwl 'sut'?

MERCH: Sut wyt ti'n gwybod 'mod i *wedi cael profiad* . . . hefo pwy 'ti'n 'nghymharu i?

LLANC: Beth?

MERCH: Tyd 'laen . . . dwi'n brofiadol meddach chdi . . . wel, ma' rhaid dy fod ti wedi cael tro ar rywun—llai profiadol felly—iti wbod y gwahaniaeth . . .

LLANC: Paid â siarad lol.

MERCH (*Chwerthin*): Ne' falle dy fod ti wedi cael rhywun hollol ddibrofiad! . . . Tyd! Dŵad wrtha i . . . sut wyt ti'n gwbod? . . . falla fod gin ti res ohonyn nhw—bob un mewn *league* gwahanol, 'lly! *First division, second division, third division* . . . ne' hyd yn oed y *Caernarfon and District League!*

(*Mae saib byr rŵan tra mae'r ddau yn rhythu ar ei gilydd. Yna, mae'r llanc a'r ferch yn dechrau gwenu, ac yna'n torri allan i chwerthin yn uchel.*)

MERCH (*yn distewi'n sydyn*): Sh! (*Mae'n gwrando tra bo'r llanc yn dal i chwerthin. Mae'n codi ei llais nawr.*) Bydd ddistaw! (*Mae yntau'n distewi wrth sylwi ei bod yn gwrando ar rywbeth. Saib byr fel y mae'r ddau'n gwrando.*)

LLANC: Be' glywi di?

MERCH (*Golwg braidd yn ddifrifol arni eto*): Rwbath . . . (*Dal i wrando*)

LLANC (*Yntau fel petai'n sylweddoli bod arni ofn*): Be' ti'n 'i feddwl— rwbath?

MERCH (*yn dal i wrando*): Wn i'm . . . llais? . . . rhywun yn galw? . . .

LLANC (*yn cerdded at y drws*): Sdim peryg 'u bod nhw yna o hyd. (*Mae'n agor y drws a gwrando*)

MERCH: Na! Cau hwnna! . . . (*Mae tinc o bryder ac ofn yn ei llais*)

LLANC: Dim ond edrach o'n i . . . (*Mae'n cau'r drws*)

MERCH: Awn ni ddim ffordd yna . . . yn bendant awn ni ddim i lawr ffordd yna eto. (*Mae'n edrych i fyny'r grisiau eto*) . . . Byth eto!

LLANC: Sneb i lawr yn fan'na, beth bynnag . . . ma'n nhw 'di mynd . . . diolch am hynny. (*Mae'n sylwi bod y ferch yn edrych i gyfeiriad yr or-uwch ystafell. Mae yntau hefyd yn edrych i fyny. Saib.*) O fan'na 'ti'n meddwl?

MERCH: Synnwn i fawr. (*Saib o wrando eto*)

LLANC: Chlywa i ddim.

MERCH: Mi glywis i rwbath . . .

LLANC (*yn ddistaw ond ychydig yn ofnus ei hunan yn awr*): Rhen ddistia 'na'n chwyddo, debyg . . . ma' hynna'n digwydd mewn gwres.

MERCH: Nid sŵn 'peth' oedd o . . . ond 'rhywun' (*Mae'n eistedd*)

LLANC (*yn eistedd wrth ei hochor hi*): Yn gweiddi, felly?

MERCH: Yn galw! . . . (*Mae'n edrych o gwmpas eto yn bryderus*) . . . Pam dan ni yma?

LLANC: Chdi oedd isio . . . dy syniad di oedd o.

MERCH: O ble daethon ni, 'ta?

LLANC (*Saib. Mae'n methu deall*): Wyt ti'n iawn? (*Yn gafael yn ei llaw*)

MERCH: O ble daethon ni i fan hyn!

LLANC (*yn rhyw chwerthin yn ansicr*): O'r gwaelod 'na, 'te . . . o'r stafell isa 'na . . . be' 'sy arnat ti?

MERCH: Ond pam y twr yma—pam ddaethon ni i'r twr 'ma o gwbwl?

LLANC (*Saib*): I ddringo i'r top, am wn i.

MERCH (*Saib*): A be' wedyn . . ?

LLANC: Wel . . . gawn ni weld, cawn . . . edrach o gwmpas . . . uwchlaw pawb-a-phopeth . . .

MERCH: Mi ges i freuddwyd neithiwr . . .

LLANC (*Nid yw'n sicr o'r sefyllfa o gwbl*): Do?

MERCH: Ro'n i'n rhedeg trw'r cae ŷd 'ma ar ôl iâr fach yr ha . . . un fawr frown â smotia coch ar 'i hadenydd hi . . . rhuthro drw'r tyfiant nes oedd yr ŷd yn chwipio 'mocha fi . . . weithia ro'n i yn 'i cholli hi . . . ond yn fuan iawn yn dŵad o hyd iddi bob tro . . . a hitha—rhen gnawas bach . . . yn hedfan yn bryfoclyd ryw lathan ne' ddwy o 'mlaen i . . . Dyma fi'n 'i cholli hi eto . . . gorfod chwilio mwy tro hwn, ac yna (*Saib*) . . . dyma fi'n 'i gweld hi . . .

LLANC (*yn sylwi ar yr atgasedd yn ei hedrychiad*): Ia?

MERCH: Ro'dd hi wedi glanio ar wynab y person 'ma o'dd yn gorwadd . . . fan'no . . . ar wastad 'i gefn yn yr ŷd . . . yn crynu'i hadenydd yn y pant bach 'na rhwng y trwyn a'r bocha . . . A dyma fi'n 'mestyn amdani'n ara bach, a 'nwylo'n gwpan . . . 'i dal hi . . . ac mi ces i hi . . . ro'n i'n gwbod 'mod i wedi'i chael hi achos ro'n i'n 'i theimlo hi'n cosi cledar 'y llaw, ond . . . fedrwn i ddim . . . (*Mae'n oedi*)

LLANC: Fedrat ti ddim be'?

MERCH: Fedrwn i ddim tynnu 'nwylo ata i'n ôl . . . roeddan nhw wedi . . . glynu yng nghroen y gwynab 'ma.

LLANC: Glynu.

MERCH: A dyna pryd digwyddodd o.

LLANC: Be'?

MERCH: Mi rois i un plwc sydyn ac mi ddaeth croen un ochor i gyd yn rhydd . . . plisgio i ffwrdd nes oedd yna ddim byd ar ôl ond esgyrn coch . . . a thylla gwag du.

LLANC (*Saib*): Desu! . . . (*Saib*) . . . Be' oedd o? . . . Y person yma . . . dyn 'ta dynas?

MERCH: Dyna'r pwynt . . . wn i ddim . . . ro'n i'n meddwl weithia ma' Mam o'dd 'na . . . dro arall, rhywun diarth, (*Saib*) . . . a weithia . . . chdi!

LLANC (*ar ôl saib, yn codi'n sydyn*): Uffar o freuddwyd, dd'wedwn i.

(*Mae'n mynd at y drych ac yn edrych ar ei wyneb*) Ma'n rhaid i mi
neud rwbath ynglŷn â'r plorod 'ma.

MERCH: Fyddi di'n breuddwydio?

LLANC (*tan wasgu ploryn*): Y?

MERCH: Breuddwydio! Fyddi di'n breuddwydio fel'na?

LLANC: Breuddwydio, byddaf! Ond nid fel'na . . . nid mor uffernol o
anghynnas â hynna . . . 'ti'n gwbod 'mod i'n dechra britho?

MERCH: Beth?

LLANC: Dau ne dri o flew gwyn yn 'y ngwallt i—rochor, fan hyn. (*Mae'n
cribo'i wallt eto*)

MERCH: Henaint!

LLANC (*yn troi ati â gwên ar ei wyneb*): Mi freuddwydis i unwaith 'mod
i'n rhedeg trw gae!

MERCH: Wnest ti?

LLANC: Cae rwdins oedd hwn, ac mi o'n inna'n cwrsio rhwbath hefyd.

MERCH (*o hyd yn ddifrifol*): Oeddat ti? (*Mae'r bachgen yn cerdded ati yn
araf*)

LLANC: Ond nid glöyn byw oedd o chwaith.

MERCH: Be'?

LLANC: Uffarn o fodan noethlymun gorcyn a brestia ganddi fel dau bot
llaeth cadw.

MERCH (*yn gweld ei fod yn tynnu ei choes*): Y rwdlyn!

LLANC (*Mae'n codi ei ddwylo nawr fel pe bai'n crafangu amdani*): Ac
mi o'n i'n gwbod be' o'n i'i isio ar ôl 'i dal hi hefyd.

MERCH (*yn ymuno yn y chwarae*): 'Tasat ti'n gallu'i dal hi. (*Mae'n
rhedeg o gylch y dodrefn gyda'r llanc yn ei hymlid. Bydd digon o
hwyl a chwerthin yn yr olygfa yma.*)

LLANC: Matar o amser—dyna i gyd.

MERCH (*yn chwerthin yn uchel*): Sgin ti ddim gobaith.

LLANC (*yn aros yn ei unfan. Mae hithau'n aros yn ei hunfan heb fod nepell
i ffwrdd*): Yn ara deg ma' dal iâr. (*Mae'n cerdded yn araf tuag ati*)

MERCH (*yn cerdded yn araf oddi wrtho*): Rhaid i ti godi'n fora i ddal yr
iâr yma, mêt!

LLANC: Dim os wyt ti'n dallt yr iâr.

MERCH: 'Ti'n meddwl?

LLANC: Gwbod yn union be' ma' hi'n mynd i'w neud nesa.

MERCH: Dwad ti! (*Ond yn groes i'r hyn y mae'r llanc yn ei ddisgwyl,
mae'r ferch yn neidio ar y grisiau. Mae'r llanc yn aros yn stond yn ei
unfan gyda golwg o syndod a phryder ar ei wyneb.*)

LLANC (*yn gweiddi*): Lle 'ti'n mynd?

MERCH (*yn heriol*): Pwy sy'n mynd i ddal pwy, 'ta? (*Yn camu'n ôl i fyny'r grisiau yn araf*)

LLANC: Ond dim rŵan . . .

MERCH: Tyd! . . . Tyd, os meiddi di. (*Mae saib hir yn awr tra mae hi yn sefyll ar ganol y grisiau ac yn edrych arno. Mae'r llanc fel talp o farmor yn rhythu arni. Mae'r ferch yn dechrau bagio eto yn araf i fyny'r grisiau.*)

LLANC (*ar dop ei lais*): Paid! (*Mae'n aros a throi ei phen i edrych o'i hôl i fyny'r grisiau. Mae pob gwên wedi diflannu unwaith eto yn awr.*) Yn enw'r Nefoedd, tyd i lawr!

MERCH: Ma' rhaid inni fynd ryw dro.

LLANC: Wyddost ti ddim be' sy 'na.

MERCH: Ma' gin i syniad . . .

LLANC: Mi alla fod yn ddigon inni . . .

MERCH (*yn troi ato, ac yn ymbilgar braidd*): Tyd!

LLANC: Fedra i ddim.

MERCH (*Mae'n estyn ei dwylo iddo*): Tyd . . . law yn llaw . . . awn ni i fyny gyda'n gilydd.

LLANC: Ond ma' rhaid inni drafod y peth i ddechra—ma'n rhaid i ni drefnu.

MERCH (*Saib*): Ddôi di wedyn, 'ta?

LLANC (*Saib hir cyn ateb*): Os . . .

MERCH: Ia?

LLANC: Os bydd y ddau ohonan ni . . . yn cyd-weld, felly.

MERCH: 'Di hynna'n deud ddim . . . elli di wrthod am byth.

LLANC: Dim am byth . . . 'ti'n gwbod bod hynny'n amhosib . . . tyd i lawr am funud.

MERCH: Dwi'n gwbod bod rhaid i *mi* fynd—alla i ddim disgwyl fawr mwy. (*Mae'n edrych yn hiraethus i fyny'r grisiau*) . . . hyd yn oed 'taswn i'n gorfod mynd i fyny fy hun. (*Mae'n gwneud osgo fel petai am fynd*)

LLANC: Ond gad i ni drefnu, 'ta.

MERCH (*Saib eto. Mae'n troi i edrych arno*): Trefnu?

LLANC: Ma' rhaid gneud hynny . . . Fasa neb yn mynd i fyny fan'na heb drefnu . . . a pharatoi.

MERCH: 'Ti'n gaddo, 'ta?

LLANC: Dwi'n gaddo! (*Mae'n cerdded i lawr yn araf tuag ato*)

MERCH (*tan gerdded*): Wnest ti 'rioed dorri dy air ar ôl gaddo . . . (*Pan yw'n cyrraedd y gwaelod, mae'n taflu ei freichiau amdani fel petai newydd osgoi rhyw berygl mawr)*

LLANC: Paid byth â gneud hynna eto . . . 'ti'n dallt? . . . Byth!

MERCH (*yn ei wasgu'n dynn*): Allwn i byth fynd hebot ti . . . dwi'n siŵr o hynny.

LLANC: Ma' rhaid i ni fod gyda'n gilydd . . . yr holl ffordd i'r top.

MERCH: I'r stafell ucha!

LLANC (*yn ei gwthio ychydig oddi wrtho i edrych arni*): Ond does dim rhaid rhuthro, nac oes?

MERCH: Ond ma' rhaid mynd . . . pam wyt ti wedi newid dy gân . . ?

LLANC (*yn ei gollwng*): Dydw i ddim.

MERCH: Wyt! Dwi'n cofio pan ddaethon ni mewn i fan hyn gynta . . . roeddat ti ar dân i fynd i fyny.

LLANC (*Saib. Mae'n cerdded at y drych ac edrych iddo*): Nid ar dân i fynd o'n i, ond ar dân i *adal.*

MERCH: Be' ydi'r gwahaniaeth?

LLANC: Gwahaniaeth mawr! . . . (*Mae'n troi ac edrych o gwmpas*) . . . Ro'n i'n casáu fan hyn . . . methu gwbod be' i'w neud . . . ofn y lle . . . (*Mae'n cerdded o gwmpas*) . . . roedd 'na ryw deimlad rhyfadd yma . . . ond ma' hwnnw wedi mynd erbyn hyn . . . dwi'n nabod fan hyn rŵan, 'ti'n dallt—bob twll a chongol! . . . Dwi ofn dim na neb yma am 'mod i'n dallt popath. (*Saib tra mae'n edrych i fyny*) . . . ond sgin i 'run syniad am fancw, nac oes . . . lle diarth . . . lle peryg, falla . . . (*Saib*) unwaith yr awn ni i fan'na fydd dim troi'n ôl . . . (*Mae'n troi i edrych ar y ferch*) . . . 'ti'n dallt hynny, 'twyt?

MERCH: Ydw!

LLANC (*yn ei thynnu ato eto*): Felly, gad i ni neud yn fawr o be' sgynnon ni am chydig . . . blasu'r cyfan tra dan ni'n cael cyfla . . . (*Mae'r ddau yn gafael am ei gilydd yn awr ac yn symud yn araf yn ôl a blaen fel pe baent mewn rhyw ddawns freuddwydiol*) . . . dwy galon yn curo . . . y gwaed yn byrlymu trwy'n gwythienna ni . . . clecian coed yn llosgi a chawod sydyn o law ar ddiwrnod poeth . . . caru nes 'i fod o'n brifo . . . brifo nes 'i fod o'n garu . . . dowc gynta'r tymor . . . torri ias nes bod dy geillia di'n rhwygo . . . caru yn nhin wal . . . tynnu amdanan yn y grug . . . staen llus ar 'y nhrôns i . . . ogla mawn . . . ogla colcarth . . . ogla chwys mewn ysfa . . . teimlo'r croen yn llyfn a phoeth . . . chawn ni ddim cyfla fel hyn eto . . . Byth! . . . byth! . . . byth! . . .

MERCH (*bron ymgolli yn y foment*): Ond ma' rhaid i ni drafod . . .

LLANC (*fel petai ar goll yn llwyr yn awr*): . . . Byth! . . . byth! . . .

MERCH: A threfnu petha . . .

LLANC: Ymdrybaeddu ynddo fo . . .

MERCH (*Mae rhyw dristwch eto yn ei llais*): Dyna be' ddudist ti . . .

LLANC (*yn datgysylltu yn sydyn*): Ma' gin i flys prynu moto beic—cythral o un mawr clyfar . . .

MERCH: Be' wnei di â pheth felly?

LLANC: Suzuki pum cant.

MERCH: Ond ma' gin ti gar.

LLANC: Mi wertha i hwnnw. (*Mae'n llawn brwdfrydedd yn awr*) Ia, dyna be' wna i . . . ac mi bryna i uffar o sleifar o un newydd sbon danlli grai! . . . (*Ar y sgrîn yn awr, cawn ddilyniant i gyfleu rhyw fath o ffantasi moto beic—bron mor rhamantus â hysbyseb deledu*)

MERCH: Ma'n nhw'n beryg bywyd!

LLANC: Dwy helmet a gogls . . . chdi y tu ôl a thân arni . . . (*Mae'n dynwared gyrru moto beic*)

MERCH: Ddo *i* ddim, ma' hynna'n bendant i ti.

LLANC: Gwynt yn chwipio'n bocha ni—

MERCH (*yn gweiddi*): Ddo i ddim!

LLANC: Tunnall ar lôn bost!

MERCH (*ar dop ei llais*): Alla i ddim!

LLANC (*Saib o syndod*): Sdim rhaid i ti fod ofn . . .

MERCH: Dim ofn y blydi beic ydw i . . . trïa ddallt. (*Mae'r dilyniant ffilm yn peidio*)

LLANC: Dallt be?

MERCH: 'Nest ti addo trafod, do?

LLANC: Ond ma' hi ddigon buan i hynny . . .

MERCH: Ma' hi lawar rhy hwyr, 'ngwas i. (*Mae'n edrych ar y llawr fel petai arni ofn edrych ym myw ei lygaid*)

LLANC: Be' 'ti'n 'i feddwl 'rhy hwyr'?

MERCH: Ma' *rhaid* i ni ddringo—sgynnon ni ddim dewis . . . (*Saib*) . . . sgin *i* ddim dewis, beth bynnag.

LLANC: Wrth gwrs bod gin ti ddewis . . . ma' gin bawb ddewis . . . all neb dy orfodi di i wneud dim yn erbyn dy 'wyllys . . . *ni* pia'r dewis, neb arall.

MERCH (*yn codi a mynd at y drych*): Paid â bod mor uffernol o hen ffash, 'nei di? (*Mae'n sefyll o flaen y drych ac edrych arni hi ei hun*) Fuo gynnon ni 'rioed ddewis—fydd gynnon ni ddim chwaith!

LLANC: Madda i mi os ydw i'n dwp.

MERCH: Nid twp—diniwad! Wyt ti ddim yn sylwi fod 'na rywbeth o'i le?

LLANC: Nac ydw i.

MERCH: 'Ti ddim yn teimlo hynny?

LLANC: 'Ddylwn i?

MERCH: Dwi ddim yn gwybod. (*Mae'n troi eto i wynebu'r drych*) . . . rhyw feddwl o'n i y basat ti'n gallu synhwyro'r peth. (*Saib*) . . . gan ma' ti ydi'r tad! (*Saib hir wrth i'r llanc edrych arni gyda chymysgedd o benbleth a syndod*)

LLANC: Be' ddudist ti?

MERCH (*Saib*): Dwi'n disgwl!

LLANC (*Saib*): Be' uffar ti'n 'i feddwl—disgwl?

MERCH: Llyncu pry . . . magu mân esgyrn . . . clefyd twll lludw . . . galw di o be' fynnot ti . . . ond y ffaith syml ydi bod gin i fabi i mewn yn fan hyn. (*Mae'n rhoi ei dwylo ar ei bol gan ddal i edrych yn y drych*)

LLANC (*yn ddistaw a phoenus*): Ond . . . ma' hynny'n amhosib . . .

MERCH: Mi fydd gynnon ni ganol gaea.

LLANC (*yn codi ei lais mewn panic*): Meddwl wyt ti . . . camgymryd . . .

MERCH: Fuo fi 'rioed mor sicr o ddim . . . dwi wedi methu deufis yn olynol.

LLANC: Ond sut galla fo ddigwydd? (*Yn gweiddi bron yn awr*) Sut blydi galla fo? (*Mae'r llanc yn disgwyl i'r ferch ateb. Nid yw'n dweud dim ond rhythu fel delw lonydd i'r drych.*)

LLANC: 'Ti 'nghlwad i . . . fedra'r peth ddim digwydd . . . mi fuon ni mor ofalus.

MERCH: Mi nath, do?

LLANC (*yn mynd ati a'i throi i'w wynebu*): Ond sut?

MERCH (*Mae'n amlwg ei bod yn ceisio cuddio rhywbeth*): Ma' petha fel'na'n digwydd weithia.

LLANC: Nid dyna ddudist ti, naci . . . mynd ar y bilsan . . . dim byd i boeni . . . berffaith saff . . . dyna ddudist ti, 'te? (*Mae'r bachgen yn gafael yn ei breichiau a'i gwasgu dan deimlad*)

MERCH: Paid! 'Ti 'mrifo fi!

LLANC: Ond dyna ddudist ti'r *bitch* glwyddog. (*Mae bron mewn sterics yn awr*)

MERCH: Gollwng fi! (*Mae'n ei rhyddhau ei hun*)

LLANC: Doedd dim bai arna i . . . 'ti 'nghlwad i . . . (*Mae distawrwydd hir yn awr*)

MERCH: 'Nes i stopio'u cymryd nhw.

LLANC: Y?

MERCH (*Saib*): Y bilsan! . . .

LLANC: Be 'ti'n 'i feddwl?

MERCH: Es i odd' arni!

LLANC: Be' ddiawl 'ti'n 'i feddwl?

MERCH (*yn fyfyriol yn awr fel petai'n cofio am rywbeth*): Darllan yr holl betha 'ma—hyd yn oed y doctoriaid yn deud . . .

LLANC: Deud be'?

MERCH: Y peryglon . . . cansar . . . bwyta rhywun yn fyw . . . (*Distawrwydd hir yn awr*) . . . (*Mae'n troi i'w wynebu eto*)

MERCH (*yn ddistaw ac yn araf*): 'Ti'n dallt, 'twyt?

LLANC (*ar ôl saib hir*): Mi blydi lladdith Mam fi.

MERCH: Allwn i ddim gwynebu hynny! (*Gyda dirmyg*)

LLANC: Ac mi all fod yn ddigon i'r hen ddyn! (*Saib. Mae'n cerdded yn araf o gwmpas y llwyfan.*) Be' ddiawl 'na i rŵan?

MERCH: Dydi o ddim yn ddiwadd y byd, nac ydi?

LLANC: Mi fydd yn ddiwadd byd nacw . . . mi fydd 'na uffar o le yn tŷ ni.

MERCH: Nefoedd! Tyfa i fyny, 'nei di?

LLANC: Ma' hi'n iawn arnat ti . . . Be' 'di'r ots gan dy dad am ddim . . . mae o fwy yn 'i lorris nag ydi o adra . . .

MERCH: Fasa ddim ots gin o be' fasa fo'n 'i ddeud.

LLANC: Mi alla i 'i chlwad hi rŵan yn rhefru . . . (*Saib*) . . . Fedri di ddim cael gwarad o'r peth?

MERCH: Be'?

LLANC: Ma' gin ti gontacts, 'toes—fel nyrs!

MERCH: Be' 'ti'n 'i feddwl?

LLANC: 'Ti'n gwbod be' uffar dwi'n 'i feddwl . . . ma' 'na ffyrdd, 'toes . . . a 'ti yng nghanol y petha—*tablets*! . . . *injections*! . . . rwbath!

MERCH (*Saib hir o ddistawrwydd*): Dwi'n dy ddallt di'n iawn!

LLANC: Ffeindio'r doctor iawn . . . a 'ti'n nabod digon, 'twyt . . . sdim rhaid i neb wbod.

MERCH (*Saib*): 'I ladd o 'ti'n 'i feddwl?

LLANC: Paid â siarad mor blydi hurt.

MERCH (*yn codi ei llais*): 'I fwrdro fo!

LLANC: Yli, gwranda . . .

MERCH (*yn gweiddi*): Blydi llofrudd!

LLANC: Cael gwarad ohono fo . . . cyn iddo fo ddechra.

MERCH: Byth!

LLANC: Nid ni fydd y cynta . . .

MERCH (*bron mewn sterics*): Byth! . . . 'ti 'nghlwad i . . . byth! . . . byth blydi bythoedd!

LLANC: Be' ddiawl arall fedran ni 'i neud?

MERCH (*Saib*): 'I gadw fo . . . dyna i ti be' . . . ma' fo'n fan'ma. (*Yn rhoi*

ei llaw ar ei bol.) . . . tu mewn i mi . . . yn rhan ohona i . . . fi pia fo . . .
'ti ddim yn dallt?

LLANC (*ar ôl saib hir*): Chdi, falla!

MERCH: Be'?

LLANC: Dwi ddim yn gwbod, nac 'dw?

MERCH: Ddim yn gwbod be'?

LLANC: Ma' fi pia fo!

MERCH: Be' ddudist ti?

LLANC: Fedar neb brofi na fedar . . ?

MERCH (*Tymer*): Y diawl diegwyddor.

LLANC: Mi ddudist ti dy hun ma' dim fi oedd y cynta . . .

MERCH (*Gwyllt*): Dos o 'ngolwg i'r bastard!

LLANC: Fydda i byth yn gwbod, na fydda?

MERCH (*Cynddeiriog*): Fasa'n well gin i fagu ar gongol stryd na dy gael
di'n dad iddo fo! (*Distawrwydd hir yn awr. Mae'r ddau â'u cefnau at
ei gilydd.*)

LLANC: Fel'na y bydd pobol yn siarad, 'te . . . dyna be' fyddan nhw'n 'i
feddwl . . . (*Nid oes dim ymateb gan y ferch. Fe wêl y gynulleidfa ei
bod dan deimlad mawr. Mae'r dagrau'n llifo i lawr ei gruddiau.*)

LLANC (*yn ddistaw*): Fydda i byth yn gwbod, na fydda . . ?

MERCH: Ond mi ydw i.

LLANC: Dydi dynion byth yn saff mai nhw pia fo.

MERCH: Elli di ddim cymryd 'y ngair i . . ? (*Saib*) . . . fuo 'na neb ar d'ôl
di. (*Saib. Mae'r llanc yn dechrau dod ato'i hun.*) . . . Do'n i ddim isio
neb ar ôl dy gael di. (*Mae'r llanc yn troi ati rŵan*)

LLANC: Ma' rhaid inni drefnu! (*Nid yw'n troi i'w hwynebu*) . . . dwi'n
gwbod 'y nghyfrifoldeb . . .

MERCH: Dwi isio mwy na chyfrifoldeb . . . (*Mae'r ferch yn cerdded at y
grisiau ac yn edrych i fyny*)

LLANC: Dwi'n meddwl y byd ohonat ti—'ti'n gwbod hynny. (*Saib. Yn y
man, mae'r ferch yn troi i'w wynebu.*) Ma'r amsar wedi dŵad, 'ta.

MERCH (*Saib. Difrifol.*): Dwi'n credu'i fod o.

LLANC: 'Ti'n saff ma' dyna 'ti'i isio?

MERCH: Berffaith saff! (*Mae'r llanc yn edrych ar y grisiau*)

MERCH: A thitha?

LLANC: Oes 'na ffordd arall? (*Mae'r ddau yn edrych ar ei gilydd mewn
distawrwydd llethol, fel dau gerflun heb symud gewyn. Yn y man, mae'r
ferch yn rhoi ei throed ar y gris isaf; mae'r llanc yn galw.*) Aros!
(*Mae'r ferch yn dringo'r grisiau'n araf. Nid yw ef yn symud, dim ond
edrych arni yn ofnus a phryderus. Hanner ffordd i fyny'r grisiau,*)

mae'n troi i edrych arno. Mae'r llanc yn rhoi ei droed yn ansicr yn awr ar y gris isaf ac yna'n dechrau dringo yn araf. Wedi iddo gyrraedd y ferch, maent yn cydio dwylo ac yna'n cerdded law yn llaw yn araf i fyny'r grisiau. Mae golwg ofnus ac ansicr iawn arnynt. Cyn cyrraedd y top, fe dywyllir y llwyfan a daw'r llenni i lawr.)

ACT II

Golygfa:

Yr ystafell uwchben. Gan nad oes fawr o wahaniaeth (mewn siâp na chynnwys) rhwng un ystafell o'r Tŵr a'r llall, yr un yw'r olygfa ag o'r blaen. Pan gyfyd y llen, mae'r llwyfan eto'n dywyll. Cryfheir golau melyn y tro hwn, i greu argraff bod y golau'n llenwi'r ffenestr ac yn llifo i mewn a llenwi'r ystafell. Gofaler nad yw'r golau yma'n rhy gryf. (Yn wir, gorau'n y byd os yw'r gynulleidfa'n cael ychydig o drafferth i sylwi am ychydig beth sydd wedi digwydd i'r ferch pan ddaw i mewn). Yn yr un modd, ac ar yr un pryd, clywir a chryfheir y miwsig fel o'r blaen. Ymhen ychydig eiliadau egyr y drws a daw'r ferch i mewn. Mae'r miwsig yn peidio. Nid merch ifanc, yn llawn brwdfrydedd ac emosiwn ydyw bellach, ond gwraig aeddfed ganol oed, ac wedi twchu braidd gyda'r blynyddoedd.

Mae'n edrych yn oeraidd o amgylch yr ystafell cyn mynd at y lamp ar y mur a'i chynnau. Gwelwn yn glir yn awr ei bod wedi gwisgo'n weddol foethus fel petai wedi bod allan i swper. Mae siôl ffasiynol dros ei hysgwyddau. Mae'n ochneidio.

GWRAIG: Be' ddiawl dwi'n 'i neud yn fan'ma? *(Mae'n taflu ei siôl ar y grisiau ac yna yn edrych o gwmpas yr ystafell yn llawn diflastod)* 'Taswn i ond wedi gwrando! *(Mae'n eistedd ar focs a chicio ei hesgidiau i ffwrdd)* Blydi byrbwyll! *(Mae'n tynnu ei chlustdlysau. Dylai pob osgo o'i heiddo gyfleu syrffed llwyr. Yn y man, daw'r llanc i mewn. Mae yntau hefyd erbyn hyn wedi aeddfedu yn ŵr canol oed, ychydig yn foliog, a'i wallt yn prysur fritho. Lled ffurfiol yw ei ddillad yntau hefyd, ac y mae'n eistedd heb fod nepell i ffwrdd oddi wrth y wraig heb dynnu ei gôt fawr hyd yn oed. Er nad yw wedi meddwi, mae ei osgo'n cyfleu ei fod wedi cael dropyn yn ormod. Nid yw'r wraig yn cymryd yr un sylw ohono—dim ond tynnu clipiau o'i gwallt, etc. Ceir distawrwydd hir cyn i'r gŵr dorri gwynt.)*

GWRAIG: Sglyfath!

GŴR: Dwi wedi cael llond cratsh!

GWRAIG: 'Ti'n deud wrtha i.

GŴR (*yn torri gwynt eto*): Dyna welliant. (*Torri gwynt eto*)

GWRAIG: Nefoedd—oes rhaid i ni ddiodda hynna trw'r nos?

GŴR: Dwi'n iawn rŵan—'di llacio trwydda. (*Mae'n codi a thynnu ei gôt fawr ac yn mynd a'i gosod yn daclus ar ganllaw'r grisiau. Mae'n oedi ac edrych i fyny tua'r brig. Erys am eiliad fel petai'n gwrando, yna daw'n ôl i sefyll wrth ei focs.*) Dyna un peth da am D.J.—'dio byth yn brin o'i lysh.

GWRAIG: Doedd gynno fo fawr o ddewis, nac oedd—dim ffor' roeddat ti'n helpu dy hun.

GŴR (*yn rhoi ei ddwylo ar ei fol ac edrych arno*): Mi fydd rhaid i mi golli pwys ne ddau yr wsnos nesa 'ma.

GWRAIG (*yn codi a mynd at y ffenestr*): Yfad 'i wisgi fo fel 'tasa fo ar fynd allan o ffasiwn. (*Mae'n eistedd ar focs sydd wrth y drych yn union fel petai'n eistedd o flaen bwrdd ymbincio mewn stafell wely*)

GŴR (*yn lled wenu*): Welis i 'rioed mono mewn hwylia cystal . . . Be' 'ti'n 'i ddeud? (*Nid yw'n ateb, dim ond dechrau glanhau ei cholurwaith gyda phapur sidan*) Glywist ti'r stori 'na gynno fo am y boi 'na'n gwerthu'r teits?

GWRAIG (*yn aros*): A be' am y blydi stori 'na gin ti am y nyns?

GŴR (*Gwên fawr*): Oeddat ti'n 'i licio hi?

GWRAIG: Do'n i ddim yn gwbod lle i roi fy hun o gwilydd—mi dduda i hynna wrthat ti am ddim.

GŴR: Fo ddechreuodd!

GWRAIG: Dim ond llathan sy isio'i rhoid i ti . . .

GŴR: 'Nes i ddim agor 'y mhig nes iddo fo sôn am y *commercial traveller* 'na.

GWRAIG: Ro'dd 'i stori fo 'run fath â rhwbath o'r *Tyst* i gymharu â chdi. (*Mae'r gŵr yn chwerthin*) Ia, chwertha . . . 'ti 'run fath bob blydi tro—fedrwn i ddim edrach ym myw llygaid 'i wraig o am hydoedd wedyn.

GŴR: Mi nath hitha chwerthin hefyd.

GWRAIG: Do, ar hyd 'i thin—be' arall fedra hi neud?

GŴR: A welist ti D.J. yn rowlio—wrth 'i fodd.

GWRAIG: Mi oedd ynta wedi cael llond ceubal hefyd.

GŴR (*yn fyfyriol*): Mi ges i o heno, dwi'n meddwl . . . Saff i ti . . . dim bariars . . . ro'dd o'n deud petha . . . 'ti'n gwbod . . . preifat, felly . . . personol!

GWRAIG: Mi ddyfarith fory!

GŴR (*yn codi*): Roeddan ni'n agosach heno na 'rioed . . . trystio'n gilydd . . . (*Mae'n cerdded at ddodrefnyn gyda gwydrau a photeli arno*) Dim . . . sut fedra i ddeud . . ? (*Mae'n codi potel frandi a'i hagor*) . . .

GWRAIG: Nefoedd yr adar! 'Ti ddim isio rhagor . . ?

GŴR: . . . Dim ffensio hefo'n gilydd . . . deud be' oeddan ni'n 'i feddwl!

GWRAIG (*yn codi'i llais*): Yli! 'Ti wedi cael digon o hwnna.

GŴR (*yn tywallt*): Ma' rhaid i mi gael brandi bach at y gwynt 'ma—ne' chysga i ddim. (*Mae'n cymryd cegaid o'r ddiod ac yna'n peidio'n sydyn. Mae'n edrych i fyny at yr or-uwch ystafell.*) Be' oedd hwnna?

GWRAIG: Be'?

GŴR: Rwbath . . .

GWRAIG: Chlywis i ddim.

GŴR: Glywis i o o'r blaen.

GWRAIG: Sŵn, felly?

GŴR: Math o sŵn. (*Yn dawel, yna bron yn sibrwd*)

GWRAIG: Llais rhywun?

GŴR: Naci . . . peth! . . . tinc!

GWRAIG (*Ofnus braidd yn awr*): Tinc?

GŴR: Ne' gnul . . . cloch . . . rwbath felly . . . (*Mae'r wraig yn gwrando*) Arwydd, falla . . .

GWRAIG: Be' 'ti'n 'i feddwl? . . .

GŴR: I fynd!

GWRAIG: Chlywa i ddim byd . . . (*Saib hir o wrando*)

GŴR: Ond fe all fod, gall . . . fe all fod . . .

GWRAIG (*bron mewn panic*): Chlywa i ddim—dwi'n deud wrthat ti— chlywa i uffar o ddim!

GŴR: Dan ni'n saff o gael arwydd!

GWRAIG: Pam 'ti'n deud hynny?

GŴR: Sut byddwn ni'n gwbod, 'ta . . . sut byddwn ni'n gwbod pryd i ddringo?

GWRAIG: Dim rŵan! . . . (*Gyda rhyw bendantrwydd amheus*)

GŴR: Sut gwyddost ti?

GWRAIG (*yn gweiddi bron*): Dim rŵan! Dwi'n gwbod. Ma'n rhaid inni gymryd mwy o bwyll y tro yma . . . nid rhuthro fel o'r blaen.

GŴR (*Saib*): Roeddat ti'n saff o'r blaen . . . yn gwbod yn union pryd! (*Yn edrych tua'r ystafell islaw*)

GWRAIG (*yn drist*): Ro'n i'n meddwl 'mod i'n gwbod!

GŴR (*yn edrych i fyny*): Dwi ddim isio bod rhy hwyr chwaith.

GWRAIG: Gwell hwyr na rhy gynnar. (*Mae tinc o ofn a phryder yn ei llais wrth edrych tua phen y grisiau*) . . . Gall fod yn ddigon i ni os awn ni i fyny rhy fuan eto. (*Mae'n mynd i eistedd ar y bocs lle'r oedd ar y dechrau. Mae distawrwydd llethol, gyda'r gŵr yn dal i wrando ac edrych i fyny.*) Mi gymera i un hefyd.

GŴR: Beth?

GWRAIG: Brandi! Ma' rwbath yn pwyso ym mhwll 'y nghalon i. (*Mae'r gŵr yn tywallt diod i'w wraig a mynd ag ef iddi. Mae wedyn yn mynd i eistedd ar ei focs.*)

GŴR (*ar ôl ysbaid hir o sipian brandi*): Sut oeddat ti'n gweld petha'n mynd?

GWRAIG: Mynd i ble?

GŴR: 'Ti'n gwbod be' dwi'n 'i feddwl . . . hefo D.J. . . . sut oeddat ti'n cael 'i wynt o?

GWRAIG (*yn synnu bod y cwestiwn yma'n codi yn awr*): Nefoedd bach!

GŴR: Oedd o'n ffafriol imi 'ti'n meddwl?

GWRAIG (*yn llawn anobaith*): Be' wn i . . .

GŴR: Ma' gin ti syniad, 'toes . . . y petha roedd o'n ddeud.

GWRAIG: Chafodd o fawr o gyfla, naddo—dim hefo chdi'n malu fel roeddat ti.

GŴR (*yn gwylltio braidd*): Oedd rhaid i mi 'i argyhoeddi o, 'toedd?

GWRAIG: Ond dim 'i fyddaru o!

GŴR (*yn bryderus ar ôl ysbaid*): Dyna'r argraff gest ti, 'ta?

GWRAIG (*Saib. Edrych arno. Meddalu ychydig.*): Ro'n i'n meddwl dy fod ti'n mynd braidd rhy bell weithia.

GŴR (*yn sylwi ar yr ychydig o dynerwch yn ei llais*): Ond ma' D.J. yn hoffi rhywun hefo *drive*, dallt—hoffi siarad plaen . . . heb flewyn ar dafod. (*Saib*) . . . Fedar o ddim rhoi'r job i neb arall . . . Fedar o ddim! (*Saib hir o ddistawrwydd. Mae'r wraig yn edrych arno fel petai'n gwybod yn well.*) . . . Dydi o byth yn gwahodd Preis yna i swpar, nac 'di . . . i drafod petha . . .

GWRAIG: Sdim rhaid iddo fo . . . ma'n nhw'n gweld digon ar ei gilydd yn y *Lodge*.

GŴR (*yn synfyfyriol bron*): Mi fydda i'n aelod cyn diwadd y flwyddyn hefyd . . .

GWRAIG: Pan fydd hi'n rhy hwyr!

GŴR: Ma' f'enw fi i fyny, dallt . . . a D.J. 'i hun roth o . . . ac os ydi D.J. y tu ôl i mi, dwi i mewn.

GWRAIG: Dim os ydi'r lleill yn gwrthod.

GŴR: Pwy sy'n mynd i wrthod? . . . Ma' 'na fois uchel yn y *Lodge* 'na sy'n fy nabod i'n dda . . . mêts! . . . 'di sincio peintia hefo'n gilydd.

GWRAIG: Ac ma' 'na Preis!

GŴR: Twll i Preis!

GWRAIG: Peli bach mewn bag—dyna be' ma'n nhw'n 'i neud 'te . . . gwyn i dderbyn, du i wrthod . . . a fydd neb yn gwbod pwy sy'n rhoi be' i mewn . . .

GŴR: Y?

GWRAIG: Sgwn i sut beli sgin ffrindia Preis!

GŴR (*ar ôl saib hir*): Diawl bach dan din ydi o . . . a be' uffar mae o'n 'i wbod . . . dim ond am 'i fod o wedi bod mewn rhyw blydi colej tua Leicester 'na. (*Saib*) Dwi hefo *D.J. Electrics* o'r dechra, dallt, ac ma'r *chief* yn cofio hynny . . . Ro'n i'n brentis ar transfformars pan oedd hwnna'n ddim ond fflach yn llygad 'i dad . . . Boi 'di gweithio'i hun i fyny 'di hwn . . . blydi profiad . . . Nid syth i mewn i *Admin* hefo crys pinc a sana i fatshio.

GWRAIG: Y rheini sy'n cael y sylw!

GŴR (*ar gefn ei geffyl yn awr*): Ond pobol fel fi 'di asgwrn cefn *D.J. Electrics*. (*Mae'n mynd i nôl brandi arall*)

GWRAIG: A 'ti'n gwbod fel finna ma' dim am "asgwrn cefn" ma'n nhw'n chwilio tro yma ond "pen" . . . 'mennydd . . . (*Mae'n taro ei phen â'i bys*)—Bambocs!

GŴR (*yn gwylltio braidd*): 'Ti'n meddwl na sgin i ddim, 'ta? . . .

GWRAIG: Dim dyna ddudis i . . .

GŴR: 'Ti'n meddwl 'mod i'n dwp, 'twyt? 'Ti'n meddwl 'mod i'n blydi twp!

GWRAIG: Ddudis i mo'r fath beth . . .

GŴR: Ond dyna 'ti'n 'i awgrymu 'te—dŵad yn blaen . . . tyd!

GWRAIG: Ga i ddeud . . .

GŴR: Sgin i ddim digrîs fel *Herald Môn* y tu ôl i'n enw . . . dwi'n gwbod hynny . . . ond mi ddysga i i'r cadi ffan bach yna faint sy tan Sul—unrhyw ddiwrnod.

GWRAIG: Y pwynt dwi'n drïo 'i neud ydi . . .

GŴR (*ar dop ei lais yn awr*): Ac os wyt ti'n methu gweld trwyddo fo . . . wel dydi D.J. ddim yn mynd i gael 'i dwyllo . . . Dwi a fo wedi'n naddu o'r un graig . . . hogia'r blydi werin, dallt . . . boi calad hefo profiad mae o isio'n Fanijar, nid rhyw blydi ponsan fel Preis. (*Mae'n gollwng y gwydr o'i law ym merw ei gynnwrf. Mae saib hir ar ôl hyn ac y mae'n amlwg fod y gŵr, rhwng y ddiod a'i emosiwn, mewn tipyn o stad.*)

GWRAIG: 'Sa well i ti fynd i dy wely, dwi'n meddwl.

GŴR: 'Ti ddim yn meddwl 'mod i ddigon da, nac wyt?

GWRAIG: Gwbod sut ma'r gwynt yn chwythu 'dw i.

GŴR: Ac mi *fasat* ti'n gwbod, basat?

GWRAIG: Ma' gin i glustia a llygada, 'toes?

GŴR: Ac ma' gin ti din a phâr o fronna hefyd.

GWRAIG (*yn codi*): Dwi ddim yn mynd i ddal pen rheswm hefo dyn 'di meddwi. (*Mae'n gwneud osgo i symud i gefn y llwyfan i gyfeiriad y drych*)

GŴR (*yn gafael yn ei braich i'w hatal*): Ydi o wedi deud wrthat ti'n ddistaw bach, 'ta . . ?

GWRAIG: Gollwng fi . . .

GŴR: Sgin dy dipyn gŵr ddim gobaith ci plastig mewn becws. (*Yn dal i'w gwasgu*) Ydi o wedi sibrwd hynny yn dy glust di?

GWRAIG: 'Ti'n 'mrifo fi . . .

GŴR: Elli di wadu nad ydi o ddim yn dy ffansïo di, 'ta . . . elli di?

GWRAIG: Be' ddiawl wn i be' ma' o'n 'i ffansïo.

GŴR: Pam oedd o'n rhwbio'i benna glinia hefo chdi dan bwrdd heno 'ma, 'ta? . . . Dŵad hynny wrtha i.

GWRAIG: Welist ti o, 'ta?

GŴR: Siŵr Dduw y gwelis i o. 'Ti'n gwadu?

GWRAIG: Pam na fasat ti'n deud wrtho fo am beidio, 'ta . . ?

GŴR: Y?

GWRAIG: . . . Pam na fasat ti'n taflu dy blydi *prawn cocktail* i'w wyneb o . . . a tholldi dy *lasagne* dros 'i ben moel o . . . o, na . . . dim uffar o beryg! . . . fasat ti ddim yn meddwl tynnu blewyn o drwyn dy annwyl D.J. (*Saib*) Ac mae o wedi talu i ti bod dy wraig yn neis efo fo ers blynyddoedd, 'tydi? (*Does ganddo ddim ateb i hyn. Mae'n ei ryddhau ei hun. Â hithau i sefyll o flaen y drych. Mae'r gŵr yn edrych o gylch yr ystafell a daw rhyw gryndod o arswyd drosto.*)

GŴR (*gyda theimlad*): Lle uffernol 'di hwn . . . llawn drafftia . . . (*Saib. Mae'n edrych i fyny tua'r or-uwch ystafell.*) . . . Fasan ni'n cael 'run drafarth i fyny yna, tybad?

GWRAIG (*ar ôl saib*): 'Run drafarth gei di ym mhobman . . .

GŴR: Ond ma' petha'n bownd o fod yn wahanol yna.

GWRAIG (*Trist*): 'Run peth fydda i . . . 'run peth fyddi di.

GŴR (*yn troi i edrych arni. Mae hi'n dal i rythu yn oeraidd a difynegiant ar ei llun yn y mur*): Tybad?

GŴR (*Mae'n cerdded ati ac yn sefyll y tu ôl iddi*): Fe all petha newid . . . (*Mae'n codi ei law i gyffwrdd ynddi. Mae'n petruso ac oedi.*) Dwi'n cofio adeg . . . (*Mae bron â rhoi ei law ar ei hysgwydd*) . . .

GWRAIG: Ie?

GŴR (*Saib. Mae'n tynnu ei law yn ôl ac edrych ar ei oriawr*): Ma' hi'n hwyr, 'tydi?

GWRAIG: Uffernol o hwyr dd'wedwn i. (*Mae'r wraig yn cerdded at y ffenestr ac yn edrych allan*)

GŴR (*yn mynd y tu ôl iddi ac edrych allan ei hun*): Noson braf! (*Dim ateb gan y wraig sy'n dal i syllu allan i'r nos yn freuddwydiol*) . . . Lleuad lawn. (*Dim ateb*) . . . ogla dail 'di crino!

GWRAIG: Ogla marw!

GŴR: Beth!

GWRAIG: Ma' popath yn marw y tymor yma . . . ma'n gas gin i'r hydref!

GŴR: Dim popath . . . ma' 'na ffrwytha, 'toes . . . cnau, mwyar duon a ballu . . . amsar i fedi ydi o.

GWRAIG: Fydd y cnau ddim yn hir cyn pydru . . . a'r mwyar duon yn slwtsh!

GŴR: Dyna be' ydi honna—lleuad fedi!

GWRAIG: Naci!

GŴR (*Mae ychydig o gynnwrf yn ei lais yn awr*): Dwi'n deud wrthat ti!

GWRAIG: Mi ddoth ac mi aeth honno heb i ti sylwi. (*Saib*) Lleuad yr heliwr 'di nacw.

GŴR: Heliwr? (*Siomiant braidd*)

GWRAIG (*Trist*): Naw nos ola!

GŴR (*Cynnwrf*): Naw nos ola?

GWRAIG: I hysio'i gŵn . . . cwrsio . . . a gosod 'i drapia . . . cyn gaea . . .

GŴR: 'Ti'n cofio mynd i fyny'r Wyddfa i weld yr haul yn codi? . . . Sadwrn naw nos ola! Uffar o giang ohonan ni—chdi, fi, Eric a Sali Pritchard . . . bws ddeg i Lanbêr—boliad o *chips*, i fyny â ni . . . 'ti'n cofio? (*Dim ymateb*) . . . Dyna'r adag y collist ti dy esgid . . . a finna'n dy gario di ar fy nghefn.

GWRAIG: Ar dy sgwydda!

GŴR (*fel bachgen bach yn awr*): 'Na ti—corn bwch!

GWRAIG: Do'dd 'na fawr o leuad, os dwi'n cofio'n iawn. (*Mae hithau'n dechrau meddalu*)

GŴR: Niwl am y gwelat ti . . . fel bol buwch.

GWRAIG: Mi faglist droeon.

GŴR: Wel, diawl, do . . . be' arall 'naethwn i a thitha'n rhoid dy sgert am 'y mhen i bob cam gymerwn i?

GWRAIG (*Gwenu yn awr*): Gariaist ti fi 'mhell, chwara teg i ti.

GŴR (*ar ôl saib*): Do'n i ddim yn teimlo'r pwysa. (*Yn dyner*) . . . Teimlo dim, i ddeud gwir, ond dy glunia di'n gwasgu'n gynnas am 'y ngwddw i . . . (*Saib hir yn awr wrth i'r ddau edrych ar ei gilydd, ond y mae agendor rhyngddynt o hyd. Clywir sŵn trên yn ysgytian ar ei ffordd yn y pellter.*)

GWRAIG (*Saib*): Trên!

GŴR (*Saib*): Ia . . .

GWRAIG (*Saib*): Gafael yno i. (*Mae tinc o ofn yn ei llais*)

GŴR (*Ychydig o syndod*): Beth?

GWRAIG (*yn nesáu ato*): Gwasga fi . . . gwasga fi'n dynn. (*Mae'n rhoi ei breichiau amdano. Mae yntau'n gwneud yr un modd ond mae rhyw ansicrwydd swil yn ei osgo.*)

GŴR: 'Ti'n iawn?

GWRAIG: Ma' 'na rwbath trist mewn sŵn trên—'mhell yn y nos.

GŴR: Trist?

GWRAIG: Ffarwelio . . . dagra . . . mynd i rwla—gadal!

GŴR (*ar ôl saib*): Falla ma' cyrraedd ma'n nhw . . . dŵad adra!

GWRAIG (*ar ôl saib*): Wnes i 'rioed feddwl amdano fo fel'na. (*Mae'n eistedd. Mae yntau'n eistedd wrth ei hochr.*)

GŴR: Ac ma' hyd yn oed 'mynd' weithia'n hwyl. 'Ti'n cofia'r trip ysgol 'na i Lundain? . . . cychwyn cyn codi cŵn Caer . . . desu, mi gaethon ni hwyl radag honno—ro'dd gin ti ffrog sidan biws.

GWRAIG: 'Ti'n cofio?

GŴR: Bob tro oeddat ti'n sefyll rhyngof fi a'r haul ro'n i'n dy weld ti drwyddi.

GWRAIG (*Gwenu*): *See through.*

GŴR: Gweld siâp dy gorff di i gyd . . .

GWRAIG: Dyna pam ro'n i'n 'i gwisgo hi.

GŴR: Ond mi ges i uffar o fyll, do?

GWRAIG: Gest ti?

GŴR: 'Ti ddim yn cofio—mi ddudis i wrthat ti am wisgo dy gôt . . .

GWRAIG: 'Nest ti?

GŴR: Mi 'nes i *ddeud*, ond mi 'nest ti *wrthod*.

GWRAIG: Oeddat ti ddim yn licio'r ffrog, 'ta?

GŴR: Wrth 'y modd—i ddechra . . . nes i mi sylweddoli . . . (*Mae'n petruso*)

GWRAIG: Sylweddoli be'?

GŴR: Bod y diawlad erill yn gweld 'run peth â fi . . . gweld dy gorff di i gyd.

GWRAIG (*wedi ei phlesio'n awr*): Oeddat ti'n jelys, 'ta?

GŴR: Berwi'n 'toeddwn?

GWRAIG: Dyna pam est ti â fi i'r giard fan.

GŴR (*Cofio*): O sŵn pawb . . . dim ond ni'n dau. (*Dechrau chwerthin*)

GWRAIG: Yng nghanol y bagia post. (*Yn chwerthin gan ei bod yn gwybod yn iawn beth yw diwedd y stori*)

GŴR: Oedd o ddim yn rhyw bregethwr cynorthwyol hefyd, dŵad?

GWRAIG (*ar ôl saib*): Dwi'n siŵr dy fod ti'n iawn. (*Mae'n dal i edrych trwy'r ffenestr*)

GŴR: Saff i ti . . . ma' gin i go' 'i glwad o'n mynd trw'i betha yn capal ni rywdro. (*Saib hir*)

GWRAIG: Falla y daw hi â Gwyn adra fwrw'r Sul yma. (*Mae'n troi i edrych arno fo*) Be' 'ti'n 'i feddwl?

GŴR: Y?

GWRAIG: Y trên! . . . Falla daw hi â Gwyn ni adra fory . . .

GŴR (*yn codi ac yn tynnu ei siaced*): Fyddi di'n lwcus uffernol!

GWRAIG: Ma' rwbath yn deud wrtha i y daw o . . .

GŴR: Ma' o wedi anghofio'i ffor' yma, 'sat ti'n gofyn i mi . . .

GWRAIG: 'Ti'n gwbod 'i fod o'n brysur tua'r coleg 'na.

GŴR: Paid â thwyllo dy hun, dyna i gyd . . . 'tasa fo isio dŵad adra—mi fasa'n dŵad.

GWRAIG (*ar ôl saib hir*): Os daw o . . . mi awn ni i gyd am dro.

GŴR (*yn mynd i nôl cas llaw a'i agor o*): Ma' fory yn ddiwrnod gwael i mi . . .

GWRAIG: I Goed Parcia . . .

GŴR: Ma' gin i bentwr o waith papur i ddal i fyny efo fo. (*Yn ymbalfalu yn y llwyth papurau yn ei gas*)

GWRAIG: Mae o wrth 'i fodd yn hel mwyar duon . . . ma' cnyda ohonyn nhw'n fan'na.

GŴR (*Chwilio am rywbeth yn wyllt*): Ble gythral ma'r *specification Rio Tinto* 'na?

GWRAIG (*wedi ymgolli gyda'r atgof*): Mi awn ni â brechdana hefo ni—a fflasg o de.

GŴR (*yn twmbwrian ymysg y papurau*): A finna 'di gaddo'i orffan o fwrw Sul yma.

GWRAIG: Mi fydda wrth 'i fodd hefo Coed Parcia pan oedd o'n fychan . . . 'ti'n cofio?

GŴR (*yn dod i hyd i'r papur*): Dyma fo—diolch i Dduw! Mi fydd ar ddesg D.J. cyn iddo gyrraedd fora Llun rŵan. (*Tynnu pensil o'r cas a dechrau astudio'r papur*)

GWRAIG: Wyt ti'n cofio? (*Edrych arno*)

GŴR: Y? (*Yn dal i astudio'r papur ac yn gwneud nodyn nawr ac yn y man*)

GWRAIG: Fel y bydda fo isio chwara cowbois yna.

GŴR: M!

GWRAIG: Jyngl o'dd o'n galw'r lle . . . a 'ti'n 'i gofio fo'n disgyn ar 'i ben i'r cachu gwarthag hwnnw?

GŴR: Ma' hwn yn mynd i gostio ciniog a dima . . .

GWRAIG (*wedi ymgolli yn ei myfyrdod*): Nes o'dd 'i gyrls du o'n slebaj melyn. (*Saib. Mae'n gwenu wrth gofio.*) Mynd â fo adra a'i roid o'n syth yn y bath . . . yn 'i ddillad . . . Rarglwydd, ro'dd golwg arno fo. (*Mae seibiant eto o wenu, ac yna mae'r wên yn rhoi ei lle i dristwch*) Mi a'th y cyfan mor sydyn . . . croesi cae . . . (*Saib hir*) Dringo grisia . . . (*Saib*) . . . Dydi o ddim yn dy ddychryn di weithia?

GŴR: M! (*Dal i wneud nodiadau*)

GWRAIG: Dwi ddim hyd yn oed yn cofio pryd y peidiodd o fod yn fabi a dechra bod yn hogyn. (*Saib*) Pryd dyfodd o'n ddyn? (*Saib*) Wyt ti'n cofio? (*Heb droi ei phen i edrych ar y gŵr*)

GŴR (*wedi ymgolli*): Be'?

GWRAIG (*yn troi ei phen ac edrych arno*): Pam neidi di allan trw'r ffenast 'na'r diawl boliog hurt?

GŴR (*yn clywed dim*): Pwy?

GWRAIG (*yn dawel a dig*): Waeth i mi siarad hefo'r wal 'na ddim na siarad hefo ti.

GŴR (*yn edrych i fyny yn ddiamynedd*): Yli! Ma' petha braidd yn gymhleth, O.K.!

GWRAIG (*yn cerdded yn araf at waelod y grisiau*): Ma' petha'n uffernol o gymhleth 'y ngwas i. (*Saib. Mae'n edrych i fyny tua phen y grisiau.*) Yn fwy cymhleth na wnest ti 'rioed feddwl. (*Mae'n rhoi ei throed yn araf a gofalus ar y gris isaf, yna mae'n aros a sefyll arno. Saib hir o ddistawrwydd yn awr. Mae'n sefyll yn llonydd, fel delw, ar waelod y grisiau ac yntau wedi ymgolli yn ei waith ac yn ysgrifennu fel petai ei fywyd yn dibynnu ar hynny. Yn y man, mae'n codi ei ben yn sydyn fel petai'n synhwyro bod rhywbeth o'i le. Try ei ben yn araf i gyfeiriad y grisiau. Mae'n rhythu ar ei wraig am eiliad neu ddau fel petai wedi ei syfrdanu.*)

GŴR: Be' ti'n 'i neud? (*Dim ateb gan y wraig. Yn wir, mae'n sefyll mor llonydd â cherflun o farmor.*) Glywaist ti rwbath? (*Mae'n rhoi ei waith o'r neilltu a cherdded yn frysiog ati*)

GWRAIG: Be' wedyn? . . .

GŴR: Be' wedyn be'?

GWRAIG: Ar ôl i ni ddringo hon . . .

GŴR (*yn mynd i nôl ei siaced a'i gwisgo*): 'Ti'n barod, 'ta?

GWRAIG: Fyddwn ni wedi cyrraedd y top?

GŴR (*wedi ei gynhyrfu yn awr*): Well i mi fynd gyntaf. (*Yn eiddgar yn camu am y grisiau*)

GWRAIG (*yn troi ac yn edrych arno fo*): Beth amdano fo?

GŴR: Pwy?

GWRAIG (*yn llawn dirmyg*): D blydi J!

GŴR: Dwi ddim yn dy ddallt ti.

GWRAIG: Riport! . . . Rio Tinto! . . . titha wrth 'i ddesg o fora Llun yn crafu tin.

GŴR: Ond . . . (*Oedi ychydig*) . . . fydd o ddim yn cyfri, na fydd?

GWRAIG: 'Ti'n deud?

GŴR: D.J! . . . Preis! . . . D.J. Electrics! . . . y blydi job! . . . Fyddan nhw ddim yn bod, na fyddan? (*Edrych i fyny*) Ddim i fyny fan'cw. (*Saib. Mae'n edrych ar ei wraig.*) 'Ti ddim yn dallt?

GWRAIG: Mi fyddi *di'n* bod, byddi? Mi fydda *i'n* bod.

GŴR: Ond fyddan nhw ddim . . . dechra eto . . . llechan lân!

GWRAIG (*Saib fel y mae'n petruso; edrych i fyny; yna troi ei chefn arno ac edrych ar y grisiau*): Ac os na fyddan nhw, mi fydd 'na betha erill!

GŴR (*sy'n sefyll ar waelod y grisiau'n awr*): Na fydd! Dyna'r pwynt.

GWRAIG: Sut gwyddost ti?

GŴR: Ma' sens pawb yn deud, 'tydi?

GWRAIG: Pam?

GŴR: Y stafell ola ydi . . . y stafell ucha . . . 'ti ddim yn 'i gweld hi? . . . Dyna'r wobr am ddringo'r tŵr . . . bwrw dy flinder . . . ymlacio . . . gorffwyso!

GWRAIG (*Saib hir*): Dwn i'm!

GŴR: Dyna be' ma' pawb yn 'i ddeud. (*Mae rhyw gryndod yn dod dros y wraig fel petai rhywun yn cerdded dros ei bedd. Nid yw'r gŵr yn sylwi ar ei hofn gan fod ei chefn ato o hyd.*)

GWRAIG (*ar ôl saib*): Dwi ddim yn barod.

GŴR (*yn heriol bron*): Wel, mi ydw i.

GWRAIG (*gyda thinc o banig*): Ma' hi lawar rhy gynnar inni.

GŴR: Pam mai chdi sy'n penderfynu bob tro?

GWRAIG: Dwi'n 'i deimlo fo yn f'esgyrn.

GŴR: A dw inna'n deud ein bod ni'n mynd—rŵan!

GWRAIG (*Saib*): Dos, 'ta.

GŴR (*Gwên ar ei wyneb*): 'Ti o ddifri?

GWRAIG: Fuo fi 'rioed fwy . . .

GŴR: Well i ti wisgo, 'ta. (*Mae'n disgwyl am ennyd ond nid yw'r wraig yn symud—dim ond rhythu'n drist i'r gwagle o'i blaen*) Tyd 'laen— lle ma' dy ddillad di? (*Mae'n eu gweld yn un bwndel lle gadawyd hwy ac yn cerdded atynt a'u codi*)

GWRAIG: Dwi ddim isio nhw.

GŴR: Be' 'ti'n feddwl 'ddim isio'? . . . (*Yn nesáu ati ac yn cynnig ei dillad iddi*) . . . Ei di ddim i fyny fan'cw'n hannar noeth, na 'nei?

GWRAIG: Dwi ddim yn bwriadu mynd.

GŴR (*Syndod a phenbleth*): Be' ddiawl sy arnat ti—rŵan dest oeddat ti'n deud . . .

GWRAIG: Dweud wrthat *ti* am fynd wnes i.

GŴR (*Saib*): Hebot ti? (*Dim ateb*) Dan ni wedi mynd hefo'n gilydd bob tro.

GWRAIG: Chdi sy isio mynd.

GŴR (*Saib*): 'Ti'n meddwl nad a' i ddim ar 'y mhen fy hun, dwyt? (*Dim ateb*) Wel, dwi'n blydi mynd. (*Saib byr. Mae'n taflu'r dillad yn sypyn o'i blaen a cherdded at waelod y grisiau. Mae'n stopio ac yn edrych i fyny. Nid yw'r wraig yn troi i edrych arno o gwbwl.*)

GŴR: 'Ti 'nghlwad i? Dwi o ddifri. (*Nid yw'n symud*)

GWRAIG (*Yn troi yn awr i edrych arno gyda rhyw her yn ei llygaid*): Dwi wedi deud wrthat ti—dos! (*Mae'r gŵr yn camu ar y gris cyntaf ac yn aros. Yna, mae'n dechrau cerdded yn araf i fyny'r grisiau. Nid yw'r wraig yn tynnu ei llygaid oddi arno pan yw'n gwneud hyn. Wedi cyrraedd bron hanner ffordd, mae'n aros ac yn troi i edrych ar ei wraig.*)

GŴR: Mi ro i un cyfla arall i ti. (*Mae tinc ofnus yn ei lais. Nid yw'r wraig yn ateb na symud gewyn.*) Tyd . . . reit sydyn cyn i mi fynd. (*Nid yw'r wraig yn ymateb—dim ond dal i rythu arno*) . . . 'Ti'n meddwl 'mod i'n cogio, on'd wyt . . . tynnu coes . . . dyna ti'n 'i feddwl, 'te? . . . (*Mae ei lais yn crynu gan bryder erbyn hyn*) . . . Meddwl amdanat ti ydw i, dallt . . . (*Dim ymateb*) . . . ne' mi faswn i wedi rhoi gwib i fyny 'na ers meitin . . . (*Mae'n gwegian yn arw yn awr ac y mae tinc wylofus yn ei lais*) . . . Hefo'n gilydd ma' hi wedi bod bob tro, 'te . . . ddaru ni erioed ddringo ar wahân, naddo . . . 'rioed . . . (*Mae'n ymbilio bron yn awr*) . . . 'ti 'nghlwad i . . ?

GWRAIG: Dy ddewis di ydi o.

GŴR: Fe all fod yn farwol i ni ar wahân . . . (*Dim ymateb*) . . . 'tisio cael gwarad ohona i, 'toes? . . . 'Tisio, 'toes? . . . Cyfadda! . . . (*Dim ymateb*) . . . Mi gei di betha wedyn, cei? (*Mae bron yn wylo'n awr*) . . . 'Tisio hynny ers talwm, 'toes . . . chdi a D.J. . . . Dach chi isio hynny, 'tydach? . . . (*Mae'n eistedd ar y grisiau yn awr â'i ben yn ei ddwylo fel petai wedi ildio. Mae'n amlwg bellach nad â'r un cam ymhellach—nad â i fyny'r grisiau heb ei wraig. Mae'n ochneidio'n wylofus. Try'r wraig a cherdded at y drych a rhythu ar ei llun. Mae'n rhoi rhyw fath o hufen ar ei hwyneb ar gyfer tynnu'r paent oddi arno.*)

*Nid yw'n ymateb o gwbwl i'w gŵr sydd ar y grisiau wedi ei lwyr
ddarostwng. Yn y man, mae'r ochneidio'n peidio ac y mae'n codi ei
ben ac edrych ar ei wraig. Cyfyd yn araf a blinedig a dod i lawr y
grisiau fel un wedi ei lwyr orchfygu. Mae'n tynnu ei siaced a'i gosod
yn ddestlus ar ganllaw'r grisiau cyn cerdded yn wylaidd a distaw at
ei bapurau. Mae'n eistedd a dechrau unwaith eto ar ei waith fel petai
wedi sylweddoli o'r diwedd mai dyma ei benyd hyd dragwyddoldeb.
Yn y man, mae'r wraig yn gorffen ei defod olaf cyn mynd i'w gwely.
Yna, mae'n codi a cherdded tua'r dodrefnyn a ddefnyddiodd fel gwely
yn yr act gyntaf. Mae'n edrych yn ddirmygus ar ei gŵr cyn tynnu ei
chôt wely.)*

GWRAIG: Y peth gora i titha hefyd 'di'r gwely. (*Mae'n dringo i ben y
bocs a gorwedd arno fel delw garreg ar ben bedd. Edrych y gŵr arni
yn drist a hiraethus. Yn y man, mae'n sefyll ac yn dadwisgo'n hollol
fecanyddol. Mae'n cerdded yn araf at focs sydd yn union yr ochr
arall i'r llwyfan. Mae'n ei ddringo a gorwedd arno yn hollol lonydd
yn union yr un fath â'r wraig. Tywyllir y llwyfan yn araf. Cawn
ddilyniant o ffilm yn awr, sy'n dangos yr hyn a welsom yn yr act
gyntaf, wedi ei saethu mewn siot lydan fel ein bod yn gweld y llwyfan
i gyd. Llun ydyw o'r digwyddiad hwnnw pan yw'r ferch yn agor sip ei
gwisg, mae'n cerdded yn araf at y llanc, ac yna'n gorwedd ar y bocs
wrth ei ochr. Dylem yn awr glywed y miwsig a glywsom yn yr act
gyntaf ac yna torri i ran byr o'r dilyniant ffilm o'r ddau yn caru'n
noeth. Fe dorrir ar y dilyniant gan y gŵr yn gweiddi.)*

GŴR: Hwran! (*Mae'r darlun yn diflannu*) Hwran! (*Mae'r gŵr yn codi ar
ei eistedd fel petai mewn breuddwyd, ac yna try ei ben i edrych ar ei
wraig. Mae honno'n dal i gysgu yn ei gwely ar wahân. Mae'r gŵr yn
troi fel bod ei draed ar y llawr ac yn ymbalfalu am ei esgidiau.*)

GŴR: Mi wn i 'i blydi tricia hi. (*Mae'n gwisgo ei esgidiau*) All hi ddim
'y nhwyllo i! (*Yn y man, mae'n cerdded i ganol yr ystafell, ac yn
edrych ar y wraig yn gorwedd yn llonydd ar y bocs*) Cod yr ast!
(*Mae'r wraig yn troi ar ei hochor ond yn dal i gysgu*) 'Ti 'nghlwad i?
(*Yn codi ei lais y tro hwn. Mae'r wraig yn codi ar ei heistedd.*)

GWRAIG: Beth?

GŴR: Ydi dyn i fod i gael brecwast mewn lle fel hyn?

GWRAIG (*yn swta*): 'Ti'n gwbod lle ma' popeth!

GŴR (*gyda thinc o orffwylledd*): Dy fusnas di ydi gneud bwyd!

GWRAIG (*wedi synnu braidd*): Be' sy'n bod arnat ti? . . .

GŴR: Dwi wedi cael llond blydi bol—dyna i ti be'.

GWRAIG: 'Ti wedi codi rochor chwith i'r gwely ne' rwbath.

GŴR: Gwell codi felly na dim codi o gwbwl!

GWRAIG (*yn codi*): Wn i ddim, wir Dduw. (*Mae'n gwisgo ei chôt llofft*) 'Sa well gin i dy weld ti yn dy wely trw dydd na'r tempar 'ma. (*Mae'r gŵr yn mynd i eistedd â'i ben yn ei ddwylo*)

GŴR: Mi fasa hynny'n dy siwtio di, basa?

GWRAIG: Be' ydi'r brys, 'ta? . . . 'ti'n mynd i rwla . . . sgin ti rwbath ar droed?

GŴR: Dim! . . . Uffar o ddim!

GWRAIG: Be' oedd isio codi mor ddiawledig o fora, 'ta?

GŴR: Am nad ydw i ddim isio pydru yn 'y ngwely fel ma' rhai'n gobeithio y gwna i—dyna i ti pam!

GWRAIG: Paid â siarad mor hurt. (*Mae'n rhoi llestri ar y bwrdd*)

GŴR: Hen blydi berfa'n rhydu ar doman sgrap.

GWRAIG (*yn gafael mewn bocs o greision*): 'Tisio *Corn Flakes*?

GŴR: Y bastards diegwyddor!

GWRAIG: Yli . . . dwi ddim isio clwad hynna trw dydd.

GŴR: Fyddi di ddim yma i 'nghlwad i, na fyddi? . . . Mi fyddi di allan yn cicio dy sodlau. (*Nid yw'r wraig yn dweud dim. Mae'n tywallt Corn Flakes i un ddysgl.*) Ma' hi'n iawn arnat ti, 'tydi—siŵr Dduw 'i bod hi . . .

GWRAIG: Gymeri di ŵy 'di ferwi?

GŴR: Yn cael hwyl am 'y mhen i . . . (*Mae'n dynwared*) . . . Sut ma'r hen foi . . . byth 'di cael gwaith? . . .

GWRAIG (*yn rhoi potelaid o dabledi iddo fo*): Dyma ti. (*Nid yw'n cymryd sylw ohoni. Mae'n rhoi'r botel ar gongl y bwrdd.*)

GŴR: Anodd i ddyn o'i oed o, 'tydi . . . ond 'na fo—mi gâth *golden handshake*, w'chi!

GWRAIG: Te 'ta coffi?

GŴR: Pres mwnci am dorri blydi cnau!

GWRAIG: 'Nawn ni ddim llwgu.

GŴR (*Dynwared eto*): Wrth gwrs na wneith o ddim llwgu . . . ma'i wraig o yn 'i gadw fo, w'chi . . . hogan dda . . . hogan debol . . . rhyfadd, 'te . . . Fo'n cael cic allan o *D. J. Lectrics* a hitha'n mynd i mewn.

GWRAIG: Chest ti ddim *cic allan*. (*Gyda theimlad*) Trïa sylweddoli hynny.

GŴR: Be' uffar ges i, 'ta . . ?

GWRAIG: Ad-drefnu.

GŴR: Ad-drefnu o ddiawl . . . mi rois i oes gyfan i'r cachwrs . . . (*Dynwared*) . . . gwasgfa economaidd . . . rhaid torri'n gwta . . .

GWRAIG: Mi oedd hynny'n wir . . . 'ti'n gwbod dy hun.

GŴR: Ond pam fi . . . mi dduda i wrthat ti pam . . . y blydi ponsan Preis 'na . . . hwnna drefnodd betha . . . ro'dd o'n gwybod y baswn i'n ddraenan yn 'i gwd o . . .

GWRAIG: Gwaed ifanc . . .

GŴR: Ydi pymthag a deugain yn gneud rhywun yn *geriatric* 'ta?

GWRAIG: Fel 'na ma' hi 'mhobman . . . os oes rhaid torri i lawr, y rhai hyna sy'n mynd yn gynta . . . (*Mae'n dyner yn awr*) . . . Dwi a chdi yn gwbod y gelli di roi tri thro am un i Preis a'i debyg . . . ond dyna'r drefn . . . Mi ddudist ti ddoe dy fod ti am ddechra busnas dy hun . . . 'ti wedi meddwl gneud hynny droeon . . . sdim *electrician* yn y lle 'ma alla weirio tŷ fel chdi . . . 'Ti'n cofio chdi'n weirio tŷ Sali Pritchard mewn un bwrw Sul?

GŴR (*yn dechrau meddalu*): Ro'dd hwnnw'n bedair llofft.

GWRAIG: A'r hen *MANWEB* yna yn deud y cymerai wsnos o leia.

GŴR: Mi elli di wneud hynna eto hefyd . . . cael prentis bach . . . ma' digon o lafna ifanc allan o waith o gwmpas y lle 'ma . . . dy fusnas dy hun.

GŴR: Mi allwn i werthu'r car a phrynu fan bach.

GWRAIG: Gneud fel mynnot ti . . . pryd mynnot ti . . . neb i ddeud 'gwna hyn' a 'gwna llall' wrthat ti . . .

GŴR: Mi gymerai amser i hel cwsmeriaid.

GWRAIG: Nid i chdi—ma' gin ti gymaint o ffrindia.

GŴR: *Contacts* busnas sy isio.

GWRAIG: Ma' gin ti ddigon o'r rheini hefyd!

GŴR (*yn chwilio am esgusion yn fwy na dim yn awr*): Ond ma' cymaint o gystadleuaeth.

GWRAIG: Mi fydd cymaint o raen ar dy waith di â neb.

GŴR: Nid be' 'ti'n medru 'i *neud* ydi o bellach ond pwy wyt ti'n 'i *nabod*. (*Mae'n dechrau cynhyrfu eto yn awr*)

GWRAIG (*yn dechrau caledu braidd*): Yli! 'Ti'n nabod digon . . . dwi'n nabod rhai . . .

GŴR: Ac ma' nhw'n gangio yn d'erbyn di . . . edrach ar ôl 'u tebyg!

GWRAIG: Be' 'ti'n feddwl 'tebyg'? 'Ti 'di bod yn y busnas cyn 'run ohonyn nhw . . .

GŴR: Nid tebyg fel 'na dwi'n 'i feddwl.

GWRAIG (*yn dechrau gwylltio braidd rŵan*): Be' ddiawl 'ti'n 'i feddwl, 'ta?

GŴR: Dyna pam dwi allan ar 'y nhin . . . dwi ddim yn gwisgo'r tei iawn, nac 'dw? . . . pam ddiawl 'ti'n feddwl gath Preis 'i neud yn fanijar . . ?

GWRAIG: Dwi wedi deud wrthat ti . . .

GŴR: Am 'mod i wedi gwrthod chwara'u gêm nhw—dyna i ti pam . . .

ro'n i'n ormod o Sosialydd, on'd oeddwn? . . . Hogia'r graig . . .
gwrthod llyfu tin . . .

GWRAIG: Well i ti fyta dy frecwast.

GŴR: 'Nes i agor 'ngheg rhy amal . . . dyna'r drwg . . . deud 'y meddwl
. . . ro'dd gin i blydi cydwybod, 'toedd?

GWRAIG (*yn codi*): Well i mi 'neud fy hun yn barod.

GŴR: Ddaru nhw byth fadda i mi am be ddudis i am y tacla *Masons* 'na
. . . "dach chi'n bla ar y wlad yma," dyna ddudis i . . . "sut ddiawl all
neb fod yn perthyn i'r rheina a fotio i'r Blaid Lafur?" medda fi . . .
"pransio o gwmpas hefo blydi coesa'ch trwsus 'di rwlio i fyny . . .
Cowbois!" . . . Dyna be' alwis i nhw . . . (*Yn ystod yr araith hon,
mae'r wraig yn gwisgo*) . . . Mi geisiodd D.J. 'i ora glas i mi joinio'r
diawlad unwaith . . . 'ti'n gwbod hynny . . . "Mi ro i dy enw di i
fyny," medda fo . . . "Paid â thrafferthu," medda fi . . . "Dim trwbwl o
gwbwl," medda fynta, "mi fyddi di i mewn fel 'na." (*Mae'n clecian ei
fys a'i fawd*) . . . "Dim tra bo chwthiad yno i,' medda finna . . . Fuo fo
byth 'run fath hefo fi wedyn . . . (*Saib*) . . . Dyna i ti pam dwi ar 'y . . .
nhin ar clwt . . . mi ddudis i wrthyn nhw . . . ac mi ddudwn i eto
wrthyn nhw hefyd . . . mi ddudwn i wrthyn nhw am stwffio'u blydi
Lodge . . . ond nhw sy'n rhedag petha . . . waeth i mi heb na dechra
na busnas na dim fy hun . . . mi gwasgan nhw fi allan o fodolaeth . . .
y bastards . . !

GWRAIG: 'Ti wedi cymryd dy dabledi?

GŴR: Y bastards diegwyddor . . !

GWRAIG: 'Ti'n gwrando arna i?

GŴR: Be'?

GWRAIG: Dy dabledi di . . . 'ti ddim 'di cymryd dy dabledi eto . . .
(*Mae'n estyn y botel iddo*)

GŴR (*yn gafael yn y botel*): Blydi tabledi! (*Mae'n ei daflu o'i gyrraedd
nes bod y tabledi yn sgrialu i bobman*) 'Ti'n meddwl bod yr atab
mewn potal?

GWRAIG: O'r nefoedd! (*Yn ceisio casglu'r tabledi oddi ar y llawr*) Mi
fydda i'n hwyr eto.

GŴR (*yn hollol orffwyll rŵan*): Dos! Sneb yn dy gadw di . . . dos o
'ngolwg i . . .

GWRAIG: 'Tasat ti o ddifri mi fasa dda gin i daflu'r blydi lot trw'r ffenast
'na.

GŴR: Brysia . . . mi fydd D.J. yn disgwl amdanat ti.

GWRAIG: Ond fi fydd yn diodda heno. (*Yn dal i godi'r tabledi*)

GŴR: Wrth 'i ddesg â'i drwsus i lawr.

GWRAIG (*Saib*): Be' ddudist ti?

GŴR (*Saib*): Dos am dy damad!

GWRAIG (*Mae'r wraig yn ymateb braidd yn betrusgar*): 'Ti'n colli arnat dy hun ne' rwbath?

GŴR: Wrth gwrs 'mod i'n colli arna fy hun . . . faswn i ddim yn gadael i ti fynd 'taswn i lawn llathan.

GWRAIG (*yn gosod y botel eto ar y bwrdd*): Dwi'n mynd yna nes cei di waith!

GŴR: Siŵr Dduw dy fod ti! . . .

GWRAIG (*yn rhoi ei chôt amdani*): Ma' rhaid i rywun wneud rhwbath, rhaid?

GŴR: Ac mi 'nei di *rwbath.*

GWRAIG: Dan ni dat 'n tagall mewn morgej . . .

GŴR: Fuo 'na 'rioed stafell *First Aid* yna o'r blaen, naddo? Pawb drosto'i hun fuo hi 'rioed . . . ond mi welodd 'i gyfla, do? . . . "'Dach chi'n nyrs, 'tydach, cariad, jyst be' dan ni isio—gweithiwrs 'cw'n cael 'i 'nafu'n amal, rhaid cael rhywun i'w trin nhw" . . . Trin blydi pwy? . . . "Mi wna i stafell fach breifat i chi yn y selar—*First Aid Room*—llawn o fandijis, plastars a phils a ballu . . . a gwely . . . o, ia . . . rhaid cael gwely . . . i'r *patients* orfadd ac ati." . . . blydi gorfadd? Fo ydi'r unig *batient* sy'n dŵad atat ti'n ôl be' dwi'n 'i ddallt.

GWRAIG: Dwi'n mynd.

GŴR: 'Ti'n gwadu 'ta!

GWRAIG: 'Ti ddim yn gall.

GŴR (*Mae'n tynnu waled ledr allan o'i boced*): Be' ddiawl ydi hon, 'ta?

GWRAIG (*yn llawn euogrwydd yn awr*): Be' ydi honna be'?

GŴR (*yn ei chwifio o dan ei thrwyn*): 'Ti ddim yn nabod 'i hogla hi?

GWRAIG: Paid â bod mor wirion.

GŴR (*yn ei hagor*): O! 'Drychwch. (*Mewn ffug syndod*) Fo pia hi . . . D.J. . . . Ma'i lun o ynddi, ylwch . . . 'ngwas del i hefo'i ben moel.

GWRAIG: Ble gest ti afal ynddi, 'ta? (*Wedi dychryn braidd*)

GŴR: Mi dduda i ble ces i afal ynddi—yn cuddiad yn dwt a chlyd yn dy *handbag* di! . . . Rhyfadd, 'te?

GWRAIG (*yn troi ei chefn arno*): Diawch, dwi'n cofio . . . (*Mae'n codi ei bag a'i agor ac edrych i mewn*) . . . Mi gadawodd nhw ar ôl yn y swyddfa nos Wenar . . . (*Mae'n tynnu leitar aur allan*) . . . A'r leitar hefyd . . . Mi'u rhois nhw yn 'y mag rhag i rywun roid 'i bump arnyn nhw.

GŴR: A'u cadw nhw'n saff iddo fo tan heddiw.

GWRAIG: Ma' rhywun 'di torri i mewn i'r offis acw deirgwaith leni—

'ti'n gwbod hynny cystal â finna. (*Mae'n edrych yn nerfus wrth i'r gŵr fynd trwy gynnwys y waled*) . . . Well i ti beidio busnesu hefo'i betha preifat o . . . (*Mae'n gwneud osgo i afael yn y waled, ond y mae yntau yn tynnu'n ôl yn sydyn*)

GŴR: Duws, 'drychwch . . . dy lun di a fo . . . (*Saib*) . . . a bil hotel . . . Nos Wenar a Nos Sadwrn dwetha . . . *Room 121*. Mr a Mrs D. Jenkins . . . 'di wraig o allan o'r hospitol, 'ta?

GWRAIG: Dwi ddim yn saff . . . (*Ddim yn gwybod beth i'w wneud*)

GŴR: Ro'dd o'n mentro braidd yn fan'na, toedd—Mr a Mrs Smith ma'n nhw'n arfar 'i roid—ond mi oedd rhaid iddo seinio *cheques* a ballu, 'toedd? . . . yn 'i enw'i hun . . . wrth gwrs . . . dipyn o hei leiff i'w feistres . . . (*Ffug syndod yn awr*) . . . Duwcs, dyna ryfadd . . . (*Mae'r wraig yn edrych arno'n bryderus*) . . .

GWRAIG: Be'? . . . (*Wrth iddo rythu ar y bil*)

GŴR: Ma' rhywun wedi sgwennu ar waelod hwn '*Barclaycard No. 4929-770-387-765.*'

GWRAIG: Be' sy o'i le ar hynny?

GŴR: Dim . . . (*Mae'n edrych ym myw ei llygaid hi*) . . . ond bod y sgrifan yn debyg uffernol i dy un di!

GWRAIG: Paid â siarad mor hurt.

GŴR: Nath o dy yrru di i dalu wrth y ddesg, felly.

GWRAIG: Tyd â honna i mi . . . (*Yn ceisio cael y waled*)

GŴR (*yn ei dal yn ddigon pell oddi wrthi*): Do'dd o ddim isio loetran gormod yn y *foyer*, debyg gin i . . . ofn cael 'i nabod . . . ofn bod rhai o'i gyd-gowbois o o gwmpas . . . Oedd o'n gwisgo het gantal isal a sbectol haul hefyd?

GWRAIG: Dwi'n mynd.

GŴR (*yn gafael yn dynn yn ei braich*): Sdim rhyfadd dy fod ti wedi blino bora 'ma . . . gest ti dy weithio reit galed fwrw Sul, do?

GWRAIG: 'Ti'n gwbod 'mod i'n aros hefo Sali . . . ma'i . . .

GŴR (*yn ddirmygus*): . . . Gŵr hi yn Glasgo hefo'i waith, ac ma' hi'n uffernol o ofnus ar 'i phen 'i hun . . .

GWRAIG: Gofyn iddi, 'ta . . . Gofyn iddi! . . . Ffonia hi, os lici di . . .

GŴR: Ac mi daerith ddu yn wyn dy fod ti yna . . . ma' gynnoch chi ddealltwriaeth, 'toes? . . . Mi wnei ditha'r un gymwynas â hi pan fydd hitha isio tipyn o sbâr.

GWRAIG (*yn ceisio bod yn ymosodol*): 'Ti'n 'ngalw fi'n glwyddog, 'ta?

GŴR: Ydw! (*Saib*) A matar bach fydd cadarnhau hynny . . . (*Mae bron â wylo'n awr*) . . . Ma' enw'r gwesty gin i . . . holi hwn a holi llall sydd isio . . . yr hwran! . . . (*Mae'n dechrau ei pheltio yn orffwyll*) . . . Yr

hwran! . . . Yr hwran! . . . (*Mae'n rhoi cythraul o gweir i'w wraig. Yn
wir, dim ond dal yn ôl mewn pryd rhag ei thagu y mae. Mae'r wraig
yn disgyn ar y llawr tan ochneidio'n wylofus. Mae yntau'n mynd i
bwyso yn erbyn canllaw'r grisiau fel petai wedi llwyr ymlâdd.*)

GŴR: Dwi'n dda i ddim nac 'dw? . . . I uffar o ddim . . . dim hyd yn oed
i 'ngwraig. (*Yn y man, mae'n edrych i fyny'r grisiau tua'r top. Mae
fel petai'n dod i benderfyniad; yn tacluso ychydig arno'i hun; gafael
yn ei gôt oddi ar y canllaw, a'i gwisgo. Mae'r wraig yn ei weld ac yn
raddol mae'r ochneidio'n lleihau wrth iddi edrych ar y gŵr gyda
rhyw gymysgedd o bryder, ofn ac amheuaeth. Mae'r gŵr yn awr yn
dechrau cerdded yn araf i fyny'r grisiau.*)

GWRAIG: Ble 'ti'n mynd? (*Nid yw'r gŵr yn ateb, dim ond cerdded i fyny'n
araf fel petai mewn breuddwyd*) . . . Aros! (*Mae'n codi ar ei thraed*)
. . . Paid â mynd . . . (*Mae'n rhedeg at waelod y grisiau*) . . . 'Ti
'nghlwad i? (*Nid yw'r gŵr yn cymryd yr un sylw ohoni, dim ond yn dal
i gerdded i fyny yn araf a phenderfynol*) . . . Paid â 'ngadael i . . .
(*Mae'n dechrau cerdded i fyny'r grisiau ar ei ôl*) . . . aros funud
. . . aros inni gael siarad . . . plîs . . . dwi ddim isio neb arall . . . 'ti ddim
yn dallt . . . (*Mae'n cerdded i fyny'r grisiau ar ei ôl wrth i'r llen ddisgyn*)

ACT III

Golygfa:

Mae'r ystafell yr un fath ag o'r blaen, a phan gyfyd y llen, mae'r
llwyfan yn dywyll. Cryfheir y golau oren (lliw machlud) y tro hwn i
greu'r argraff fod y golau'n llenwi'r ffenestr ac yna'n llifo i mewn a
llenwi'r ystafell. Yn yr un modd cryfheir y miwsig fel o'r blaen. Ymhen
ychydig eiliadau, egyr y drws a pheidia'r miwsig. Daw y gŵr i mewn
ond, erbyn hyn, mae wedi heneiddio yn arw. Yn wir, mae mewn tipyn o
oedran ac y mae'n cael ychydig o drafferth i gerdded. Mae hefyd wedi
ymlâdd ar ôl dringo'r grisiau, ac mae'n eistedd ar unwaith i gael ei wynt
ato. Mae'n tynnu bocs bach o dabledi o boced ei wasgod a llyncu un yn
frysiog. Yn y man, mae'r drws yn agor eto, a daw'r ferch i mewn. Mae
hithau hefyd erbyn hyn yn hen wraig fach benwyn. Erys wrth y drws
am eiliad, ac edrych ar ei gŵr yn bryderus.

HEN WRAIG:' Ti'n iawn?

HEN ŴR (*heb droi ei ben*): Ddoist ti?

HEN WRAIG (*yn nesáu ato i eistedd wrth ei ochr*): Ddwedis i wrthat ti am beidio rhuthro'n do!

HEN ŴR: Mi gymerist *ti* dy amsar, beth bynnag.

HEN WRAIG (*Mae'n dod i eistedd wrth ochr ei gŵr*): Ma'r grisia 'na'n mynd yn hirach bob tro. (*Mae'n rhythu o'i blaen yn drist a myfyrgar. Yn araf mae'r hen ŵr yn dod ato'i hun ac yn dechrau edrych o'i gwmpas. Mae'n codi a symud o gylch yr ystafell.*)

HEN ŴR: Be' 'ti'n 'i feddwl?

HEN WRAIG: Be' dwi'n 'i feddwl be'?

HEN ŴR: Fan'ma!

HEN WRAIG (*Saib*): Fan'ma? . . . Fan'cw? . . . Be' 'di'r gwahaniaeth?

HEN ŴR: Ond ma' 'na . . . dwi'n 'i deimlo fo . . . ma' 'na wahaniaeth pendant . . .

HEN WRAIG (*yn edrych o'i chwmpas heb godi*): Yr un ogla . . . yr un dodrafn . . . yr un muria . . . (*Mae'n edrych ar y grisiau*) . . . yr un grisia . . .

HEN ŴR: Grisia? (*Mae fel petai'n sylweddoli am y tro cyntaf fod grisiau yno*) . . .

HEN ŴR: Be' dan ni isio . . ? (*Mae mewn cryn benbleth yn awr*) . . . Pam ma' rhaid . . ? (*Mae'n mynd i sefyll at waelod y grisiau ac edrych i fyny yn bryderus. Yn y man, mae'n edrych ar yr hen wraig.*) . . . I be' gythral ma' isio grisia arall?

HEN WRAIG: Dŵad ti!

HEN ŴR (*mewn ychydig o banig rŵan*): Ond fan'ma 'di'r stafell ddwytha . . . awn ni ddim o fan'ma . . . sdim isio blydi grisia arall!

HEN WRAIG (*fel petai hi'n gwybod yn amgenach*): Be' ma'n nhw'n dda yna, 'ta?

HEN ŴR: Ond dyna ddudon nhw . . . diwadd y daith . . . dim mwy o ddringo . . . dyna ddudon nhw.

HEN WRAIG: Ddudodd pwy?

HEN ŴR: Pawb.

HEN WRAIG: Pwy 'pawb'? (*Yn edrych arno fel petai'n ei gyhuddo o ddweud celwydd*)

HEN ŴR (*yn petruso braidd*): 'Ti'n gwbod pwy ydw i'n 'i feddwl . . . pawb oedd yn . . . yn siarad am y peth . . . (*Mae'n rhythu eto at y grisiau ac yna mae'n gwenu fel petai newydd sylweddoli rhywbeth*) . . . A! . . . A! . . .

HEN WRAIG: Be' sy?

HEN ŴR: Dwi'n 'i gweld hi rŵan. (*Mae'n rhoi ei ben allan trwy'r ffenestr ac edrych i fyny*)

HEN WRAIG: Gweld?

HEN ŴR: Siam ydi hi . . . 'ti ddim yn dallt . . . cogio . . .

HEN WRAIG: Be' 'ti'n 'i feddwl?

HEN ŴR: Sdim byd uwchben . . . dan ni yn nhop y tŵr. (*Yn plygu allan i weld*)

HEN WRAIG: 'Ti'n siŵr?

HEN ŴR (*yn mynd at y grisiau eto*): Dydyn nhw ddim byd ond . . . 'peth' . . . rwbath i ista arnyn nhw . . . ne' i hongian petha . . . (*Mae'n taflu ei gôt dros y canllaw*)

HEN WRAIG: 'Ti'n medru gweld, 'ta? (*Mynd at y ffenestr*)

HEN ŴR: Sdim ôl cerddad arnyn nhw . . . dim ôl gwisgo ar y pren . . .

HEN WRAIG (*wrth y ffenestr*): Alla i weld dim. (*Yn ceisio edrych i fyny y tu allan i'r ffenestr*)

HEN ŴR (*yn chwerthin wrth ei fodd*): Dydyn nhw gythral o ddim ond . . . ornament!

HEN WRAIG: Wela i ddim byd ond niwl . . .

HEN ŴR: Allwn ni 'u tynnu nhw i lawr hyd yn oed . . . Hei! Ma' hynna'n syniad . . . 'ti ddim yn meddwl?

HEN WRAIG (*yn edrych allan trwy'r ffenestr*): Ma' ias eira ynddi . . . synnwn i ddim na fydd 'na gnwd cyn bora.

HEN ŴR: Mi fasa 'na fwy o le yma wedyn . . . ac mi'i cadwan ni mewn coed tân trw'r gaea.

HEN WRAIG (*yn eistedd*): Ma' gas gin i eira . . .

HEN ŴR: Eira?

HEN WRAIG: Byta esgyrn rhywun . . .

HEN ŴR (*yn mynd at y ffenestr*): Ydi hi 'di dechra, 'ta? . . . Ydi! . . . Ydi, wir Dduw, 'ti'n iawn . . . (*Mae wrth ei fodd fel plentyn*) . . . Plu bach . . . plu bach mân . . . eira mân, eira mawr . . . dyna ma'n nhw'n 'i ddeud . . . mi fydd 'dat y cyrn cyn bora . . . (*Wrth y ffenestr yn edrych i fyny*) . . . Dowch! I lawr â chi! . . . i lawr â chi! . . . i lawr â chi!

HEN WRAIG: Dydi o ddim ots amdana i, nac ydi?

HEN ŴR: Dwi wrth 'y modd hefo eira—nenwedig dros Dolig.

HEN WRAIG: A beth am Gwyn a'r plant, 'ta?

HEN ŴR: Mi wna i sleifar o *sledge* iddyn nhw . . . un â llorpia arni— cythral o un glyfar.

HEN WRAIG (*Panig*): Ddôn nhw ddim os bydd 'na eira, na wnân?

HEN ŴR: Y? (*Daw poen dros ei wyneb. Saib. Gwenu eto.*) Dŷn nhw 'rioed wedi methu Dolig?

HEN WRAIG: Chawson nhw 'rioed eira o'r blaen, naddo—a 'ti'n gwbod amdani *hi.*

HEN ŴR: Ma'r plant wrth 'u bodd yn dŵad yma.

HEN WRAIG: Unrhyw esgus neith tro iddi hi *rhag* dŵad! (*Mae'n mynd at y ffenestr ac edrych allan*) Damia! . . . (*Mae'n cau'r ffenestr*) Damia! . . . Damia! . . . (*Mae'n cynhyrfu'n lân*)

HEN ŴR: Yli . . . neith Gwyn mo'n siomi ni . . . (*Mae'n mynd ati i'w chysuro*) . . . Tyd rŵan . . . (*Yn ei hebrwng i eistedd*)

HEN WRAIG: Dydi hi ddim isio iddyn nhw ddŵad ata i . . . dwi'n gwbod!

HEN ŴR: Faswn i ddim yn deud hynny.

HEN WRAIG: Na fasat, mwn . . . cadwa arni . . . dyna 'ti wedi'i neud 'rioed . . . ond dwi'n gwbod . . . ma' hi'n berwi o genfigan . . . dydi hi ddim isio i'r plant gymryd ata i—dyna'r ffaith foel.

HEN ŴR: Ma'r plant 'di mwydro hefo'r lle 'ma.

HEN WRAIG: Ac ma' hi'n cael 'i thynnu bob tro ma' Gwyn yn codi'i fys bach i neud dim i mi.

HEN ŴR: 'Ti'n ein cofio ni'n mynd â nhw i hel llus?

HEN WRAIG: A Duw sy'n gwbod 'mod i wedi trïo 'ngora glas hefo hi . . .

HEN ŴR: A disgyn i'r baw gwarthag hwnnw . . . nefoedd, a drewi . . . 'ti'n cofio . . . pa un ohonyn nhw oedd o, dŵad?

HEN WRAIG: Ond cheith hi ddim dŵad rhyngo i a'r plant . . .

HEN ŴR: *Fo,* 'ta *hi?*

HEN WRAIG: Dim tra bydd chwthiad ynddi.

HEN ŴR: Yr hogan oedd hi, dŵad?

HEN WRAIG: Be'?

HEN ŴR: Ddaru ddisgyn ar 'i phen iddo fo.

HEN WRAIG: Ar 'i phen i be', 'n eno'r Duw?

HEN ŴR: I'r tail gwarthag hwnnw . . .

HEN WRAIG: Am be' gythral 'ti'n baldaruo?

HEN ŴR: Ia, yr hogan fach oedd hi . . . a'i chyrls melyn hi'n blastar . . . 'ti'n cofio? . . . ar ben Foel . . . 'ta'r hogyn oedd o, dŵad . . ?

HEN WRAIG: 'Run ohonyn nhw!

HEN ŴR: Be' 'ti'n 'i feddwl ''run ohonyn nhw'? . . . Dwi'n cofio.

HEN WRAIG: Nid plant Gwyn oedd hefo ni ond Gwyn 'i hun.

HEN ŴR: Gwyn?

HEN WRAIG: Ac nid hel llus ar ben Foel roeddan ni—ond hel mwyar duon yn Coed Parcia.

HEN ŴR: 'Ti'n siŵr?

HEN WRAIG: Sut ddiawl fasa gwarthag yn mynd i ben mynydd, 'ta?

HEN ŴR: Ma' hynna'n bwynt.

HEN WRAIG: A heb warthag, fasa 'na ddim *cachu* gwarthag, na fasa?

HEN ŴR (*yn dechrau chwerthin*): Na fasa . . . (*Yn chwerthin yn uchel*) . . .
'Ti'n iawn. (*Mae hithau'n dechrau chwerthin rŵan*) . . . 'Ti yn llygad
dy le . . . Desu, 'ti'n deud petha digri weithia.

HEN WRAIG (*rhwng pyliau o chwerthin*): . . . Ond mae o'n wir, 'tydi?

HEN ŴR: 'Ti rêl cês, 'twyt! . . . Ond mi ddaw Gwyn . . . dŵad yn ôl adra
'di betha fo . . . at 'i wreiddia . . . (*Myfyrgar*) 'Di bod yn sgut am
ddŵad adra 'rioed . . .

HEN WRAIG: Mi alla i 'i chlwad hi rŵan. "O! Gwyn . . . edrychwch" . . .
'Nes i alw *chi* arnat *ti* 'rioed?—dim diawl o beryg . . . "O Gwyn,
drychwch, cariad . . ."

HEN ŴR (*dan ei wynt*): Wnest ti erioed alw 'cariad' arna i chwaith.

HEN WRAIG: Be'?

HEN ŴR: Dim . . .

HEN WRAIG (*yn gwneud ymdrech glogyrnaidd i efelychu acen y de*):
"Plufio eira, disglwch . . . mi fydd hi lawer rhy danjerus i drafeilu
'da'r plant . . . be' chi'n 'weud, Gwyn?"

HEN ŴR: No môr . . . no mynydd—lôn bôst bob cam.

HEN WRAIG: Y?

HEN ŴR: 'Ti'n cofio Dic Fflat?

HEN WRAIG: Wil Fflat.

HEN ŴR: 'Na ti . . . Wil Fflat . . . 'ti'n 'i gofio fo?

HEN WRAIG: Be' ddiawl sgin hwnnw i neud â'r peth?

HEN ŴR: Hefo'r fisitors.

HEN WRAIG (*Syrffed*): O'r nefoedd!

HEN ŴR: Mi fydda 'na fisitors yn dŵad yma ers talwm, wsti.

HEN WRAIG: Ac ma'n nhw'n dal i ddŵad . . .

HEN ŴR: Nid fel heddiw dwi'n 'i feddwl—yn heidio yma . . . ond amball
un . . . y rheini oedd yn methu tro yn Ffingar . . .

HEN WRAIG: Yli, dwi'n gwbod . . .

HEN ŴR: Isio mynd i Lanbêr oeddan nhw i gyd.

HEN WRAIG: Dyma ni *off* eto . . .

HEN ŴR: Oedd 'na goedan gelyn go fawr reit wrth y postyn, 'ti'n gweld,
ac mi oedd honno'n . . .

HEN WRAIG (*yn gorffen ei frawddeg*): . . . cuddiad arwydd Llanberis, a mi
fydda 'na amball un yn methu'r tro . . .

HEN ŴR: Yn hollol, a dŵad yn syth ar 'u penna i fan'ma.

HEN WRAIG: Mewn mistêc.

HEN ŴR: Mewn mistêc . . . (*Yn edrych arni*) . . . Oes rhaid i ti ddeud
popath ar f'ôl i?

HEN WRAIG: Dydw i ddim—'i ddeud o o dy flaen di ydw i!

HEN ŴR: Ac mi oedd Dic Fflat yn sefyll o flaen Llyfrgell a dyma sleifar o gar mawr-newydd-sbon-danlli-grai yma'n aros. *"Escuse me,'* medda'r cono y tu ôl i'r olwyn wrth . . . ym . . .

HEN WRAIG: Wil Fflat!

HEN ŴR: Wil Fflat . . . *"Which way to Llanberis?" "That way,"* medda Fflat, hefo'r chydig Saesneg oedd gynno fo, a phwyntio rwla i gyfeiriad yr Wyddfa. *"How many more miles?"* medda'r jiarff 'ma y tu ôl i'r olwyn. "O! No môr,' medda Dic Fflat, "no môr, no mynydd, lôn bôst bob cam!" (*Mae'r hen wraig yn sibrwd y geiriau hefo fo. Ar ôl dweud hyn mae'r hen ŵr yn dechrau chwerthin yn uchel.*) . . . 'Ti'n 'dallt hi?

HEN WRAIG (*heb wên*): Ydw!

HEN ŴR: Môr, *môr* oedd o'n 'i feddwl, 'ti'n 'i gweld hi? Nid *more* mwy. Do'dd 'na ddim môr rhwng fan'no a Llanberis.

HEN WRAIG: Taw â deud!

HEN ŴR (*tan chwerthin a phwldagu*): Dyna roedd o'n 'i feddwl yr oedd y Sais yn 'i feddwl . . . 'ti'n dallt?

HEN WRAIG (*yn codi*): Be' gymeri di i swpar? (*Mae'n cerdded at focs lle mae llestri, lliain, offer bwyd, etc. wedi eu pentyrru*)

HEN ŴR: 'Ti'n gwbod sut gath Dic Fflat 'i enw? (*Yn tynnu ei getyn gwag allan a'i sugno*)

HEN WRAIG: Sgin i fawr o ddim, dallt. (*Yn dechrau hulio'r bwrdd*)

HEN ŴR: Uffar o le am lasenw 'di fan'ma. Roedd o'n sincio cwrw fel ych ar dranc ers talwm—doedd deg peint yn ddim iddo fo mewn noson . . . ac mi aeth yn dew fel bwi . . . ac mi gafodd yr enw 'Dic Dew'.

HEN WRAIG: Wil!

HEN ŴR: 'Na ti—Wil Dew.

HEN WRAIG: 'Tisio i mi neud *Oxo* iti?

HEN ŴR: Roedd o'n casáu hynny . . . fedra fo ddim diodda clwad rhywun yn galw Wil Dew arno fo . . . "Duwcs, slimia," medda un o'r hogia . . . "Dos ar y wisgi yn lle'r hen gwrw 'na . . . mi golli di bwysa wedyn . . . ac os na fyddi di'n *dew* fedar neb d'alw di'n Dic Dew, na fedran?'

HEN WRAIG: Sgin i fawr o fara chwaith.

HEN ŴR: Ac mi ddaru . . . slimio nes oedd o fel sgiwar gig . . . ac o hynny ymlaen . . .

HEN WRAIG A'R HEN ŴR (*efo'i gilydd*): Mi ddechreuodd pawb 'i alw fo'n Dic Fflat.

HEN WRAIG: Wil Fflat!

HEN ŴR (*yn chwilio yn ei bocedi*): Lle ma' 'maco fi?

HEN WRAIG: A be' ddiawl sgin hynny i'w neud â'r peth?

HEN ŴR: Y?

HEN WRAIG: Be' sgin Wil Fflat i'w wneud â'r eira a Gwyn a'r plant yn medru dŵad yma dros Dolig?

HEN ŴR (*Saib byr i feddwl*): Yn hollol! . . . Ma' ganddyn nhw lôn bôst ar hyd ffordd, 'toes? . . . Hefo'r draffordd newydd 'na . . . 'di'r eira'n cael fawr o gyfla i aros ar lôn bôst, nac ydi?

HEN WRAIG: Ond mi fydd 'i heira *hi*. O bydd! Siŵr Dduw bydd o.

HEN ŴR (*yn chwilio o gwmpas y lle*): Mi oedd o gin i funud yn ôl.

HEN WRAIG: Am y tro dwytha, be' 'ti isio?

HEN ŴR: Blydi baco! Pacad cyfa heb 'i dorri!

HEN WRAIG (*yn dod â jwg lefrith i'r bwrdd*): I swpar! (*Mae'n gollwng y jwg lefrith*) O'r nefoedd! (*Mae'n edrych ar y jwg ar y llawr fel petai'n edrych ar ddrychiolaeth*) O Dduw mawr be' wna i?

HEN ŴR (*yn dod i helpu i godi'r darnau*): Be' ydi'r ots? Dydi hi ddim yn ddiwadd byd . . .

HEN WRAIG (*yn rhythu o'i blaen mewn dychryn*): Be' sy'n digwydd . . . be' sy'n diwydd i mi . . ?

HEN ŴR: Sdim rhaid cynhyrfu . . . hen jwg . . . fawr o werth i neb.

HEN WRAIG (*yn dechrau beichio crio*): Nid y jwg . . . 'ti ddim yn dallt . . . Fi! . . . Fi! . . .

HEN ŴR (*yn mynd ati i'w chysuro*): Yli! . . . Ista di'n fan'ma. (*Yn ei hebrwng i eistedd*) . . . Mi wna i damad i'r ddau ohonan ni.

HEN WRAIG (*yn edrych ar ei llaw*): Sdim byd yna . . . fedra i ddim! . . .

HEN ŴR: Sdim isio i ti . . . beth am gaws bach ar dost . . ?

HEN WRAIG: Ddim cau fy llaw . . . (*Mewn panig braidd*) . . . 'Ti ddim yn dallt . . . fedra i ddim cau 'nwrn!

HEN ŴR (*Syndod*): Dy ddwrn?

HEN WRAIG: Un funud dwi'n gafal yn rhwbath . . . yn 'i deimlo fo'n galad yng 'nghledar 'y llaw i . . . yna dim . . . dim byd!

HEN ŴR (*yn gafael yn ei llaw*): Gad i mi weld. (*Mae'n rhwbio*) . . . Dyna ti. (*Yn cusanu cledr ei llaw*)

HEN WRAIG: Be' sy'n digwydd i ni?

HEN ŴR: Cylchrediad gwaed . . . dyna i gyd.

HEN WRAIG: Crino (*Yn freuddwydiol*) . . . cracio . . .

HEN ŴR: Yn 'i gael o fy hun yn amal . . . pinna bach . . . dim byd i boeni . . .

HEN WRAIG (*yn edrych i gyfeiriad y grisiau*): Dyna pam ma' honno yna.

HEN ŴR: Y?

HEN WRAIG: Y grisia 'na . . . i mi ma' hi.

HEN ŴR: Yli, paid â chynhyrfu, mi fyddi di'n iawn.

HEN WRAIG: Mi fydd rhaid 'i dringo hi . . . a fyddwn ni'n gwbod dim . . .
dim teimlad . . . fel gwefus ar ôl bod efo'r deintydd . . .

HEN ŴR (*yn poeni rŵan*): Mi wna i banad bach i ti. (*Yn gwneud osgo i
fynd*)

HEN WRAIG (*yn gafael ynddo*): Paid â mynd.

HEN ŴR: Dim ond at y teciall 'na . . .

HEN WRAIG: Dwi isio i ti addo un peth i mi.

HEN ŴR: Rwbath, 'ti'n gwbod hynny.

HEN WRAIG (*ar ôl saib hir*): Dwi isio i ti ddeud y gwir wrtha i . . . bob
amsar.

HEN ŴR (*yn ceisio'i chysuro yn fwy na dim*): Mi wna i hynny, 'nghariad i
. . .

HEN WRAIG: Dim celu dim?

HEN ŴR: Wrth gwrs hynny.

HEN WRAIG: Byth?

HEN ŴR: Byth!

HEN WRAIG (*yn rhythu o'i blaen gyda'i hwyneb yn llawn poen*): . . . Dim
twyllo . . . dim fel Mam . . . dweud yn blaen. (*Yn edrych ar y grisiau
eto*) . . . os bydd yr amsar wedi dŵad. (*Mae yntau'n awr yn troi i
edrych at y grisiau. Saib hir o ddistawrwydd.*)

HEN WRAIG (*yn freuddwydiol*): Y cyfan wedi mynd mor sydyn . . .

HEN ŴR: Llithro trw fysadd rhywun . . .

HEN WRAIG (*ar ôl saib hir*): Ni oeddan nhw, 'te?

HEN ŴR: Be'?

HEN WRAIG: Ddoth i mewn i'r stafell isa 'na un diwrnod poeth o ha.

HEN ŴR (*yn gwenu*): Ni oeddan nhw . . .

HEN WRAIG (*yn gwenu*): Mi gawson ni hwyl.

HEN ŴR: Uffernol o hwyl.

HEN WRAIG: Mor ddiniwad.

HEN ŴR: On'd oeddan ni, dŵad! (*Saib hir. Mae'r wên eto'n graddol
ddiflannu oddi ar wyneb yr hen wraig.*)

HEN WRAIG: Dwi'n cofio gorfadd ar y gwely 'na a chodi 'nghoesa i fyny
rhyngo fi a'r gola, a deud . . . Fi pia nhw . . . Fi! . . . ac ma'n nhw'n
ddel a siapus . . . yn feddal ac aeddfed . . . yn llyfn a thyner . . . ond
ryw ddiwrnod mi fyddan nhw'n greithia a tholcia . . . wedi crebachu i
gyd . . . heb ias na chyffro . . . yn hen a chaled . . . (*Saib*) . . . dim ond
ddoe oedd hynny . . . (*Mae'n dechrau crio'n ddistaw eto*)

HEN ŴR: Yli, paid ag ypsetio . . .

HEN WRAIG: 'Ti'n gaddo, 'twyt?

HEN ŴR: Gaddo?

HEN WRAIG: Y gwir . . . bob amsar y gwir!

HEN ŴR: Dwi'n gaddo!

HEN WRAIG: Ar dy lw!

HEN ŴR: Ar fy llw!

HEN WRAIG: Dwi ddim isio diodda . . . dim isio 'mwyta'n fyw . . .

HEN ŴR: Sdim isio siarad am betha felly . . .

HEN ŴR: Na! . . . Ma' rhaid i mi . . . Dwi isio i ti ddallt yn iawn . . . (*Saib*) . . . Pan ddaw amsar . . . pan fydd dim ar ôl . . . dim gobaith . . . dwi isio mynd! (*Mae'n gafael yn ei law ac edrych ym myw ei lygaid*) 'Ti 'nallt i?

HEN ŴR: Dwi'n credu 'mod i . . .

HEN WRAIG: Fy ngollwng . . . yn urddasol . . . dim twyllo . . . dim siarad am holides fydd byth yn dŵad . . .

HEN ŴR: Yli, gwranda . . .

HEN WRAIG: Na! Gwranda di . . . fydd gin i neb ond ti yr adag honno . . . ti fydd yr unig un i fy ngollwng i . . . am byth! (*Ceir saib hir o ddistawrwydd*)

HEN ŴR (*fel petai wedi datrys y broblem*): Trimio!

HEN WRAIG: Pwy?

HEN ŴR (*yn llawn brwdfrydedd*): Dyna be' wnawn ni, siŵr Dduw, . . . trimins Dolig dros bob man.

HEN WRAIG: Lawer rhy gynnar i hynny.

HEN ŴR (*yn mynd i chwilio*): Ma' 'na focsiad yn rhwla . . .

HEN WRAIG: 'Ti'n gwrando arna i—ma' hydoedd tan Dolig.

HEN ŴR: Clycha, cadwyni, peli arian, swigod . . . bob lliw a llun—dyma ni. (*Mae'n llusgo bocs go fawr i'r golwg*) . . . Desu!

HEN WRAIG: Dim fath â Dolig dwytha, dallt.

HEN ŴR (*yn codi'r addurniadau o'r bocs gyda brwdfrydedd plentyn*): 'Drycha arnyn nhw . . . bob matha . . . rŵan, 'ta . . .

HEN WRAIG: Ro'dd hi fel carnifál yma gin ti'r llynadd.

HEN ŴR (*yn rhoi un pen ei gadwyn bapur i'w wraig*): Gafal yn y pen yma. (*Mae'n gwneud*)

HEN WRAIG: Alla neb droi yma gan drimins. (*Ond mae hithau'n dechrau sirioli yn awr wrth weld y gadwyn yn agor rhyngddynt*)

HEN ŴR: Mi plastrwn ni'r lle 'ma . . . bob twll a chongol . . .

HEN WRAIG (*yn gwenu'n awr*): Wnân nhw ddim byd ond magu llwch . . .

HEN ŴR (*yn edrych ar y grisiau*): . . . A fyddi di ddim yn nabod honna.

HEN WRAIG (*yn ofalus*): Be' 'ti'n feddwl?

HEN ŴR (*braidd yn ofnus*): . . . Papur arian . . . celyn . . . tinsal . . . fyddi di ddim yn nabod y grisia 'na ar ôl i mi orffan hefo nhw.

HEN WRAIG: 'Ti'n deud? (*Yn obeithiol*)

HEN ŴR: Mi claddwn ni nhw.

HEN WRAIG (*gyda pharchedig ofn*): Allwn ni, 'ti'n meddwl?

HEN ŴR: Mi ro i uffar o gynnig arni . . . (*Yn mynd ar y grisiau gyda chadwyn bapur*)

HEN WRAIG: Dan ni ddim isio digio neb. (*Mae'n aros yn ei hunfan*)

HEN ŴR (*Saib*): Neith o ddim drwg, na neith . . ? Tipyn . . . tipyn o liw . . . yma ac acw . . . ?

HEN WRAIG (*Saib*): Na neith, debyg . . . (*Mae'r hen ŵr yn nesáu'n ofnus ac araf tuag at y grisiau*)

HEN WRAIG: Cymar ofal . . .

HEN ŴR (*yn aros ryw lathen oddi wrth y grisiau*): Nid diffyg parch ydi o . . .

HEN WRAIG: Gwell peidio, 'ta.

HEN ŴR: I'r gwrthwynab . . .

HEN WRAIG: Rhag i rywun gamddeall . . .

HEN ŴR: Talu teyrnged . . . dyna . . . (*Mae'n agosáu'n araf*) . . . dyna be' ydi addurno rhwbath . . . (*Mae'n taflu cadwyn dros y canllawiau. Saif y ddau fel dwy ddelw o farmor fel pe baent yn disgwyl i'r lle ffrwydro.*)

HEN WRAIG (*ar ôl saib hir*): Neis!

HEN ŴR (*heb droi ei ben i edrych arni*): Tyd ag un arall yma!

HEN WRAIG: Rŵan?

HEN ŴR: Tra ma'r haearn yn boeth . . . (*Mae'r hen wraig yn awr yn codi cadwyn o'r bocs addurniadau ac yn cerdded yn araf a gwyliadwrus tuag at ei gŵr a'i chynnig iddo*)

HEN ŴR: Trïa di. (*Mae'r hen wraig yn edrych i fyny at frig y grisiau ac yna, gyda'r un petruster a gofal, mae'n taflu cadwyn dros ganllaw'r grisiau. Saif y ddau i rythu ar y grisiau fel petaent yn disgwyl i rywbeth ddigwydd. Ceir ysbaid hir o ddistawrwydd. Dechreua'r hen ŵr wenu, ac yna chwerthin yn ysgafn, ac yna rowlio chwerthin. Mae'r hen wraig, er ychydig yn ofnus ar y dechrau, yn ymuno ag ef. Mae hithau yn y man yn magu digon o hyder i chwerthin yn uchel. Mae'r chwerthin a'r symud yn ymylu weithiau ar orffwylledd ac y mae'r hen ŵr yn rhuthro at y bocs addurniadau.*)

HEN ŴR: 'Rarglwydd! Aros di. (*Mae'n codi llond ei ddwylo o addurniadau*)

Os 'i gneud hi—'i gneud hi! (*Mae'n dechrau lluchio mwy o addurniadau dros y grisiau*)

HEN WRAIG (*Hithau hefyd yn mynd i nôl mwy o addurniadau*): Y cwbwl ne' ddim! (*Mae'r ddau yn awr yn taflu bob math o bethau lliwgar dros y grisiau*)

HEN ŴR: Peidio bod ofn—dyna'r peth, 'ti'n gweld.

HEN WRAIG: Gyts! Dyna be' sy isio!

HEN ŴR: Dyffeio'r lot . . .

HEN WRAIG: Herio pawb . . .

HEN ŴR: Pwy sydd i'n hatal ni . . ?

HEN WRAIG: Ni pia'r llaw ucha.

HEN ŴR: "Hogia ni . . ." (*Yn dechrau canu*)

HEN WRAIG (*Hefyd yn canu*): "Genod ni . . ."

HEN ŴR: "Tydi'r sgwâr ddim digon mawr i'n hogia ni!"

HEN WRAIG: "Tydi'r sgwâr ddim digon mawr i'n genod ni!"

HEN ŴR (*fel plentyn yn awr*): Ma' hi fel Ffair Borth yma.

HEN WRAIG (*Hithau wrth ei bodd yn awr*): Ydi, 'tydi?

HEN ŴR: Desu, 'ti'n ein cofio ni yn Ffair Borth?

HEN WRAIG: Giang ohonan ni . . .

HEN ŴR (*yn cymryd cam i fyny'r grisiau*): A'r Sioe Dina 'na.

HEN WRAIG (*yn sobri drwyddi*): Paid!

HEN ŴR (*yn camu'n uwch*): Co dre oedd o, 'sti!

HEN WRAIG: Dim pellach!

HEN ŴR (*yn troi i'w hwynebu*): Roll up! Roll up!

HEN WRAIG: Well iti ddŵad i lawr.

HEN ŴR: Sioe fwya'r byd, hogia bach. Consartina! A hynny i gyd am ddeunaw . . . rhyw hen fodins o ochra Bryngwran 'na oedd gynno fo, 'sti . . . a bronna fel bagia blawd . . . Dowch, hogia bach . . . dim ond deunaw . . . "Be gawn ni weld am ddeunaw?" medda Els Bach . . . "Dipyn mwy na fasa dy fam yn fodlon i ti weld," medda'r Cofi . . .

HEN WRAIG: Yli, dwi ddim yn licio dy weld ti'n fan'ma . . .

HEN ŴR: Tyd i fan hyn.

HEN WRAIG: Y?

HEN ŴR: Tyd i fan hyn wrth f'ochor i am funud.

HEN WRAIG: Na . . . (*Gan gamu'n ôl*) . . . Well gin i . . .

HEN ŴR: Am funud! . . . tyd 'laen . . . (*Saib*) . . . Ni sy'n galw'r diwn . . . (*Mae'r hen wraig yn symud yn araf ac ofnus tuag ato. Mae'n camu ar y grisiau fel petai'n disgwyl i rywbeth ofnadwy ddigwydd ac yna'n aros. Mae'r hen ŵr yn estyn ei law iddi.*) Tyd!

HEN WRAIG: Dwi'n iawn yn fan'ma.

HEN ŴR: Neith neb dy fyta di . . .

HEN WRAIG: Dwi'n gwbod hynny . . .

HEN ŴR: Tyd chydig bach yn nes, 'ta.

HEN WRAIG: Na . . . dwi'n iawn—wir! . . . well gin i fan hyn.

HEN ŴR: Peidio dangos dy fod ti ofn—dyna'r peth.

HEN WRAIG: Dwi ddim . . . dwi ddim ofn o gwbwl. (*Ond does fawr o argyhoeddiad yn ei llais*)

HEN ŴR (*yn estyn ei law eto*): Tyd i fyny fan'ma, 'ta . . . hefo fi!

HEN WRAIG: Na . . . 'ti'n gwbod fel ydw i . . . hefo uchdwr . . . rhen bendro 'ma.

HEN ŴR: Dim hynna chwaith!

HEN WRAIG: Be'?

HEN ŴR: Cyfadda gwendid . . . ma'r diawl yn glustia i gyd . . . mi gymerith fantais yn syth.

HEN WRAIG (*Nerfus iawn yn awr*): Pwy sy 'ma i glwad?

HEN ŴR: Mi ddysgis hynna'n gynnar . . .

HEN WRAIG: 'Ti 'di gweld rhywun?

HEN ŴR: A pheidio gildio, dyna'r peth . . .

HEN WRAIG: Ddudist di ddim o'r blaen dy fod ti wedi gweld neb . . .

HEN ŴR: Hyd yn oed pan o'n i'n rong . . . ro'n i'n uffernol o styfnig, dallt . . . ond gwendid ydi disgyn ar dy fai . . . gwendid ydi cyfadda . . . Ac mi oedd D.J. yn gwbod hynny . . . unwaith ro'n i wedi gwneud 'y meddwl i fyny, mi oedd hi wedi cachu bans ar neb i 'nhroi i.

HEN WRAIG (*wrth ei glywed yn rhegi*): Paid!

HEN ŴR: Ac mi oedd y bastards yn gwbod hynny . . .

HEN WRAIG: Dim rhegi! 'Ti 'nghlwad i . . ?

HEN ŴR: "Stwffiwch hi," medda fi.

HEN WRAIG (*yn gweiddi*): Rhag ofn!

HEN ŴR: Doedd gin i ofn neb . . . dim diawl o beryg . . . ac mi oedd y shinach bach Preis yna'n gwbod hefyd . . . 'Na ti rech 'lyb os buo 'na un 'rioed. (*Mae'r hen wraig yn camu'n ôl yn araf oddi ar y grisiau*)

HEN ŴR: Cario straeon oedd 'i betha fo . . . llyfu tin D.J. bob cyfla gâi o . . . ond roedd D.J.'n gwbod . . . o, oedd . . . mi oedd D.J.'n gwbod ma' gin i oedd yr asgwrn cefn . . . hogia'r werin . . . Dyna pam ges i'r job. (*Mae'r hen wraig yn awr yn eistedd i lawr gyda golwg drist ar ei hwyneb. Mae hi'n gwybod yn wahanol.*) . . . Pwy gafodd y job?

HEN WRAIG (*fel pe bai'n deffro o freuddwyd*): Be'?

HEN ŴR: Pwy gafodd y blydi job? . . . Dwi'n gofyn i ti . . . pwy cafodd hi?

HEN WRAIG: Chdi, pwy arall . . ?

HEN ŴR: Siŵr Dduw ma' fi cafodd hi! . . . Do'dd fiw iddo fo . . . do'dd fiw i'r diawl 'i rhoid hi i neb arall . . . fasa'r hogia 'di rhoi 'drop tŵls', bysan . . ? (*Mae'r hen wraig yn edrych arno fo reit bathetig yn awr*) . . . Allan! . . . pob copa walltog ohonyn nhw . . . 'san nhw wedi'i larpio fo . . . 'tasa fo . . . 'tasa fo 'di'i rhoid hi i rywun fel . . . fel y brych Preis 'na . . . (*Saib*) O do . . . mi ces i . . . reit dros ben y diawl bach oriog hwnnw. "Fi ydi'r bos rŵan," medda fi . . . "Fi sy'n deud be' ydi be' . . . (*Saib*) . . . a dwi isio chwara teg i'r gweithiwrs . . . i'r hogia," me' fi . . . reit yn 'i wynab o fel'na . . . doedd o ddim yn licio hynna o gwbwl . . . doedd neb 'di siarad fel'na hefo fo o'r blaen . . . "Ti'n 'u trin nhw fel baw," me' fi . . . Desu, ro'dd o wedi dychryn . . . welis i rioed D.J. 'di dychryn cymaint . . . fel gialchan . . . a'i wefla fo'n crynu i gyd . . . "ond dim mwy," medda fi . . . "dan ni 'di diodda digon . . . dan ni allan . . . a dwi hefo nhw, dallt . . . hyd y blydi diwadd" . . . "'Di Manijar ddim yn mynd ar streic," medda fo . . . "Wel, ma'r Manijar yma," me' fi, a honna iddo fo. (*Mae'n gwneud arwydd hefo'i ddau fys*) A cherddad allan . . . (*Yn edrych ar ei wraig eto*) 'Nes i'n iawn, do?

HEN WRAIG: Do. (*Mae'n rhoi ei phen yn ei dwylo ac yn wylo'n ddistaw*)

HEN ŴR: Doedd o ddim yn mynd i gael y gora ar y boi yma ar chwara bach . . . ro'dd gin i f'egwyddorion. (*Mae'n dechrau mynd i stad go gynhyrfus yn awr*) . . . Doedd o ddim yn mynd i neud pric pwdin ohona i . . . o, nac oedd . . . yr ewach . . . y llipryn diawl . . . "Stwffia dy job," medda fi (*Mae'n gweiddi'n awr*) . . . "Stwffia dy blydi job . . ." (*Mae'n dechrau pesychu a thagu . . . ac yna'n llithro ar y grisiau. Mae'r hen wraig yn codi ei phen. Mae'r hen ŵr yn awr yn gwneud y sŵn rhyfeddaf fel petai'n mygu'n lân.*)

HEN WRAIG (*yn rhedeg ato*): Be' sy? (*Mae'r hen ŵr yn awr yn dechrau ymbalfalu ac yn ei lusgo'i hun i fyny'r grisiau*) O Dduw mawr! (*Mae'n rhedeg i fyny'r grisiau ato heb ddangos unrhyw ofn o gwbwl yn awr*) Trïa godi . . . aros . . . i . . . (*Mae'n ceisio'i helpu i godi*)

HEN ŴR: Ma' rhaid i mi . . .

HEN WRAIG: Rho dy bwysa arna i . . . mi awn ni i lawr yn ara deg.

HEN ŴR: Fedra i ddim.

HEN WRAIG: Wrth gwrs y gelli di . . . unwaith y ca i di lawr i'r gwely 'na . . .

HEN ŴR: 'Ti ddim yn dallt . . . i fyny!

HEN WRAIG: Be'?

HEN ŴR: Dim i lawr . . . i fyny . . . ma' rhaid i mi . . . (*Mae'n gwneud ymdrech arall i ymbalfalu i fyny'r grisiau*)

HEN WRAIG (*yn gafael ynddo fel cranc*): Naci . . . mi ofala i . . . dwi'n gwbod. (*Mae'r hen ŵr yn dechrau llonyddu*) . . . cheith o monat ti . . . dim rŵan . . . (*Mae'n rhoi ei ben ar ei gliniau ac yn ei anwesu*) . . . dim rŵan, 'ngwas i . . . mi ofala i am hynny . . . (*Saib hir o ddistawrwydd*) . . . Trïa godi ar dy ista . . . (*Mae'r hen ŵr yn gwneud hynny'n araf. Mae hithau'n rhoi ei llaw amdano i'w gysuro.*) 'Na ti . . . well rŵan . . . sdim brys . . .

HEN ŴR: Fydd hi'n wahanol y tro nesa . . .

HEN WRAIG: Fydd hi?

HEN ŴR: 'Ti'n gwbod be' dwi'n 'i feddwl, 'twyt? (*Nid yw'r wraig yn ateb*) Dim ond un fydd yn mynd . . . (*Saib*) . . . dim hefo'n gilydd eto . . . dim ond un fydd yn mynd i fyny'r grisia 'na'r tro nesa.

HEN WRAIG (*gyda rhyw dristwch breuddwydiol*): Un . . . ar y tro . . .

HEN ŴR: Un yn gynta . . .

HEN WRAIG: A gadael y llall.

HEN ŴR: Dyna'r drefn!

HEN WRAIG: Rhaid plygu i'r drefn!

HEN ŴR (*ar ôl saib hir*): Un yn gynta . . . a'r llall wedyn.

HEN WRAIG: Ond dim hefo'n gilydd y tro nesa . . . (*Yn gafael yn ei law*)

HEN ŴR (*yn edrych ym myw ei llygaid*): Dim hefo'n gilydd.

HEN WRAIG (*Ar ôl saib*): Ond dim rŵan. (*Yn sirioli ychydig*)

HEN ŴR (*o'i freuddwydion*): Be'?

HEN WRAIG: Dim rŵan 'di'r amsar . . . i 'run ohonan ni.

HEN ŴR: 'Ti'n meddwl?

HEN WRAIG: Dwi'n gwybod!

HEN ŴR (*yn edrych i fyny tua thop y grisiau*): Am funud rŵan . . . ro'n i'n credu . . .

HEN WRAIG: Ma' pawb yn cael pwl fel'na yn 'i dro.

HEN ŴR: 'Blaw chdi . . . 'swn i wedi mynd.

HEN WRAIG: Trïa godi, 'ta . . . (*Mae'r hen ŵr yn ceisio stryffaglio i godi*) Pwyll pia hi . . . Ma' trwy'r dydd gynnon ni!

HEN ŴR: Trw'n hoes! (*Mae'n sefyll yn sigledig*) . . . dwi 'di cyffio'n lân.

HEN WRAIG: Gest ti godwm go hegar, 'sti . . . (*Yn gafael yn dynn ynddo*) . . . cam bach i lawr rŵan.

HEN ŴR (*yn camu'n araf. Mae wedi heneiddio mewn pum munud i fod yn hen ŵr bach musgrell*): Ma' hi wedi twllu'n uffernol o sydyn, 'tydi . . ?

HEN WRAIG (*yn dod i lawr y grisiau'n llafurus*): . . . 'Na ti . . .

HEN ŴR: Welis i 'rioed darth yma o'r blaen.

HEN WRAIG: Ara deg . . .

HEN ŴR (*yn ei arwain yn ofalus*): Yn y stafell 'ma . . . welis i 'rioed darth i mewn yma o'r blaen. (*Hen wraig yn mynd ag ef at y bocs a ddefnyddia fel gwely*)

HEN WRAIG: Fel'na y gweli di gefn gaea fel hyn.

HEN ŴR (*yn pesychu*): Dydi o ddim lles i frest rhywun chwaith.

HEN WRAIG: Stedda di'n fan'na rŵan! (*Mae'n ei helpu i eistedd ar y gwely a chodi ei goesau arno*)

HEN WRAIG: Fyddi di ddim run un ar ôl cyntun bach.

HEN ŴR: Be' 'nei di?

HEN WRAIG: Digon i neud, 'wsti.

HEN ŴR: Ei di ddim yn bell, na 'nei?

HEN WRAIG: A' i ddim cam o 'ma.

HEN ŴR (*yn gafael yn ei llaw*): 'Ti'n gaddo?

HEN WRAIG (*yn eistedd wrth ochr y gwely*): Dwi'n gaddo.

(*Tywyllir y llwyfan yn araf. Cawn batrymau eto yn y ffenestr sy'n toddi'n raddol i ddilyniant o ffilm ciné. Gwelwn unwaith eto y foment honno o ddiwedd yr ail act pan yw'r gŵr yn peltio'i wraig yn orffwyll. Nid oes rhaid cael sain y deialog, ond efallai y byddai'r miwsig yn effeithiol. Mae'r ymladdfa yma'n gorffen gyda'r wraig yn disgyn ar y llawr dan wylo—yn union fel y gwelsom hi'n gwneud y tro o'r blaen. Diwedd y dilyniant ffilm.*)

(*Mae'r hen wraig yn awr yn codi a mynd i nôl blanced i'w rhoi dros yr hen ŵr. Mae hefyd yn gosod rhyw fath o declyn ar ben y gwely sy'n galluogi'r hen ŵr i godi ar ei eistedd a gorffwys yn ei erbyn. Mae'r cyfan yn debycach yn awr i gadair olwyn ac os oes 'castors' dan y cyfan, gall yr hen wraig wthio'r hen ŵr yn awr yn nes at flaen y llwyfan fel ei fod yn wynebu'r gynulleidfa.*)

HEN WRAIG: 'Na ti . . . Lle ma' dy faco di rŵan? (*Mae'n mynd i nôl ei gêr smocio. Mae hithau bellach wedi arafu tipyn yn ei cherddediad.*)

HEN ŴR: Hen wynt 'na reit fain hefyd.

HEN WRAIG (*yn llenwi ei getyn o'r pwrs baco*): Byta trw groen rhywun.

HEN ŴR: Dwi'n methu dallt pam na ddoth Gwyn.

HEN WRAIG: Mi o'dd 'na dipyn o eira, 'toedd . . . (*Mae'r hen wraig yn rhoi'r cetyn yn ei law a chau ei fysedd amdano*)

HEN WRAIG: Gwasga'n dynnach ne' mi 'sgynith . . .

HEN ŴR: Hi 'di'r drwg. (*Mae'n codi ei fraich yn fecanyddol at ei geg*) . . . rêl hen ast 'di'r wraig 'na sgynno fo.

HEN WRAIG: Rho hi yn dy geg imi'i thanio hi i ti. (*Mae'n ei helpu i wneud.*) 'Na ti. (*Mae'n tanio matsen a'i dal uwch bowlen y cetyn*) Tynna . . . (*Mae'n sugno*) . . . Tynna fel 'tasa ti'n 'i feddwl o . . .

Nefoedd . . . ma' rhaid i mi llnau'r cetyn 'na hefyd . . . mae o'n mynd
i ddrewi'n waeth bob dydd.

HEN ŴR: 'U berwi nhw fydda 'nhad.

HEN WRAIG: Berwi?

HEN ŴR: Ro'dd gynno fo chwech ohonyn nhw . . . un at bob diwrnod o'r
wythnos.

HEN WRAIG: Ma' saith diwrnod mewn wythnos. (*Mae'n mynd at fwrdd
yn awr ac yn rhoi rhywbeth tebyg i fwyd babi mewn sosban a
thywallt llefrith ar ei ben. Mae'n ei roi ar focs arall fel petai'n ei
ferwi. Bob hyn a hyn mae'n ei droi.*)

HEN ŴR: Do'dd o ddim yn smocio dy' Sul . . . (*Meddwl*) Dyn da o'dd
'Nhad . . . parchu'r Sul . . . cadw'r Sabath . . . Dim cario glo . . . dim
torri coed tân . . . dim torri gwinadd. (*Mae'n dechrau chwerthin yn
ddistaw yn awr*) . . . Ges i gythral o glustan ganddo fo unwaith am
dorri 'ngwinadd ar ddy' Sul . . . Ro'dd o'n prynu *News of the World*
yn ddi-ffael ond ddim yn ddarllan o tan dy' Llun . . . Do'dd o ddim
yn smocio chwaith dy' Sul . . . Ro'dd gynno fo chwe chetyn, 'ysti . . .
ar gyfar pob diwrnod . . . ond dim un ar ddydd Sul . . . (*Chwerthin
eto*) . . . Do'dd dim isio almanac yn tŷ ni . . . dim ond edrach ar y
cetyn o'dd gin 'Nhad . . . roeddat ti'n gwbod pa ddiwrnod oedd hi . . .
'U smocio nhw felly . . . un ar y tro . . . un gwahanol i bob diwrnod . . .
ond doedd o byth yn smocio dy' Sul . . . wyddat ti hynny?

HEN WRAIG: Dwi'n berwi chydig bach o *Cow and Gate* i ti. (*Mae'n
tywallt y gymysgfa i fowlen fach*)

HEN ŴR: A 'sti be' oedd o'n 'i neud? Bob dy' Llun Diolchgarwch . . .
rhoid y chwech mewn sosban . . . a'u berwi nhw . . . Felly oedd o'n
'u llnau nhw . . . Desu, roedd ogla digon i dy daro di . . . Ro'dd pawb
yn cadw draw o tŷ ni ar Ddiolchgarwch. (*Mae'n sugno ei getyn. Mae
wedi diffodd.*) Damia! . . . ma' hwn 'di diffodd eto . . . Sgin ti ddim
tân, gwael?

HEN WRAIG (*yn dod at y gadair hefo'r bwyd*): Byta hwn i ddechra cyn
iddo fo oeri.

HEN ŴR: O . . . dim rŵan . . .

HEN WRAIG: Mymryn lleia . . .

HEN ŴR: Sgin i fawr o stumog . . .

HEN WRAIG: Dim ond llond gwniadur sy 'ma. Tyd. (*Mae'n ei fwydo fel
babi.*)

HEN ŴR: Mi godith bwys mawr arna i.

HEN WRAIG: Neith hwn ddim drwg iti . . . Bwyd babi ydi o.

HEN ŴR (*yn ei boeri allan*): Dwi ddim isio bwyd babi . . . nid blydi babi ydw i . . . (*Mae'n gwneud sŵn fel petai mewn poen ac y mae hithau'n rhuthro i afael mewn tywel sydd wrth law a'i ddal fel y gall fod yn sâl ynddo*)

HEN WRAIG (*yn ei gysuro fel plentyn*): 'Na ti . . . paid â phoeni . . . (*Mae'n dod ato'i hun ac y mae hithau'n sychu ei geg*) Gymeri di ddiod bach?

HEN ŴR: Dim diolch . . . fedra i ddal dim i lawr y dyddia yma . . . dim hyd yn oed dŵr.

HEN WRAIG: Mi ddoi drosto fo (*Saib*) . . .

HEN ŴR: Cyn yr ha, 'ti'n meddwl?

HEN WRAIG: O . . . yn bendant cyn yr ha . . .

HEN ŴR (*ar ôl saib hir*): Hoffwn i holides iawn eleni . . . rwla dan ni 'rioed wedi bod.

HEN WRAIG: Fel lle?

HEN ŴR: Dwn i'm . . . lle poeth braf . . . nes ma' gwallt dy ben di'n ffrio . . . 'run fath â'r lle 'na aethon ni stalwm . . . 'ti'n cofio? . . . Toro . . . 'ti'n cofio . . . (*Yn ceisio cofio'r gair*) Toro . . .

HEN WRAIG: Toromolinos.

HEN ŴR: 'Na ti . . . fan'no . . . (*Saib*) . . . 'Ti'n meddwl y bydda i ddigon da i fynd i rwla felly 'r ha nesa 'ma?

HEN WRAIG: Wrth gwrs y byddi di. (*Saib*) . . . mi gawn ni holides gwerth chweil. (*Mae'n gafael yn ei law ac edrych i fyw ei lygaid*)

HEN ŴR (*ar ôl saib hir*): Ar dy lw?

HEN WRAIG (*heb betruso*): Ar fy llw. (*Saib*)

HEN ŴR: Dwi'n credu y cymera i un o'r tabledi 'na eto . . . dwi'n teimlo chydig gwell ar ôl y rheina . . . (*Mae'r hen wraig yn mynd i nôl y botel dabledi*) . . . Lliniaru'r boen chydig . . . (*Mae'n tynnu dwy allan*) . . . dim cystal â'r *injection* 'na dwi'n gael chwaith.

HEN WRAIG (*yn dangos y tabledi ar ei llaw*): Dyma ti.

HEN ŴR: Dwy? . . . Un sy i fod!

HEN WRAIG (*yn rhoi un yn ei geg*): Mi neith les i ti. (*Yn rhoi'r llall yn ei geg*) Sdim drwg mewn cymryd dwy.

HEN ŴR: Lwcus dy fod ti'n nyrs . . . i wbod am y petha 'ma . . . dim pawb sgin nyrs rownd y rîl.

HEN WRAIG: Hoffat ti gysgu am chydig?

HEN ŴR: Na . . . dwi'n teimlo'n well rŵan.

HEN WRAIG: Smôc bach, 'ta?

HEN ŴR: Na . . . ma'r hen faco 'na'n llosgi 'ngheg i braidd.

HEN WRAIG: Chdi sy'n gwbod.

HEN ŴR: Be' sy 'na, tybad?

HEN WRAIG: Ble?

HEN ŴR (*yn edrych i fyny*): Fyny fan'cw. (*Mae'r hen wraig yn edrych i fyny hefyd. Cawn saib hir o ddistawrwydd wrth iddynt wneud hynny.*) . . . Bownd o fod rwbath . . .

HEN WRAIG: Siŵr o fod!

HEN ŴR: Oes neb yn saff . . .

HEN WRAIG: Ond ma' 'na risia . . . fasan nhw ddim yn arwain i nunlla, na fasan?

HEN ŴR: Dim ond grisia, falla . . . dringo am byth.

HEN WRAIG: Ma' bownd o fod rwbath . . . ar ôl yr holl draffarth . . .

HEN ŴR: Mynd ar goll ar y grisia . . . y meddwl yn peidio . . . y cof yn pallu . . .

HEN WRAIG: Paid â dechra hel meddylia eto.

HEN ŴR: Breuddwyd yn para am byth . . .

HEN WRAIG: Ma' hi wedi bod mor galad . . . ma' bownd o fod gwobr.

HEN ŴR: Ne' gosb!

HEN WRAIG: Cosb?

HEN ŴR (*yn methu â'i reoli'i hun*): 'Nes i ddim . . . cythral o ddim.

HEN WRAIG: Be' 'ti'n 'i feddwl?

HEN ŴR: Dim . . . diawl o ddim . . . methiant . . . blydi methiant!

HEN WRAIG: Yli . . . dwi ddim isio clwad dim o'r lol yna . . .

HEN ŴR: Cneuan wag . . . dyna be' ydw i.

HEN WRAIG: Dim cythral o beryg . . . 'nest ti ddim gildio, naddo? . . . 'Nest ti ddim rhoi'r ffidil yn y to.

HEN ŴR: 'Di hynny'n ddigon?

HEN WRAIG: Mae o'n ddigon i mi . . . fi a chdi ydi hi wedi bod 'rioed . . . fi a chdi trw ddŵr a thân . . . hefo'n gilydd . . . yn cynnal 'n gilydd . . . mi fuo 'na gymaint o betha . . . cymaint o rwystra . . . ond dan ni yma, 'tydan . . . yma yn y stafell ddwytha . . . hefo'n gilydd.

HEN ŴR (*yn sychu'i ddagrau*): Dan ni yma . . .

HEN WRAIG: Dyna sy'n cyfri. (*Saib*) Faint fedar hawlio hynna . . ? Dŵad wrtha i . . .

HEN ŴR: Sdim byd arall yn cyfri . . .

HEN WRAIG: A 'taswn i'n cael cychwyn eto . . . reit yn y gwaelod 'na . . . newidiwn i 'run chwinciad.

HEN ŴR: 'Ti'n deud hynny . . ?

HEN WRAIG (*yn gafael yn ei law a'i chusanu*): Deud, ydw! . . .

HEN ŴR: Dan ni wedi cael hwyl.

HEN WRAIG: Cythral o hwyl.

HEN ŴR: 'Ti'n 'y nghofio fi'n dy gario di ar fy sgwydda yn Ffair Borth.

HEN WRAIG: Ar ben Wyddfa oedd hynny.

HEN ŴR: 'Na ti . . . a ffrog newydd gin ti . . . ro'n i'n gallu gweld trwyddi . . .

HEN WRAIG: Trip ysgol oedd hynny i Lundain.

HEN ŴR: Dim na ches i 'nhemtio, cofia . . . droeon.

HEN WRAIG: Dwi ddim isio gwbod . . .

HEN ŴR: Yr hen ast dinboeth bach 'na yn y cantîn . . . isio lifft, medda hi . . . wn i be' oedd hi isio . . .

HEN WRAIG: Roist ti lifft iddi . . . dwi'n cofio.

HEN ŴR: Doedd fiw i mi . . . isio 'nghael i adra oedd hi . . . 'i gŵr hi'n gweithio shifft nos.

HEN WRAIG: Roeddat ti'n nabod 'i gŵr, 'toeddat?

HEN ŴR: Sais oedd o, meddan nhw i mi. (*Saib hir yn awr o ddistawrwydd*) . . . Hen hwran bach o'dd hi . . . beryg bywyd . . . 'nawn i ddim byd â hi . . . Ro'n i yn yr offis un diwrnod . . .

HEN WRAIG: Yli . . . 'sa well gin i beidio . . .

HEN ŴR: A dyma hi i mewn . . . smalio gwagio *ash trays* a ballu . . . chymeris i fawr o sylw ohoni hi . . . "Pam roesoch chi'ch llaw i lawr 'y mlows i 'ta?" medda hi.

HEN WRAIG: Be'? (*Yn cynhyrfu braidd*)

HEN ŴR: "Be' 'dach chi'n 'i feddwl?" 'me' fi . . . "Rŵan jest," medda hitha, "ac agor 'y motyma i gyd . . ." (*Mae'r hen wraig yn edrych arno'n hurt yn awr. Nid yw'n siŵr ai ffwndro y mae, neu beth. Mae hi'n cofio dweud y stori wrtho, wrth gwrs.*) . . . "'Nes i ddim ffasiwn beth," me' fi . . . "Wrth gwrs y gnaethoch chi," medda'r hoedan bach, a'u hagor nhw i gyd yn fan'no reit o 'mlaen i . . . "Dos o 'ma'r ast," me' fi . . . "Ac mi ofala i," medda hitha, "bod 'y ngŵr yn gwbod hynny cyn nos hefyd . . . dwi ddim isio i bawb gyffwrdd yn 'y mrestia i" . . . Mi rois i gic dan 'i thin hi allan . . . mi dduda i hynna wrthat ti am ddim . . . y slwt bach ddigwilydd. (*Mae'r hen wraig yn codi a cherdded y tu ôl iddo at y ffenestr. Mae'n edrych allan gyda'i chefn at y gynulleidfa.*)

HEN ŴR: Wn i be' o'dd 'i gêm hi, dallt . . . isio job i'w gŵr oedd hi, ond doedd hi ddim am 'y nal i fel'na . . . (*Saib*) . . . Gath hi D.J. hefyd . . . do'dd fawr o waith bachu hwnnw . . . 'I drin o fel y mynna hi. Fwrw Sul bach slei a ballu . . . Ffwr' â nhw . . . gwesty bach ym mherfeddion gwlad . . . Wn i'n iawn . . . allan nhw ddim 'y nhwyllo i . . . welis i filia a ballu yn 'i offis o . . . run ystafell . . . Mr a Mrs Jenkins. (*Nid yw'r hen wraig yn troi i edrych. Rhaid deall fod yr hen ŵr yn hollol*

*ddiniwed wrth ddweud hyn. Nid yw'n ceisio bod yn glyfar o gwbwl,
dim ond ffwndro yn ei henaint.*) . . . Be' 'ti isio'r diawl? (*Fel petai'n
gweld rhywbeth wrth waelod ei wely*) . . . hegla hi o'ma . . . hegla hi
. . . (*Mae'r wraig yn troi yn sydyn i edrych*) A chditha hefyd. (*Wrth
rywun arall anweledig*) . . . Be' ddiawl dach chi isio yma . . . i rythu a
busnesu . . . Heglwch hi! . . . Dach chi'n 'nghlwad i. (*Mae'n cael pwl
cas o besychu*)

HEN WRAIG (*yn brysio ato*): 'Na ti . . . paid â chynhyrfu . . .

HEN ŴR: 'Nes i ddim gofyn iddyn nhw, naddo . . ? Wnes i ddim gofyn . . .
iddyn . . . iddyn nhw. (*Mae'n cael trafferth hefo'i leferydd yn awr*)
. . . ddŵad . . . lonydd . . . dyna be' . . .

HEN WRAIG: Paid â blino dy hun . . . gorfadd yn ôl am chydig. (*Mae'n ei
helpu i bwyso yn ôl*)

HEN ŴR: Mi geith o . . . Huw Bach Stabla . . . mi geith o aros . . . Guto
Lleina . . . Diawl . . . ma'r hogia yma . . . a Tom Pêr . . . hogia 'di
dŵad . . . Wil Bach Sir Fôn . . .

HEN WRAIG: Sdim byd i ofni . . . sneb yma . . .

HEN ŴR: Wrth gwrs 'u bod nhw yma . . . 'di mynd ers talwm . . . a 'di dŵad
nôl . . . (*Mae'n gwingo mewn poen*) Fedra i ddim . . . dim mwy.

HEN WRAIG (*yn rhoi ei law dan ei grys a rhwbio'i fol*): . . . Dyna ti . . .

HEN ŴR: Fel hoelion poeth . . .

HEN WRAIG: Anadla'n ddwfn.

HEN ŴR: Fedra i ddim . . .

HEN WRAIG: Trïa dy ora, cyw . . . trïa dy ora . . . (*Mae'n anadlu'n
ddwfn—i mewn ac allan, i mewn ac allan*) Dyna ti . . . (*Wrth wneud
hyn, mae'n tawelu ychydig*) . . . Well rŵan . . . ?

HEN ŴR (*yn sibrwd bron*): Urddasol . . .

HEN WRAIG: Be' ddudist ti?

HEN ŴR: Chdi . . . chdi ddudodd o . . . pan ddaw'r amsar . . . pan fydd
dim ar ôl . . . dim gobaith . . .

HEN WRAIG: Paid â siarad lol . . .

HEN ŴR: Dim isio diodda . . . 'mwyta'n fyw.

HEN WRAIG: Gymeri di dablet bach arall?

HEN ŴR: Dim hynny . . . llall . . . *injection.*

HEN WRAIG: Ma' hi braidd yn fuan i'r *injection.*

HEN ŴR: Ti 'di'r unig un i 'ngollwng i. (*Saib hir yn awr wrth i'r hen
wraig ddeall*) . . . 'Ti'n dallt? . . . Llonydd . . . am byth . . . (*Mae'n
dal i edrych arno*) . . . yn urddasol! (*Mae'r hen wraig yn cerdded yn
araf at fwrdd lle mae dysgl â gorchudd drosti . . . Mae'n tynnu'r
gorchudd ac yn codi'r syrinj, a'i lenwi o ampule. Wedi gwneud hyn,*

leoliadau, a dylai hyn gael ei gyfleu yn unig gan oleuo effeithiol a phortread y cymeriadau. Dylai dychymyg y gynulleidfa greu'r gweddill. Nid oes eisiau llenni blaen, a phan ddaw'r gynulleidfa i mewn i'r theatr dylai pob cwr o'r llwyfan fod yn weladwy. Mae'n hollol wag oddi eithr gwely sy'n nodweddiadol o'r cyfnod 1869. Yn y gwely mae geneth tua deuddeg oed yn lled-orwedd fel bod rhan uchaf ei chorff i'w weld. Mae wedi'i gwisgo mewn gŵn nos sidan (sydd eto'n nodweddiadol o'r cyfnod) ond y mae rhywbeth rhodresgar iawn ynghylch y wisg. Mae rubanau yn ei haddurno ac, yn wir, mae un neu ddau go liwgar wedi'u clymu yn ei gwallt. (Yn ystod y ddrama fe ddatblyga'r wisg i fod yn fwy rhodresgar fyth.)

Am ei dwylo, sydd wedi'u croesi ar ei bronnau, mae menig gwynion. Gallai'r ferch yn hawdd fod wedi marw ond, ar y llaw arall, gallai fod yn cysgu gan fod gwên fach fodlon ar ei hwyneb. Ymhen ychydig, daw criw o gymeriadau i mewn ac ymgasglu o gwmpas y gwely â'u cefnau at y gynulleidfa. Mae pob un ohonynt wedi'i wisgo yn ôl y cyfnod. Yn y man, try un i gyfarch y gynulleidfa.

Y TAD: Be' haws dw i â siarad hefo chi. 'Sa waeth i mi drio argyhoeddi haid o ddefaid mynydd ddim. Ond cofiwch hyn, fi 'di'i thad hi. Fi! Ac nid ar chwara bach y baswn i'n gadal iddi gael cam. Y gwahaniaeth mawr rhyngoch chi a mi ydi 'mod i'n gwbod, yn dallt ac yn ymddiriad yn y cyfan. Wnes i 'rioed ama . . . wnes i 'rioed betruso. Mi wyddwn o'r cychwyn cynta fod rhwbath mawr yn digwydd. Testun diolch sy gen i . . . testun diolch 'i fod *O* wedi'i dewis hi . . . wedi 'newis i er gogoniant i'w Enw Mawr. Ond newch chi byth ddallt. 'Nid fy meddyliau i yw eich meddyliau chi,' medd yr Arglwydd.

Y FAM (*yn troi i wynebu'r gynulleidfa*): Fi yw 'i mam hi. Sut gallwn i neud cam â'r beth fach? . . . Cannwyll fy llyged i. Mi rown i 'mywyd drosti. 'Chi'n deall hynny, on'd ŷch chi? 'Chi'r mame'n gwbod hynny . . . pan ma'n nhw'n dost . . . yn diodde . . . fe roech y byd am gario'u poene nhw . . . newid lle 'da nhw . . . unrhyw beth! 'Chi'n gwbod beth 'wy'n 'i feddwl. Fe wnawn i unrhyw beth rhag i Sal ddiodde (*Mae'n oedi am eiliad neu ddau gan edrych ar ei gŵr gyda rhyw gymysgedd o barch ac ofn*) ond ma' mam weithie'n gorfod sefyll yn ôl, on'd yw hi . . . ellwch chi ddim 'u maldodi nhw trw'r amser . . . ma' adege pryd . . . (*Mae'n petruso ychydig eto*) . . . pryd ma' disgybleth yn bwysig. (*Yn weddol bendant yn awr*) Roeddwn i'n gadel pethe fel'ny i 'ngŵr. Ma' Evan yn gryfach na fi, ac ma' 'da fi le mawr i ddiolch iddo fe, cofiwch. (*Mae'n siarad yn awr fel petai'n ceisio'i hargyhoeddi'i hun yn fwy na neb arall*) . . . Dyn da! Ddim fel rhai 'wy'n nabod oboitu'r lle 'ma, yn diota a hela merched ymhob gŵyl a ffair. Ma' Ifan ben ac ysgwydd yn uwch na'r gweddill ohonyn nhw. Ma' 'da fe'i safone, ac fe ofalodd 'i bod hi'n cael 'i magu ar aelwyd grefyddol . . . fe gododd hi i barchu'r pethe. (*Oedi ychydig eto*) . . . ac ofni Duw.

ERLYNYDD (*yn troi i wynebu'r gynulleidfa*): Dim o'r fath beth! Ac fe ddyweda i wrthych chi pam. Am mai 'Cynllwyn' oedd y cyfan gan y tri. *Tri*, cofiwch. (*Mae'n pwyntio at bob un yn ei dro*) Y tad! Y fam! (*Mae'n oedi cyn troi i edrych ar y ferch yn y gwely.*) A'r ferch! Mae'r *tri* yn euog o gynllwyn i dwyllo.

AMDDIFFYNNYDD: Mae hyn yn hollol groes i'r drefn. Does gan yr Erlynydd 'run hawl i ddyfarnu neb cyn . . .

ERLYNYDD: Mae'n ddrwg gen i. Mae fy nghyfaill yr Amddiffynnydd, yn llygad ei le, wrth gwrs. (*Mae'n cyfarch y gynulleidfa*) Eich gwaith chi . . . aelodau'r rheithgor . . . eich gwaith chi yw dyfarnu. (*Saib*) Ond mae gen i hawl i awgrymu . . .

AMDDIFFYNNYDD: Dim os nad oes . . .

ERLYNYDD (*yn ddirmygus a diamynedd*): Dim os nad oes gen i ffeithiau i brofi'r peth . . . ac mae gen i ddigon o'r rheini . . . (*Mae'n gwenu.*) Faint fynnir! Rwy'n galw ar y Parchedig Evan Jones B.D. (*Mae'r Parchedig Evan Jones B.D. yn un o'r cymeriadau sydd eisoes ar y llwyfan ac y mae'n troi i wynebu'r gynulleidfa. Mae wedi'i wisgo fel ficer Eglwys Lloegr. Daw ymlaen i gymryd ei le yn safle'r tyst.*) A chi yw Ficer Eglwys Llanbedr-isaf.

Y FICER: Cywir.

ERLYNYDD: Ai cywir hefyd mai chi oedd yn gyfrifol am ledaenu'r stori ryfedd am Sarah Jacob?

Y FICER: Nid stori, ffaith!

ERLYNYDD: Ond chi fu'n gyfrifol am roi cyhoeddusrwydd i'r peth . . . chi dynnodd sylw'r wlad at y digwyddiad anhygoel?

Y FICER: Dyletswydd Gwas yr Arglwydd yw tynnu sylw at ryfedd weithredoedd Duw.

ERLYNYDD: A gawn ni aros gyda'r ffeithiau, Mr Jones, a gadael y dehongliad i'r rheithgor.

Y FICER: Gyda phob parch, syr, fy swyddogaeth i fel Gwas yr Arglwydd *ydyw* dehongli gair ac ewyllys yr Hollalluog yn yr hen fyd 'ma.

ERLYNYDD (*yn sylwi ar bwysau'r ateb a'r effaith y gallai hyn ei gael ar rai aelodau parchus o'r rheithgor*): Rwy'n deall a gwerthfawrogi hynny, syr . . . ond fy swyddogaeth i yw archwilio pob ffaith mor fanwl ag sy bosib, ac yna gadael i'r aelodau dysgedig . . . parchus yma (*Mae'n edrych ar ei gynulleidfa*) . . . gadael iddynt hwy bwyso a mesur . . . ac am y tro, ddehongli. (*Mae'n troi eto yn awr i wynebu'r Ficer*) . . . 'Does gennych chi ddim gwrthwynebiad i hynny debyg, syr . . . (*Gyda thinc o ddirmyg yn awr*) . . . dim â Duw ar eich ochor. (*Saib hir o ddistawrwydd. Nid yw'r Ficer yn dweud dim.*) A gaf fi ofyn i chi, felly, y ffaith syml yma, pryd y daeth y mater arbennig yma i'ch sylw am y tro cyntaf?

Y FICER: Nos Fercher, y trydydd ar ddeg o Chwefror, un wyth chwe naw.

ERLYNYDD (*yn gwenu*): Rydych yn weddol bendant ynglŷn â'r ffaith yna o leiaf.

Y FICER: Rydw i'n cofio'r union noson gan fy mod i ar gychwyn i Gyfarfod Eglwysig ac ar dipyn o frys. Gwas Llethr-neuadd ddaeth i'r drws â'i wynt yn 'i ddwrn. Roedd Sarah Jacob mewn tipyn o gyflwr, meddai, ac am i mi fynd yno ar unwaith. (*Ar yr union foment yma, mae'r Tad yn troi ac edrych ar y Ficer*)

Y TAD (*yn camu i ganol y llwyfan ychydig o flaen y gwely. Erys y ferch fel petai'n farw neu'n cysgu*): Diolch i chi am ddŵad, Ficer.

Y FICER (*yn croesi at y Tad*): Alla i ddim aros yn hir, ma' cyfarfod tra phwysig 'da fi. (*Mae goleuadau gweddill y llwyfan yn pylu'n awr oddi eithr y cylch lle mae'r Ficer a'r Tad yn sefyll. Yn wir, mae'r gwely hyd yn oed yn y tywyllwch. Nid oes rhaid i'r cymeriadau eraill rewi fel darnau o farmor. Yn wir, gallant eistedd, neu hyd yn oed led-orwedd, i wrando ar y sgwrsio ac edrych ar yr olygfa fel rhan o gynulleidfa sydd â diddordeb ym mhopeth sy'n digwydd.*)

Y TAD: Ma' hi wedi bod yn gofyn amdanoch chi trw'r dydd . . . wel, ers dyddia, i ddeud y gwir. (*Mae'r Fam yn cerdded i mewn atynt i'r cylch golau*)

Y FAM (*braidd yn wylaidd*): Nosweth dda, Ficer.

Y TAD (*yn nodio arni*): Mrs Jacob.

Y TAD (*wrth ei wraig*): Dwi'n siŵr y medar y Ficer neud â phanad o de, Hannah.

Y FAM (*yn troi'n ufudd*): Wrth gwrs . . .

Y FICER (*yn ceisio'i hatal*): Na, dim . . . (*Ond mae'r wraig wedi mynd o'r cylch. Mae'n eistedd i lawr gyda'r gweddill a gwrando.*)

Y TAD: Ma' petha mawr yn digwydd i Sal ni, Ficer.

Y FICER: Beth ma'r meddyg yn 'i ddweud?

Y TAD: Meddyg?

Y FICER: 'Chi 'di galw'r meddyg i mewn, debyg?

Y TAD: Be' ŵyr hwnnw am y peth . . . matar i chi ydi hwn.

Y FICER: I mi?

Y TAD: Ma'r bywyd yn fwy na'r bwyd. Nid 'i chorff hi sy mewn traffarth, Ficer, ond 'i henaid hi.

Y FICER (*ar ôl saib*): Dishglwch . . . ma'n ddrwg 'da fi . . . wedi'r cyfan, nid mater i mi ydi hynny chwaith.

Y TAD: Pwy fedar roi arweiniad iddi ond Gwas yr Arglwydd?

Y FICER: Ond beth am ych gweinidog chi . . . 'chi'n aelode llawn o Gapel Annibynnol Bethania . . .

Y TAD: Ond dyna'i dewis hi . . . chi ma' Sal isio . . . mae'n poeni am gyflwr 'i henaid . . . amdanoch chi mae'n gofyn . . . ellwch chi wrthod un o'r rhai bychain hyn . . ?

Y FICER: Rwy'n gwbod beth yw 'ngorchwyl, Mr Jacob, ond mae 'da fi ryw gymaint o barch at weinidog Bethania hefyd . . . un o'i braidd ef yw Sal.

Y TAD: Dd'wedsoch chi mo hynny pan ddath hi atoch chi i'r Eglwys i'r Ysgol Sul y llynadd . . .

Y FICER: Fe ddaeth hi yno gyda ffrind iddi sy'n digwydd bod yn un o 'mhraidd i . . . allwn i ddim troi neb i ffwrdd . . . P'run bynnag, doedd dim Ysgol Sul ym Methania . . .

Y TAD: Dyna pryd sylwodd hi . . . dyna pryd deimlodd hi'r peth . . . yno wrth yr allor . . . o flaen Ei ddelw ar y groes . . . Yn fan'no y cafodd hi'r sicrwydd.

Y FICER: Sicrwydd o beth?

Y TAD: Rhowch gyfle iddi, Ficer . . . dim ond munud ne' ddau o'ch amsar . . . mi fyddwch chi'n gwbod yn syth os bydd rhywun . . . (*Mae'r golau'n cynnau ar y gwely ac y mae'r Tad yn cerdded yn araf ato. Mae'r Ficer yn troi i edrych. Y Tad yn ddistaw a thyner.*) Sal! . . . (*Nid yw'r ferch yn ymateb o gwbl iddo. Mae'n codi'i lais ychydig yn uwch*) Sal! (*Mae'r ferch yn agor ei llygaid. Saib byr o ddistawrwydd*) Ma'r Ficer yma, Sal. Ma'r Ficer wedi dŵad i dy weld ti. (*Mae'r ferch yn troi'i phen i edrych ar y Ficer. Yn y man, mae'n gwenu.*)

Y FERCH: Diolch.

Y FICER (*yn cerdded at erchwyn y gwely*): Sut wyt ti'n teimlo, Sarah?

Y TAD: 'Drychwch ar 'i ll'gada hi, Ficer. 'Drychwch fel ma'r Goleuni Dwyfol yn pefrio ynddyn nhw. Ma' hi yng nghwmni'r nefolion rai.

Y FICER (*braidd yn ansicr ac yn bryderus*): Mr Jacob, mi fyddwn yn ddiolchgar iawn petaech yn peidio . . .

Y FERCH (*fel pe bai mewn breuddwyd*): Dim *yn* 'u cwmni, ddim eto . . . Wi ddim yn deilwng o hynny.

Y FICER (*Yn nesáu ac yn gafael yn ei llaw*): Ma'n dda 'da fi dy glywed yn dweud hynny, 'ngeneth i . . . nawr be' sy'n dy boeni di?

Y TAD: Ma' hi'n gwbod fod yr Hollalluog wedi'i dewis i . . .

Y FICER (*yn torri ar ei draws*): Ma'n ddrwg 'da fi, Mr Jacob, ond fe hoffwn glywed Sal . . . yn 'i ffordd 'i hunan. (*Mae'n troi i edrych arni*) Nawr 'te, Sal!

Y FERCH (*ar ôl saib o ddistarwydd*): Ma' pethe mor ole weithie . . . mor glir . . . wi bron â gallu cyffwrdd.

Y TAD: Be' Sal? . . . Cyffwrdd be'? (*Mae'r Ficer yn edrych arno eto'n geryddgar*)

Y FICER (*braidd yn ddideimlad*): Cyffwrdd beth, 'merch i?

Y FERCH: Dyna'r drafferth! 'Wn i ddim . . . (*Mae'n cydio ynddo â'i dwy law*) . . . Dyna pam ro'n i am i chi ddod . . . i egluro . . . fel gwnaethoch chi yn yr Ysgol Sul pwy ddydd . . . (*Yn freuddwydiol eto*) . . . Ro'n i'n deall pryd'ny . . . ma' popeth mor eglur pan fyddwch chi'n egluro yn fan'no.

Y FICER (*yn meddalu braidd yn awr*): Wel . . . dyna 'ngwaith i, 'merch i . . . felly, dwêd wrtha i . . . dwêd y cyfan wrtha i. (*Saib hir o ddistawrwydd*)

Y FERCH: Fel petawn i . . . i fod i neud rhywbeth . . . bod rhaid i mi . . . (*Saib*)

Y FICER: Ie?

Y FERCH: Bod 'da fi bwrpas . . . (*Saib*)

Y FICER: Ma' 'da bob un ohonon ni bwrpas yn yr hen fyd 'ma, 'merch i . . . ac ma' fe'n ganmoladwy iawn bod un mor ifanc â thi'n sylweddoli hynny.

Y FERCH: Ond mwy!

Y FICER: Mwy?

Y FERCH: 'Mod i . . . a dim ond fi . . . wedi 'newis, felly . . . (*Saib. Daw'r Fam i mewn i'r cylch ar ochr y Tad o'r gwely â phaned o de i'r Ficer.*)

Y FAM (*yn ddistaw*): Dishgled fach.

Y TAD (*yn ddistaw ond swta*): Dim rŵan, ddynas! (*Mae'r Fam yn rhoi'r cwpanaid te a darn o deisen gri yn y soser ar y bwrdd wrth ochr y gwely. Gwna hyn yn ofalus ac ofnus fel petai newydd wneud rhyw ddrygioni mawr. Y Tad wrth y ferch.*) Dy ddewis i be', Sal?

Y FERCH: Dyna'r drwg . . . alla i ddim deall . . .

Y TAD (*wrth y Ficer*): Dach chi ddim yn gweld, Ficer, ma' ganddi hi rwbath sy uwchlaw'r deall.

Y FICER (*yn diystyru'r Tad*): Ma'r meddwl yn gallu bod yn dwyllodrus weithie, 'merch i, yn enwedig pan fo'r corff mewn gwendid. (*Mae'r*

ferch yn awr fel petai'n synhwyro presenoldeb rhywbeth anghynnes.
Mae'n troi'i phen yn sydyn ac yn sylwi ar y cwpanaid te a'r deisen
gri sydd ar y bwrdd bach wrth ochr ei gwely. Cyn gynted ag y mae'n
eu gweld, mae'n cael rhyw fath o ffit. Mae'r holl gorff fel petai'n cael
ei ddirdynnu (confylsiwn). Mae'r llygaid fel petaent yn troi yn y
benglog i ddangos y gwyn. Mae'n chwythu poer allan o'i cheg a
gwneud y sŵn rhyfeddaf. Mae'r corff yn plygu ymlaen ac yn ôl fel
bwa yn cau ac agor. Y foment y gwna hyn, mae'r Tad a'r Fam yn
rhuthro ati i'w distewi. I wneud hyn, maent yn gorfod ymladd â hi
gan gymaint ei chynddaredd. Tra mae hyn yn digwydd, mae'r Ficer
yn sefyll yn ôl mewn dychryn, ac yn hollol analluog i ddelio â'r
sefyllfa. Yn y man, mae'r dirdynnu'n lleddfu a'r corff yn tawelu, ac y
mae'r ferch yn suddo i'r gobennydd fel petai'n ymollwng i gwsg
trwm. Ceir saib o ddistawrwydd.) Be' ddigwyddodd?

Y TAD: Synhwyro ddaru hi.

Y FICER (*allan o'i ddyfnder yn llwyr*): Be' 'chi'n feddwl?

Y TAD: Dyna sy'n digwydd bob tro y daw'r peth yn agos ati.

Y FICER (*gydag ychydig o ofn erbyn hyn*): Peth? . . . pa beth?

Y TAD (*yn codi'r te a'r deisen oddi ar y bwrdd*): Bwyd! (*Wrth y wraig yn
awr*) Dos â fo o 'ngolwg i, wnei di. (*Mae'r wraig yn gafael yn y
cwpanaid te a'r deisen ac yn diflannu o'r cylch*) Ma'r bywyd yn fwy
na'r bwyd, Ficar!

Y FICER (*mewn penbleth lwyr*): Dwi ddim yn deall.

Y TAD: All hi ddim cyffwrdd â dim, all hi ddim diodda edrach ar fwyd
heb fynd i ffitia.

Y FICER: Ers pryd ma' hyn?

Y TAD: Bron i ddwy flynadd . . .

Y FICER: Dwy . . . (*Ni all orffen y frawddeg*)

Y TAD: Does dim tamad o ddim wedi mynd dros 'i gena hi ers dros ugain
mis. (*Mae'r Erlynydd yn awr yn ymyrryd*)

ERLYNYDD: Hollol amhosib, wrth gwrs! (*Mae'r Ficer yn troi i edrych
arno gan sefyll yn ei unfan fel o'r blaen. Mae'r gweddill yn cilio i'r
cefndir. Nid oes rhaid trefnu i'r Ficer fod yn yr un safle ag yr oedd yn
y dechrau, fel tyst, pan fo'r Erlynydd yn ymyrryd â'r olygfa.*)

Y FICER: Dyna ddwedodd e.

ERLYNYDD: Ond doeddech chi ddim yn coelio'r fath beth?

Y FICER: Ddim ar y pryd!

ERLYNYDD: All neb fyw am ddwy flynedd heb fwyd!

Y FICER: Roedd hi'n anodd iawn 'da fi dderbyn . . .

ERLYNYDD: Ond er hyn i gyd, er i chi wybod yn eich calon fod hyn yn hollol amhosib, fe dynnoch chi sylw'r byd at y peth?

Y FICER: Na . . . wnes i mo hynny ar . . .

ERLYNYDD (*yn codi darn o bapur a'i chwifio o flaen ei drwyn*): Ond chi ysgrifennodd hwn—llythyr i'r *Cymro*, wedi ei arwyddo gennych chi . . . Y Parchedig Evan Jones, B.D., Llanbedr-isaf. (*Mae'r Erlynydd yn awr yn troi i gyfarch y gynulleidfa yn y theatr a chodi'r llythyr*) Llythyr dyddiedig y pedwerydd ar bymtheg o Chwefror, un wyth chwe naw, wedi ei gyfeirio at Olygydd Y Cymro. Mae copi cywir ohono gan bob un ohonoch. (*Dylai'r llythyr fod wedi'i brintio yn y rhaglen sydd gan y gynulleidfa. Mae'r Erlynydd wedyn yn troi at y Ficer.*) Ga i'ch atgoffa chi, ynte . . . ga i'ch atgoffa chi o'ch geiriau'ch hun? (*Mae'r Erlynydd yn awr yn darllen y llythyr yn uchel*) . . . 'Annwyl Syr,

Hoffwn dynnu sylw eich darllenwyr at achos rhyfedd Sarah Jacob, merch fach Evan Jacob, Llethr-neuadd ym mhlwy Llanbedr-isaf. Nid yw Sarah wedi bwyta gronyn o fwyd yn ystod yr ugain mis diwethaf. Rhaid cyfaddef iddi yfed ychydig ddafnau o ddŵr yn ystod y misoedd cyntaf, ond erbyn hyn nid yw hyd yn oed yn ymgymryd â hynny. Serch hyn i gyd, mae'n edrych yn hynod o dda ac yn ei llawn bwyll. Ym mhob ystyr mae'n blentyn hoffus ac arbennig iawn.

Mae'r arbenigwyr meddygol, wrth gwrs, yn mynnu bod hyn yn amhosib ond, fel finnau, nid oes gan ei chymdogion, sy'n hollol hyddysg â'r achos, yr un amheuaeth nad yw honiadau Sarah Jacob a'i thad yn rhai hollol ddilys.

Oni fyddai'n ddoeth ac yn werth chweil i'r Arbenigwyr Meddygol yma ymchwilio ychydig mwy i natur yr achos rhyfeddol yma? Mae Mr Evan Jacob yn fwy na bodlon i groesawu i'w dŷ unrhyw berson parchus sydd â diddordeb i edrych a gweld drosto'i hun. Dylwn ddweud fod Llethr-neuadd ryw filltir o Llanbedr yn y plwy hwn.

Yn gywir, Evan Jones,

Ficer Llanbedr-isaf.'

Dyna'ch llythyr, Ficer?

Y FICER: Cyn belled ag y galla i gofio.

ERLYNYDD (*yn rhoi'r llythyr iddo*): Dyma fe! Ysgrifen pwy yw e? Pwy sy wedi arwyddo'r gwaelod?

Y FICER: Ie . . . (*Yn gwthio'r llythyr yn ôl*) Dyna'r llythyr!

ERLYNYDD: Pam ei ysgrifennu, ynte? Pam tynnu sylw'r byd at honiadau roeddech chi'n eu hamau?

Y FICER: Doeddwn i ddim yn 'u hame.

ERLYNYDD: Ond rydych chi newydd gyfadde dan lw.

Y FICER: Ar y *pryd*, dd'wedais i. Roedd yn anodd 'da fi gredu'r peth y noson honno . . .

ERLYNYDD: Am ba reswm?

Y FICER (*yn methu deall*): Mae'n ddrwg 'da fi?

ERLYNYDD: Pam? Beth wnaeth i chi amau bod y tad yn dweud celwydd?

AMDDIFFYNNYDD: Rwy'n protestio. Dd'wedodd y Parchedig Evan Jones ddim ar unrhyw adeg ei fod yn amau'r tad o gelwydd.

ERLYNYDD: Gaf i ei roi e fel hyn, ynte? Pan welsoch chi Sarah Jacob y noson honno, y trydydd ar ddeg o Chwefror, a groesodd e'ch meddwl chi fod 'gwyrth' yn digwydd yn Llethr-neuadd? (*Saib hir*) Dewch, Ficer. Chi'n unig sy'n gwybod hynny—neb arall.

Y FICER: Ma' 'gwyrth' yn rhywbeth arbennig iawn . . .

ERLYNYDD: Ond dyna beth mae'r tad yn ei hawlio, onid e . . . rhywbeth sy'n groes i natur . . . rhywbeth sy'n herio pob deddf wyddonol . . . corff ifanc eiddil yn byw am ddwy flynedd heb fwyd . . . cannwyll frwyn yn llosgi am ugain mis heb ddifa'r un gronyn o'i gwêr . . . onid gwyrth yw hynny? (*Saib o ddistarwydd*) Fe ofynna i'r cwestiwn i chi unwaith eto, Ficer . . . a oeddech chi'n coelio y noson arbennig honno . . . wrth edrych ar Sarah yn ei gwely . . . wrth sylwi ar ei phryd a'i gwedd . . . oeddech chi'n credu mewn gwirionedd ei bod wedi byw am bron i ddwy flynedd heb 'run tamaid o fwyd?

Y FICER (*ychydig yn anesmwyth*): Nac oeddwn, ond . . .

ERLYNYDD (*yn neidio am ei gyfle*): Ond roedd y tad a'r fam yn credu hynny?

Y FICER: Roedd Mr Jacob yn ymddangos felly.

ERLYNYDD: Ac fe geisiodd ei orau glas i'ch perswadio.

Y FICER: Fe dd'wedodd . . .

ERLYNYDD: Fod golau dwyfol yn llosgi yn ei llygaid hi?

AMDDIFFYNNYDD (*yn neidio ar ei draed*): Mi fyddwn yn dra diolchgar petai fy nghyfaill yn gadael i'r Parchedig ateb y cwestiynau y mae'n eu gofyn iddo.

ERLYNYDD: Mae'n ddrwg gen i. Be' ddywedodd Evan Jacob am lygaid ei ferch?

Y FICER (*ar ôl saib*): Fod 'golau dwyfol yn pefrio ynddyn nhw' . . . (*Saib*)

ERLYNYDD: A beth arall . . . ble'r oedd hi, medde fe . . . yng nghwmni pwy?

Y FICER: 'Yng nghwmni'r nefolion rai . . .'

ERLYNYDD: 'A chyda rhywbeth sydd uwchlaw'r deall' . . . dyna ddywedodd e, yntefe? Gwyrth yn digwydd ym mherson ei ferch.

Y FICER: Roedd Evan Jacob yn ymddangos yn ffyddiog iawn.

ERLYNYDD: Roedd e am i'r byd ddod i wybod y stori . . . drwoch chi.

Y FICER: Drwof i?

ERLYNYDD: Chi adawodd i'r byd wybod, onid e . . . *chi* ysgrifennodd y llythyr . . . a chymaint mwy credadwy oedd iddynt glywed am ryfeddodau Llethr-neuadd o enau Gwas yr Arglwydd. (*Mae'r Ficer fel petai ar agor ei geg i ymateb i hyn ond nid yw'n cael cyfle*) Diolch! Dyna'r cyfan! (*Mae'r Erlynydd yn awr yn symud o'r ffordd i wneud lle i'r Amddiffynnydd*)

AMDDIFFYNNYDD (*yn camu ymlaen at y tyst*): A ofynnodd Evan Jacob i chi anfon y llythyr yma i'r *Cymro*?

Y FICER (*heb betruso*): Naddo!

AMDDIFFYNNYDD: A fu unrhyw awgrym o gyfeiriad y rhieni y dylech ledaenu'r hanes rhyfedd yma am eu merch?

Y FICER: Dim o gwbwl?

AMDDIFFYNNYDD: Ydych chi'n credu mewn gwyrthiau, Mr Jones?

Y FICER (*oddi ar ei echel braidd*): Beth?

AMDDIFFYNNYDD: Gwyrth! Ydych chi'n credu fod gwyrth yn bosib . . . hynny yw, y digwydd hwnnw sy'n groes i natur . . . y peth hwnnw y bu fy nghyfaill mor garedig â'i ddiffinio i ni . . . A ydych chi'n credu y gall gwyrth ddigwydd?

Y FICER: Ydw!

AMDDIFFYNNYDD: Ond nid yn yr achos yma?

Y FICER: Dd'wedais i mo hynny.

AMDDIFFYNNYDD: Fe ddywedsoch eich bod yn amau dilysrwydd stori Evan Jacob.

Y FICER: Ar y pryd dd'wedais i . . . ne' o leia dyna'r oeddwn i'n ceisio'i ddweud petawn i wedi cael cyfle.

AMDDIFFYNNYDD: Ond fe gawsoch achos i newid eich meddwl, felly?

Y FICER: Do! (*Mae Dr Davies yn awr yn camu i gyfeiriad y Tad. Mae yntau hefyd wedi bod ar y llwyfan trwy gydol yr amser. Mae'r Amddiffynnydd yn camu'n ôl ychydig i edrych ar yr olygfa.*)

DR DAVIES: Be' sy'n bod . . . oes rhyw newid?

Y TAD (*yn swta*): Y Ficer fan hyn oedd yn mynnu imi'ch galw chi!

Y FICER (*yn camu ymlaen*): Noswaith dda, Dr Davies . . . (*Yn ysgwyd llaw*) Ma'n ddrwg 'da fi'ch tynnu allan 'radeg yma o'r nos ond ma'r achos yma yn un pur ddifrifol.

DR DAVIES: 'Di hi wedi gwaethygu?

Y TAD: Wrth gwrs nad ydi hi ddim. Gwella bob dydd, ddudwn i.

Y FICER: Fe hoffwn i chi gael golwg arni . . . petaech chi wedi 'i gweld hi 'chydig funude'n ôl . . .

Y TAD: Ma'r Doctor yn gwbod am y ffitia.

DR DAVIES (*Wrth y Tad*): Confylsiwn arall?

Y TAD: 'Run fath ag arfar! Gweld bwyd! . . . Rhyw funud ne' ddau'n unig. (*Dywaid hyn wrth y meddyg fel pe na bai dim allan o'i le mewn digwyddiad o'r fath*) (*Daw'r Fam i mewn*)

Y FAM: Sut ma' hi rŵan?

Y TAD (*Yn gwenu*): Cysgu'n braf!

Y FAM: Nosweth dda, Doctor. (*Mae'r Ficer yn edrych o'r naill i'r llall fel petai'n methu credu eu difaterwch*) Doedd dim rhaid i chi ddod, cofiwch.

DR DAVIES (*braidd yn flin yn awr*): Nawr, dishglwch, ma' 'da fi ddigon ar 'y nwylo fel ma' hi heb gael fy ngalw allan heb ddim rheswm fel . . .

Y FICER (*yn methu dal mwy*): Heb ddim rheswm! Ma' croten fach man'na yn ddifrifol wael . . . Fe'i gwelais hi fy hun funud yn ôl yn cael 'i thynnu bob siape gan boen.

Y FAM: Does dim poen, Ficer . . . alla i sicrhau hynny ichi . . .

Y FICER: Prin oedd y ddau ohonoch chi'n gallu 'i dal hi i lawr . . .

DR DAVIES: Dishglwch, Ficer . . . wi wedi bod yn trin Sarah Jacob yn awr ers cryn amser bellach . . .

Y FICER: Pryd gwelsoch chi hi ddwetha?

DR DAVIES: Ma'r ffitie 'ma yn bethe hollol normal . . .

Y FICER (*Mae'r Ficer wedi codi'i lais mewn teimlad yn awr*): Rwy'n gofyn ichi, Doctor . . . pryd gwelsoch chi hi ddwetha?

DR DAVIES: Ma' mis ne' ddau, falle . . .

Y FICER (*yn benderfynol*): Rwy'n mynnu'ch bod chi'n 'i harchwilio hi'n fanwl nawr.

Y TAD: Dach chi'n gwbod nad ydi hi ddim yn hoffi ca'l 'i styrbio pan fydd hi mewn trwmgwsg.

Y FICER (*Gyda'r meddyg mae'n siarad ac i raddau helaeth mae'n anwybyddu'r Tad*): Os digwydd rhywbeth iddi, fe gaiff y byd i gyd wbod am yr amgylchiade.

DR DAVIES: O'r gore, er mwyn tawelwch meddwl . . .

Y TAD: A dach chi'n gwbod sut ma' hi hefo doctoriaid . . . mi gynhyrfith drwyddi.

Y FAM: Ac *ma'* hi'n cysgu'n naturiol . . . braf.

Y FICER: Doedd yr hyn welais i gynne fach ddim yn ddigwyddiad naturiol . . . alla i sicrhau hynny i chi nawr!

DR DAVIES (*ychydig yn ddiamynedd*): Dewch! (*Mae'n symud at y gwely*

ac y mae'r golau'n cryfhau arno) Ne' mi fyddwn yma drwy'r nos . . .
(*Maent yn nesáu at y gwely. Mae'r ferch yn ymddangos fel petai'n
cysgu'n braf. Bydd pawb am ychydig yn sibrwd.*)

Y TAD (*Sibrwd*): Ma' hi'n hollol gysurus!

Y FAM (*Sibrwd*): Heb boen yn y byd!

DR DAVIES (*Sibrwd*): Hollol normal i mi!

Y FICER (*yn uwch na'r gweddill*): Fe hoffwn i chi 'i harchwilio hi, Doctor
Davies. (*Ar y foment yma mae'r ferch yn agor ei llygaid yn llydan
agored fel petai heb fod yn cysgu o gwbl. Mae'n edrych yn syth ar y
meddyg ac yn dechrau cwynfan a throi ei phen o ochr i ochr eto fel
o'r blaen.*)

Y TAD: Dach chi'n gweld? (*Yn gwneud osgo i fynd ati*)

DR DAVIES (*yn ei atal*): Hanner munud! (*Mae'r doctor yn mynd ati ei
hun*) 'Na ti, 'merch i. (*Mae'n gafael yn ei llaw yn dyner ac yn
dechrau siarad â hi'n addfwyn*) Ma' popeth yn iawn . . . wna i ddim
byd . . . sdim angen archwilio o gwbwl . . . cysga di nawr.

Y FERCH (*gyda rhyw ofn rhyfedd yn ei llygaid. Yn estyn ei llaw arall at y
Ficer fel petai'n ymbil arno*): Syr!

Y FICER (*yn rhuthro ati a gafael yn ei llaw*): Popeth yn iawn, 'merch i.

Y FERCH: Alla i ddim diodde poen . . .

Y FICER: Ble 'merch i . . . ble ma'r boen?

Y FERCH: Fy nghyffwrdd i . . . pan ma'n nhw'n 'nghyffwrdd i . . . alla i
ddim diodde hynny . . .

Y FICER: Ond ymhle . . . pa ran o'r corff?

Y TAD: Ma' hi mor dendar . . . fel plisgyn wy.

DR DAVIES: Rhyw ddiffyg hyder yw e . . . 'tai hi ond yn cerdded o
gwmpas dipyn . . . (*Wrth y Tad*) . . . Sut ma'i chefen hi . . . oes briwie
gorwedd . . ?

Y TAD (*yn fyrbwyll bron*): Ma'i chefn hi'n iawn!

Y FICER: Pa mor aml ma' hi'n codi o'r gwely?

Y FAM: Dim ond pan fydda i'n cymoni a newid y cynfase . . .

Y TAD: Bryd hynny, mi fydda i'n 'i chodi hi yn 'y mreichia a'i dal hi ar
'y nglin . . . 'Ti'n hoffi hynny on'd wyt ti, Sal? . . . dim ond fi sy'n
ca'l 'i chodi hi.

Y FICER: Ond beth am . . ?

Y FERCH: 'Tawn i ond yn deall . . . ma'r cyfan o fewn cyrraedd i mi . . .
(*Wrth y Ficer*) Wnewch chi weddïo drosta i, syr?

Y FICER: Wrth gwrs y gwna i, 'merch i . . .

Y FERCH: Falle wedyn y daw pethe'n gliriach . . . ac y bydda i . . . y
bydda i'n gwbod pam . . . a beth i'w neud . . . llestr ydw i yn disgwyl

i'w lenwi . . . 'S'da fi ddim ofn . . . dim hynny yw e . . . 'Pe rhodiwn ar hyd glyn cysgod angau, nid ofnaf niwed: canys yr wyt Ti gyda mi; dy wialen a'th ffon a'm cysurant . . .' Does dim angen arna i chwaith . . . ma' popeth 'da fi . . . 'Ti a arlwyi ford ger fy mron yng ngŵydd fy ngwrthwynebwyr. Iraist fy mhen ag olew; fy ffiol sydd lawn. Daioni a thrugaredd yn ddiau a'm canlynant holl ddyddiau fy mywyd . . .' (*Mae'n cau'i llygaid yn awr*) 'A phreswyliaf yn nhŷ yr Arglwydd yn dragywydd.' (*Mae distawrwydd hir gyda'r Ficer yn edrych arni fel petai wedi cael rhyw weledigaeth*)

Y TAD (*yn ddistaw*): Mi gysgith eto rŵan. (*Mae'r Fam yn symud at y gwely ac yn codi'r blanced ychydig mwy drosti. Mae'r Ficer, y meddyg a'r Tad yn symud yn araf oddi wrth y gwely ac yn nes at flaen y llwyfan.*)

Y FICER (*fel petai mewn rhyw hanner breuddwyd*): Ma' hi'n ferch ryfeddol iawn.

Y TAD (*yn obeithiol*): Dach chi'n dechra dallt petha, Ficer?

Y FICER: Roeddwn i . . . (*Yn oedi ac yn edrych ar y llaw oedd yn gafael yn llaw y ferch*) . . . Roeddwn i'n teimlo rhyw wres rhyfedd yn saethu o'i llaw hi—drwydda i!

DR DAVIES: Ma' 'chydig o wres arni. (*Mae'n agor ei fag a thynnu ffiol fach allan*) Rhowch bum dropyn o hwn iddi bob teirawr.

Y FICER (*wrtho'i hunan bron*): Nid gwres naturiol . . . ond gwres . . . (*Mae'r Tad yn ei wylio gyda diddordeb*) . . . Tybed 'i fod e . . . wedi . . .

DR DAVIES: Wi ddim yn credu y bydd angen i mi alw eto. (*Yn gwneud osgo i fynd*) . . . Os na fydd gwaethygiad, wrth gwrs . . .

Y FICER: Hanner munud, Doctor.

DR DAVIES (*yn flin*): Ma' pedwar galwad arall 'da fi cyn noswylio, Ficer . . . bob un lawer mwy difrifol . . .

Y FICER: Ydi'r hyn ma' Evan Jacob yn 'i hawlio'n wir?

Y TAD: Wrth gwrs 'i fod o . . .

DR DAVIES: A be' ma' Mr Jacob yn 'i hawlio?

Y FICER: Nad ydi Sal yn bwyta dim.

DR DAVIES: Chydig iawn o fwyd sydd 'i angen pan ma' rhywun yn gorwedd yn y gwely heb symud.

Y FICER: Ond *dim*, Doctor . . . all hi ddim diodde *gweld* bwyd hyd yn oed!

DR DAVIES: Ma' hynny hefyd yn nodweddiadol o rai yn 'i chyflwr hi . . .

Y FICER: Ond ma'n rhaid i gorff arferol gael rhyw gynhaliaeth, on'd oes, dros gyfnod o amser, felly?

DR DAVIES: Wrth gwrs 'ny!

DR DAVIES: Os ydi'ch Eglwys chi'n wag, Ficer . . . ma'n syrjeri fi'n llawn at y bil bob nos . . . 'smo fi'n mo'yn mwy o gleifion . . .

Y FICER: Ond nid atoch chi y bydden nhw'n dod, Doctor. (*Mae'n troi i edrych i gyfeiriad y gwely*) Ond ati hi!

ERLYNYDD (*yn camu ymlaen i holi'r meddyg*): Ond doeddech chi ddim yn coelio rhyw ddwli fel 'na, Doctor?

DR DAVIES (*yn troi o'r olygfa i wynebu'r Erlynydd ac yn sefyll yn syth fel petai ym mlwch y tyst unwaith eto. Gellir pylu'r golau ymhob man arall ond safle'r llys barn*): Gwyddonydd ydw i, syr!

ERLYNYDD: Rhyw slipen o ferch fach wanllyd yng nghefn gwlad Cymru . . . yn iacháu lle'r oedd meddygon fel chi wedi methu. Y cloffion yn cerdded . . . y deillion yn gweld! . . . Allech chi ddim derbyn hynny, debyg gen i?

DR DAVIES: Ma' iachâd trwy ffydd yn bosib . . . ma' lle i gredu . . .

ERLYNYDD: Oedd Sal wedi dangos rhyw allu gwyrthiol cyn i'r Ficer awgrymu hynny, ynte?

DR DAVIES: Nac oedd, ond . . .

ERLYNYDD: A'r honiadau gwallgo yma am fyw heb fwyd am ddwy flynedd . . . allech chi fel *gwyddonydd* ddim derbyn hynny, Doctor?

DR DAVIES (*braidd yn ansicr ohono'i hunan*): Roedd hi'n anodd credu ar y pryd . . .

ERLYNYDD: Ond dyw honiadau fel hyn ddim mor anghyffredin â hynny, wrth gwrs.

DR DAVIES (*ddim yn rhyw siŵr o beth mae'r Erlynydd yn ei awgrymu*): Ma'n ddrwg 'da fi?

ERLYNYDD: Mae'n siŵr eich bod wedi dod ar draws amryw o ferched bach eraill oedd yn hawlio rhywbeth tebyg?

DR DAVIES: Welais i 'rioed neb fel Sarah Jacob.

ERLYNYDD: Dewch, nawr, Doctor . . . Rwy'n siŵr eich bod wedi dod ar draws amryw yn ystod eich gyrfa . . . merched bach tua'r un oed â Sal . . . bwyta ychydig i ddechrau . . . fawr ddim wedyn . . . ac yna yn sydyn un diwrnod, dim! (*Distawrwydd wrth i'r Erlynydd ddisgwyl am ymateb y meddyg*) Wel, Doctor?

DR DAVIES: Ma' achosion felly i'w cael, ond . . .

ERLYNYDD: A'r merched bach yma yn hollol argyhoeddiedig nad oedd angen bwyd arnynt . . . yn wir, yn berffaith sicr yn eu calon y gallent fyw hebddo. Mae hynny'n wir on'd yw e, Doctor?

DR DAVIES: Rhyw fath o salwch yw hwnnw, nid fel . . .

ERLYNYDD (*yn ffugio syndod fel petai wedi gwneud rhyw ddarganfyddiad pwysig*): Salwch! Wrth gwrs hynny! Ma' 'na *salwch* arbennig onid oes . . . a'r salwch hwnnw'n aml, medden nhw i mi, yn dilyn cyfnod hir o lesgedd ac anhwylder . . . Ydi hynny'n wir, Doctor?

DR DAVIES (*braidd yn anfodlon*): Gan amla, ond . . .

ERLYNYDD: Ac y mae Sal wedi bod yn diodde gydag un anhwylder ar ôl y llall ers tua . . . (*Mae'n edrych ar dudalen o nodiadau sydd ganddo*) . . . tua thair blynedd, on'd yw hi? Chwefror, un wyth chwech chwech, a bod yn gywir.

DR DAVIES: Fe gafodd *Scarlet Fever* bryd 'ny.

ERLYNYDD: A chan eich bod eisoes wedi bod mor garedig â rhoi i mi fraslun o'i hanes meddygol, a ga i wneud yn saff o un neu ddau o bethau . . . (*Saib tra mae'n edrych ar y darn papur*) Chwefror y pymthegfed, un wyth chwe saith. Poenau yn safle'r epigastrig. Epigastric?

DR DAVIES: Pwll y stumog!

ERLYNYDD: Ond nid rhyw boen yn y bol arferol, nage?

DR DAVIES: Na! Roedd chydig o waedlif. Poeri gwaed yn aml.

ERLYNYDD: Chwefror y pedwerydd ar hugain, un wyth chwe saith. *Convulsions. Opisthotonic?* (*Edrych ar y meddyg am eglurhad pellach*)

DR DAVIES: Ffitie oedd yn dirdynnu cymale'r corff ac yn peri cryn boen i'r asgwrn cefen!

ERLYNYDD: Ebrill, un wyth chwe saith. Dim archwaeth. *Convulsions.* Coma! (*Codi'i ben*)

DR DAVIES: Roedd cyfnode hir o fod yn hollol anymwybodol yn dilyn y ffitie nawr.

ERLYNYDD: A dim archwaeth?

DR DAVIES: Roedd hynny'n beth digon naturiol i rywun yn 'i chyflwr hi.

ERLYNYDD: A hyn sydd yn fy mhoeni i ychydig . . . falle y gellwch egluro 'mhellach . . . 'chi wedi ysgrifennu fan hyn 'llid yr ymennydd' a marc cwestiwn ar ei ôl.

DR DAVIES: Nid fy niagnosis i oedd hwnnw. Fe ofynnais i'm cyfaill Dr Hopkins am ail opiniwn.

ERLYNYDD: A dyna'i farn ef?

DR DAVIES: Ie . . . ond allwn i ddim cyd-weld.

ERLYNYDD: Ond mae Dr Hopkins yn feddyg profiadol.

DR DAVIES: Dyw hyd yn oed meddygon profiadol ddim yn gywir bob tro . . . p'run bynnag, mi fyddai hi wedi marw ymhen ychydig fisoedd petai 'i ddiagnosis e'n gywir.

ERLYNYDD: Ond ym mis Mai fe gollodd bob blewyn o'i gwallt . . . er mawr ofid iddi.

DR DAVIES: Dros dro oedd hynny, wrth gwrs.

ERLYNYDD: Pam gollodd hi ei gwallt, Doctor?

DR DAVIES: Ma' pethe fel'ny'n digwydd weithie.

ERLYNYDD: Heb reswm yn y byd?

DR DAVIES: Wel . . . ie . . . a nage.

ERLYNYDD: Dyw 'ie a nage' ddim yn ateb rhesymol gan wyddonydd i'r un cwestiwn, Doctor.

DR DAVIES: Yr hyn rwy'n ceisio'i ddweud yw, Na! Does dim rhaid cael rheswm corfforol . . . ond os ydi'r claf yn poeni . . . yn gofidio . . .

ERLYNYDD: Fe all e fod yn rheswm yn y meddwl, felly?

DR DAVIES: Yn hollol!

ERLYNYDD: Rhywbeth i wneud â nerfau'r corff?

DR DAVIES: Digon posib.

ERLYNYDD: Be' fyddech chi'n galw salwch felly, Doctor?

DR DAVIES (*Saib*): . . . Anodd dweud . . .

ERLYNYDD: Doctor . . . dyma'r symptomau:
(a) Rhywbeth sydd yn dilyn cyfnod hir o lesgedd ac anhwylder.
(b) Ffitiau heb unrhyw reswm corfforol drostynt,
(c) Pryder . . . colli gwallt,
(ch) Colli archwaeth, i'r graddau o wrthod bwyd yn gyfan gwbwl,
(d) Twyllo er mwyn cael sylw.

AMDDIFFYNNYDD (*yn camu ymlaen*): Rwy'n protestio.

ERLYNYDD: Gwrthod codi o'r gwely . . . cogio salwch . . .

AMDDIFFYNNYDD (*yn codi'i lais*): Mae hyn yn hollol allan o drefn!

ERLYNYDD: Mae gen i berffaith hawl i roi rhestr o symptomau i feddyg a gofyn am ei ddiagnosis.

AMDDIFFYNNYDD: Does neb eto wedi profi fod gan Sarah Jacob symptomau o'r fath.

ERLYNYDD (*yn chwifio'r papur*): Mae hanes meddygol yr achos gen i fan hyn . . .

AMDDIFFYNNYDD: Dyw pob un o'r symptomau a restrwyd ddim ar y rhestr yma. Dyw Dr Davies ddim yn sôn am 'stilio' a 'thwyllo' a 'chogio salwch' . . .

ERLYNYDD: Fy mwriad i yw profi dilysrwydd y symptomau yma yng nghwrs y gwrandawiad. Fy unig bwrpas yn awr yw ceisio dangos bod symptomau o'r math yma yn nodweddiadol o salwch arbennig.

AMDDIFFYNNYDD: Gawn ni felly nodi mai enghraifft gyffredinol sydd gan yr Erlynydd dan sylw ar hyn o bryd!

ERLYNYDD (*braidd yn ddiamynedd erbyn hyn*): Rwy'n ddigon parod i gydnabod hynny os caf fynd ymlaen â'r holi. (*Mae'n troi at Dr Davies unwaith eto*) Mae'n ddrwg gen i am hynna, Doctor, ond ga i

ofyn i chi . . . yn weddol gyffredinol felly (*gyda dirmyg bwriadol*) . . .
a yw symptomau fel 'gorbryderu' . . . 'colli archwaeth' . . . 'colli gwallt'
. . . 'gwrthod codi o'r gwely' . . . yn nodweddiadol o salwch arbennig
. . . yn enwedig os yw hyn yn dilyn cyfnod hir o lesgedd ac
anhwylder?

DR DAVIES (*braidd yn anfodlon*): Fe all . . .

ERLYNYDD: A pha enw fyddech chi'n ei roi ar salwch o'r fath, Doctor?
(*Saib*) Dewch, Doctor Davies, rwy'n gofyn am eich barn fel
arbenigwr!

DR DAVIES: Gall fod yn rhyw fath o *hysteria*, wrth gwrs. (*Mae'r meddyg
wedi gostwng ei lais dipyn*)

ERLYNYDD: Mae'n ddrwg gen i, Doctor, chlywais i 'run gair ddywedsoch
chi . . . Dim ond enw'r salwch ry'n ni mo'yn.

DR DAVIES (*yn codi ei lais*): Hysteria! Ond . . .

ERLYNYDD: Diolch yn fawr, Doctor . . . dim rhagor o gwestiynau. (*Mae'n
cerdded oddi wrtho. Cyfyd yr Amddiffynnydd yn syth a nesáu at y meddyg.*)

AMDDIFFYNNYDD: Ond ddywedsoch chi 'rioed hynny wrth Evan a
Hannah Jacob? Ddywedsoch chi 'rioed wrth y rhieni mai *hysteria*
oedd ar eu merch?

DR DAVIES (*gyda phendantrwydd*): Naddo, syr!

AMDDIFFYNNYDD: Pam hynny?

DR DAVIES: Doeddwn i ddim yn credu mai dyna oedd yn bod ar y ferch
fach. Pur anaml y cewch chi achos o *hysteria* yng nghefn gwlad.
(*Mae rhyw dynerwch yn dod i'w lais yn awr*) P'run bynnag, roedd Sal
lawer rhy addfwyn . . . rhy hynaws 'i natur. Dim ond i chi edrych i
fyw 'i llyged roeddech chi'n gwbod . . . roedd rhyw lonyddwch tawel
yno . . . rhyw fodlonrwydd braf . . . rhyw serenedd . . . (*Saib*)

AMDDIFFYNNYDD: Roeddech chi'n cyd-weld â'r Ficer felly . . . fod rhyw
allu gwyrthiol yn perthyn iddi?

DR DAVIES: Roeddwn i'n gwbod 'i bod hi'n wahanol . . . ond roedd y
gwyddonydd y tu mewn i mi yn gwrthryfela . . . rhaid oedd cael barn
arall . . . meddyg o bwys . . . ail opiniwn! (*Mae Dr Hughes, sydd wedi
bod yn y cefndir trwy gydol y ddrama yn dechrau chwerthin. Mae
gwydraid o wisgi yn ei law. Dr Davies yn rhyw led groesi ato.*) Wela i
ddim byd yn ddigri yn y peth, Dr Hughes.

DR HUGHES: Tynnu 'ngho's i rŷch chi'r cnafon.

Y FICER: Mi fydde tynnu coes gydag achos mor ddifrifol yn ymylu ar
gabledd, Doctor.

DR HUGHES: 'Chi'n siŵr na chymerwch chi ddim dropyn bach? (*Yn dal
ei wydraid i gyfeiriad y doctor*)

ERLYNYDD: Gyrglio felly?

DR HUGHES: Galwch chi o be' fynnoch chi, ond dyw stumog heb fwyd ddim yn 'rwmblan' na gyrglio.

ERLYNYDD: Yn ôl eich barn chi, felly, doedd dim o'i le arni, roedd hi'n ferch ifanc hollol normal.

DR HUGHES: Wedes i mo hynny, naddo fe . . . Ro'dd rhywbeth o'i le arni reit i wala . . . ro'dd popeth yn 'i chylch hi . . . y twyllo . . . yr awydd am sylw . . . y ffitie rhyfedd yma . . . ro'dd y cyfan yn profi i mi 'i bod hi'n diodde o *hysteria* . . . Falle *epileptic hysteria*!

ERLYNYDD: A'ch cyngor i'r meddyg teulu, Dr Davies?

DR HUGHES: Y dylid rhoi'r gore i'r ware dwl ar unwaith.

ERLYNYDD: Ac ymateb Dr Davies?

DR HUGHES: Dim. Ro'dd e'n dal i gredu yn y ferch—y tad a'r ficer 'na wedi'i ddrysu fe'n lân.

ERLYNYDD: Diolch yn fawr, Doctor. (*Mae'n cilio ac y mae'r Amddiffynnydd yn codi a nesáu ato*)

AMDDIFFYNNYDD: Ond fe'ch profwyd yn anghywir yn do, Doctor?

DR HUGHES (*yn codi'i lais*): Dim o'r fath beth!

AMDDIFFYNNYDD: Beth am y gwylio gan Bwyllgor Arbennig? Mae'r adroddiad i gyd fan hyn. (*Mae'n codi pentwr o bapur*)

DR HUGHES: Twyll oedd y nonsens yna hefyd.

AMDDIFFYNNYDD: Pwyllgor o drethdalwyr parchus o Lanfihangel-ar-arth yn gwylio Sarah Jacob am bythefnos gron, a phob un ohonynt, dan lw, cofiwch, wedi arwyddo datganiad na chymerodd hi damaid i'w fwyta na'i yfed yn ystod y wyliadwriaeth.

DR HUGHES (*yn gweiddi*): Chlywais i 'rioed shwd ddwli.

AMDDIFFYNNYDD: Ond tystiolaeth pobol gyfrifol o'r ardal Dr Hughes, wedi'u dewis yn deg.

DR HUGHES: Pa mor deg? . . . Pa mor gyfrifol?

AMDDIFFYNNYDD: Ydych chi'n awgrymu bod y bobol dda yma yn dweud celwydd?

DR HUGHES: Fe weda i hyn wrthych chi, ro'dd un bachan yna, Evan Davies, yn byw ar 'i phwys hi ac yn ffrind mawr i'r teulu . . . A boi arall, Edward Smith, gas hwnnw 'i gico ma's ar ôl yr ail noswaith pan gafodd e 'i ddala'n cysgu . . . 'na chi dyst.

AMDDIFFYNNYDD: Mae'r gwŷr bonheddig yma . . .

DR HUGHES: Hanner muned, wi ddim 'di cwpla 'to. A be' am y Daniel Harries Davies 'na o Goleg Dewi Sant o'dd ar y pwyllgor gwylio? 'Chi'n gwbod pwy o'dd hwnnw? Nai Dr Davies . . . Un teulu mawr wedi'u dewis 'u hunen oedden nhw . . . 'chi ddim yn gweld, ddyn?

AMDDIFFYNNYDD: Gwyliwch beth rydych chi'n ei ddweud nawr.

DR HUGHES: A glywsoch chi be' wedodd y Tomos Daniel 'na o Lwyn Bedw yn 'i adroddiad? Be' wedodd e . . . wi'n gofyn i chi nawr . . .

AMDDIFFYNNYDD: Fi sy'n gofyn y cwestiynau, Dr Hughes . . . chi sydd i fod i ateb.

DR HUGHES: Wel, fe weda i wrthych chi, 'te . . . yr unig beth i gyffwrdd 'i gene hi, medde fe, o'dd gwefuse 'i chwa'r fach pan ddôi i wely Sarah Jacob i gael ambell gusan . . . Nid cael ambell gusan oedd hi, ond *rhoi* . . . chi ddim yn gweld?

AMDDIFFYNNYDD: A bod yn berffaith onest, nac ydwyf.

DR HUGHES: Rhoi bwyd, w! Dod i'r gwely 'da llond ceg o fwyd i gusanu Sal Jacobs . . . ac wrth wneud trosglwyddo'r bwyd o'i cheg hi i geg 'i chwa'r. Ma'r peth yn amlwg.

AMDDIFFYNNYDD: Amlwg i chi, falle, ond hollol anhygoel i mi, ac rwy'n siŵr . . .

DR HUGHES: O's rhywun wedi gofyn pa mor amal o'dd y ferch fach yn mynd i'r gwely ati yn ystod y gwylio . . . o's cyfri o hynny?

AMDDIFFYNNYDD: Diolch, Dr Hughes, dyna'r cyfan . . .

DR HUGHES: A beth am y poteli dŵr twym o'dd yn y gwely . . .

AMDDIFFYNNYDD: Diolch, Dr Hughes . . . does gen i . . .

DR HUGHES: O's rhywun wedi meddwl y gallai rhwbeth heblaw dŵr fod yn y poteli dŵr twym . . . cawl ne' rwbeth . . . heb sôn am . . .

AMDDIFFYNNYDD (*Gweiddi*): Dyna'r cyfan, Dr Hughes. (*Mae saib hir o ddistawrwydd yn awr*)

DR HUGHES (*yn rhythu ar yr Amddiffynnydd*): Na . . . nid dyna'r cyfan, syr . . . a 'chi'n gwbod hynny'n iawn, ac fe alla i . . .

AMDDIFFYNNYDD: Dim mwy o gwestiynau. (*Mae'r Amddiffynnydd yn cerdded i ffwrdd, ac y mae Dr Hughes yn gwneud osgo i fynd*)

ERLYNYDD (*yn camu ymlaen yn sydyn*): Ond mae un neu ddau gen i! (*Mae Dr Hughes yn aros*)

AMDDIFFYNNYDD: Mae hyn yn hollol allan o drefn.

ERLYNYDD: Wela i ddim pam lai.

AMDDIFFYNNYDD (*yn troi i edrych uwchben y gynulleidfa*): Mae'r Erlynydd wedi cael ei gyfle gyda'i dyst.

ERLYNYDD (*wrth y Barnwr*): Ond gan fod rhai pethau pwysig wedi codi yn ystod holi craff fy nysgedig gyfaill, (*Yn goeglyd*) fe hoffwn, gyda'ch caniatâd, ddilyn trywydd y rhieni am ychydig. (*Saib byr. Mae'r Amddiffynnydd yn cilio'n sarrug i'r cefndir. Try'r Erlynydd at Dr Hughes, gwenu, ac yna cerdded yn araf tuag ato.*) Rydych chi'n dweud felly, Dr Hughes, fod cynllwyn pendant i dwyllo ar droed yma?

DR HUGHES: Ma' lle i gredu . . .

AMDDIFFYNNYDD: Does ganddo'r un prawf o hynny, dyw e ddim . . .

ERLYNYDD: Fy mwriad i yw dod o hyd i'r prawf . . . os ca i wneud hynny heb ymyrraeth . . . (*Mae'n troi eto at Dr Hughes*) . . . Roeddech chi'n credu, felly, fod y rhieni'n twyllo?

DR HUGHES: Ro'dd *rhywun* yn twyllo, ma' synnwyr pawb yn gweud . . .

ERLYNYDD: Na . . . dyna'r pwynt, Dr Hughes, dyw synnwyr pawb *ddim* yn dweud. Mae'n rhaid i ni fanylu chydig mwy . . . dyw'r ddadl wyddonol arferol yn cario fawr o bwys yn yr achos yma fel rydych chi wedi gweld eisoes . . . Felly, anghofiwch am hynny . . . oedd 'na rywbeth arall oedd yn peri i chi amau?

DR HUGHES: O'dd! Pam na chawn i ac eraill archwilio'r ferch 'ma? Pam na chawn i fynd yn agos ati heb iddi *hi* a'i *rhieni* fynd i sterics? Be' o'dd 'da nhw i'w guddio?

ERLYNYDD: Bwyd? Dyna ydych chi'n 'i awgrymu? Roedden nhw'n cuddio bwyd yn y gwely?

DR HUGHES: Fe alle fod wedi'i guddio dan y dillad, dan y gobennydd. Hyd yn o'd dan 'i chesel.

ERLYNYDD (*gyda syndod go iawn*): Ei chesail?

DR HUGHES: Ellwch chi feddwl am le gwell i guddio rhwbeth na dan y gesel man hyn? (*Mae'n rhoi'i ddwrn o dan ei gesail chwith*)

ERLYNYDD: Heb i neb sylwi ar hynny?

DR HUGHES (*yn tynnu potel fach o'i boced*): Welsoch chi beth fel hyn 'rioed? (*Yyn ei dal i fyny*)

ERLYNYDD (*eto gyda syndod go iawn*): Mae'n edrych yn debyg i botel sugno babi i mi.

DR HUGHES: Dyna ydi hi . . . un hollol gyffredin . . . Nawr, 'te, dishglwch . . . (*Mae'n rhoi'r botel babi dan ei gesail chwith a rhoi'i law chwith i lawr wrth ei ochr yn hollol naturiol*) Fyddech chi'n ame dim, na fyddech? Yna, ganol nos, â'i phen dan y dillad, falle, allan â hi! (*Mae'n tynnu'r botel allan*) . . . a swc fach! Fe all rhywun fyw ar la'th am fisoedd.

ERLYNYDD: Heb i neb sylwi dim.

DR HUGHES: Wel 'na fe ichi. (*Mae'n rhoi'r botel yn ôl eto dan ei gesail chwith*) Yr unig beth o'dd rhaid 'i wneud o'dd cadw'r fraich yma'n llonydd. Alle hi ddim 'i chwifio hi oboitu'r lle . . . yn wir, alle hi wneud fawr o ddim 'da hi tra o'dd potel o dan ei chesel. (*Mae'n dweud hyn yn awr â rhyw arwyddocâd yn ei lais*) . . . chi'n gweld be' s'da fi?

ERLYNYDD (*yn gweld yr hyn mae'n ei awgrymu*): Ei braich chwith . . . yn hollol lonydd.

DR HUGHES: Wedi'i pharlysu! Dyna wedodd y rhieni . . . alle hi ddim symud 'i braich chwith oherwydd 'i bod hi'n ddiffrwyth. (*Saib hir o ddistawrwydd yn awr i hyn suddo i mewn*)

AMDDIFFYNNYDD (*yn sylwi bod y distawrwydd yma yn llawer rhy effeithiol*): Mae'r honiad yma yn un hollol wallgo . . . (*Mae'n cerdded i flaen y llwyfan ac yn apelio at y Barnwr anweledig*) Mae'r tyst yma'n hollol anghyfrifol.

ERLYNYDD (*hefyd yn apelio at y Barnwr ac yn chwifio papurau*): Ond mae'r cyfan fan hyn . . . yn yr adroddiad meddygol . . . Roedd y ferch yn hawlio bod y fraich chwith yn ddiffrwyth . . .

AMDDIFFYNNYDD: Ond does dim yn yr adroddiad meddygol i awgrymu mai twyll oedd hynny. Yn wir, mae Dr Davies yn dweud yn hollol glir mai diffyg yn y cylchrediad oedd achos y parlys.

ERLYNYDD: Rwy'n hollol barod i gydnabod mai damcaniaeth yn unig yw hyn, ond mae'n ddamcaniaeth gan arbenigwr.

AMDDIFFYNNYDD: Mae'n ddamcaniaeth gan ddyn chwerw iawn . . . a theg yw atgoffa'r rheithgor fod Dr Hughes (*Mae'n troi a phwyntio at y meddyg*) wedi cael ei gyhuddo o flaen ustusiaid Llandysul ar yr unfed ar ddeg o Fawrth eleni o ymosod ar Sarah Jacob.

ERLYNYDD: A theg yw atgoffa'r rheithgor hefyd mai Evan a Hannah Jacob, y rhieni, oedd yn gyfrifol am godi'r achos . . . a theg hefyd yw cofio i'r ustusiaid gael Dr Hughes yn hollol ddieuog.

AMDDIFFYNNYDD: Ond mae Dr Hughes yn dal i ferwi am y sarhad hwnnw ar ei gymeriad (*Mae'n cerdded yn ôl yn frysiog i'w le*)

ERLYNYDD (*ar ôl saib*): Dim mwy o gwestiynau. (*Hughes yn cilio*) Gawn ni symud yn awr at y wyliadwriaeth swyddogol, yr unig un oedd yn cyfrif. Hoffwn alw ar *Sister* Clinch. (*Mae Elizabeth Clinch yn camu ymlaen wedi'i gwisgo fel y byddai chwaer o ysbyty Guy's yn Llundain wedi'i gwisgo yn 1870. Cymer ei lle yn safle'r tyst.*) Eich enw llawn, *Sister*?

CLINCH: *Sister* Elizabeth Clinch.

ERLYNYDD: Ac yr ydych ar hyn o bryd yn byw yn Llundain?

CLINCH: Ydw, ac yn gweithio yn *Guy's Hospital*.

ERLYNYDD: A beth ddaeth â chi i Lethr-neuadd ym Mhencader, *Sister* Clinch?

CLINCH: Cael fy anfon yno wnes i gan Arolygydd *Guy's Hospital*, Llundain. (*Mae'r Ficer yn awr yn camu ymlaen o'r cefndir ac yn cyfarch y Chwaer Clinch*)

Y FICER: Rŷn ni'n ddiolchgar iawn i chi, y Chwaer Clinch, am gynnig eich gwasanaeth fel hyn.

Y FAM: Dim rhy agos. All neb fynd rhy agos rhag ofn . . .

CLINCH (*yn eistedd ar ochr y gwely*): Sal ma'n nhw'n dy alw di, 'te . . .
(*Mae Sal yn awr yn dechrau mynd i un o'i ffitiau trwy rowlio'i phen a dechrau gwneud sŵn rhyfedd yn ei gwddf*)

Y TAD: Pawb allan.

CLINCH (*yn gafael yn llaw'r ferch*): Dim rhyw lol fel'na rŵan (*Gydag awdurdod ond hefyd gyda rhyw dynerwch cynnes. Mae'n anwesu'i llaw.*) Ma' gin i wyres fach tua'r un oed â thi, wyddost ti. 'Fasat ti ddim yn deud 'mod i'n nain, na fasat . . . ond mi ydw i . . . ac ma' hi wrth 'i bodd hefo'i nain, a finna wedi mopio hefo hitha . . . ac ma' hi'n dŵad ar 'i gwylia ata i i Lundan 'cw'n amal . . . (*Tra mae'n siarad, mae'n dal i anwesu llaw Sal ac yn wir mae'r pen yn dechrau llonyddu a'r ochneidio'n tawelu*) . . . Fuost ti yn Llundan 'rioed? (*Nid yw Sal yn ateb. Mae'n hollol lonydd yn awr gyda'i llygaid ar gau fel petai'n cysgu. Mae'r Fam yn camu ymlaen.*)

Y FAM: Well i ni . . . (*Mae Dr Davies yn ei hatal ac yn rhoi'i fys ar ei wefus i ofyn am ddistawrwydd*)

CLINCH: Mi alla i ddeud lot o straeon wrthat ti am Lundan . . . rwbath t'isio wbod . . . Tŵr Llundan . . . 'na ti le ydi hwnnw . . . (*Mae Sal yn agor ei llygaid yn awr*) . . . a beth am y Frenhines a Buckingham Palace . . . dwi wedi'u gweld nhw'n mynd i mewn ac allan, wsti, do ganwaith . . . yn 'u coetsis mawr aur . . . a hannar dwsin o geffyla lysti gwyn yn 'u tynnu nhw . . .

Y FERCH: 'Chi . . . 'chi wedi 'u gweld nhw?

CLINCH: Wrth gwrs 'mod i . . .

Y FERCH: A'r Frenhines?

CLINCH: Digon agos ati i'w chyffwrdd . . . Feiddiwn i ddim gneud chwaith, wsti, rhag i mi gael 'n restio a 'nhaflu i'r jêl . . . (*Mae Sal yn dechrau gwenu*) . . . ne' i'r 'dwnjwns' falla, glatch ar 'y mhen ôl. (*Mae Sal yn dechrau chwerthin*) Dyna ni, sdim byd gwell na gwên fach . . . sgin ti nain . . . mam-gu?

Y TAD: Ma'r ddwy 'di marw cyn iddi ga'l 'i geni.

CLINCH (*yn pinsio'i bochau'n chwareus*): Biti . . . falla bysa mam-gu wedi bod o les mawr i ti . . .

Y FICER: Well i ni ddechre, 'nte.

CLINCH (*yn sefyll*): Well i ni gael Ann Jones i mewn, 'ta.

Y FERCH (*ychydig o bryder eto*): Ann?

Y TAD (*wrth y Ficer*): Be' dach chi'n 'i feddwl, 'dechra'?

CLINCH (*wrth y ferch*): Ma' gin i ffrind bach arall i ti yn y gegin 'na.

(*Mae'n tynnu'i chôt fawr wrth gerdded allan o'r cylch a gweiddi*) Nyrs Ann! Ma' hitha'n Gymraes.

DR DAVIES (*wrth y Tad*): Ma'n rhaid gwneud yn berffaith siŵr ar y dechra fel hyn nad oes dim bwyd wedi'i guddio yn yr ystafell 'ma.

Y TAD: Be' dach chi'n 'i feddwl 'wedi'i guddio'? (*Mae Nyrs Ann Jones yn dod i mewn i'r cylch at y Chwaer Clinch*)

Y FERCH: 'Smo i'n mo'yn neb arall 'ma. (*Yn edrych yn ofnus, amheus ar Ann Jones. Mae Ann Jones yn edrych yr un mor amheus ar Sal.*)

Y FICER (*wrth y Tad*): Dim ond fel 'na y bydd neb yn gallu ame dim . . . rhaid diarfogi'r gelyn i ddechre . . .

DR DAVIES: Felly . . . (*Yn codi'i lais ac yn edrych ar y ddwy weinyddes.*) . . . yn syml a di-lol . . . rydw i am i chi chwilio'r ystafell yma . . . bob man posib . . . i wneud yn hollol siŵr nad oes dim bwyd na dafn o ddiod yn unlle yma . . . ac mi fydd gofyn i chi dystio dros hyn pan ddaw'r gofyn.

ERLYNYDD (*yn camu ymlaen*): A be' welsoch chi?

CLINCH: Dim! (*Mae'n troi a cherdded at yr Erlynydd gan adael i Nyrs Ann fynd trwy'r mosiwn i chwilio'r cwpwrdd, dan y gwely, etc. Yn ystod holi'r Chwaer Clinch fe ellir gweld y Tad yn codi'r ferch o'r gwely i Nyrs Ann gael archwilio dan y dillad, a'r gobennydd, etc.*)

ERLYNYDD: Er chwilio pob man?

CLINCH (*yn sefyll yn safle'r tyst yn awr*): Bob twll a chongol . . . bob cwpwrdd; dan y gwely, yn y gwely . . . bob man . . .

ERLYNYDD: A dim arwydd o ddim bwytadwy?

CLINCH: Dim! (*Fe welwn Nyrs Ann Jones yn awr yn tynnu rhywbeth o dan y gwely a'i ddal i fyny rhwng ei bys a'i bawd*) O! . . . ar wahân i hen rwdan 'di crino.

ERLYNYDD: Erfin?

CLINCH: 'Na chi . . . Nyrs Ann gafodd hyd iddi dan y gwely. (*Mae'r Fam yn cymryd y rwdan gan Ann Jones ac yn mynd â hi allan. Fe bylir y golau o gylch ac ar y gwely. Gall yr actorion yn y fangre honno gilio i'r cefndir a gwrando fel gwylwyr ar yr holi yn y cwrt.*)

ERLYNYDD: Ac fe ddechreusoch wylio?

CLINCH: Nid cyn i Dr Davies archwilio'r claf yn ofalus a rhoi adroddiad manwl imi o stad iechyd Sarah Jacob ar y pryd . . . (*Mae'n mynd i'w phoced a thynnu nodlyfr allan*) . . . Ma'r cyfan gin i fan hyn.

ERLYNYDD: Ac mi ddylwn eich llongyfarch, *Sister* Clinch, am gadw nodiadau mor fanwl . . . (*Mae'n troi at y gynulleidfa yn awr*) Dylwn egluro fan hyn, gyfeillion y rheithgor, fod *Sister* Clinch wedi cadw dyddiadur manwl o'r wyliadwriaeth . . . ac y mae pob ffaith sydd yn y nodlyfr wedi ei gadarnhau gan y Panel Meddygol i fod yn gywir. (*Mae'r Erlynydd yn cerdded yn ôl yn awr at y Chwaer Clinch*) Fyddech chi cystal â darllen y Dystysgrif Iechyd gyntaf yna gawsoch chi gan Dr Davies?

CLINCH (*yn agor y nodlyfr a darllen*): '9 Rhagfyr. *Agwedd*: llon a siriol; *Llygaid*: disglair a llachar; *Wyneb*: gwrid iachus; *Curiad y galon*: 86 y munud a rheolaidd; *Tymheredd*: 98 gradd yn y genau ar ôl dau funud o orffwys a photel ddŵr twym wrth ei thraed; *Cyflwr cyffredinol*: boddhaol. Llawer gwell nag yr oedd ychydig fisoedd yn ôl. *Arwyddwyd*: Henry Harries Davies, M.R.C.S.'

ERLYNYDD: A'r noson honno?

CLINCH: Dim trafferth o gwbwl, cysgu fel draenog bach trw'r nos.

ERLYNYDD: A beth am y bore wedyn?

CLINCH: Deffro fel y gog.

ERLYNYDD: Tymer dda, felly?

CLINCH: Llawer gwell na fi. Dwi byth ar 'y ngora 'radag honno o'r bora.

ERLYNYDD: Ac yn hollol fodlon ar eich presenoldeb chi?

CLINCH: Fel 'tasan ni 'di bod yna 'rioed . . . hynny ydi . . . (*Mae'n oedi*)

ERLYNYDD: Ie, *Sister* Clinch?

CLINCH: Doedd hi ddim yn dod ymlaen cystal hefo Nyrs Ann. (*Mae'r golau'n cryfhau ar y gwely a daw Ann i'r cylch. Mae'n cario dysgl o ddŵr ac y mae lliain dros ei braich.*)

NYRS ANN: Nawr, 'te! (*Mae'n rhoi'r ddysgl ar y ford fach wrth ochr y gwely*)

Y FERCH (*yn ofnus*): Be' 'chi'n neud?

NYRS ANN (*yn rhoi'i dwylo yn y dŵr a gafael yn y cadach*): Fe fyddi di'n teimlo'n well ar ôl molchad fach.

Y FERCH (*Mwy o ofn*): Na . . . alla i ddim . . . 'smo chi fod i gyffwrdd yno i . . .

NYRS ANN: Nawr, dishgwl . . . 'smo i'n mo'yn rhyw ddwli fel hyn . . .

Y FERCH: Os dewch chi'n agos, mi sgrechia i . . .

NYRS ANN (*yn torchi'i llewys*): Sgrechia dy ben bant, os mynnu di.

Y FERCH: Mi ga i ffit . . . wi'n gweud wrthych chi nawr . . . (*Yn codi'r dillad gwely bron dros 'i phen*) Ga i ffit . . .

NYRS ANN (*yn tynnu'r dillad gwely*): 'Ti wedi 'ngweld i'n cael ffit, 'te? . . . wi'n beryg bywyd . . . gwallgo, i weud y gwir.

Y FERCH (*yn sgrechian*): Pidwch! (*Mae'r Nyrs yn edrych arni gyda syndod. Mae Clinch yn cerdded o'i safle yn syth at y gwely.*)

CLINCH: Be' yn y byd mawr sy'n digwydd?

Y FERCH: Ma' hi wedi rhoi loes i mi . . . 'mwrw fi!

NYRS ANN: Wnes i ddim cyffwrdd ynddi. (*Y funud honno mae'r Tad yn brasgamu i mewn i'r cylch o olau*)

Y TAD: Be' sy'n bod?

Y FERCH (*yn llefain yn uwch nawr*): Y boen . . . alla i ddim diodde . . .

Y TAD (*yn mynd at ei ferch*): Be' ma'n nhw wedi 'i neud . . .

CLINCH (*yn ei atal*): Ma'n ddrwg gin i . . .

Y TAD: O'r ffordd, ddynas!

CLINCH: Dach chi'n gwbod y rheola, Mr Jacob . . . neb yn agos heb 'i archwilio.

Y TAD: Ylwch . . . ma'r hogan mewn poen . . . dach chi ddim yn gweld . . .

CLINCH: Ma'r hogan yn iawn. Ofn tipyn o ddŵr ma' hi. Dwi ddim yn rhy hoff ohono fo fy hun ben bora chwaith, i ddeud y gwir wrthach chi.

Y TAD: Be' dach chi'n 'i feddwl, 'dŵr'?

NYRS ANN: Dim ond i'w hymolch hi, syr . . .

Y TAD: Ymolch? Be' dach chi'n 'i feddwl 'ymolch'? Sneb i fod i gyffwrdd ynddi . . .

CLINCH: Ond mi fydd rhaid 'i chadw hi'n lân er mwyn 'i chysur 'i hun, Mr Jacob.

Y TAD: Allith hi ddim diodda i neb roi 'i fys arni . . .

CLINCH: 'Nenwedig y cefn, ma' gorwadd yn hir yn achosi . . .

Y TAD: Ylwch, am y tro dwytha . . . a gofynnwch i'r Doctor, os liciwch chi . . . 'tasa pluan eira'n disgyn ar 'i chefn hi, mi fasa'n boen marwol iddi. Mi ddyla fo fod wedi deud hynny wrthach chi'n barod . . .

CLINCH: Hoffach chi neud, 'ta . . . dyna fydda ora, falla . . .

Y TAD: Dim hyd yn oed fi. Does neb wedi gweld, heb sôn am gyffwrdd, 'i chefn hi am dros flwyddyn . . . neb . . . dach chi'n dallt—neb!

CLINCH (*ar ôl saib o syndod*): Peidiwch â siarad trw'ch het, ddyn. Ma' hynny'n hollol amhosib. (*Mae'r Amddiffynnydd yn camu ymlaen yn awr*)

AMDDIFFYNNYDD: Pam?

CLINCH (*yn troi i'w wynebu*): Beth?

AMDDIFFYNNYDD: Pam roedd hynny'n hollol amhosib?

CLINCH: Am 'y mod i 'di cael sbec bach ar 'i chefn hi fy hun yn ystod y nos, dyna i chi pam. Pan drodd hi yn 'i chwsg, mi welis i fod coban y beth bach wedi rowlio i fyny bron at 'i chesal hi, ac mi tynnis hi i lawr. Roedd hi'n gythreulig o oer y noson honno!

AMDDIFFYNNYDD: Ie?

CLINCH: Ond mi ges gyfla i weld 'i chefn hi . . . iach fel y gneuan . . . croen llyfn fel bol babi heb na gwrym na phloryn yn agos iddo fo . . .

AMDDIFFYNNYDD: Mae'r Erlynydd yn awr yn arwain y tyst . . .

ERLYNYDD: Mae'n ddrwg gen i (*Mae'n troi ati eto*) ond fe wrthododd Sal roi ateb pendant i'ch cwestiwn?

NYRS ANN: Fe anwybyddodd fy nghwestiwn, do.

ERLYNYDD: Am ba reswm tybed?

NYRS ANN: Falle . . .

AMDDIFFYNNYDD: Mae hyn eto yn arwain y tyst . . .

ERLYNYDD (*wrth yr Amddiffynnydd*): Yr unig beth rwy'n ceisio'i wneud yw cael barn y nyrs, barn broffesiynol, felly, ynghylch y posibilrwydd fod y ferch fach yma wedi ei threisio . . . ac rwy'n siŵr fod cyfeillion y rheithgor (*Yn cyfarch y gynulleidfa*) am wybod hynny . . . neu . . . hoffech chi inni anwybyddu'r peth yn llwyr . . . ei osgoi e fel rhywbeth dibwys? (*Mae'r Amddiffynnydd yn eistedd ac unwaith eto mae'r Erlynydd yn troi at Nyrs Ann*) . . . Nawr, 'te, nyrs, eich barn broffesiynol, os gwelwch yn dda. Oedd y ferch fach yma, yn ôl eich tyb chi, wedi cael rhyw . . . rhyw berthynas rywiol anffodus â rhywun?

NYRS ANN: Fe alle fod . . .

ERLYNYDD: Ymosodiad gan . . .

NYRS ANN: Ar y llaw arall, efalle nad o'dd e'n ddim byd mwy na 'phenbleth'.

ERLYNYDD: Penbleth?

NYRS ANN: Ma' pethe'n digwydd i'r corff . . . tyfu ma' bechgyn ond ma' merched yn newid siâp a'r pethe rhyfedda a digon anghyffyrddus yn digwydd iddyn nhw.

ERLYNYDD: Ellwch chi fod chydig manylach, Nyrs Ann?

NYRS ANN: 'Chi'n gwbod be' wi'n 'i feddwl . . . ma' corff merch yn datblygu'n wahanol i grwt . . . bronne . . . (*Mae'n anghysurus braidd yn awr*) . . . misglwyf . . .

ERLYNYDD: Fyddai Sal ddim braidd yn rhy ifanc i hynny?

NYRS ANN: Wi wedi gweld rhai yn dechre'n ddeuddeg oed, ac os nad o's rhywun call o gwmpas 'radeg honno i egluro pethe iddyn nhw, fe allai achosi ansicrwydd a phryder mawr.

ERLYNYDD: Ydi seiciatreg yn rhan o'ch dyletswyddau meddygol chi, nyrs?

NYRS ANN: Wi'n gorfod gneud rhywfaint o seiciatreg plant . . .

ERLYNYDD: Fe ddylech wybod rhywfaint am y pwnc, felly.

NYRS ANN: Wi'n gwbod am 'mod i'n ferch, syr . . . a sdim llawer ers pan fuo rhaid i mi fynd trw'r purdan fy hun (*Mae wedi cynhyrfu ychydig yn awr*) . . . a rhieni tebyg i Sal o'dd gen inne.

AMDDIFFYNNYDD: Mae hyn yn hollol allan o drefn!

ERLYNYDD: Dim o gwbwl. Mae'r nyrs yn datgan . . .

AMDDIFFYNNYDD: Unig swyddogaeth y nyrs oedd astudio Sarah Jacob nid ei rhieni. Does ganddi ddim hawl o gwbwl i fynegi barn . . .

ERLYNYDD: Ond y rhieni ydi'r drwg yn y caws.

AMDDIFFYNNYDD: Rwy'n gwrthdystio!

ERLYNYDD: Mae'n ddrwg gen i, rwy'n tynnu hynna'n ôl . . . ond y pwynt sylfaenol yw mai Evan a Hannah Jacob, y rhieni, sydd ar brawf yma . . . nid Sarah Jacob. (*Mae'n troi yn ôl at Ann Jones. Wrth Ann.*) Ga i ofyn ichi, ynte, Nyrs Jones, sut rieni oedd gennych chi?

NYRS ANN: Rhieni rhagorol, cofiwch, yn meddwl y byd ohona i . . . ac fe grafon bob ceiniog i 'ngyrru fi 'mlaen i nyrsio, ond roedden nhw braidd yn 'strict' ynghylch rhai pethe.

ERLYNYDD: Disgyblaeth?

NYRS ANN: Ie, ond 'di hynny'n gneud fawr o ddrwg i neb. Roedden nhw'n grefyddol iawn.

ERLYNYDD: Ddaru hynny ddrwg i rywun, 'te?

NYRS ANN: Na. Nid be' oedden nhw'n 'i weud oedd y broblem ond be' oedden nhw *ddim yn 'i weud.* (*Saib*)

ERLYNYDD: Ie?

NYRS ANN: Feiddie neb sôn am y corff a phethe felly.

ERLYNYDD: Rhyw?

NYRS ANN: Dim sôn am y peth, fel 'tase fe ddim yn bod . . . a . . . wel, pan ddechreuodd pethe i mi . . . feiddiwn i ddim holi . . . 'chi'n deall be' wi'n 'i feddwl . . . a chan nad o'n i'n gwbod be' o'dd yn digwydd i mi . . . mis es i'n rhyfedd reit.

ERLYNYDD: Yma mha ffordd . . .

NYRS ANN: Wel . . . gneud pethe od . . . llyncu mul . . . dyfeisio pob math o glefyde arna i . . . tynnu sylw!

ERLYNYDD: A dyna roedd Sarah Jacob yn ei wneud?

NYRS ANN: Be' arall, a weda i hyn wrthych chi hefyd, ro'dd hi bownd o fod yn byta yn y dirgel yn slei bach . . .

AMDDIFFYNNYDD: Gyda phob parch, nid barn rhyw lances o nyrs rydyn ni'n mo'yn ond ffeithiau!

NYRS ANN (*yn gwylltio braidd*): Fe ro i ffeithie i chi hefyd. Weles i nhw 'da'n llyged fy hun. (*Mae Nyrs Ann yn awr yn pigo dysgl a chadach i fyny a cherdded yn frysiog tuag at Sal yn y gwely. Mae Sal yn dal i ddarllen y Beibl, ag un llaw yn unig yn cydio yn y clawr.*)

Y FERCH (*yn codi'i llais mewn dychryn*): Cad draw. Wi wedi gweud wrthyt ti o'r blaen.

NYRS ANN: Ma'r dŵr 'ma'n dwym, a dy ddwylo di'n ddu las 'dag oerfel.

Y FERCH: Dadi!

NYRS ANN: Wi ddim yn mynd i dy gyffwrdd di, ferch, dim ond rhoi hon ar y gwely o dy flaen di, a gofyn i ti socan dy ddwylo yn y dŵr twym . . . (*Mae'n gwneud hynny gyda Sal yn edrych ar y dŵr fel petai'n rhywbeth hollol aflan ar y blanced wely o'i blaen*) . . . wedyn mi gei di sychu 'da hwn. (*Mae'n rhoi cadach wrth ochr y ddysgl*)

Y FERCH: Sdim pwynt, nac oes?

NYRS ANN: Be' 'ti'n 'i feddwl?

Y FERCH: Ar ôl tw'mo 'nwylo, wnân nhw ddim ond oeri'n syth yn y tywydd yma. (*Daw* Sister Clinch *i mewn*)

CLINCH: Fe elli di'u cadw nhw'n gynnas wedyn . . . (*Mae'n tynnu pâr o fenig gwynion allan o'i phoced*) . . . hefo'r rhain. (*Mae'n eu dal i fyny a'u chwifio'n chwareus*)

Y FERCH (*yn ymestyn un llaw at y menig*): Diolch.

NYRS ANN (*yn gellweirus yn awr*): Dim nes y byddi di wedi tw'mo dy ddwylo. (*Saib. Mae Sal yn rhoi un llaw yn araf yn y dŵr.*) A'r llall.

Y FERCH: 'Ti'n gwbod o'r gore na alla i ddim symud y fraich arall. Ma' hi wedi'i pharlysu!

CLINCH: Yna mi fydd rhaid i mi dy helpu di felly'n bydd. (*Mae Ann yn closio at y gwely, gafael yn ei llaw arall sydd yn gorwedd yn llonydd wrth ei hochr, a'i chodi'n dyner a'i dodi yn y dŵr. Mae'n gadael iddynt socian am ychydig.*) Gwelliant? (*Nid yw Sal yn ateb, na chydnabod dim gan fod* Sister Clinch *wedi ennill y rownd yma*) Pan fyddan nhw wedi c'nesu digon, mi sycha i nhw.

Y FERCH: Nawr!

CLINCH: Hannar munud. Defnyddia'r cadach yna sy yn y dŵr i olchi 'chydig ar dy freichia. Ne' mi wna i os . . .

Y FERCH: Na! (*Mae'n defnyddio'r cadach sydd yn y dŵr i rwbio ychydig ar y fraich ddiffrwyth. Mae Clinch ac Ann yn edrych heb ddweud dim.*) Ma'r dŵr 'ma'n oeri'n barod.

CLINCH: Iawn! Well i ti'u sychu nhw, 'ta. (*Mae'n rhoi'r tywel dan ei dwylo gwlyb ac yn symud y ddysgl o'r neilltu. Mae Sal yn gallu sychu un fraich yn iawn ond yn cael trafferth hefo'i llaw.*) Gad i mi dy helpu di. (*Mae'n gorffen ei sychu*) Rŵan, 'ta! (*Mae'n tynnu'r menig o'i phoced ac yn helpu Sal i'w gwisgo. Saib.*) 'Di hynna'n well? (*Dim ateb*) Mwy cyfforddus? (*Mae Sal yn nodio*) 'Na fo, 'ti'n gweld. (*Mae Clinch yn estyn y Beibl yn ôl iddi yn awr*) 'Ti am ddarllan rhwbath i mi?

Y FERCH: I chi?

CLINCH: 'Ti'n darllan yn arbennig o dda, a dwi wrth 'y modd yn gwrando arnat ti.

Y FERCH: (*yn edrych ar Ann*): Ma'n braf bod rhai'n gwerthfawrogi. (*Mae Ann yn mynd â'r ddysgl a'r tywel i'r gegin neu rywle. Ymhen ychydig mae Sal yn dechrau darllen o Salm 91.*) 1. 'Yr hwn sydd yn trigo yn nirgelwch y Goruchaf, a erys yng nghysgod yr Hollalluog. (*Mae Clinch yn eistedd i wrando*) 2. Dywedaf am yr Arglwydd, Fy noddfa a'm hamddiffynfa ydyw: fy Nuw; ynddo yr ymddiriedaf. (*Mae'r Ferch yn cynyddu mewn teimlad pan ddychwel Nyrs Ann i'r ystafell*) 3. Canys efe a'th wareda di o fagl yr heliwr (*Mae'n taflu'r geiriau at Ann fel petai hi yw'r 'heliwr'*) ac oddi wrth haint echryslon. (*Mae Ann yn cymoni'r ochr arall i'r gwely ac yn ymddangos fel pe na bai'n cymryd dim sylw ohoni'n darllen*) 4. Â'i asgell y cysgoda efe trosot, a than ei adenydd y byddi ddiogel: ei wirionedd fydd darian ac astalch i ti. 5. Nid ofni rhag dychryn nos; (*Mae'n troi tudalen o'r Beibl â'r llaw sydd i fod wedi'i pharlysu*) na rhag y saeth a ehedo y dydd . . .'

NYRS ANN (*yn torri ar ei thraws*): Fe ddales i ti nawr . . . (*Mae'r Ferch yn peidio â darllen mewn syndod*)

CLINCH: Dim ymyrraeth, Ann!

NYRS ANN: Ond fe symudodd 'i llaw chwith, *Sister* Clinch.

CLINCH: Beth?

NYRS ANN: Y llaw dost! . . . Fe drodd dudalen y Beibl 'na â'i llaw ddiffrwyth.

Y FERCH (*yn gweiddi'n orffwyll*): Symudes i mo 'mraich . . . alla i ddim . . . alla i ddim symud gewyn!

ERLYNYDD (*yn camu ymlaen i ymyrryd*): Ond fe welsoch chi hi?

NYRS ANN: Do. Ro'dd hi'n dal clawr y Beibl â'i llaw dde, y llaw iach, ac fe drodd dudalen â'r llall. Dim ond un pâr o ddwylo o'dd ganddi.

ERLYNYDD: Yn hollol. Y cwestiwn sy'n codi, felly . . . pam ffugio'r parlys yma yn ei llaw chwith?

AMDDIFFYNNYDD: Mae'r Erlynydd unwaith eto yn rhoi syniadau ym meddwl y tyst . . . 'ffugio parlys'.

ERLYNYDD: Ga i atgoffa'r rheithgor, ynte, o dystiolaeth Dr Hughes? (*Mae'n darllen o'i nodiadau*) Dyma ddywedodd o: 'Yr unig beth oedd rhaid iddi'i wneud oedd cadw'r fraich yma'n llonydd. Alle hi ddim 'i chwifio hi oboitu'r lle . . . yn wir, alle hi wneud fawr o ddim â hi tra oedd potel o dan ei chesail' . . . dim mwy o gwestiynau. (*Mae'n symud o'r neilltu*)

AMDDIFFYNNYDD: Dyw hynna chwaith ddim yn dystiolaeth o ffaith, damcaniaeth Dr Hughes yn unig oedd e . . . (*Mae'n awr yn cyfarch Ann*) . . . a chithau, nyrs . . . ydych chi'n siŵr o'ch ffeithiau? . . . yn yr ystafell dywyll 'na, welodd *Sister* Clinch ddim byd. Fe all cysgodion chwarae triciau â'r llygaid weithiau.

NYRS ANN: Ond nid â'r trwyn!

AMDDIFFYNNYDD: Trwyn?

NYRS ANN: Nid yn unig o'n i'n gallu gweld, syr, ro'n i'n gallu gwynto hefyd.

AMDDIFFYNNYDD (*mewn penbleth braidd*): Yma mha ffordd?

NYRS ANN: *Urine!* Ro'dd y stafell yn gwynto o'r peth . . . a'r bore cynta buo rhaid newid y gwely oherwydd ro'dd e'n wlyb stecs . . . ac nid yn unig hynny chwaith!

AMDDIFFYNNYDD: Dwi ddim yn meddwl fod angen . . .

NYRS ANN: Ro'dd staen ar 'i gŵn nos hi fel tai hi wedi cael 'i gwitho. Os o'dd hi ddim wedi yfed, pam o'dd hi'n paso dŵr? Ac os o'dd hi heb fyta dim, pam o'dd hi'n cael 'i gwitho?

AMDDIFFYNNYDD (*ar ôl saib*): Faint sy ers pan ydych chi'n nyrsio, Nyrs Jones?

NYRS ANN: Tair blynedd.

AMDDIFFYNNYDD: O! ma' 'da chi dipyn i fynd eto cyn bod yn hollol drwyddedig.

NYRS ANN: O's.

AMDDIFFYNNYDD: Faint o ddŵr sy yn y corff dynol, nyrs?

NYRS ANN: Fe all y stumog . . .

AMDDIFFYNNYDD: Dydw i ddim yn sôn am gynnwys y stumog na'r bledren . . . y corff 'i hunan, nyrs . . . y cnawd, y croen, yr organau . . . hyd yn oed yr esgyrn . . . sawl rhan o'r corff sy'n ddŵr?

NYRS ANN (*braidd yn nerfus yn awr*): Cryn dipyn, syr.

AMDDIFFYNNYDD: Faint? Sawl canran ohono?

NYRS ANN (*yn meddwl*): Tuag wyth deg.

AMDDIFFYNNYDD: Wyth deg pump yn ôl yr Arbenigwyr. (*Mae'n rhoi pwyslais coeglyd ar 'Arbenigwyr'*) Wyddech chi hefyd fod y corff yn llawn braster ac y gallai dyn fyw ar hyn yn unig am hydoedd?

NYRS ANN: Gwyddwn.

AMDDIFFYNNYDD: Onid oedd yn bosib mai'r dŵr yma o'r corff oedd y ferch fach yn ei ollwng ac onid y braster naturiol oedd y rheswm am iddi sgarthu ychydig?

NYRS ANN: Wyddwn i ddim, syr, fod dŵr naturiol y corff yn gallu mynd i'r bledren. Wyddwn i ddim chwaith fod modd i fraster y corff gael 'i dreulio a chyrraedd y coluddion. (*Mae'n dweud hyn yn awr â'r un coegni â'r Amddiffynnydd*) Ond 'na fe, wi ddim yn Arbenigwr Meddygol, mwy nag ŷch chi, syr! (*Mae hyn yn amlwg yn taro'r Amddiffynnydd i'r byw ac yn distrywio cryn dipyn o'i hyder*)

AMDDIFFYNNYDD (*ar ôl saib*): Oeddech chi'n cadw nodiadau manwl o ddigwyddiadau bob dydd fel y Chwaer Clinch?

NYRS ANN (*wedi adennill tipyn o'i hyder eto yn awr*): Roeddwn i'n rhoi adroddiad manwl i *Sister* Clinch ar ddiwedd pob gwyliadwriaeth. Ro'dd hithe wedyn yn 'i gofnodi yn 'i dyddiadur.

AMDDIFFYNNYDD: Mi fyddech felly'n cadarnhau tystiolaeth y Chwaer Clinch?

NYRS ANN: Byddwn.

AMDDIFFYNNYDD: A doedd dim byd i'w boeni yn ei gylch yn ystod y tri diwrnod cyntaf?

NYRS ANN: Nac o'dd.

AMDDIFFYNNYDD: Ac roedd hi'n dal yn siriol—dydd Sul, dydd Llun, dydd Mawrth, dydd Mercher . . .

NYRS ANN: Dim ar y dydd Mawrth, syr!

AMDDIFFYNNYDD: Sut?

NYRS ANN: Ro'dd tipyn o newid ddydd Mawrth, syr.

AMDDIFFYNNYDD: Ym mha fodd?

NYRS ANN: Y llais wedi gwanio cryn dipyn a churiade'r galon yn anghyson ac yn cynyddu . . .

AMDDIFFYNNYDD (*yn edrych ar ei nodiadau*): Ond roedd Dr Harries Davies yn hollol fodlon ar ei chyflwr?

NYRS ANN: Dim yn hollol, syr.

AMDDIFFYNNYDD: Dyna sydd i lawr fan hyn yn ei adroddiad, nyrs . . . Gwrandewch, dyma'i union eiriau. (*Mae'n darllen o'i nodiadau*) 'Mawrth Rhagfyr 14: Er bod Sarah Jacob yn dangos ychydig gynnydd yng nghuriadau'r galon, nid oes rhaid poeni gan i hyn ddigwydd droeon o'r blaen. Does dim arwydd o berygl yma. Henry H. Davies.' (*Mae'r Amddiffynnydd yn edrych i fyny ar Nyrs Ann yn awr*) . . . Wel?

NYRS ANN: Allwn i ddim cyd-weld, syr . . .

AMDDIFFYNNYDD: Â'r meddyg? Dyna'r ŷch chi'n ceisio'i ddweud, nyrs? Gweinyddes heb orffen ei chwrs eto. Allech chi ddim cyd-weld â meddyg profiadol?

NYRS ANN: Fe waethygodd yn ystod y nos. Fe all *Sister* Clinch gadarnhau hynny . . .

AMDDIFFYNNYDD: Ac fe alwoch Dr Davies yn ôl?

NYRS ANN: Do'dd y tad ddim yn fodlon.

Y TAD: Na! Dwi ddim yn mynd i styrbio'r meddyg 'radag yma o'r nos. (*Cryfheir y golau yn awr o gwmpas y gwely. Mae'r Chwaer Clinch, y Tad a'r Fam yno. Gwelwn Sarah yn gorwedd yn ôl gyda'i llygaid ar gau ac yn anadlu braidd yn drwm. Mae'r Chwaer Clinch yn mesur curiadau'r galon.*)

Y FAM: Ond fe siarsiodd fi i'w alw fe unrhyw adeg os bydde perygl.

Y TAD: Does dim perygl.

CLINCH (*yn edrych i fyny ar y Tad*): Ma'r curiada'n gant a deugain.

Y TAD: Fe glywsoch be' ddudodd o'r pnawn 'ma, does dim o'i le yn hynny. Un fel'na ydi Sal.

CLINCH: Ma'r curiada dipyn yn uwch na'r pnawn 'ma, Mr Jacob . . .

Y FAM: Fyddwn ni ddim gwaeth â gofyn, rhag ofn . . .

Y TAD (*yn chwyrn wrthi*): Does dim perygl, dwi'n gwbod! 'Ti ddim yn dallt, ddynas . . ?

Y FAM: 'Tai hi ond yn cael dropyn i'w yfed.

Y TAD (*yn chwyrn iawn*): Be' ddudist ti?

Y FAM (*ychydig o banig yn awr*): I wlychu'i gwefus, rwy'n 'i feddwl . . . chydig ddiferion twym . . . ma' hi mor oer yma.

Y TAD: Dwi'n siŵr fod gen ti waith cyn noswylio.

Y FAM (*yn ofnus*): Mi a' i i lenwi'r botel ddŵr twym . . . (*Mae'n gafael mewn potel ddŵr poeth sydd wrth ochr y gwely a diflannu o'r cylch*)

CLINCH: Fe ddylwn ddeud hyn wrthach chi, Mr Jacob . . . (*Mae'n petruso ac edrych ar Sarah, ac yna yn gafael ym mhenelin y Tad a'i arwain allan*) Well i ni fynd i siarad i'r stafall nesa rhag creu styrbans. (*Mae'n nodio ar Ann sy'n mynd i eistedd wrth ochr gwely Sarah, yna'n cerdded allan gyda'r Tad i'r ystafell nesaf. Gwelir y cylch golau o gwmpas y gwely yn gwanhau wrth iddynt gerdded allan, ond nid yw'n diffodd yn llwyr. Cryfheir y cylch golau nesaf i'r gwely. Yn ystod yr olygfa sy'n dilyn, gwelwn fod Ann yn gwrando ar y sgwrs rhwng Clinch ac Evan Jacob. Yn wir, gall godi a nesáu at ymyl y cylch i wrando.*) Dwi ddim yn hapus o gwbwl.

Y TAD: 'Drychwch, *Sister* . . . dwi'n nabod Sal . . . a dwi'n deud wrthach chi . . .

CLINCH: A dw inna'n deud wrthach chitha, Mr Jacob, ma' hi'n dechra sincio.

Y TAD (*Saib*): Be' 'chi'n 'i feddwl 'sincio'?

CLINCH: Gwanio! . . . Colli gafa'l. Galwch chi o'n be' fynnoch chi . . . ond ma'r hogan bach yna'n gwaethygu hefo pob anadl mae'n 'i gymryd.

Y TAD (*ychydig yn ansicr nawr*): Choelia i fawr.

CLINCH: Dwi'n nabod yr arwyddion yn rhy dda—'di'u gweld nhw'n rhy amal.

Y TAD: Os mai sôn am y pyls ydach chi, fe ddudodd Davies . . .

CLINCH (*yn llym*): Nid y pyls, ddyn . . . ond . . . 'i gwedd hi . . . ma' hi 'di cymryd tro er gwaeth ers tua awr. Ma'i holl natur hi 'di newid.

Y TAD: Ym mha ffordd?

CLINCH: Ma'r 'hydar' wedi mynd . . . ma'i ll'gada hi'n llawn ofn . . . fel deryn bach 'di'i glwyfo.

Y TAD: 'Di Sal ni ddim ofn. Ma' ganddi fwy o ffydd na'r un ohonon ni.

CLINCH: Be' ydi ffydd i hogan bach sy'n clwad ogla marwolaeth?

Y TAD: Ma' hi wedi rhodio 'Glyn Cysgod Anga' o'r blaen am 'i bod hi'n gwbod . . . am 'y mod i'n gwbod, i fod *O* gyda hi . . .

CLINCH: Ylwch, dwi'n erfyn arnach chi . . . rhowch ben ar y gwiriondab 'ma . . .

Y TAD: 'Chi ddim yn dallt, nyrs . . . newch chi byth ddallt. All hi ddim taflu'r fraint yma o'r neilltu rŵan. Ma' hi wedi mynd rhy bell.

CLINCH: Naddo, Mr Jacob. Galwch y Doctor a deud wrtho'i bod hi angan bwyd.

Y TAD: Ddudodd hi hynny?

CLINCH: Beth?

Y TAD: Ofynnodd Sal ichi? Ofynnodd *hi* am rwbath i'w fyta? Glywsoch *chi* hi'n gofyn?

CLINCH: 'Di o ddim i fyny iddi hi bellach.

Y TAD (*yn codi'i lais yn awr*): Wrth gwrs 'i fod o i fyny iddi hi . . . ac mi wnes i addunad ddwy flynadd yn ôl na rown i ddim iddi nes bydda *hi'n* gofyn.

CLINCH: Dyna'r drasiedi, Mr Jacob, wnaiff hi byth ofyn rŵan.

Y TAD (*yn fwy pendant yn awr*): Wna inna byth roi . . . a dyna ddiwadd ar y matar!

CLINCH: Ond dach chi ddim yn dallt, ddyn, ma' hi 'di mynd y tu hwnt i sylweddoli'r angan. Dyna sy'n digwydd pan ma' rhywun yn ymprydio . . . ma'r awydd mor angerddol ar y cychwyn . . . ond yna, yn raddol, mae'n cilio . . . ac yn y man, yn diflannu'n llwyr.

Y TAD: Am faint?

CLINCH: Be' dach chi'n feddwl?

Y TAD: Am faint ma' hyn yn para?

CLINCH: Dwi ddim yn ych dallt chi.

Y TAD: Ma'r cwestiwn yn un hollol symyl, *Sister* . . . am faint ma'r diffyg awydd 'ma'n para?

CLINCH: Nes 'u bod nhw'n cael 'u gorfodi i fyta a'u dysgu i fwynhau bwyd unwaith eto.

Y TAD (*yn edrych i fyw ei llygaid*): A phe na baen nhw'n cael 'u gorfodi i fyta?

CLINCH (*yn edrych arno'n ddifrifol*): Yna, does dim ar ôl iddyn nhw wedyn ond . . . (*Mae'n oedi*)

Y TAD (*gyda gwên ar ei wyneb*): Marwolaeth!

CLINCH (*yn edrych arno mewn syndod*): Ellwch chi ddeud hynna gyda gwên, a'ch merch ych hun yn . . ?

Y TAD: Mi alla i 'i ddeud o gyda gwên, *Sister*, am nad oes gen i ddim ofn, a dach chi'n gwbod pam? Ma' Duw hefo fi. Sdim chwant bwyd wedi bod ar Sal am ddwy flynadd gron. Alla rhywun naturiol bara cymaint â hynny? (*Mae Clinch yn troi'i chefn arno*) . . . Dewch, rŵan, dach chi wedi ca'l digon o brofiad . . . alla rhywun naturiol fyw heb gynhaliaeth o fath yn y byd?

CLINCH (*Yn ddistaw*): Ma'r peth yn amhosib!

Y TAD Wrth gwrs 'i fod o'n amhosib! . . . (*Saib*) . . . gyda rhywun naturiol . . . (*Mae'n edrych yn freuddwydiol yn awr tua'r ystafell wely*) . . . ond ma' hi'n wahanol . . . ma' hi wedi'i dewis. Os ydi Duw hefo ni, does wahaniaeth wedyn pwy na beth sy'n ein herbyn. (*Mae distawrwydd hir yn awr ac yna mae Clinch yn troi i'w wynebu unwaith eto*)

CLINCH: Dach chi'n barod i fentro'i bywyd hi ar hynna?

Y TAD: 'I mi fy hun y tyngais, medd yr Arglwydd, oherwydd gwneuthur ohonot y peth hyn, ac nad ateliaist dy fab; dy unig fab . . .' (*Mae'n edrych ar Clinch*) Dach chi'n gwbod wrth bwy ddudodd yr Arglwydd Dduw y geiria yna?

CLINCH (*ag ychydig o goegni*): Ma'n ddrwg gin i, ond dwi ddim hannar mor grefyddol â chi.

Y TAD (*yn fuddugoliaethus bron*): Wrth Abraham! . . . i'w atal rhag aberthu Isaac. 'Na ddod dy law ar y llanc, ac na wna ddim iddo: oherwydd gwn weithian i ti ofni Duw, gan nad ateliaist dy fab, dy unig fab, oddi wrthyf fi.' (*Mae saib hir o ddistawrwydd eto yn awr*)

CLINCH: Mi gath Abraham 'i atal mewn pryd . . . gobeithio i'r nefoedd y digwyddith 'run peth i chitha. (*Ar y foment yma, daw'r Ficer i mewn yn frysiog gyda'r wraig yn dilyn*)

Y FICER: Be' sy'n bod?

Y TAD (*yn troi i edrych ar y Ficer gydag ychydig ddicter*): Be' sy'n bod beth . . .

Y FICER (*yn cerdded yn syth i mewn i'r ystafell wely*): 'Chi wedi galw'r Doctor? (*Fel y mae'n cerdded at y gwely, cryfheir y golau. Mae'r Chwaer Clinch yn ei ddilyn.*)

Y TAD (*wrth ei wraig yn ddig*): Ti anfonodd amdano?

Y FAM: Ma' hi'n agos iawn at y Ficer, 'ti'n gwbod.

Y TAD (*yn cerdded i mewn i'r ystafell wely*): Fe ddudes i nad oedd perygl. Ma' hi'n iawn, Ficer. Sdim byd o'i le ar Sal . . . y tywydd oer ma' 'di'r drwg . . .

Y FICER (*yn eistedd wrth ochr y gwely ac yn gafael yn ei llaw*): 'Ti'n iawn, 'merch i?

Y FERCH (*yn agor ei llygaid ac edrych*): Diolch i chi . . . diolch i chi am ddod. (*Mae'r Ferch yn dechrau wylo*)

Y FICER: Dyna ti! . . . Ma' popeth yn iawn . . . sdim byd i fecso'n 'i gylch.

Y FERCH (*rhwng ochneidiau*): Mor oer . . . ma'r cyfan mor oer.

Y TAD: 'Na fo, ddudes i ma'r tywydd 'ma 'di'r drwg . . ! (*Wrth ei wraig*) . . . Gwlanen gynnas arall! (*Mae'r Fam yn cilio o'r cylch golau*)

Y FICER: Mae'n rhewi'n glap y tu fa's 'na, a'r ffordd i Bencader fel gwydyr.

Y FERCH: Nid y tu fa's . . . y tu mewn!

Y TAD: Gawn ni wlanen arall i ti rŵan . . . (*Wrth Clinch*) . . . Beth am y poteli dŵr poeth?

CLINCH: Newydd 'u llenwi nhw.

Y FERCH: Y tu mewn i mi . . . yn oer . . . (*Mae'r ochneidio yn lleddfu*) . . . ac yn wag.

Y FICER: Fe ddaw pethe'n well.

Y FERCH (*Mae ei llais yn wan iawn bellach*): Roedd popeth mor braf . . . mor sicir . . . ond nawr . . . (*Oedi*)

Y FICER: Beth, Sal?

Y FERCH: Dim! . . . (*Ychydig banig eto*) . . . does dim yna, Ficer . . . i ble . . . i ble'r aeth y cyfan? . . . ro'n i mor ddiogel . . . a sicir . . .

Y FICER (*yn gafael yn dynn yn ei llaw*): Tydi *E* ddim wedi d'adael di, 'merch i . . . beth bynnag ddigwyddith . . . wneith *E* ddim.

Y TAD: Amen!

Y FERCH: O gornel yr ystafell yn sbecian . . . yn disgwyl ac yn . . . yn chwerthin . . . yn gwbod rhywbeth . . . pam na dd'wedan nhw wrtho i . . . hoffwn i gael gwbod . . .

Y FICER: Ma' rhai pethe na allwn ni 'u dirnad . . .

Y FERCH (*yn gwenu*): Roedd tusw bach o Flodau'r Groes 'da fi ddoe . . . â'u gwynt nhw'n llenwi'r stafell 'ma . . . i ble'r aethon nhw . . .

(*Mae'n dechrau codi'i llais*) . . . crino'n ddim yn y ffwrn . . . gwynt llosgi . . . dyna beth yw e . . . dyna beth yw'r gwynt 'ma.

CLINCH: Ma'r hogan bach yn ffwndro.

Y FICER: Sal . . . ma' popeth yn iawn, 'merch i . . . (*Mae panig yn ei lais ef yn awr*)

Y FERCH: Fe ddyle fod yma i ofalu . . . i ofalu am y petale glas . . . rhag rhuddo . . . rhag llosgi . . . dyna'i addewid e . . . dyna ddwedodd e.

Y FICER: Ddaw dim niwed i ti.

Y TAD: Ei wialen a'i ffon . . . cofia hynny, Sal . . . nac ofna niwed canys yr wyf fi . . .

Y FERCH (*yr un pryd â'i thad*): Pam torri addewid i'r blode . . . 'myfi a'th gysuraf . . . myfi a warchodaf yr egin . . . rhag y bwystfilod . . .'

CLINCH (*yn rhoi'i llaw amdani a'i thynnu i'w chôl*): Dyna ti, 'nghariad i . . . (*Mae'r Ferch yn wylo'n gwynfanus ddistaw yn awr fel anifail wedi'i glwyfo*)

Y FERCH (*rhwng ochneidiau*): . . . Y blode . . . i ble . . . pwy? . . . yr egin brau . . . yn llosgi . . . llosgi . . .

Y FICER (*wrth y Tad*): Davies . . . ble ma' fe?

Y TAD (*ychydig yn betrusgar yn awr*): Fe ddaw trw hyn . . .

Y FICER: Ma'n rhaid 'i gael e ar unwaith.

Y TAD (*Panig*): Peidiwch chi â gwegian . . . yn enw Duw . . . dy ffydd a'th iachaodd . . . dyna'r gair . . . Ffydd!

Y FICER: Be' rŷn ni'i eisie nawr, Jacob, ydi Doctor, a hynny ar unwaith!

AMDDIFFYNNYDD: Be' ddywedodd Evan Jacob i hynny?

NYRS ANN (*yn troi i edrych o'i lle yn yr olygfa*): Dim.

AMDDIFFYNNYDD: Wnaeth e ddim gwrthwynebu'r tro yma?

NYRS ANN: Naddo! Yn wir *fe* a'th i nôl Dr Davies (*Gwelwn y Tad yn cerdded o'r cylch golau fel petai'n mynd i nôl y meddyg*)

AMDDIFFYNNYDD: Roedd cyflwr Sarah yn bur ddifrifol, felly?

NYRS ANN: Curiade'r galon erbyn hyn yn gant a phedwar ugain ac yn cynyddu.

AMDDIFFYNNYDD: Ac mewn gwendid truenus?

NYRS ANN: Erbyn hyn ro'dd hi'n hollol orffwyll.

AMDDIFFYNNYDD: Pam rydych chi'n dweud hynny?

NYRS ANN: Gweld pob math o bethe . . . drychiolaethe . . . ysbrydion aflan . . . 'do'dd dim ystyr i ddim ro'dd hi'n 'i weud.

AMDDIFFYNNYDD: I chi, falle, nyrs.

NYRS ANN (*Dim yn deall*): Ma'n ddrwg 'da fi?

AMDDIFFYNNYDD: Rydyn ni eisoes wedi sefydlu fod Sarah yn ferch ryfedd iawn . . . y tu hwnt i'r cyffredin . . . tybed mai ceisio dweud rhywbeth oedd hi, oedd y tu hwnt i'ch deall chi?

NYRS ANN: Rydw i wedi gweld digon o gleifion mewn *delirium*, syr. Dyna o'dd yn bod ar Sal. Felly'n union ro'dd hi'n byhafio, 'i gwendid hi oedd yn cymylu pethe.

AMDDIFFYNNYDD: Oedd y gwallgofrwydd yma ddim yn debyg i'r ffitiau oedd hi wedi'u cael droeon o'r blaen?

NYRS ANN: Dim byd tebyg, syr. Do'dd dim cicio a strancio mwyach, i'r gwrthwyneb . . . ro'dd hi'n rhyfeddol o dawel . . . fel petai wedi ildio . . . (*Gwelwn Dr Davies yn brasgamu i mewn ac yn mynd yn syth at y gwely*) Dyna'r tro cynta i'r Doctor gael 'i harchwilio hi heb ffys. (*Gwelwn y meddyg yn awr yn archwilio Sal. Yn wir, y mae'n cael codi ei gŵn nos a rhoi ei 'gorn' ar ei chefn heb iddi brotestio. Tra mae hyn yn digwydd, mae Nyrs Ann a'r Amddiffynnydd yn dal i siarad.*)

AMDDIFFYNNYDD: Doedd dim protestio o gyfeiriad y rhieni chwaith?

NYRS ANN: Dim o gwbwl . . . ro'dd pawb rywsut yn gwbod bod . . . (*Mae'n oedi*)

AMDDIFFYNNYDD: Bod beth, nyrs?

NYRS ANN: Bod rhwbeth mawr yn digwydd . . . bod rhyw fath o groesffordd . . . pawb yn disgwyl (*Mae Dr Davies nawr yn codi'i ben ac edrych ar Clinch*)

DR DAVIES: Ers pryd ma' hi fel hyn?

CLINCH: Ers rhyw ddwyawr bellach.

DR DAVIES (*yn ddig*): Pam na ches i 'ngalw, 'te?

Y TAD: Be' ydi'i chyflwr hi?

DR DAVIES: Ma'n rhaid iddi gael rhywbeth, sdim amser i'w wastraffu.

Y TAD: Be' 'chi'n 'i feddwl?

DR DAVIES (*Mae'n hollol gadarn yn awr*): . . . Cynhaliaeth, ddyn, ne' mi aiff dan 'n dwylo . . . (*Mae'n troi at y Chwaer Clinch*) . . . tipyn o frandi a dŵr i ddechre. (*Mae Clinch yn symud*)

Y TAD: Na!

DR DAVIES: Be' 'chi'n 'i feddwl, 'na'!

Y TAD: Dim diod.

Y FICER: Ma'n rhaid i ni bellach, Jacob.

Y TAD: Fe wnes adduned.

DR DAVIES (*Codi'i lais*): 'Chi am 'i lladd hi, ddyn?

CLINCH: Syr! . . . alla i ddim gadal . . .

DR DAVIES: Ma'n ddrwg 'da fi *Sister* . . . (*Mae'n gafael ym mraich y Tad a'i wthio allan i'r ystafell nesaf. Gellir cadw'r ddau gylch golau yn awr fel bod y ddwy ystafell wedi'u goleuo. Mae'r Fam yn eistedd un ochr i'r gwely gyda Sal ac y mae hithau erbyn hyn yn wylo'n ddistaw ac yn anwesu llaw ei merch.*) Dyna'r ffaith syml, ddyn, ma'r groten yn marw. Ma'n *rhaid* i ni wneud rhywbeth.

Y FICER (*mewn ychydig o banig yn awr*): Be' 'chi'n 'i awgrymu, Doctor?

DR DAVIES: Pwmp stumog . . . gorfodi'r bwyd i lawr y corn gwddw . . .

Y TAD (*yn uchel*): Byth!

DR DAVIES: Ne'i chwistrellu fe drw'r ffroene . . .

Y TAD (*yn uwch*): Byth! . . . dach chi'n 'nghlwad i! (*Mae'r Ferch yn aflonyddu a griddfan wrth glywed y Tad yn gweiddi*)

DR DAVIES: Dyw e ddim mor boenus ag yr ŷch chi'n dybio . . .

Y TAD (*bron yn orffwyll yn awr*): Dim tra bydda i yma . . . byth bythoedd!

CLINCH (*yn gadael y gwely a dod i'r cylch*): Newch chi fod ddistaw, ddyn?

Y TAD (*ar dop ei lais*): A'r cynta i roi'i fys arni, mi llarpia i o . . . mi . . .

CLINCH (*yn gweiddi'n uwch na'r Tad*): Dach chi'n drysu! (*Mae distawrwydd llethol yn awr ar ôl y ffrwydrad yma gan y Chwaer Clinch*)

DR DAVIES (*ar ôl saib byr*): Ga i'ch atgoffa chi, *Sister* . . .

CLINCH: Ga i'ch atgoffa chitha, syr, mai fy nyletswydd i ar hyn o bryd yw gofalu am gysur fy nghlaf yn 'i munuda ola (*Mae'n troi at y Tad*) . . . ac os ydi hwn sy'n ei alw'i hun yn dad iddi isio mynd trw 'i betha, dwi'n siŵr y gall o neud hynny'n rhwla arall (*Saib*) . . . i'w ferch o gael marw'n dawal.

Y FICER (*Mwy o banig*): Dim nawr . . . ma' amser, debyg . . . i . . .

CLINCH: Amsar i beth, Ficer?

Y FICER: Wel . . . does bosib y gallwn ni . . .

CLINCH: Yr unig beth y gellwch chi'i neud bellach, Ficer, ydi mynd at erchwyn 'i gwely hi a gweddïo . . . ac nid gweddïo drosti hi yn unig, ond droson ni i gyd . . . Duw a'n helpo ni!

Y FICER (*wrth y Tad*): Dyw hi ddim rhy hwyr, Jacob!

Y TAD: Wrth gwrs nad ydi hi . . . mae O yma.

Y FICER: Ma'n rhaid i chi wneud rhywbeth, nawr!

Y TAD: 'Efe a edrych ar y ddaear a hi a gryna . . .'

Y FICER: Cyn i ni losgi yn nhân uffern.

Y TAD (*yn orfoleddus*): 'Efe a gyffwrdd â'r mynyddoedd a hwy a fygant.'

Y FICER: Fe awn ni i gyd i ffwrdd . . . ie, dyna be' wnawn ni . . . pawb i'r stafell arall . . . ac mi gewch chi wneud fel o'r blaen.

Y TAD: Be' 'chi'n 'i feddwl?

Y FICER: Beth bynnag wnaethoch chi . . . pa ffordd bynnag . . .

Y TAD: Pa ffordd bynnag beth, Ficer?

Y FICER: Y bwydoch chi hi . . . wnawn ni ddim edrych . . .

Y TAD: Chi hefyd?

Y FICER: Fydd neb yn gwbod . . . 'chi'n fodlon, on'd ŷch chi, Doctor . . . a *Sister* Clinch a'r nyrs . . . dim ond chi, Jacob . . .

Y TAD (*ar ôl saib hir*): Wnest ti 'rioed gredu . . . rwyt ti'n waeth na nhw i gyd.

Y FICER: Dwi'n 'nabod marwolaeth pan wela i e . . .

DR DAVIES: Ma'r Ficer yn iawn, Jacob, ac rwy'n dod â'r wyliadwriaeth yma i ben yn awr, yn swyddogol . . . mi gewch chithe wedyn . . .

Y TAD: 'Ac Abraham a estynnodd ei law, ac a gymerodd y gyllell i ladd ei fab; ac angel yr Arglwydd a alwodd arno ef o'r nefoedd, ac a ddywedodd, Abraham, Abraham . . . (*Oedi ychydig pan ddaw Nyrs Ann i mewn a sibrwd rhywbeth wrth Clinch. Mae Clinch yn mynd gyda hi at y gwely ac yn gafael yn llaw'r Ferch i fesur curiadau'r galon.*) Yntau a ddywedodd, Wele fi. Ac efe a ddywedodd, Na ddod dy law ar y llanc, ac na wna ddim iddo: oherwydd gwn weithian i ti ofni Duw . . .' (*Mae'r Chwaer Clinch yn troi ac yn gweiddi i gyfeiriad Dr Davies*)

CLINCH: Dr Davies! (*Mae Jacob yn oedi wrth i Davies gerdded yn frysiog at y gwely gyda'r Ficer yn ei ddilyn. Mae'r doctor yn dechrau archwilio'r Ferch, ac y mae'r Tad yn mynd ymlaen â'i lefaru.*)

Y TAD: ' . . . gan nad ateliaist dy fab, dy unig fab . . . (*Mae'n gwanio*) . . . oddi wrthyf fi. (*Ond yn cryfhau eto*) . . . Yna y dyrchafodd Abraham ei lygaid, ac a edrychodd; ac wele o'i ôl ef hwrdd, wedi ei ddal yn erbyn ei gyrn mewn drysni (*Gwelwn y meddyg yn sythu ac yn edrych ar y Fam. Mae'r Fam yn crymu'i phen gan wylo'n ddistaw.*) . . . ac Abraham a aeth . . .' (*Mae'r Tad yn clywed ei wraig yn crio ac y mae'n oedi am ychydig cyn mynd ymlaen yn ddistaw â'i lefaru*) . . . ac a gymerth yr hwrdd, ac a'i hoffrymodd (*Daw'r meddyg at y Tad a sefyll wrth ei ochr*) . . . yn boeth-offrwm yn lle ei fab . . .'

DR DAVIES (*yn ddistaw a thosturiol*): Ma'n ddrwg 'da fi, Mr Jacob. (*Distawrwydd llethol, ond nid yw'r Tad yn troi i edrych arno . . . dim ond syllu i'r gwagle o'i flaen. Mae'r Erlynydd yn awr yn camu ymlaen ac yn cyfarch y gynulleidfa.*)

ERLYNYDD: Ar yr ail ar bymtheg o Ragfyr, un wyth chwe naw, bu farw Sarah Jacob (*Mae'n troi ac edrych ar y rhieni yn awr*) ac yr ydym ni yn cyhuddo ei rhieni, Evan a Hannah Jacob, o'i ladd. (*Mae'r Fam yn symud yn awr at ei gŵr a sefyll wrth ei ochr*)

AMDDIFFYNNYDD: *Dynladdiad* yw'r cyhuddiad. Mae'r Goron eisoes wedi cydnabod nad oedd cynllun na bwriad i ladd. (*Mae'r actorion yn ystod yr areithiau yma yn ffurfio hanner cylch fel ar ddechrau'r ddrama, ac o hyn i ddiwedd y ddrama maent yn sefyll yn hollol lonydd gan gyfarch y gynulleidfa.)*

ERLYNYDD: Ond bwriad pendant i dwyllo, i argyhoeddi'r cyhoedd fod gwyrth yn digwydd ym mherson eu merch, a chanlyniad y ffug-ddrama ryfedd yma oedd marwolaeth Sarah Jacob. Ac o dan ddylanwad y tad yn arbennig, fe gredodd y ferch fach ddeallus, or-synhwyrus yma, ei bod yn rhywbeth arbennig.

AMDDIFFYNNYDD: Roedd Evan Jacob yn credu â'i holl enaid bod ei ferch yn llestr yn nwylo'r Hollalluog ac yn ddiogel ym meddiant y Meddyg Mawr.

ERLYNYDD: Ffeithiau yn unig sy'n bwysig!

DR DAVIES: *Post Mortem!* Canlyniade. Hyd y corff: pedair troedfedd, pum modfedd a hanner. Croen iachus ac yn dal yn wridog. Ceseilie a bronne yn dangos goraeddfedrwydd.

DR HUGHES: Yr ysgwydd dde wedi datblygu tipyn mwy na'r ysgwydd chwith. Twll y gesel chwith tipyn mwy na thwll y gesel dde.

ERLYNYDD: Yn wir, roedd y twll o dan y gesail chwith yn rhyfeddol o fawr, y gesail chwith sylwch, yr union fraich yr honnai'r ferch oedd yn ddiffrwyth. Yr union fraich a welodd Nyrs Ann yn symud i droi tudalen o'r Beibl. Beth oedd pwrpas ffugio'r parlys yma? I gadw'r fraich yn llonydd efallai, am fod rhywbeth wedi'i guddio dan y gesail chwith, rhywbeth fel potel yn llawn o gawl.

AMDDIFFYNNYDD: Ond os oedd y rhieni'n rhan o'r cynllun, pam oedd rhaid i'r ferch guddio bwyd dan ei chesail? Fe allai'r tad fod wedi'i guddio yn rhywle arall. Ac os gwelodd Nyrs Ann Sal yn symud ei braich chwith i droi tudalennau'r Beibl, oni fyddai hyn yn hollol amhosib os oedd yn cuddio potel o dan ei chesail?

DR DAVIES: Ysgyfaint: iach. Calon: dim arwydd o afiechyd. Iau: maint naturiol, dim glyniant a dim hylif yng ngheudod y peritonea.

DR HUGHES: Stumog: gwag oddieithr llond llwy fwrdd o hylif tywyll. Prawf litmus: asid!—ychydig garthion caled yn y colon. Pwyse: wyth owns.

ERLYNYDD: Ai newyn oedd achos marwolaeth Sarah Jacob? Dyna'r cwestiwn y mae'n rhaid i chi ei ateb cyn barnu. Ac y mae'n rhaid i chi ystyried y sefyllfa fel petaech yn ystyried unrhyw achos arall cyffelyb. Rhaid i chi ofyn i chi'ch hunan. Mae gen i blentyn sydd yn iach i fyny i'r foment y mae'n cael ei wylio. O'r foment honno mae prawf pendant nad yw'n bwyta. O'r foment honno mae'n dechrau dirywio.

AMDDIFFYNNYDD: Ni welodd y meddyg teulu achos i bryderu ar *unrhyw adeg* cyn y diwrnod olaf. Yn wir, mae tystiolaeth y *Sister* a'r nyrs yn profi i'r gwrthwyneb, sef fod Sal mewn llawn hwyliau, yn siarad ac yn darllen o'r Beibl.

ERLYNYDD: Ond y ffaith drist na all yr un ohonom ei gwadu yw bod y ferch, ar yr wythfed dydd o'r wyliadwriaeth, wedi marw.

AMDDIFFYNNYDD: Os oedd y rhieni wedi twyllo pawb cyn hyn, pam credu wedyn y gallai eu merch fyw heb fwyd? Oni bai fod gwyddoniaeth mor unplyg, efallai y byddai Sarah Jacob yn fyw heddiw.

Y TAD: 'Gogoniant yr Arglwydd fydd yn dragywydd; yr Arglwydd a lawenycha yn ei weithredoedd.'

ERLYNYDD: Achos marwolaeth—newyn!

DR DAVIES: O agennau'r corff, o'r *larynx* i'r groth, bu'n rhaid torri trwy gryn dipyn o fraster, yn wir o dan yr *umbilicus* roedd tua modfedd o drwch.

AMDDIFFYNNYDD: Os mai marw o newyn wnaeth Sal, pam cymaint o *fraster*? Oni ddylai'r cnawd fod wedi dihoeni a nychu? Onid *ffaith wyddonol* yw bod y corff yn bwydo ar ei fraster ei hun mewn argyfwng o newyn?

DR HUGHES: Bysedd main a thene gyda'r ewinedd wedi'u torri'n gwta. Ychydig o dyfiant *capillary* yn yr *axilla*. Cro'n y cefen yn llyfn heb unrhyw arwydd o grachod gwely.

ERLYNYDD: Os oedd hon wedi gorwedd am ddwy flynedd, fel yr honnai'r rhieni, yna mi fyddai ei chefn yn wrymiau cochion.

Y TAD: Dach chi ddim yn dallt . . . ar ôl y cyfan i gyd, dach chi ddim yn dallt eto . . .

ERLYNYDD (*yn ei anwybyddu*): Fe glywsom sôn am '*hysteria*' gan yr arbenigwyr. Mae hynny falle'n fwy posib na gwyrth. Ond cofiwch hyn, nid yw *hysteria*'n afiechyd sy'n achosi marwolaeth. Doedd dim byd o'i le ar ymennydd Sarah Jacob.

DR HUGHES: O symud y *calvarium,* gwelwyd fod yr ymennydd yn holliach. Y *cerabellum* o'r maint arferol, a'r fentricalau yn wag heb unrhyw arwydd o hylif.

AMDDIFFYNNYDD: Ond mae rhai pethau na ellir eu gweld trwy feicrosgop y gwyddonydd—blinder, lludded, ansicrwydd, pryder, anobaith, ofn! (*Saib*) Rhowch eich hun yn sefyllfa Sal, wedi'i hamgylchynu â'r arbenigwyr meddygol yma o fore gwyn tan nos. Y rheini'n gwylio, yn rhythu ac yn ei harchwilio bob awr o'r dydd, dim llonydd i'w gael. Meddyliwch am yr effaith a gâi hyn ar ferch fach orsynhwyrus, hawdd ei chyffroi. Onid dianc wnaeth Sarah Jacob? (*Saib*) Dianc i loches angau.

Y TAD (*yn llamu ar ei draed*): Chi lladdodd hi. Dach chi ddim yn gweld. Chi! (*Saib cyn dyfynnu*) 'A dywedodd yr Arglwydd wrth Moses . . . Wele, mi a safaf o'th flaen yno ar y graig yn Horeb; taro dithau y graig a daw dŵr allan ohoni, fel y gallo'r bobl yfed. A Moses a wnaeth felly yng ngolwg henaduriaid Israel. Ac efe a alwodd enw y lle Massa, a Meriba; o achos cynnen meibion Israel, ac am iddynt demtio'r Arglwydd, gan ddywedyd, A ydyw yr Arglwydd yn ein plith, ai nid yw?'

ERLYNYDD (*ar ôl saib hir*): O safbwynt y gyfraith, Evan Jacob, chi lladdodd hi. Nid yn unig y mae rhieni'n gyfrifol am *ddarparu* bwyd ar gyfer eu plant, maent hefyd yn gyfrifol am eu *cymell i fwyta*, a hyd yn oed, os bydd rhaid, eu gorfodi. Hefyd, os bydd i unrhyw berson gynnal arbrawf heb fod rheswm cyfreithiol ganddo, ac mai canlyniad yr arbrawf hwnnw yw marwolaeth, yna mae'r person yn euog o ddynladdiad, hyd yn oed os oedd yr un a laddwyd wedi cydsynio i fod yn rhan o'r arbrawf yn y lle cynta. (*Mae'n awr yn troi at y gynulleidfa*) Gofynnwn, felly, ichi ddod â dedfryd o *Euog* yn erbyn y ddau.

AMDDIFFYNNYDD (*yn cyfarch y gynulleidfa*): A ydych chi o ddifri calon yn meddwl y byddai'r tad a'r fam wedi caniatáu i arbenigwyr o Ysbyty *Guy's* yn Llundain ddod i'w tŷ i wylio'u merch petaent yn rhan o gynllwyn i dwyllo, neu hyd yn oed petaent yn amau am eiliad fod eu merch, trwy ddirgel ffyrdd, wedi bod yn bwyta ar y slei cyn hynny? Fe weithredodd y ddau ar hyd yr adeg yn ôl eu cydwybod am eu bod yn credu mai dyma oedd orau i'w plentyn. Cariad sydd yma, nid casineb. Ystyriwch yn ddwys, mae Evan a Hannah Jacob yn dibynnu arnoch.

Y TAD: Ia, cerwch, ma'n hen bryd i chi fynd, i ddadla ymysg ych gilydd, i draethu ac i ymffrostio yn ôl ych gwybodaeth. Ond nid ni sy yn y glorian . . . dach chi'n dallt hynny, 'tydach . . . (*Mae'n gweiddi'n awr*) . . . dach chi'n dallt pwy sy yn y glorian?

(*Tywyllwch*)

Panto

Drama Gomisiwn Eisteddfod Genedlaethol Abergwaun a'r Fro, 1986

Cymeriadau:

Robert Deiniol	Gŵr tua 54 oed
Sera Rees	Merch tua 29 oed
Maldwyn Evans	Gŵr tua 40 oed
Elin Wyn	Merch tua 50 oed
Mici Tiwdor	Gŵr tua 45 oed
Angharad Jones	Merch tua 40 oed
Dyn Llwyfan	Gŵr rhwng 18 a 40 oed
Tri dyn yn y band	
Tair merch yn dawnsio	

Golygfa:
Theatr

Amser:
Y Presennol

Pan ddaw'r gynulleidfa i mewn i'r theatr, gwelant fod y llwyfan wedi ei rannu'n ddwy. Y rhan ar y dde (o safbwynt y gynulleidfa) yw Ystafell Newid Robert Deiniol, ac fe wêl y rhai sylwgar ein gwron yn eistedd ar soffa ddigon blêr yn yfed wisgi. Mae hanner potel hanner llawn ar y bwrdd coluro a gwelwn ef yn y man yn cerdded yn sigledig o'r soffa i'r bwrdd i lenwi ei wydryn. Daw â'r botel, chwarter llawn erbyn hyn, gydag ef a'i rhoi wrth ei draed ger y soffa. Ar ddechrau'r ddrama, mae Ystafell Newid Robert Deiniol yn hawlio tua chwarter gofod y llwyfan, a'r tri chwarter arall yw'r rhan lle perfformir y 'panto'.

Yn y rhan honno (lle mae'r llenni i lawr) gwelir pobl yn cerdded yn ôl ac ymlaen yn brysur yn paratoi ar gyfer dechrau'r perfformiad ymhen rhyw hanner awr. (Gellir eu gweld trwy ddefnyddio llenni meinwe—*gauze*). Y dyn amlycaf yn y paratoadau hyn yw'r Dyn Llwyfan sydd wedi ei wisgo mewn ofarôl ddu a chrys gwyn.

DEINIOL: 'Di hwnna ddim yn y sgript . . . creulon ia, ond dim meddw—
'di 'meddw' ddim yn y sgript o gwbwl.

DIC: Ma' hi 'di mynd yn ddwy botal o wisgi'r dydd, pws.

DEINIOL: *Hold on*!

DIC: Dwy botal o ddiod gadarn felltigedig.

DEINIOL: Ia . . . ond dwy hannar . . . dwy hannar potal . . . a dim ond pan
fydda i'n . . .

ELIN (*yn cael trafferth gyda'r siôl*): Sa'n llonydd!

DIC: Fedar hi ddim gneud hebddo fo bellach, pws bach.

PWS: O . . . mi . . . a . . . w!

DIC: Y wisgi sy'n rheoli 'i fywyd o . . . (*Mae'n sylweddoli ei bod wedi
gwneud camgymeriad*) ym . . . hi.

DEINIOL: A . . . ha . . . ha . . . clyfar . . . fi fawr faglodd . . . paid â galw fo
ar dy fam!

DIC: O, pwsi, pwsi, pwsi! (*Mae hyn yn giw i'r band ddechrau ar yr* intro
i'r gân)

DIC (*Llwyfan*):

O, pwsi bach be' wna i?
Mae'r byd yn greulon iawn,
Y fi sy'n gorfod diodda
Bob tro ma' hi/Mam yn llawn.

(*Mae Dic yn rhoi mwythau i'r Gath yn ystod y gerddoriaeth rhwng y
penillion*)

DEINIOL (*yn ei stafell*): Ma' hi 'di newid y blydi cân hefyd—
'Y fi sy'n gorfod diodda
Bob bora a phrynhawn.'
Dyna oedd y geiria i fod—sdim byd am y fi yn llawn.

ELIN: Wnes i 'rioed ddallt hynny, eniwé—Pam 'bore a phrynhawn'?
Oedd o ddim yn diodda yn y nos, 'ta?

DEINIOL: Mi ca' hi am hyn!

ELIN: Yn y nos dwi'n diodda fwya, yn enwedig hefo ffernols boncyrs fel
chi heb barch at ddyn nac anifail.

DIC (*Llwyfan*):

Mae'n gaddo petha, pwsi
I mi bob awr o'r dydd.

DEINIOL (*Stafell*): Gaddo, dim, dallt—uffar o ddim.

DIC: Ond torrodd bob addewid
Mi gollais i bob ffydd.

DEINIOL (*Stafell*): Dim dyna'r geiria o gwbwl—ma'r hulpan 'di mynd
rownd y twist—colli 'i marblis i gyd!

ELIN: Cau dy geg ac yfa'r coffi 'na.

DEINIOL: Desu, gnaf. (*Yn cymryd llwnc mawr o'i goffi*)

DIC (*Llwyfan*):

Ond mynd a wnaf i Lundain
A ddoi di gyda mi?
Aur pur yw'r palmant yno
Gwell byd i ti a mi.

DEINIOL: Ia . . . dos . . . mi geith ganu grwndi i ti ar hyd y ffordd . . .
ewch! (*Mae'n rhuthro i'r esgyll yn awr—nid yw hyn ond drwy'r drws
a throi i'r chwith*)

ELIN: Dwi'n ildio. (*Mae'n eistedd a thanio sigarét*)

DIC (*Llwyfan*):

O, pwsi—rwy'n dy garu. (*Mae'r Gath yn rhwbio'i phen yn erbyn
cluniau Dic*)

DEINIOL (*Esgyll*): Y bastard bach blewog . . .

DIC (*Llwyfan*): Sneb arall yn y byd. (*Mae Dic yn rhoi mwythau i ben ôl y
Gath*)

DEINIOL (*Esgyll*): Slwt!

DIC (*Llwyfan*):

Yn malio dim amdana i
Fel ti—o hyd! o hyd!
(*Mae Robert Deiniol yn awr yn rhuthro'n ôl i'r Ystafell Newid*)

DEINIOL: Welist ti hynna, 'ta?

ELIN: Welis i be'? (*Yn ystod hyn i gyd, mae Dic yn cerdded o'r llwyfan
yn benisel o drist gyda'r Gath yn ei ddilyn. Daw Dawnswyr yn ôl i'r
llwyfan yn awr i ddawnsio'n dawel a gwneud ambell dric acrobatig.*)

DEINIOL: Be' oedd hi a'r gath yn 'i neud?

ELIN: Beth bynnag oeddan nhw'n 'i neud, ma'n nhw wedi 'i neud o
drw'r tymor.

DEINIOL: Ond nid fel heno—ma'r Mici Tiwdor bach 'na rêl sglyfath.

ELIN: O! sbïwch pwy sy'n cael cynhyrfs!

DEINIOL: Dim bod ots gen i, dallt—malio dim blydi botwm corn.

ELIN: Wrth gwrs dy fod ti'n malio.

DEINIOL: Pam ddylwn i?

ELIN: Malio nes bod dy geillia di'n sgrytian.

DEINIOL: Malio dim ffuan, dallt.

ELIN: Dyn o dy oed ti.

DEINIOL: Be' ti'n 'i feddwl?

ELIN: 'Ti'n gwbod be' dwi'n 'i feddwl—digon hen i fod yn dad iddi.

DEINIOL: Be' 'ti'n drio 'i ddeud, 'ta . . . be' 'ti'n 'i awgrymu?

SERA: Ydan!

ANGHARAD: Sdim troi'n ôl bellach. (*Yn ystod y sgwrsio cyflym yma rhwng Sera ac Angharad, fe welwn Deiniol yn ceisio cael ei big i mewn*)

SERA: Nac oes.

ANGHARAD: Dach chi'n barod i aberthu popeth.

SERA: Ydan, a sgin i ddim . . .

ANGHARAD: Ofn dweud hynny wrth y byd.

SERA: Nac oes, ac mae o . . .

ANGHARAD: Yn mynd i ddyffeio pawb.

SERA: Ydi!

ANGHARAD: Er 'i fod o'n gwbod y bydd cymdeithas yn 'i wrthod o . . . 'i ffrindia penna yn cerddad y ffordd arall heibio. Cynhyrchwyr ddim yn 'i gastio fo am 'u bod nhw am gadw 'u trwyna'n lân hefo Cyngor y Celfyddyda . . . Steddfod Genedlaethol byth yn 'i wahodd o eto fel beirniad . . . dwi'n iawn, swîti . . . dwi'n iawn?

SERA (*yn ddistaw*): Sut dach chi'n gwbod hyn i gyd?

ANGHARAD: Am 'y mod i wedi clywad y sgript droeon o'r blaen, y diawl bach gwirion. (*Mae distawrwydd hir yn awr ac y mae Sera yn edrych yn herfeiddiol ar Deiniol*)

SERA: Lici di ddeud rwbath wrthi?

DEINIOL: Yli—y peth calla ar hyn o bryd . . .

ANGHARAD: Ydi i bawb gwlio . . . a thrafod yr holl sefyllfa'n bwyllog. Ond mi rydw i'n cŵl, 'tydw i . . . 'di cael digon o bractis dros y blynyddoedd.

SERA: Reit, 'ta . . . gwrandwch ar hyn . . . (*Mae Deiniol yn troi botwm y speaker i fyny ac fe glywir ciw Dic o'r llwyfan*)

DEINIOL: Dyna dy giw di.

(*Mae Sera yn mynd allan a chymryd ei lle ar y llwyfan. Dylai'r pethau ar y llwyfan yn awr fod yn berthnasol i'r hyn sy'n digwydd yn yr Ystafell Newid. Distawrwydd hir eto.*)

DEINIOL: Yli.

ANGHARAD: Ia?

DEINIOL: Dwi'n gwbod sut 'ti'n teimlo.

ANGHARAD: Sut?

DEINIOL: Be'?

ANGHARAD: Sut uffar wyt ti'n gwbod sut dwi'n teimlo?

DEINIOL (*ar ôl saib hir*): Allwn ni . . .

ANGHARAD: Allwn ni be'?

DEINIOL: Wel . . . 'ti ddim yn gweld 'n bod ni 'nghanol blydi sioe?

ANGHARAD: Nhw—nid chdi! Nhw sy 'nghanol sioe—'ti bron 'di rhoi'r farwol i heno'n barod.

DEINIOL: Reit! Iawn! O.K! Felly ma'n nhw'n gweithio dan uffar o anfantais, 'tydyn? Elli di . . . (*Mae'n petruso*)

ANGHARAD: Fynd?

DEINIOL: Ia, siŵr Dduw! Allwn ni ddim trafod peth fel hyn yn fan'ma—drws nesa i blydi panto.

ANGHARAD: *Nhw* sy drws nesa i ni.

DEINIOL: 'Ti 'rioed wedi gneud sîn o'r blaen.

ANGHARAD: 'Nes i 'rioed drafod y petha yma hefo ti o'r blaen.

DEINIOL: Naddo!

ANGHARAD: Hefo nhw, do, ond 'rioed hefo ti.

DEINIOL: Pam rŵan, 'ta?

ANGHARAD: Cadw petha'n dawal, dyna 'nes i 'rioed—deud dim gneud dim, am fod rhywun yn gwbod ma' cadw'n dawal ne' dy golli di oedd y dewis—dyna 'nes i benderfynu . . . ond dŵad yn ôl ata i 'nest ti bob tro . . . 'nôl ata i.

DEINIOL: Reit, 'ta! Dos 'nôl i'r hotel 'na rŵan, 'ta . . . pam ddylai hi fod yn wahanol tro hyn?

ANGHARAD: Am 'y mod i'n gwbod 'i bod hi'n wahanol . . . ym mêr fy esgyrn dwi'n gwbod . . . Pan ma' 'na ffeit i fod, dwi'n barod amdani hi.

DEINIOL: Paid â siarad mor blydi hurt.

ANGHARAD: Ac mi ymladda i tŵ ddy deth, dallt—tw ddy blydi deth!
(*Daw Maldwyn i mewn ond saif yn stond yn y drws pan wêl Angharad*)

MALDWYN: O . . . wps . . . sori! (*Mae'n troi i fynd*)

ANGHARAD: 'Misio chi fynd, del—mi fydd cael ych cwmni chi'n help i basio'r amsar.

MALDWYN: Na . . . na, ma' gin i gymaint, o betha . . . dach chi'n gwbod . . . petha i'w gneud o gylch y llwyfan 'na . . . ac mi fydda i 'mlaen eto wap. Hwyl rŵan. (*Exit yn frysiog. Distawrwydd hir eto rŵan. Mae Deiniol yn rhythu ar y llawr.*)

ANGHARAD: Ma' rhwbath mwy, 'toes?

DEINIOL: Mwy?

ANGHARAD: Gwbod bod 'na! (*Daw Sera i mewn ar gefn ei cheffyl*)

SERA: A gwrandwch yn blydi astud.

DEINIOL: Dan ni newydd benderfynu siarad a thrafod hyn i gyd mewn lle tawal.

SERA: Tawal, bolocs! Fan'ma rŵan, pronto. (*Saib*) Dwi'n disgwl.

DEINIOL: O uffar!

ANGHARAD: Be' ddudoch chi?

SERA: Disgwl, 'tydw. Disgwl! Disgwl, a fo 'di'r tad.

ANGHARAD: Fel'na ma' 'i dallt hi, ia? (*Daw'r Dyn Llwyfan i mewn a rhoi fâs ar y bwrdd yn union o dan drwyn Angharad*)

DEINIOL: Gwranda rŵan, sdim sens mewn . . .

ANGHARAD: Cau di dy hopran. (*Mae'n gafael yn y fâs a'i daro ar ei ben nes bo'r teclyn yn deilchion—y fâs nid Deiniol. Mae Deiniol yn eistedd mewn rhyw hanner perlewyg.*)

ANGHARAD: Ac ers faint wyt ti'n meddwl dy fod ti'n disgwl?

SERA: Pedwar mis—ac nid meddwl ydw i—gwbod! Mi fydd o yma ym mis Mai.

ANGHARAD (*Canu*): A Deiniol bach ni yn cael bai.

SERA: Nid bai—fo 'di dad o!

ANGHARAD: O, naci.

SERA: O, ia.

ANGHARAD: O, naci.

PLANT (*ar dâp*): O ia!

ANGHARAD: O, naci.

SERA: O, ia.

PLANT (*ar dâp*): O, naci!

ANGHARAD: Cetris gwag ma' hwn 'di saethu 'rioed—'ti'm yn dallt . . . gwn dŵr!

SERA: Ond dim tro yma.

DEINIOL (*Canu*): Pob tro, wasi . . . Pob tro am ugian mlynadd.

SERA: Falla ddim hefo chdi . . . ond mi nath hefo fi.

ANGHARAD: Gwranda . . .

DEINIOL: A gwranda ditha . . .

ANGHARAD: Cau hi! (*Troi at Sera*) Fi gafodd y *tests* i gyd, dallt—mi oedd hwn yn ormod o gachwr.

DEINIOL: Do'n i ddim isio i chdi fynd chwaith.

ANGHARAD: Ond mi es!

DEINIOL: Reit! Do! Iawn! A be' ddudodd y dyn . . . ddudodd o bod 'na broblem, do?

SERA: Wrth gwrs bod 'na!

DEINIOL: Ffalopian a ballu—dyna ddudist ti ddudodd o.

SERA: Mae o'n digwydd.

DEINIOL: Ac ofiwletio a ballu . . . wel, dim, felly . . . dyna ddudodd o, 'te?

ANGHARAD: Ddudodd o uffar o ddim byd, llafn.

DEINIOL: Dyna ddudist ti.

ANGHARAD: Dyna ddudis i—er dy fwyn di!

DEINIOL: Y?

ANGHARAD: Mi ddudis i bod 'na amheuaeth er dy fwyn di.

DEINIOL: Fi?

ANGHARAD: Do'n i ddim isio i ti boeni . . . Fasan ni byth yn cael babi 'tasat ti'n poeni . . . dyna be' ddudodd y doctor, *anxiety factor* ne' rwbath alwodd o fo . . . ond mi ges i'r *tests* i gyd, yr hen hwran fach (*Wrth Sera*) ac mi oedd 'y nhiwbs i mor glir â'r Mersi Tynal ar ddiwrnod Dolig . . . Mi o'n i'n iawn. (*Mae'n troi at Deiniol eto rŵan*) Oeddat ti 'di'r peth?

MALDWYN (*Yn ymddangos yn y drws*): Ciw Dic! (*Mae Sera yn troi ar ei sawdl a cherdded allan i'r llwyfan. Mae Deiniol yn troi ei gefn ar y gynulleidfa ac mae Angharad yn eistedd ar y soffa. Ar y llwyfan panto mae Dic yn cerdded â'r Gath yn ei ddilyn.*)

PWS: Mi . . . aw!

DIC: Paid â deud miaw—'ti'n gallu siarad rŵan, pws.

PWS: O, sori. Anodd tynnu cast o hen gwrcyn.

DIC: Y, mae'n debyg. A! Drycha, pws . . . i lawr fan'na . . . dacw Llundain.

PWS: O'r diwedd.

DIC (*Yn eistedd ar garreg*): Llundain. (*Yn drist*) Dan ni bron â chyrraedd, pws. Llundain! Llundain!

PWS (*Yn dechrau canu*):
    Be' sy'n bod, Dic?
    Be' sy'n bod, Dic?
    Be' sy'n bod arnat ti?

DIC: Dwn i ddim, pwsi.
    Dwi'n dechrau simsanu,
    Rwy'n nofio yn erbyn y lli.

PWS: Ond ni pia'r byd,
    Dacw Llundain fan draw,
    A'r palmant yn aur i gyd.
    Mae'r trysor yn llechu
    Ar ddiwedd yr enfys,
    Mae yno'n ein haros o hyd.

DIC: A phaid â bod mor uffernol o naïf.

PWS: Pam 'ti'n deud hynna?

DIC: Am 'y mod i'n poeni.

PWS: Sdim rhaid i ti.

DIC: Mae hi'n iawn arnat ti, 'tydi—ma' hi'n iawn arnat ti! (*Mae'r olygfa'n rhewi*)

(*Mae Deiniol yn yr Ystafell Newid yn troi at Angharad*)

DEINIOL: 'Ti'n deud y gwir?

ANGHARAD: Wrth gwrs 'mod i'n deud y gwir.

DEINIOL: Dwi'n dy nabod di . . . dwi'n dy nabod di, dallt—mi dreii di bob tric i ennill pob brwydr.

ANGHARAD: Dim brwydr 'di hon rŵan, wasi . . . ond rhyfal . . . Isio ennill rhyfal ydw i . . . dyna pam 'ti'n cael y gwir . . . a'r holl wir a dim ond y blydi gwir.

DEINIOL: Dwi'n caru hon, dallt . . . falla 'mod i wedi gneud petha uffernol o wirion yn f'oes, ond ma' hyn yn wahanol. Ma' Sera'n fy nallt i . . . gwbod teithi 'meddwl i . . . mi all hon f'achub i.

ANGHARAD: Gwisga rwbath, wir Dduw. Sdim byd gwaeth na dyn yn trio deud rwbath pwysig yn 'i drôns a'i draed sana. (*Mae'n edrych o'i gwmpas a gweld côt maer yn hongian. Mae'n ei gwisgo. Gall wisgo unrhywbeth, wrth gwrs, dim ond iddo edrych yn wirionach hyd yn oed na bod yn nhraed ei sanau.*)

DEINIOL: Ma' petha'n dechra gneud sens unwaith eto. Dwi'n gweld ll'gedyn o ola ar ddiwadd y twnnal. Mi fedra i wneud rhwbath o bwys eto hefo help hon.

ANGHARAD: Fedar neb dy helpu di, llafn—i lawr 'rallt 'ti 'di ffwndro mynd ers hydoedd—a Duw a ŵyr, mi dreiais i roi 'nhroed ar y brêc ganwaith . . . trio popeth . . . crefu! . . . cega!

DEINIOL: Ma' ganddi ffordd o neud petha.

ANGHARAD: 'Di hi 'di dy weld di eto yn dy dantryms? 'Di hi 'di gorfod diodda dy iseldar di? 'Di hi 'di dechra golchi dy ddillad drewllyd di? 'Di hi 'di gorfod trio dy sobri di amsar brecwast? 'Di hi 'di dal dy ben di pan oeddat ti'n chwydu dy gyts i lawr tŷ bach? Ydi hi?

DEINIOL: Dwi 'di newid, dallt. Ma' . . . ma'r daith yma wedi bod yn wahanol . . . ma' hi 'di gneud i mi gallio drwydda.

ANGHARAD: Callio? Taw â deud—callio digon i fethu mynd ar y llwyfan 'na heno am dy fod ti'n gocls.

DEINIOL (*ar ôl saib hir*): Mi oedd heno'n wahanol.

ANGHARAD: Dyna dy esgus di bob tro.

DEINIOL: Heno mi oedd yn rhaid i mi ddeud wrthat ti!

ANGHARAD: O, *big deal*! 'Ti'n tosturio wrth yr hen ddynas yn 'i henaint, wyt ti?

DEINIOL: Do'n i ddim isio dy frifo di.

ANGHARAD: 'Mrifo i 'nest ti 'rioed, wasi! Duw, dos ati 'nei di . . . Be' ddiawl dwi isio bwndal meddw da i ddim fel chdi o 'nghwmpas i beth bynnag? (*Mae Angharad yn torri allan i ganu yn sydyn r̂wan— fel sy'n arferol mewn panto, ond heb gyfeiliant*)

Dos ati'r diawl,
Pacia dy fag,
Dos i'w thormentio hi.
Dwi wedi cael digon
Ar dy dreialon
Dos! Dos ati hi!

DEINIOL (*hefyd yn canu*):
Mi a' i, dallta,
Gyda phleser, o gwna.
Mi af at fy nhrysor i.
Dwi wedi cael digon
Ar ddicter dy galon,
Dwi'n mynd—yn mynd ati hi!

ANGHARAD (*yn siarad*): A dos â dy beils a dy faricosfêns hefo chdi! A phaid ag anghofio dy bwmp asma.

DEINIOL: Yr ast!

ANGHARAD: 'Ti 'di deud wrthi am dy asma debyg . . . 'ti 'di deud wrthi be' i'w neud drwmbwl nos pan fyddi di'n mygu'n gorn.

DEINIOL: Dwi byth yn cael asma hefo hi. (*Mae saib hir o ddistawrwydd yn awr*)

ANGHARAD: Ond mi cei di o, wasi—o, cei! Pan fydd hitha'n chwara 'run tricia hefo chdi.

DEINIOL: Pa dricia?

ANGHARAD: Dy dricia *di* i 'nhwyllo i!

DEINIOL: Paid â malu rwts.

ANGHARAD (*yn canu*):
Ffôn yn canu
Rhedeg i ateb,
'Helô, del, dyma fi.'
'Lle wyt ti, Robat?'
Mewn trafferth, cariad,
Fedra i ddim dŵad adra heno
Atat ti.'

DEINIOL: Iawn! O.K! Mi oedd petha'n mynd o chwith weithia . . . (*Mae Deiniol yn dechrau canu eto*)

DEINIOL: Rhaid i mi, cariad,

Aros yma heno,
Mae dyn yma o'r BBC.
Trafod y petha,
Cyfres flwyddyn nesa,
Dyna mae o'n addo i mi.

ANGHARAD (*yn siarad*): Ond gwbod o'r gora
'I fod o'n palu clwydda,
Be' 'nei di, wasi, pan fydd hi ar daith?

DEINIOL: Fydd hi ddim ar daith, mi fydd hi adra.

ANGHARAD: 'Ti'n gweld yr hen din bach sebon sent yna yn gadal i chdi
'i chlymu hi i'r sinc?

DEINIOL: Fydd ganddi fabi i'w fagu.

ANGHARAD (*yn dynwared*): 'O Robat!' Na, Deiniol, ma'n debyg, ma'
hi'n dy alw di, 'te . . . Dwi wedi cael cynnig taith hefo Cwmni Bara
Caws . . . biti i mi wrthod, 'tydi, a chditha adra yn restio . . . 'di'r babi
fawr o drafferth, wsti . . . ac mi fedran ni neud hefo'r arian, medran?'

DEINIOL: Ma' hi wedi deud 'i bod hi'n mynd i aros adra.

ANGHARAD: A 'ti'n coelio hynny . . . chdi fydd yn magu'r babi, cefndar—
a fyddi di ddim hyd yn oed yn saff ma' chdi pia fo.

DEINIOL (*yn gwylltio*): Yli, dwi wedi cael llond bol ar dy wenwyn di. Fi
pia'r babi! Fi! Fi pia fo, dallt.

ANGHARAD: Ond fyddi di byth yn saff . . . *Credu* ma' dyn, *gwbod* ma'
dynas! (*Saib hir o ddistawrwydd yn awr*)

SERA (*yn canu yn ddistaw a thrist*):
Mor hapus fyddwn wedyn, pws,
Yn deulu bach dedwydd llon.
Mae trysor ar ddiwedd yr enfys, pws,
Trysor! O, trysor i mi.

ANGHARAD (*yn ddistaw a theimladwy*): Pan fydd hi yn 'i phreim, mi
fyddi di yn dy gadair olwyn a'r ffôn wrth dy ochor di . . . yn disgwl!
Disgwl iddo fo ganu. Ac mi neith yn y man . . . 'Chdi sy 'na, cariad
. . . yn Drenewydd ydw i . . . Ma'r boi 'ma o'r BBC isio i mi 'i
gyfarfod o . . . cynnig cyfres i mi . . . felly fydda i ddim adra heno . . .
na fory, falla . . .' Ac mi fyddi ditha'n gwbod fel ro'n inna'n gwbod,
'n byddi? (*Mae Deiniol yn eistedd yn awr â'i ben yn ei ddwylo*)

ANGHARAD: Be' 'nei di, tybad, radag honno? Cadw'n ddistaw? (*Nid yw
Deiniol yn codi ei ben hyd yn oed i edrych ar Angharad*)

ANGHARAD: Fydd hi yna hefo chdi yn dy henaint fel y bydda i . . . fydd
hi yna pan fyddi di'n mygu'n gorn? (*Distawrwydd hir eto. Gwelwn
Sera yn awr yn sefyll ar y llwyfan panto a cherdded yn araf oddi arno*

ac i mewn i'r Ystafell Newid. Mae'n edrych ar Deiniol. Mae yntau fel petai'n synhwyro ei bod hi yno ac mae'n codi ei ben yn araf i edrych arni.)

SERA: Wel?

DEINIOL: Dwi wedi trio.

SERA: Trio?

DEINIOL: Trio 'ngora glas i ddŵad.

SERA: Ond fedri di ddim.

ANGHARAD: Mae o'n dŵad adra hefo fi!

DEINIOL: Neith o ddim gweitho, sti.

SERA: Fyddwn ni byth yn gwbod, na fyddan?

ANGHARAD: Ma' sens pawb yn deud! 'Tydi?

PLANT *(ar dâp)*: Ydi.

DEINIOL *(yn cerdded at Sera)*: Gwranda *(Mae'n cyffwrdd â'i braich)*

SERA *(yn tynnu'n ôl yn gyflym)*: Paid â chyffwrdd yno' i.

DEINIOL: Ond mi ofala i am . . .

SERA: Yli . . . unwaith y bydda i'n cerddad trw'r drws 'na dwi ddim isio gweld dy wep di byth eto.

DEINIOL: Ond mi dala i . . .

SERA: A dwi ddim isio dima o dy ddeg darn ar hugian di!

DEINIOL: Ond, fedar y babi . . .

SERA: Mi ofala i am hwn . . . fi fy hun . . . achos *fi* pia fo. *(Y foment hon daw Maldwyn i mewn)*

MALDWYN: Tair munud i'r ffinale. *(Daw Elin i mewn wrth ei sawdl yn cario bwndel o ddillad a hetiau ac ati)*

ELIN: Reit 'ta'r ffernols—s'mudwch hi. Ne' mi fydd hi'n gyrtans arnon ni. *(Mae'n taflu'r pentwr dillad ar y soffa a cherdded at Sera)*

ELIN: Gawn ni warad o hwnna. *(Mae'n tynnu ei het Dic Whittington a hefyd yn tynnu'r pinnau o gwallt sy'n disgyn dros ysgwyddau Sera)* Dyna welliant.

(Tra bo Elin yn gwisgo Sera, mae Maldwyn yn newid wig, Deiniol yn gwisgo cadwyn y maer a het, ac Angharad yn gwisgo cadwyn a het y faeres. Daw'r Dyn Llwyfan i mewn a gwthio'r wal [sy'n gwahanu'r Ystafell Newid a'r llwyfan panto] fel bod yr Ystafell Newid yn awr yn hawlio tri chwarter gofod y llwyfan, gan adael dim ond chwarter y llwyfan i'r panto. Mae Elin yn cymryd côt law o'r peg a cherdded at Sera.)

ELIN: Mi neith hon at bob tywydd! *(Mae Sera yn ei gwisgo. Bydd pob symudiad o'i heiddo yn awr fel petai hithau hefyd yn robot.)* Ac ma' well i ti gael hwn, 'tydi? *(Mae Elin yn rhoi cês iddi)* Twdlŵ, del, a